Table des matières

SANS BORNES

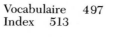

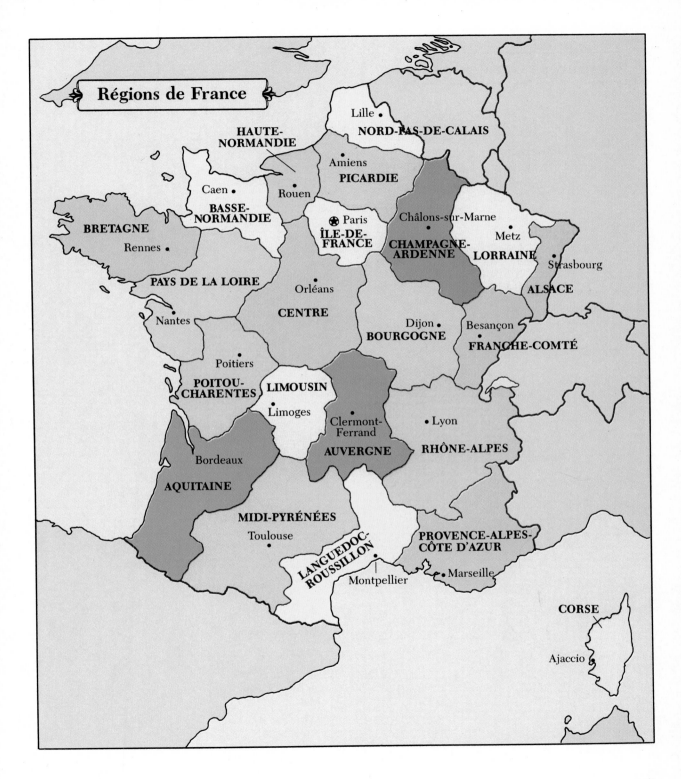

Régions de France

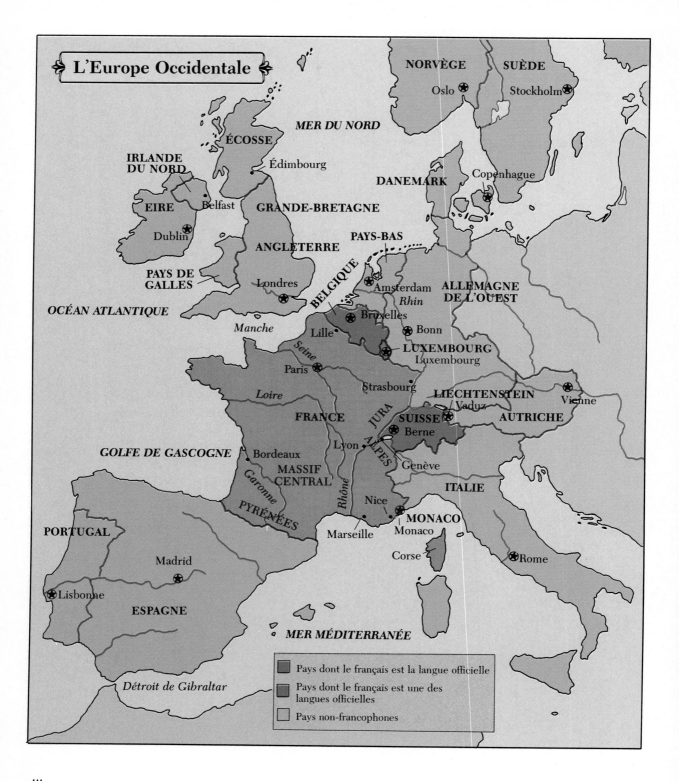

L'Europe Occidentale

NORVÈGE

SUÈDE

Oslo

Stockholm

MER DU NORD

ÉCOSSE

Édimbourg

DANEMARK

Copenhague

IRLANDE
DU NORD

EIRE

Belfast

GRANDE-BRETAGNE

Dublin

PAYS-BAS

ANGLETERRE

ALLEMAGNE
DE L'OUEST

Amsterdam

PAYS DE
GALLES

Londres

BELGIQUE

Rhin

OCÉAN ATLANTIQUE

Manche

Bruxelles

Lille

Bonn

LUXEMBOURG

Luxembourg

Seine

Paris

Strasbourg

LIECHTENSTEIN

Vaduz

Vienne

Loire

FRANCE

JURA

SUISSE

AUTRICHE

Berne

ALPES

GOLFE DE GASCOGNE

Lyon

Bordeaux

MASSIF
CENTRAL

Rhône

Genève

ITALIE

Garonne

Nice

PYRÉNÉES

MONACO

Marseille

Monaco

PORTUGAL

Corse

Rome

Madrid

Lisbonne

ESPAGNE

MER MÉDITERRANÉE

Détroit de Gibraltar

Pays dont le français est la langue officielle

Pays dont le français est une des
langues officielles

Pays non-francophones

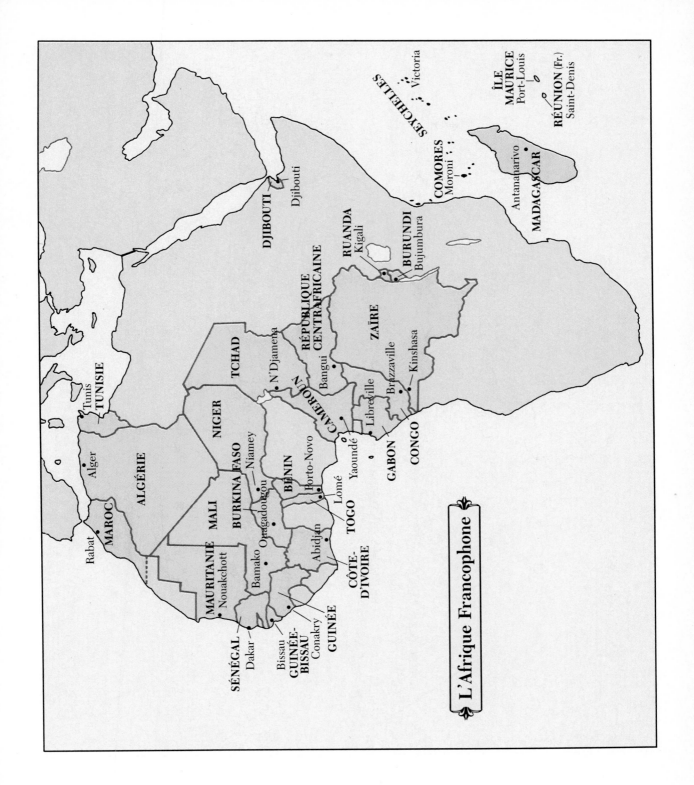

L'Afrique Francophone

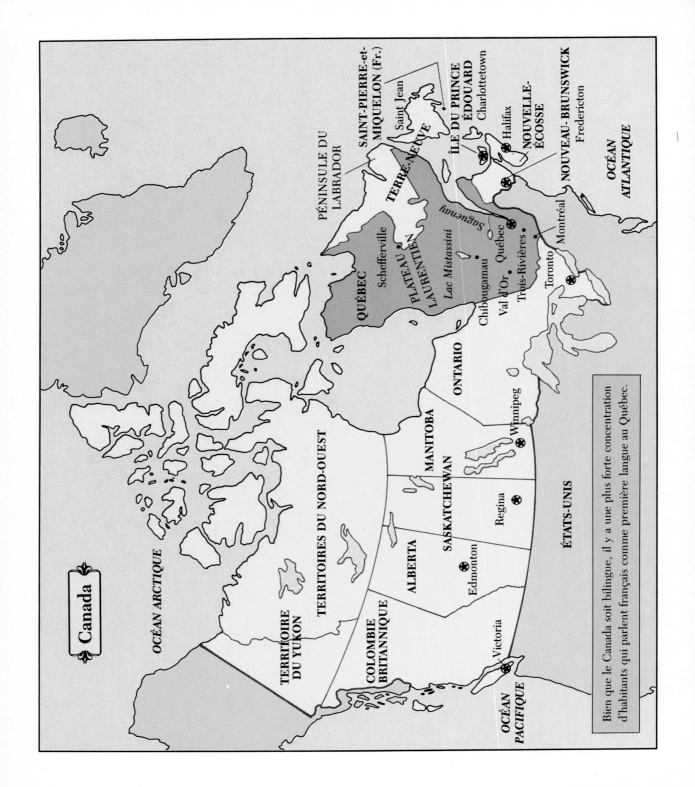

Canada

OCÉAN ARCTIQUE

TERRITOIRE DU YUKON

TERRITOIRES DU NORD-OUEST

COLOMBIE BRITANNIQUE

OCÉAN PACIFIQUE

Victoria

Edmonton

ALBERTA

SASKATCHEWAN

Regina

MANITOBA

Winnipeg

ÉTATS-UNIS

ONTARIO

Toronto

QUÉBEC

Schefferville

Chibougamau

Val d'Or

Lac Mistassini

PLATEAU LAURENTIEN

Saguenay

Québec

Trois-Rivières

Montréal

PÉNINSULE DU LABRADOR

TERRE-NEUVE

SAINT-PIERRE-et-MIQUELON (Fr.)

Saint Jean

ÎLE DU PRINCE ÉDOUARD

Charlottetown

Halifax

NOUVELLE-ÉCOSSE

NOUVEAU-BRUNSWICK

Fredericton

OCÉAN ATLANTIQUE

Bien que le Canada soit bilingue, il y a une plus forte concentration d'habitants qui parlent français comme première langue au Québec.

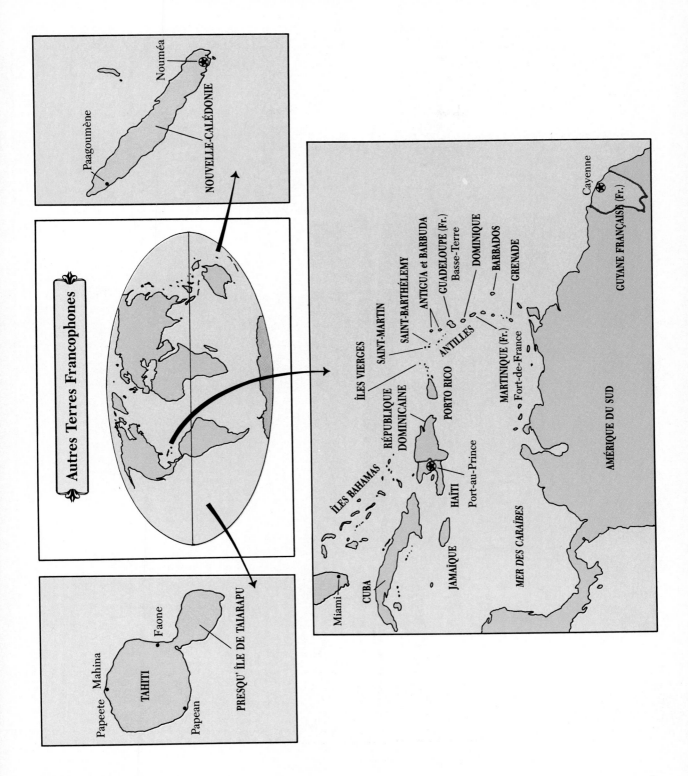

Autres Terres Francophones

NOUVELLE-CALÉDONIE

Nouméa

Paagoumène

PRESQU' ÎLE DE TAIARAPU

TAHITI

Faone

Papeete Mahina

Papean

CUBA

Miami

ÎLES BAHAMAS

JAMAÏQUE

HAÏTI

Port-au-Prince

RÉPUBLIQUE DOMINICAINE

PORTO RICO

ÎLES VIERGES

SAINT-MARTIN

SAINT-BARTHÉLEMY

ANTIGUA et BARBUDA

GUADELOUPE (Fr.)

Basse-Terre

DOMINIQUE

BARBADOS

GRENADE

ANTILLES

MARTINIQUE (Fr.)

Fort-de-France

MER DES CARAÏBES

AMÉRIQUE DU SUD

Cayenne

GUYANE FRANÇAISE (Fr.)

La Rentrée

Dans cette unité vous allez

- vous présenter à vos nouveaux camarades de classe

- parler de vos sentiments à la rentrée des classes

- décrire votre emploi du temps ce semestre

- apprendre ce qu'on dit au téléphone

- parler des lycées français

Vous allez aussi étudier

- le présent des verbes réguliers en **-er**, **-ir** et **-re**

- **être en train de** + infinitif

- l'emploi du présent avec **depuis** et **il y a...que**

- la formation des questions

- le genre et le pluriel des noms

LEÇON PRELIMINAIRE

Le premier jour de classe

EMPLOI DU TEMPS

Cours	Heure	Salle	Professeur
	9.00- 9.55	110	Haley
anglais	10.00-10.55	250	Prévost
chimie	11.00-11.55	130	McMinn
informatique	12.00-12.55	réfectoire	
(déjeuner)	13.00-13.55	120	
histoire universelle	14.00-14.55	140	
théâtre	15.00-15.55	280	
trigonométrie	16.00-16.55	215	
français			

CARTE D'IDENTITE

Dubois, Nadia
nom, prénom

22 avril 1975
date de naissance

(257) 555-1234
numéro de téléphone

12ᵉ
classe

1375, avenue Pascal
domicile

Montréal
ville

Québec
province

H4Z 1G8
code postal

En contexte

Pour commencer

A. Qui est-elle? Répondez aux questions suivantes d'après les informations données par la carte d'identité de Nadia et par son emploi du temps. Reportez-vous à l'**Expansion du vocabulaire** (p. 5) si vous avez besoin de mots supplémentaires.

1. Quel est le prénom de l'élève? Quel est son nom de famille?
2. Quelle est son adresse? Quel est son code postal? Dans quelle province habite-t-elle?
3. Quel est son numéro de téléphone?
4. Quand est-elle née? En quelle classe est-elle?
5. Combien de cours a-t-elle? Combien de temps dure chaque cours? Quels cours est-ce qu'elle suit cette année?
6. A quelle heure déjeune-t-elle? A quelle heure rentre-t-elle chez elle?
7. Est-ce que cet emploi du temps diffère beaucoup du vôtre? De quelle manière?

B. Qui a dit cela? Pendant la première semaine à sa nouvelle école, Nadia a pris quelques notes qu'elle relit le week-end. Ecoutez-la relire ses notes et dites dans quel cours elle les a prises.

EXEMPLE   Ce semestre, nous allons commencer par étudier les œuvres qui sont parmi les plus célèbres de la littérature britannique.

au cours d'anglais

De nouveaux amis

Une nouvelle école et de nouvelles personnes dans ma vie... Grâce à° un programme d'échange, je viens passer un an au Canada pour améliorer° mon français. J'habite chez des gens sympathiques et leur fille Carole est de mon âge. C'est le premier jour de l'année scolaire et elle m'a dit qu'elle me présenterait à ses amis. J'ai hâte° de faire la connaissance d'autres jeunes gens. Tiens, la voilà justement avec deux amis!

NADIA	Salut, Carole! Alors, quoi de neuf°?
CAROLE	Eh bien, pas grand-chose°. Et toi, Nadia, comment ça va?
NADIA	Moi, ça va. Je me plais bien ici°. Dis, présente-moi à tes amis. Tu veux bien?
CAROLE	Marc et David, voici mon amie Nadia. Elle est de Californie mais elle va passer l'année scolaire avec nous.
MARC	Bonjour, Nadia. Je m'appelle Marc.
DAVID	Et moi, je m'appelle David. Je suis heureux de faire ta connaissance, Nadia.
MARC	Et moi, je suis bien content de recommencer les cours si c'est pour faire la connaissance d'une jolie Californienne comme toi, Nadia!
DAVID	Toi, Marc, tu es toujours prêt à flirter°!
NADIA	(*un peu gênée°*) Dis, Carole. Ils sont tous aussi drôles° que ça, tes amis?
CAROLE	Ne t'inquiète pas, Nadia. Marc aime bien nous faire rire.
MARC	Tu vois Nadia, moi, je viens à l'école pour apprendre, mais aussi pour retrouver mes copains et m'amuser un peu!
CAROLE	Alors dites, on pourrait peut-être se retrouver tous les quatre après les cours.
MARC	C'est exactement ce que je pensais.
NADIA	Parfait! Allons dans un endroit° où il y a de la musique.
DAVID	Quel genre de musique est-ce que tu aimes, Nadia?
NADIA	J'aime beaucoup le rock. J'ai découvert une station qui me plaît beaucoup--la ROCK-101. Et toi, quelle station est-ce que tu préfères?

Grâce... thanks to
improve

J'ai... I'm eager

quoi... what's new?
pas... not much
Je... I like it here.

to flirt
embarrassed/funny

un... some place

DAVID	En général, j'écoute la même station que toi mais j'aime bien aussi la Z-95. Peut-être qu'on pourrait aller à des concerts ensemble cette année.
NADIA	Bonne idée! J'aime bien sortir en groupe. Je pense qu'on va bien s'entendre tous les quatre.
CAROLE	J'invite quelques amis chez moi samedi soir pour fêter° mon anniversaire. J'ai des disques compacts fantastiques. Vous voulez venir? Vous pourriez venir avec quelques-uns de vos amis.
DAVID	Extra!*[1]
	DRIIIIIIING! (La cloche sonne.)
MARC	C'est d'accord avec moi aussi. Allez, on reparlera° de tout ça après les cours.

celebrate

will talk again

Questions sur la lecture

1. Où a lieu° cette conversation? Qui est Nadia? Pourquoi veut-elle faire la connaissance d'autres jeunes gens?
2. Est-ce que Nadia connaît Marc et David? Qui la présente?
3. Pourquoi est-ce que Nadia demande à Carole si ses amis sont tous aussi drôles?
4. Pourquoi est-ce que Marc dit qu'il vient à l'école?
5. Que décident-ils de faire après les cours?
6. Que va faire Carole samedi soir?

a... take place

Et vous?

Posez les questions suivantes à un(e) de vos camarades de classe.

1. Comment t'appelles-tu? Est-ce que tu as un diminutif°?
2. Quel âge as-tu? Quelle est ta date de naissance?
3. Quel est ton numéro de téléphone? Où est-ce que tu habites? Quelle est ton adresse complète?
4. Quels cours est-ce que tu suis ce semestre?
5. Quel est ton cours préféré? Quel est le cours que tu aimes peut-être le moins?
6. Qui sont tes professeurs préférés? Pourquoi?
7. Est-ce que tu es content(e) de recommencer les cours? Pourquoi?
8. En quelle classe es-tu? Qu'est-ce que tu penses faire après tes études?

nickname

[1]L'astérisque marque un mot ou une expression d'emploi familier (*informal usage*).

Expansion du vocabulaire

A L'ECOLE

un **bulletin scolaire**   report card
un **code postal**   zip code
une **date de naissance**   date of birth
un **diminutif**   nickname
un **domicile**   residence
un **emploi du temps**   schedule
un **examen de rattrapage**   makeup exam
l' **histoire universelle**   world history
l' **informatique** (*f*)   computer science
une **interrogation écrite**   quiz
les **langues étrangères**   foreign languages
un **prénom**   first name
un **réfectoire**   school cafeteria
la **rentrée**   beginning of the school year
un **semestre**   semester
le **théâtre**   drama

VERBES ET EXPRESSIONS UTILES

durer   to last
échouer à un examen   to fail an exam
être collé*   to flunk
être reçu   to pass an exam
finir ses études   to finish one's studies
s'inscrire à   to register for
passer un examen   to take an exam
remplir une fiche   to fill out a form
réussir à un examen   to pass an exam
réviser   to review
signer   to sign
suivre un cours   to take a course

POUR SALUER UN AMI

Alors, quoi de neuf?*   Hey, what's new?
Ça va?   How's it going?
Comment ça va?   How's it going?
Qu'est-ce que tu deviens?*   What have you been up to lately?
Qu'est-ce que tu fais de beau?*   What are you up to these days?

REPONSES POSSIBLES

Bien merci. Et toi?   Fine thanks. And you?
Ça boume!*   Things are going great!
Ça ne va pas du tout.   Things aren't going well at all.
Ça pourrait aller mieux.   Things could be better.
Ça va.   I'm doing all right.
Comme ci, comme ça.   So-so.
Je vais très bien. Merci.   I'm doing great. Thank you.
Pas grand-chose. Et toi?   Not much. And you?
Pas mal.   Not too badly.
Pas trop bien.   Not too well.
Tout va bien.   Everything's fine.

POUR PRESENTER QUELQU'UN

Je voudrais te présenter. . .   I would like to introduce. . .to you.
Permettez-moi de me présenter. Je m'appelle. . .   Allow me to introduce myself. My name is. . .
Voici mon ami(e). . .   This is my friend. . .

Application

A. Alors, ça va? Vous rencontrez un(e) ami(e) qui vous demande comment vous allez. Quelle serait votre réponse dans chacune de ces situations?

> **EXEMPLE** C'est le premier jour de classe.
> **Ça pourrait aller mieux.**

1. Vous avez quatre examens la semaine prochaine.
2. Vous avez reçu° un "A" à l'examen de français.
3. Vous avez reçu un "D" aux trois autres examens.
4. Vous partez en vacances à la Guadeloupe le week-end prochain.
5. Vous avez passé un mois fantastique à la Guadeloupe où vous avez fait la connaissance d'une fille (d'un garçon) extraordinaire.
6. Votre petit(e) ami(e) est sorti(e) danser avec votre meilleur(e) ami(e) pendant que vous étiez à la Guadeloupe.

received

B. Situations. Avec un(e) partenaire, choisissez une des situations décrites et rédigez ensemble un dialogue. Vous pourrez ensuite jouer cette scène en classe.

1. Vous rencontrez un(e) ancien(ne) camarade de classe que vous n'avez pas revu(e) depuis trois mois. Vous venez de passer des vacances merveilleuses. Votre camarade de classe sort de l'hôpital.
2. Vous êtes à la Guadeloupe où vous passez des vacances merveilleuses. C'est votre premier jour là-bas et vous avez la chance de rencontrer le jeune homme (la jeune fille) de vos rêves.

Exploration

Le présent de l'indicatif des verbes réguliers

A. On distingue trois groupes de verbes réguliers selon la terminaison de l'infinitif.

parler	
je parle	nous parlons
tu parles	vous parlez
il/elle/on parle	ils/elles parlent

finir	
je finis	nous finissons
tu finis	vous finissez
il/elle/on finit	ils/elles finissent

répondre	
je réponds	nous répond**ons**
tu réponds	vous répond**ez**
il/elle/on répond	ils/elles répond**ent**

B. Le plus souvent, le simple présent français exprime la forme progressive anglaise: *to be* + *present participle*.

Elle parle avec lui.   *She is speaking to him.*

C. Pour insister qu'une action est en cours° on peut utiliser l'expression **être en train de** + **l'infinitif** du verbe qui décrit l'action.

en... in progress

$$\boxed{\textbf{être en train de } + \text{ infinitif}}$$

Elle est en train de lui parler.   *She is speaking to him (right now).*

Application

A. Occasions. Complétez chaque phrase avec les verbes proposés ou avec un verbe de votre choix. Suivez l'exemple.

> EXEMPLE   **Tous les samedis mon voisin lave sa voiture et va au supermarché.**

A	B
1. Tous les samedis mon voisin…	jouer à…
2. En général, après les cours, je…	parler français
3. Le vendredi soir, ma famille…	rentrer chez moi
4. Le samedi après-midi, je…	téléphoner à des amis
5. Le samedi soir, mes amis…	agir bizarrement
6. Quand il est seul, mon chien…	inviter des copains
7. Quand nous n'avons rien de mieux à faire, mes amis et moi…	rendre visite à des amis
	laver sa voiture
8. Les jours de pleine lune°, mon voisin le plus excentrique…	attendre des amis
	hurler° dans le jardin

pleine... full moon
howl

B. Que faites-vous? Nommez au moins trois choses que vous faites dans chacun des lieux suivants.

1. au terrain de sports
2. à l'école
3. à la bibliothèque
4. au réfectoire
5. chez vous
6. en voiture

C. Au réfectoire.   Vous êtes au réfectoire de votre école. Utilisez les verbes donnés pour faire des commentaires selon chacune des situations données.

> **EXEMPLE**   Pour le déjeuner vous avez le choix entre du foie° et du filet mignon.
>
> **Je choisis le filet mignon.**

liver

choisir	maigrir°	punir°	rougir°
grossir°	pourrir°	remplir	

to lose weight/to punish/to blush
to gain weight/to rot

1. Votre frère boit du coca et mange de la glace et du gâteau tous les jours au déjeuner.
2. Deux professeurs entrent dans le réfectoire et il y a deux élèves qui dansent sur une table.
3. Deux bananes tombent derrière une poubelle et restent là pendant trois semaines.
4. Votre meilleur(e) ami(e) ne mange qu'une salade et boit de l'eau.
5. Il n'y a plus d'eau dans votre verre mais vous avez encore soif.
6. Vous renversez° tout ce qu'il y avait dans votre assiette juste au moment où la jeune fille (le jeune homme) de vos rêves entre dans le réfectoire.

spill

D. Que font-ils?   Regardez le dessin et choisissez un verbe de la liste pour décrire ce que chacun fait. Ensuite, dites ce que vous aimez faire quand vous allez dans un parc.

> **EXEMPLE**   **La petite fille est en train de jouer avec son bateau à voile.**

tricoter°	jouer aux billes°
parler	faire de la planche à roulettes
vendre	donner à manger aux pigeons
acheter	jouer à la balle

to knit/marbles

Exploration

Le présent avec *depuis et il y a...que*

A. A la différence de l'anglais, en français on emploie le présent pour exprimer une action qui a commencé dans le passé et qui continue dans le présent.

1. Depuis indique l'origine (*since*) ou la durée (*for*).

> Présent + **depuis** (origine)

Marc **attend** Nadia **depuis** huit heures.
*Marc **has been waiting for** Nadia **since** eight o'clock.*

> Présent + **depuis** (durée)

Carole **étudie** l'allemand **depuis** deux ans.
*Carole **has been studying** German **for** two years.*

2. Il y a...que indique seulement la durée.

> **Il y a...que** + présent (durée)

Il y a deux ans **que** Nadia **étudie** le français.
*Nadia **has been studying** French **for** two years.*

3. Pour poser une question

    a. on emploie **depuis quand** si on veut savoir l'origine de l'action (l'année, le mois, le jour, l'heure)

        Depuis quand est-ce que Marc attend?
        Since when has Marc been waiting?

    b. on emploie **depuis combien de temps** ou **combien de temps y a-t-il que** si on veut savoir la durée de l'action

        Depuis combien de temps est-ce qu'il attend?
        Combien de temps y a-t-il qu'il attend?
        How long has he been waiting?

Application

A. Le mystère. Une perle noire a été volée au Château de Sommette, et l'inspecteur de police vient d'ouvrir l'enquête°. Chacun des invités et des domestiques du château doit préciser son emploi du temps pendant les deux dernières heures. Donnez les réponses de chacun.

inquest

EXEMPLE **Je tricote depuis trois heures et demie.**

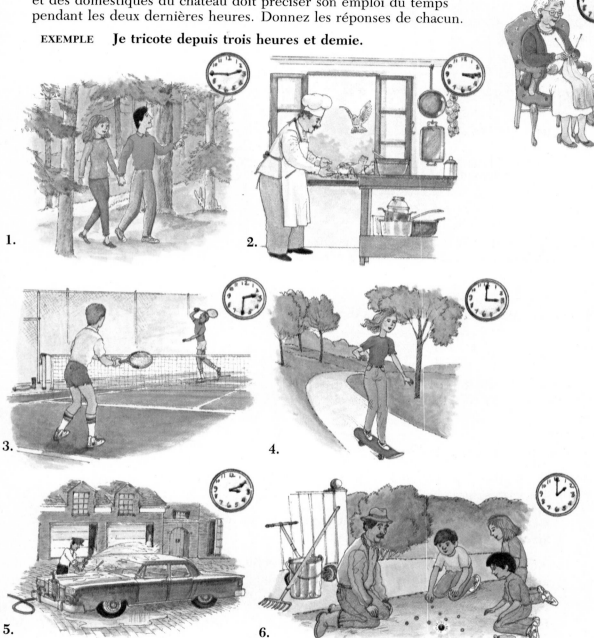

1.

2.

3.

4.

5.

6.

B. Entrevue. Choisissez un(e) partenaire et posez-lui des questions pour obtenir les renseignements suivants.

Find out
1. how long he or she has been living in your town.
2. how long he or she has lived at the same address.
3. how long he or she has known his or her best friend.
4. when he or she met your French teacher.
5. how long he or she has wanted to learn a foreign language.

Exploration

L'interrogation

A. En français il y a quatre manières de rendre une phrase interrogative. On peut

1. mettre **est-ce que** au début d'une phrase

   Est-ce qu'elle habite rue des Lilas?

2. élever la voix sur la dernière syllabe

   Elle habite rue des Lilas?

3. ajouter **n'est-ce pas** à la fin d'une phrase

   Elle habite rue des Lilas, **n'est-ce pas?**

4. inverser le verbe et son sujet[2]

   Habite-t-elle rue des Lilas?

   N'oubliez pas que si le sujet est un nom, on garde le nom et on le suit de l'inversion du verbe et du pronom correspondant au sujet.

   Paul et Annie **habitent-ils** rue des Lilas?

B. Avec les adverbes interrogatifs **où, quand, comment, combien** et **pourquoi**, l'inversion et la construction avec **est-ce que** sont toujours possibles.

   Où habite-t-elle?
   Où est-ce qu'elle habite?

---

[2]L'inversion à la 1ère personne du singulier est rare et elle est réservée pour un style écrit ou élégant: avoir, **ai-je**; être, **suis-je**; pouvoir, **puis-je**; aller, **vais-je**.

Application

A. On sort ensemble. C'est le premier week-end depuis la rentrée des classes. Un groupe d'amis font des projets pour le week-end. Complétez les questions qui commencent par les adverbes interrogatifs donnés.

FABIENNE	Pour une fois, faisons quelque chose d'intéressant demain.
GÉRARD	Où __1__ ?
FABIENNE	Moi, je voudrais aller au Musée des Beaux-Arts.
CÉLINE	Pourquoi __2__ ?
FABIENNE	Il y a une exposition de tableaux de Monet.
GÉRARD	Comment __3__ ?
FABIENNE	On peut y aller en métro, où même à pied si vous préférez.
CÉLINE	Combien __4__ ?
FABIENNE	L'entrée est gratuite pour les étudiants, alors n'oubliez pas vos cartes d'identité de lycéen.
GÉRARD	Et où __5__ ?
FABIENNE	On peut se retrouver chez moi et partir de là ensemble.
CÉLINE	Quand __6__ ?
FABIENNE	Vers une heure et demie. Ça va?

B. Une mauvaise journée. Anne-Laure vient de rentrer chez elle. Après un premier jour de classe vraiment affreux, elle est d'une humeur massacrante°. Imaginez les questions que lui posent ses parents. Faites vos questions avec **pourquoi, comment, combien, où** et **qu'est-ce que**.

d'une... in a rotten mood

Exploration

Le genre des noms de choses

A. Les noms de choses sont soit du masculin soit du féminin. Il n'existe pas de règle absolue pour reconnaître le genre mais certaines indications peuvent être utiles.

1. La terminaison peut indiquer le genre.

masculin		féminin	
-age	un message	-ade	une promenade
-ail	un détail	-aison	une saison
-al	un journal	-ance	une confidance
-eau	un tableau	-esse	une promesse
-ent	un gouvernement	-ion	une question
-et	un billet	-ique	une clinique
-ier	un papier	-té	une activité
-isme	le capitalisme	-tude	une attitude

2. Les catégories indiquent aussi parfois le genre.

masculin	féminin	
Fruits et légumes se terminant par une lettre autre que **-e: un abricot, un ananas, un chou, un artichaut, un poireau°, un avocat, un potiron°**	Fruits et légumes se terminant par **-e: une poire, une prune, une framboise°, une fraise, une asperge, une courgette°**	raspberry leek/zucchini pumpkin
Fleurs se terminant par une lettre autre que **-e: un camélia, un souci°, un œillet°** **Exception: un chrysanthème**	Fleurs se terminant par **-e: une tulipe, une violette, une rose, une orchidée, une marguerite°**	marigold/carnation/ daisy
Oiseaux se terminant par une lettre autre que **-e: un canard, un pigeon, un pingouin, un moineau°, un hibou°** **Exception: un aigle**	Oiseaux se terminant par **-e: une autruche, une caille°, une mouette°, une oie°, une hirondelle°** **Exception: une perdrix°**	quail seagull/goose sparrow/owl/swallow partridge
Noms de jours, de mois et de saisons: **le dimanche, le premier mai, le printemps, l'été, l'automne, l'hiver**	Marques de voiture: **une Ford une Peugeot, une Renault, une Chevrolet, une BMW, une Mercedes, une Toyota**	
La majorité des noms empruntés à l'anglais: **le parking, le bowling, le chewing-gum, le camping**	Sciences naturelles et sociales: **la biologie, la physique, la sociologie, la géographie**	

Le genre des noms de personnes et d'animaux

A. Seuls les noms de personnes et d'animaux peuvent avoir deux formes—une masculine, une féminine.

1. Certains de ces noms forment le féminin en ajoutant un **-e** au masculin.

> un **ami,** une **amie**   un **cousin,** une **cousine**

2. D'autres changent de terminaisons avant l'adjonction du **-e** final.

terminaison	masculin	féminin
-er → -ère	un passager	une passagère
-et → -ette	un coquet	une coquette
-en → -enne	un chien	une chienne
-on → -onne	un patron°	une patronne
-f → -ve	un veuf°	une veuve
-oux → -ouse	un époux°	une épouse
-eur → -euse[3]	un danseur	une danseuse
-teur → -trice	un traducteur	une traductrice

boss
widower
spouse

3. Certains noms n'ont pas de forme féminine.[4] Parmi les plus importants, il faut citer les suivants:

un auteur°	un docteur	un mannequin
un bébé	un écrivain°	un médecin
un chef	un ingénieur	un peintre
un chirurgien°	un juge	un professeur

author
writer

surgeon

4. D'autres noms de personnes sont toujours féminins.

une personne	une star°	une victime

movie star

Application

A. C'est du masculin?   Nadia vient de terminer une rédaction pour son cours d'histoire universelle mais elle hésite sur le genre de certains mots. Aidez-la à déterminer le genre des mots suivants.

> **EXEMPLE**   juge
> **le juge**

---

[3]Ces noms sont dérivés d'un verbe (**chanter:** chanteur/chanteuse; **danser:** danseur/danseuse; **mentir:** menteur/menteuse; **servir:** serveur/serveuse; **vendre:** vendeur/vendeuse).

[4]Pour les professions on peut aussi dire **une femme ingénieur, une femme juge, une femme médecin.**

1. société 4. village 7. moment
2. nation 5. nationalisme 8. raison
3. secret 6. reportage 9. politique

B. Livre de biologie. Sur les illustrations suivantes, identifiez les oiseaux, les fleurs, les fruits et les légumes que vous reconnaissez. Donnez leurs noms exacts.

> EXEMPLE canard
> **Oui, il y a un canard.**
> fraise
> **Non, il n'y a pas de fraise.**

1. potiron 10. hibou
2. mouette 11. prune
3. poire 12. ananas
4. courgette 13. melon
5. violette 14. oie
6. œillet 15. caille
7. souci 16. avocat
8. rose 17. framboise
9. autruche 18. tulipe

C. Mots croisés. Vous travaillez pour une compagnie qui prépare des mots croisés pour les journaux et vous devez préparer les définitions pour les mots croisés qui suivent. Quelles sont les définitions?

> EXEMPLE *Horizontal* *Vertical*
> **1. féminin de champion** **1. masculin de coureuse**

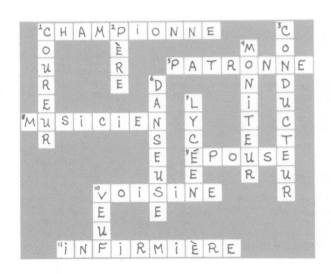

Exploration

Le pluriel des noms

A. On forme le pluriel de la plupart des noms en ajoutant un -s au singulier.[5]

> un **ami**, des **amis**   une **tulipe**, des **tulipes**

B. Un nom qui se termine en -s, -x ou -z au singulier ne change pas au pluriel.

> un **cours**, des **cours**   une **voix**, des **voix**   un **nez**, des **nez**

C. Les noms qui se terminent par -au, -eau et -eu prennent un -x au pluriel.[6]

> un **cadeau**, des **cadeaux**   un **cheveu**, des **cheveux**

D. Les noms terminés au singulier par -al et -ail font généralement leur pluriel en -aux.

> un **journal**, des **journaux**   un **travail**, des **travaux**

Exceptions: des bals, des carnavals, des festivals, des détails

Application

A. A l'Ecole des Beaux-Arts. Votre classe de dessin va à l'Ecole des Beaux-Arts et chacun de vous doit faire un compte-rendu° sur un des tableaux. Décrivez le tableau ci-dessous.

report

[5]Les noms de famille ne prennent pas de -s au pluriel mais l'article et le verbe sont au pluriel: **Les Dupont sont tous médecins, le père, la mère et leurs deux filles.**

[6]Sept mots qui se terminent par -ou prennent aussi un -x au pluriel: **un bijou** (*jewel*), **un caillou** (*stone*), **un chou** (*cabbage*), **un genou** (*knee*), **un hibou** (*owl*), **un joujou** (*toy*), **un pou** (*louse*). Tous les autres mots en -ou font leur pluriel avec -s.

L ANGUE ET CULTURE

Voilà ce qu'on dit

Au téléphone

A. Quelles sont quelques-unes des expressions les plus usuelles au téléphone?

Allô? Puis-je parler à...?	*Hello? May I speak to...?*
Qui est à l'appareil?	*Who is calling?*
Un instant. Ne quittez pas!	*Just a minute. Don't hang up!*
Je vous le (la) passe.	*Here he (she) is.*
Pourriez-vous rappeler plus tard?	*Could you call back later?*
Vous vous êtes trompé de numéro.	*You have the wrong number.*
Il y a du grésillement sur la ligne.	*There's static on the line.*
Je te (vous) rappelle tout de suite.	*I'll call you right back.*
Merci d'avoir appelé.	*Thanks for calling.*

B. Quelles sont d'autres expressions qui se rapportent aux communications téléphoniques?

Ça sonne.	*It is ringing.*
C'est occupé.	*The line is busy.*
L'appareil ne marche pas.	*The telephone doesn't work.*
On nous a coupés.	*We were disconnected.*

un annuaire, un bottin	*telephone book*
une cabine téléphonique	*telephone booth*
une communication	*telephone call*
un(e) correspondant(e)	*person you are calling*
les réclamations	*complaint or credit operator*
les renseignements	*information operator*
un répondeur	*answering machine*
une télécarte	*telephone card* (required for most public phones)

appeler en PCV	*to make a collect call*
attendre la tonalité	*to wait for the dial tone*
composer/faire le numéro	*to dial the number*
décrocher (l'appareil)	*to pick up (the telephone)*
donner un coup de fil*[7]	*to make a telephone call*
entendre très mal	*to have a bad connection*
faire une communication interurbaine *interregional*	*to make a long-distance call* (within the country)
faire une communication internationale *d'outre mer*	*to make a long-distance call* (outside the country)
laisser un message	*to leave a message*
passer un coup de fil à...*	*to call...*
raccrocher (l'appareil)	*to hang up (the telephone)*
raccrocher au nez de quelqu'un	*to hang up on someone*
rappeler (quelqu'un)	*to call back (someone)*

Application

A. Soyons logiques! Combinez un élément de chaque colonne de façon à obtenir cinq phrases logiques.

A	**B**
1. J'ai un répondeur	pour téléphoner d'une cabine
2. J'ai une télécarte	car il y a du grésillement sur la ligne
3. J'appelle en PCV	pour appeler mon amie
4. Je raccroche	parce que je n'ai plus d'argent
5. Je compose le numéro	parce que je veux enregistrer des messages

[7]N'oubliez pas que l'astérisque marque un mot ou une expression d'emploi familier.

B. Que faire? Trouvez la réponse la plus logique.

1. Si vous n'avez pas d'argent et que vous désirez appeler un ami, que faites-vous?
   a. J'appelle d'une cabine.
   b. J'appelle le répondeur.
   c. J'appelle en PCV.

2. Si la ligne a été coupée que devez-vous faire?
   a. Attendre la tonalité.
   b. Raccrocher et refaire le numéro.
   c. Attendre et être patient.

3. Avant de composer votre numéro, que faites-vous?
   a. Je décroche l'appareil.
   b. Je raccroche l'appareil.
   c. Je cherche le répondeur.

4. Si vous désirez appeler un ami à Paris mais que vous n'avez pas son numéro de téléphone, que faites-vous?
   a. J'appelle en PCV.
   b. Je lui raccroche au nez.
   c. Je demande les renseignements.

5. De quoi avez-vous besoin pour appeler d'une cabine téléphonique?
   a. d'un timbre
   b. d'un répondeur
   c. d'une télécarte

C. Dialogue. Rédigez une conversation téléphonique de huit à dix lignes pour chacune des situations suivantes.

1. Un(e) ami(e) vous appelle mais vous avez une très mauvaise communication.
2. Vous appelez des amis à Paris pour leur dire que vous allez passer l'été chez eux.
3. Vous appelez un(e) ami(e) en PCV, mais votre ami(e) refuse de payer la communication.

D. Allô? Ecoutez la conversation téléphonique et répondez aux questions suivantes.

1. Qui téléphone à qui?
2. Qui répond?
3. D'où est-ce qu'Alain appelle?
4. Où est Véronique?
5. Pourquoi est-ce qu'Alain a été obligé de changer de cabine?
6. Que se disent-ils juste avant de raccrocher?

Steven, un jeune Américain, a décidé d'écrire à un correspondant niçois pour améliorer son français. Dans sa première lettre il lui a parlé des cours qu'il suit ce semestre et lui a demandé des renseignements sur les études d'un lycéen en France. Voici ce qu'il a reçu comme réponse.

Cher Steven,

Tu me poses plusieurs questions à propos de l'enseignement secondaire en France. Comme tu le sais probablement, à la fin des études secondaires on doit passer un examen d'état (le baccalauréat) pour recevoir un diplôme (ou comme on dit : le bac). Tout élève qui échoue au bac doit recommencer toute son année scolaire.

L'emploi du temps qui suit est celui d'un élève de terminale pour le bac C. Quand on arrive en seconde, on suit les cours qui correspondent au bac qu'on a décidé de préparer. Il y a cinq options : le bac A (philosophie-lettres), le bac B (sciences économiques et sociales) le bac C (mathématiques et sciences physiques), le bac D (mathématiques et sciences naturelles) et le bac E (mathématiques et techniques).

En ce qui concerne les lycées, il en existe deux sortes.
— Les lycées publics (d'état) où l'emploi du temps est généralement plus "cool" mais il y a généralement deux heures de cours le samedi matin. L'enseignement est gratuit, mais le niveau reste élevé parce que les élèves sont sélectionnés par des examens d'entrée dans les différentes classes.

— A l'inverse, dans les écoles privées (que certains élèves appellent "boîtes à bac"), les frais d'inscription sont de 20.000 à 30.000 Francs par an. Il y a aussi des examens d'entrée pour sélectionner les élèves. De toute manière, la discipline y est beaucoup plus dure que dans les lycées publics. D'autre part, certains lycées privés sont fermés le samedi ce qui est un avantage non-négligeable.

La sortie des cours est à 18h. En plus, chaque soir on a des devoirs sur lesquels on doit passer un minimum de deux heures. On doit tous acheter ses propres livres au début de l'année scolaire. Heureusement de nombreuses librairies ont des livres d'occasions qui sont nettement moins chers.

Comme tu vois, l'enseignement est plus "cool" aux USA! Voilà, j'espère que ces renseignements te seront utiles. Si tu as besoin d'autre chose ou si j'ai oublié quelque chose, n'hésite pas à me le demander.

Robert

Emploi du temps de 1ère C

	LUNDI	MARDI	MERCREDI	JEUDI	VENDREDI	SAMEDI
9h	math	sciences naturelles	anglais	physique	histoire géographie	math
10h	sciences naturelles	sciences naturelles	physique chimie	math	histoire géographie	math
11h	sciences naturelles	allemand	sciences naturelles	sciences naturelles	physique chimie	français
12h	physique chimie	allemand	histoire géographie	français	études personnelles	FIN DES COURS
13h	DEJEUNER					
14h30	composition	stade	physique chimie	composition	math	
17h	composition	stade	français	anglais	français	
18h	FIN DES COURS					

Sujets de discussion

1. En France, 20% des lycéens sont inscrits dans des lycées privés. Pensez-vous que le pourcentage est le même pour les Etats-Unis? Le croyez-vous plus élevé ou plus bas? Quel pourcentage des élèves de votre ville est inscrit dans des lycées privés?
2. Dans un lycée idéal, quels éléments devraient être empruntés au système français et lesquels devraient être empruntés au système américain?
3. En France, 67% des élèves qui se présentent au bac sont admis°. Croyez-vous qu'il en serait de même dans votre ville si les élèves étaient obligés de passer un examen à la fin de leurs études? Pourquoi devrait-on (ne devrait-on pas) passer un examen comme le bac pour obtenir un diplôme à la fin des études secondaires?

TURBO-REVISIONS

Au feu les cahiers! Pour réviser in et rapide, on bachote maintenant sur des logiciels de maths, de physique-chimie, d'histoire-géo, de langues et même de français! Logiciels Micro Bac Cedic/Nathan de 195 à 225 f.

Philippe Roux

pass

La Vie de tous les jours

Dans cette unité vous allez

- parler de la mode et des vêtements qui vous plaisent

- parler de votre famille et de vos amis

- décrire votre vie quotidienne

- apprendre ce qu'on dit au coiffeur ou à la coiffeuse

- faire des compliments et quelques critiques

Vous allez aussi étudier

- les verbes **être** et **avoir** au présent

- les adjectifs possessifs et qualificatifs

- les verbes pronominaux

- les pronoms compléments d'objet direct et indirect

- les verbes en **-er** à changement orthographique

- le présent des verbes irréguliers

- le futur immédiat et le passé récent

- **faire** + infinitif

*L*EÇON 1

Au magasin de vêtements

En contexte

Pour commencer

A. Quels vêtements portent-ils? Décrivez l'illustration en répondant aux questions suivantes. Reportez-vous à l'**Expansion du vocabulaire** (p. 27) si vous avez besoin de mots supplémentaires.

1. Décrivez les vêtements que portent les deux jeunes gens.
2. Quel genre de vêtements portent les femmes? et les hommes?

3. Quel genre de vêtements croyez-vous que les jeunes gens vont acheter?
4. A votre avis, quelle est l'occupation de certains de ces personnages?
5. Quels vêtements préférez-vous?

B. Qui a dit cela? Imaginez que vous êtes dans un grand magasin et que vous entendez différentes personnes parler. Dites qui a probablement fait ces remarques: **une cliente** ou **une vendeuse**.

EXEMPLE   J'ai bien envie d'acheter cette mini-jupe.

Pas facile!

Un jeune homme exigeant° entre dans un grand magasin pour acheter une chemise.   difficult to please

LA VENDEUSE	Bonjour, Monsieur.
LE CLIENT	Bonjour, Madame.
LA VENDEUSE	Vous désirez?
LE CLIENT	Je voudrais une chemise.
LA VENDEUSE	De quelle taille, Monsieur?
LE CLIENT	38.
LA VENDEUSE	Et de quelle couleur?
LE CLIENT	Bleu ciel°.
LA VENDEUSE	Nos chemises sont là, Monsieur.
LE CLIENT	Je voudrais une chemise à manches longues.
LA VENDEUSE	Alors, elles sont par ici, Monsieur.
LE CLIENT	Est-ce que vous avez quelque chose en coton?
LA VENDEUSE	Mais bien sûr, Monsieur.
LE CLIENT	Non, réflexion faite, je préfère une chemise qui ne soit pas en coton. Je déteste repasser°!
LA VENDEUSE	Nous avons des chemises de polyester et coton si vous préférez.
LE CLIENT	Pouvez-vous me les montrer?
LA VENDEUSE	Les voici, Monsieur.
LE CLIENT	Est-ce que vous avez quelque chose de moins cher?
LA VENDEUSE	Oui, nous avons des chemises en nylon.
LE CLIENT	Non, je n'aime pas le nylon. Après tout, celle-ci me plaît bien. Puis-je l'essayer?

Bleu...   light blue

to iron

LA VENDEUSE	Suivez-moi. La cabine d'essayage est par ici.
LE CLIENT	Avez-vous la même chemise en gris ou en bleu marine°?
LA VENDEUSE	Je crois que oui. Je vais aller voir.

bleu... navy blue

[*Après quelques instants elle revient*]

LA VENDEUSE	Oui, Monsieur. Nous l'avons en gris et en blanc.
LE CLIENT	Elles me plaisent bien aussi. Mais je vais la prendre en bleu, parce qu'elle me va bien et c'est ma couleur préférée.

Questions sur la lecture

1. Où se passe cette scène?
2. Que cherche le client quand il entre dans le magasin? Est-ce qu'il trouve ce qu'il veut?
3. Quelle taille demande-t-il?
4. Pourquoi n'est-il pas content des premières chemises qu'on lui montre?
5. Quelle sorte de chemise lui offre-t-on d'abord? Quelle sorte de chemise finit-il par choisir?
6. Trouvez-vous que ce client est difficile?
7. Etes-vous un peu comme lui quand vous achetez des vêtements?
8. Y a-t-il des gens que vous connaissez qui sont comme cet homme quand ils font des courses? Donnez des détails.

Et vous?

Posez les questions suivantes à un(e) de vos camarades de classe.

1. As-tu une couleur préférée? Laquelle? Préfères-tu les vêtements de couleur claire ou foncée?
2. Crois-tu que certaines couleurs vont mieux sur certaines personnes? Quelle couleur te va le mieux?
3. Préfères-tu les tissus de fibre naturelle ou synthétique?
4. Est-ce que tu aimes mieux porter des chemises (chemisiers) à manches courtes ou à manches longues?
5. As-tu plus de vêtements unis que de vêtements à carreaux ou à rayures?
6. Repasses-tu tes vêtements ou achètes-tu seulement des vêtements qui n'ont pas besoin d'être repassés?
7. Est-ce que la plupart de tes vestes° ont des boutons ou des fermetures éclair°?
8. Qu'est-ce que tu préfères porter? Pourquoi? Penses-tu qu'il en est de même pour les jeunes Français?

jackets
fermetures... zippers

Expansion du vocabulaire

NOMS DE VETEMENTS
- un **blouson** windbreaker
- un **chemisier** blouse
- des **collants** (*m*) tights
- un **col roulé** turtleneck sweater
- un **costume** man's suit
- un **gros pull** thick sweater
- un **imperméable** raincoat
- un **manteau** coat
- un **pull** pullover
- un **sweat-shirt** sweatshirt
- un **tailleur** woman's suit
- une **veste** jacket

NOMS D'ACCESSOIRES
- une **bague** ring
- des **baskets** (*f*) tennis shoes
- un **bijou** piece of jewelry
- une **boucle d'oreille** earring
- un **bracelet** bracelet
- des **bretelles** (*f*) suspenders
- une **casquette** cap
- une **ceinture** belt
- un **collier (de perles)** (pearl) necklace
- une **cravate** tie
- un **foulard** scarf
- des **hauts-talons** (*m*) high-heeled shoes
- des **lunettes de soleil** (*f*) sunglasses
- une **montre** watch
- un **nœud papillon** bow tie
- un **parapluie** umbrella

AUTRES NOMS
- un **bouton** button
- un **client** customer
- une **fermeture éclair** zipper
- une **taille** size

VERBES ET EXPRESSIONS VERBALES
- **avoir l'air** to look or seem
- **essayer** to try on
- **être trop étroit(e)/ample** to be too tight fitting/loose fitting
- **être trop petit(e)/grand(e)** to be too small/big
- **repasser** to iron

AUTRES EXPRESSIONS
- **à carreaux** checkered
- **ajusté** tapered, fitted
- **à manches courtes** short-sleeved
- **à manches longues** long-sleeved
- **à rayures** striped
- **clair** light
- **de coton** cotton
- **de couleurs vives** brightly colored
- **de cuir** leather
- **de laine** wool
- **délavé** stone-washed, faded
- **démodé** out of style
- **de polyester** polyester
- **de velours côtelé** corduroy
- **en jean** denim
- **en solde** on sale
- **foncé** dark
- **snow** acid-washed
- **uni** solid

PHRASES UTILES
- **Où est la cabine d'essayage?** Where's the dressing room?
- **Pouvez-vous me les montrer?** Could you show them to me?
- **Puis-je l'essayer?** May I try it on?

Application

A. Trouvez le mot qui manque. Complétez logiquement les phrases suivantes en utilisant le vocabulaire qui précède.

jean a perdu sa couleur, on dit qu'il est ▭.

er, on porte généralement des chemises à ▭ mais en

on porte plutôt des chemises à ▭.

es jeans ont quelquefois des boutons mais la plupart du temps
ils ont une ▭.

4. L'arbitre° d'un match de basket-ball porte une chemise à ▭ noires et blanches.

5. Si vous mangez trop, vos vêtements seront bientôt trop ▭.

6. Quand on veut essayer des vêtements, on va dans la ▭.

7. Si vous achetez des vêtements en ▭, vous les payez moins chers que d'habitude.

8. En voyage, quand on sort ses vêtements de la valise, il faut souvent les ▭ avant de les mettre.

B. Qu'est-ce que je mets? Un de vos amis vous demande votre opinion sur ce qu'il devrait porter dans certaines circonstances. Ecrivez ce qu'il devrait choisir dans chacun des cas.

L

EXEMPLE   Qu'est-ce que je mets pour aller à la plage?

Mets un maillot de bain ou un short.

C. Situations. Avec un(e) partenaire, choisissez une des situations et rédigez ensemble un dialogue. Vous pourrez ensuite jouer cette scène en classe.

1. Vous entrez dans une boutique pour acheter de nouveaux vêtements. Dites au vendeur ou à la vendeuse ce que vous voulez, soyez précis et demandez-lui si vous pouvez l'essayer.

2. Vous êtes gérant(e)° d'une boutique de vêtements. Le printemps approche et vous devez solder° les vêtements d'hiver. Discutez avec un autre employé quels vêtements vous avez décidé de mettre en solde et pourquoi.

manager
put on sale

Exploration

Les verbes irréguliers être et avoir

être	
je suis	nous sommes
tu es	vous êtes
il/elle/on est	ils/elles sont

avoir	
j'ai	nous avons
tu as	vous avez
il/elle/on a	ils/elles ont

Usages particuliers du verbe avoir

A. Certaines expressions idiomatiques utilisent le verbe **avoir**.

avoir besoin de… *to need…*	avoir l'air (de) *to seem (to)*
avoir chaud *to be hot*	avoir le droit (de) *to have the right (to)*
avoir de la chance (de) *to be lucky (to)*	avoir peur (de) *to be afraid (of)*
avoir envie de… *to feel like…*	avoir raison (de) *to be right (to)*
avoir faim *to be hungry*	avoir soif *to be thirsty*
avoir froid *to be cold*	avoir sommeil *to be sleepy*
	avoir tort (de) *to be wrong (to)*

B. Pour décrire une personne ou pour exprimer son âge on utilise aussi le verbe **avoir**.

—Ta cousine **a** les cheveux blonds?   —Et quel âge **a**-t-elle?
—Non, elle **a** les cheveux châtains.   —Elle **a** dix-huit ans.

C. **Il y a** est une des expressions les plus usuelles avec le verbe **avoir**. Cette expression s'emploie à tous les temps.

Il y avait des chemises en solde hier.
Il va y avoir des pulls en solde la semaine prochaine.

Application

A. **Opinions.** Sylvie est nouvelle au lycée et ne connaît encore personne, à part Madeleine. Madeleine lui parle des gens qu'elle connaît. Complétez les phrases de Madeleine avec **avoir** ou **être**.

Tu sais, j'__1__ vraiment du talent pour analyser la personnalité des autres. Tu peux avoir confiance en moi parce que je __2__ très franche°. Tiens, ça c'__3__ le prof de maths. Je crois qu'il __4__ environ 25 ans. En classe, il n'__5__ pas toujours patient mais en dehors des cours il __6__ assez sympa.

honest

Et Sophie Deschamps, tu la connais? Moi, je ne l'aime pas. Je la trouve snob. Elle __7__ toujours avec son petit ami. Ils __8__ insupportables tous les deux! Tiens, les voilà. Mais qu'est-ce qu'ils __9__ aujourd'hui? Ils __10__ l'air tout triste. Ils ont dû se disputer!

Tiens, mais c'est Michel là-bas! Il __11__ de beaux yeux, tu ne trouves pas? Je le trouve mignon. Il __12__ beaucoup d'amis sympa. Je pourrais te présenter à un de ses copains.

Mais Sylvie, où vas-tu? Nous __13__ beaucoup de choses à nous dire. Tu __14__ pressée? Tu __15__ des devoirs à faire? Comme nous __16__ dans la même classe, je pourrais t'aider à les faire si tu veux.

B. Les animaux. Comment décririez-vous les animaux suivants? Les adjectifs et les noms qui suivent vous seront probablement utiles pour faire vos descriptions.

> **EXEMPLE** **Le lion est un animal sauvage. C'est le roi de la jungle. Il est grand, fort et beau. Il a une crinière et une longue queue. Quand il est furieux, il peut être brutal et féroce.**

le lion

agile *agile, nimble*
féroce *ferocious*
laid, laide *ugly*
malin, maligne *clever*
méchant, méchante *mean*
mignon, mignonne *cute*
poilu, poilue *hairy*

— des bois (m) *antlers*
— une crinière *mane*
une fourrure *fur*
une gueule *animal's mouth*
— un museau *snout, muzzle*
une patte *leg, paw*
une queue *tail*

1.

la souris

2.

l'ours (m)

3.

la girafe

4.

le cerf

5.

le singe

6.

le tigre

Exploration

Les adjectifs possessifs

	singulier		pluriel
	masculin	**féminin**	
	mon	ma	mes
	ton	ta	tes
	son	sa	ses
	notre		nos
	votre		vos
	leur		leurs

A. Pour choisir le genre et le nombre de l'adjectif on se reporte à l'objet possédé.

Il cherche **sa** cravate.   *He is looking for **his** tie.*

B. Devant un nom féminin qui commence avec une voyelle ou un **h** non-aspiré, on utilise les adjectifs possessifs masculins **mon, ton** et **son**.

Tu écris à **ton** amie.   Tu écris à **ta** petite amie.
Guy raconte **son** histoire.   Guy raconte **sa** fabuleuse histoire.

C. Avec **tout le monde, quelqu'un, personne, chacun** ou avec des noms collectifs (**la famille, la police, la nation**) on utilise l'adjectif possessif correspondant à la 3e personne du singulier.

Tout le monde apporte **son** livre en classe.
La famille passe **ses** vacances à la montagne.

D. Quand on utilise un verbe pronominal avec une partie du corps on n'a pas besoin de l'adjectif possessif parce que le pronom réfléchi indique le possesseur.

Je me lave **les** dents.   *I'm brushing my teeth.*
Alain s'est cassé **la** jambe.   *Alain broke his leg.*

Remarquez qu'on utilise l'adjectif possessif si l'objet n'est pas une partie du corps.

Je m'occupe de **mes** affaires.   *I take care of my business.*
Il s'est souvenu de **son** ami.   *He remembered his friend.*

La possession avec *de*

A. L'équivalent français du cas possessif anglais se forme avec **de**. On emploie **de** sans article avec les noms propres.

C'est le pull-over **de** Stéphanie.   *It's Stephanie's sweater*

B. On emploie **de** + **un article défini** avec les autres noms. N'oubliez pas de faire la contraction quand la préposition **de** est suivie par **le** ou **les**.

Voici l'imperméable **du petit garçon**.
Les sandales **des enfants** sont là-bas.

Application

A. **C'est à qui?** Imaginez une conversation pour chaque dessin. Utilisez au moins deux adjectifs possessifs dans chaque conversation.

> EXEMPLE   —**C'est votre chien, Madame?**
> —**Bien sûr que non! Mon chien n'est pas si mal élevé.**
> —**Alors, c'est le chien de Monsieur?**
> —**Mais non, cher Monsieur. Ce n'est pas mon chien non plus!**

1.

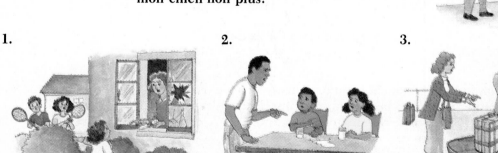

2.

3.

4.

5.

6.

B. La nouvelle bonne. La famille Grandésordre vient d'embaucher° une
nouvelle bonne°. C'est son premier jour de travail et elle est en train
de ranger° toutes leurs affaires. Avant de pouvoir les ranger, elle
doit décider si les objets appartiennent° à **Monsieur, à Madame** ou
au petit Georges.

hire
maid
putting away
belong

EXEMPLE   Tiens! Voilà la montre de Monsieur.

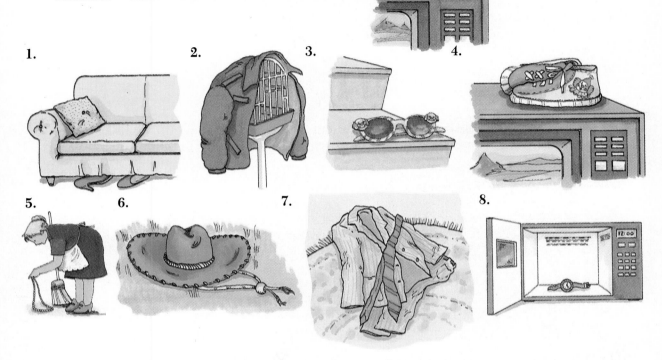

1.   2.   3.   4.

5.   6.   7.   8.

C. Où est-ce que vous l'avez mis? Maintenant que la bonne a tout
rangé, les membres de la famille Grandésordre ne retrouvent plus
rien. Voilà qu'ils viennent lui demander où elle a mis leurs affaires.

EXEMPLE   —Marie, avez-vous vu ma montre?
           —**Votre montre est dans le tiroir, Monsieur.**

le tiroir

le coffret à bijoux

le placard

Exploration

Le genre et le nombre des adjectifs qualificatifs

A. Pour former le féminin, les adjectifs suivent généralement les mêmes règles que les noms.

   1. On forme le féminin des adjectifs réguliers en ajoutant un **-e** au masculin. Les adjectifs qui se terminent déjà en **-e** ne changent pas.

      un parapluie vert   une chemise verte
      un chapeau ridicule   une cravate ridicule

   2. Certains adjectifs subissent des modifications orthographiques pour former le féminin.

terminaisons	exemples	autres adjectifs
-el → -elle	cruel → cruelle	naturel, exceptionnel
-en → -enne	ancien → ancienne	européen, canadien
-et → -ette	net → nette	coquet, muet
-on → -onne	bon → bonne	mignon
-er → -ère	dernier → dernière	cher, fier, premier
-et → -ète	discret → discrète	inquiet, secret
-f → -ve	sportif → sportive	actif, attentif, neuf
-eux → -euse	affreux → affreuse	délicieux, capricieux
-teur → -trice	protecteur → protectrice	conservateur

   3. D'autres adjectifs sont irréguliers.

blanc → blanche	favori → favorite	malin → maligne°	clever
bref → brève°	frais → fraîche°	public → publique	brief/fresh
doux → douce°	gentil → gentille	roux → rousse°	soft/redheaded
épais → épaisse°	long → longue	sec → sèche°	thick/dry

   4. Quelques adjectifs ont une troisième forme utilisée pour modifier les noms masculins qui commencent par une voyelle ou par un **h** muet.

masculin	masculin devant une voyelle ou un *h*	féminin
un **beau** garçon	un **bel** homme	une **belle** femme
un **nouveau** copain	un **nouvel** ami	une **nouvelle** amie
un **vieux** magasin	un **vieil** hôtel	une **vieille** maison

B. Pour former le pluriel, les adjectifs suivent généralement les mêmes règles que les noms.

1. On forme le pluriel de la plupart des adjectifs en ajoutant un **-s** au singulier.

   des parapluies ver**t**s   des chemises ver**t**es

2. Les adjectifs qui se terminent en **-s**, **-x**, **-al** ou **-eau** forment leur pluriel de la façon suivante.

terminaison	masculin		féminin	
	singulier	pluriel	singulier	pluriel
-s	français	français	française	françaises
-x	heureux	heureux	heureuse	heureuses
-al	spécial	spéciaux[1]	spéciale	spéciales
-eau	beau	beaux	belle	belles

3. Si un adjectif qualifie plusieurs mots de genre différent, l'adjectif se met au masculin pluriel.

   Voici des filles et des garçons **intelligents**.

C. Si un adjectif de couleur est qualifié par un autre adjectif ou un nom, il reste invariable.

des pulls **bleus**   des pulls **bleu marine**
une veste **verte**   une veste **vert foncé**

1. Si un nom est employé comme adjectif pour désigner une couleur, il reste invariable.

abricot	*apricot*	moutarde	*mustard*
crème	*cream*	olive	*olive*
cuivre	*copper*	pistache	*pistachio*
émeraude	*emerald*	saumon	*salmon*
framboise	*raspberry*	turquoise	*turquoise*

des vestes **kaki**   des tee-shirts **orange**
une chemise **jaune citron**   des chaussures **marron**

Exceptions: rose: des chemises **roses**
                mauve°: des pulls **mauves**   purple

---

[1]**Note:** Banal, fatal, final, glacial, natal et naval forment leur pluriel avec **-s**. **Exemple:** Des examens finals.

Application

A. Une B.D. Jules aimerait faire une B.D. (bande dessinée) en utilisant les membres de sa famille. Il a déjà fait quelques dessins et il explique à un ami ce qu'il a fait. Choisissez des expressions de la liste suivante pour décrire, comme il le ferait, chacun des personnages. Vous pouvez aussi utiliser des expressions de votre choix.

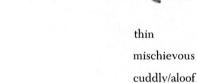

> **EXEMPLE** **Voici mon père. Il est professeur. Il a 49 ans. Il est petit, mais il n'est pas trop gros. Il a les cheveux châtains et les yeux verts.**

sympathique/antipathique	agréable/désagréable	
intéressant/ennuyeux	beau/laid	
amusant/sérieux	mince°/gros	thin
polisson°/raisonnable	intelligent/bête	mischievous
câlin°/distant°	gentil/méchant	cuddly/aloof

1.

Ma mère

2.

Mes frères, Daniel et David

3.

Mes grands-parents

4.

Ma petite amie, Annick

5.

Mes chats, Lami et Filos

6.

Moi

B. Votre garde-robe. Avez-vous des vêtements qui ont les couleurs suivantes? Dites quels vêtements vous avez de chaque couleur. Si vous n'avez rien d'une couleur, dites quels vêtements vous aimeriez avoir de cette couleur et lesquels vous trouvez affreux°.

horrible

> EXEMPLE   **J'ai des chaussettes orange.**
> **(Je n'ai rien d'orange, mais j'aimerais avoir une chemise orange.)**
> **(Je trouve les chaussettes orange affreuses.)**

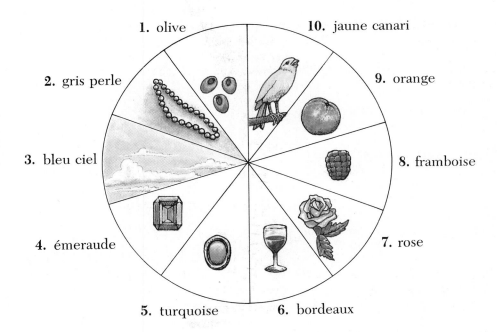

1. olive
2. gris perle
3. bleu ciel
4. émeraude
5. turquoise
6. bordeaux
7. rose
8. framboise
9. orange
10. jaune canari

C. On se déguise? Vos amis et vous pensez vous déguiser° comme les personnages ci-dessous pour aller à une boum. Dites ce qu'il vous faut pour chacun des cas. Vos réponses doivent être aussi précises que possible.

vous...disguise yourself

> EXEMPLE   Superman
> **Moi, il me faut des collants bleus, un slip° rouge, un tee-shirt bleu et une cape rouge. J'y vais habillé en Superman.**

underwear

1. un agent de police
2. un soldat
3. un médecin
4. le Père Noël
5. Pee Wee Herman
6. un(e) espion(ne)

Exploration

La place des adjectifs dans la phrase

A. En général, en français les adjectifs sont placés après le nom qu'ils décrivent.

J'aime bien son pull **rouge**. *I really like his **red** sweater.*
Avez-vous des voisins **aimables**? *Do you have **nice** neighbors?*

B. Certains adjectifs précèdent le nom. En général, ce sont des adjectifs courts qui indiquent l'âge, la qualité ou la taille.

Il a un **nouveau** costume. *He has a **new** suit.*
J'ai choisi une **belle** chemise. *I chose a **pretty** shirt.*

Cependant, ces mêmes adjectifs modifiés par un adverbe long doivent suivre le nom.

J'ai acheté une chemise particulièrement **belle**.

C. Les adjectifs les plus communs qui précèdent le nom sont les suivants.

bon, bonne	mauvais, mauvaise
grand, grande	petit, petite
gros, grosse	beau, bel, belle
jeune, jeune	vieux, vieil, vieille
joli, jolie	nouveau, nouvel, nouvelle

D. Quand deux adjectifs modifient le même nom, ils suivent les règles suivantes.

1. Si un adjectif précède normalement le nom, et l'autre suit le nom, chaque adjectif prend sa place normale.

Où s'est caché le **petit** chien **noir**?

2. Si deux adjectifs accompagnent le nom et ont la même valeur, ils sont presque toujours coordonnés par **et,** et ils suivent le nom.

C'est une femme **grande** et **belle**.

E. Certains adjectifs ont un sens différent, suivant leur place. L'adjectif placé devant le nom a généralement une valeur subjective ou sentimentale, alors qu'il a une signification objective quand il est placé après le nom.

| ma **chère** amie | *my **dear** friend* |
| une veste **chère** | *an **expensive** jacket* |

| ma **propre** chambre | *my **own** room* |
| une chemise **propre** | *a **clean** shirt* |

| un **sale** type | *an **unpleasant** man* |
| des chaussures **sales** | ***dirty** shoes* |

F. L'expression **avoir l'air** suivie d'un adjectif s'emploie pour décrire un état physique ou mental.

Vous avez l'air fatigué.	*You look tired.*
Il n'a pas l'air content.	*He doesn't look very happy.*
Ariane a l'air inquiète.	*Ariane looks worried.*

Application

A. **Une vie de chien.** Fido et Axel sont deux chiens très différents. Ils vivent dans le même quartier. Ils sont voisins. Complétez l'histoire de leur vie en écrivant la forme correcte de l'adjectif et du substantif donnés.

EXEMPLE Axel, le chien fidèle de Mme Pinet, habite dans **une grande maison** (maison/grand) de la rue Gambetta.

C'est un ___1___ (bouledogue/féroce). Il aboie° après tous ceux qui viennent rendre visite à Mme Pinet. Il fait toujours de son mieux pour essayer de mordre° le ___2___ (facteur/pauvre). Néanmoins, Mme Pinet trouve que c'est un ___3___ (chien/extraordinaire) parce qu'elle l'a payé plus de quatre mille francs. Tous les matins, Mme Pinet va chez le boucher pour acheter de la ___4___ (viande hachée/bon) préparée spécialement pour lui. Axel n'a peur de rien. C'est un ___5___ (chien/musclé) et il pèse 50 kilos. Quand il fait beau, on lui donne un bain et un shampooing, ensuite on le brosse. Axel vit dans une très ___6___ (chambre/beau) de la maison. Malgré cette ___7___ (vie/luxueux), Axel n'est pas heureux parce qu'il ne peut jamais faire ce qu'il veut et Mme Pinet l'ennuie sans cesse.

°barks

°bite

°master

Fido, par contre, n'a pas de maître°. Il vit dehors, derrière la maison de Mme Pinet. C'est un ___8___ (chien/petit/timide). Il a peur des ___9___ (chiens/autre) de la rue et de Mme Pinet aussi qui le déteste parce qu'elle trouve qu'il est laid. C'est un ___10___ (animal/comique) qui a l'air un peu bizarre. En fait, il est en ___11___ (forme (*f*)/plein) pour un chien de seize ans. Une fois, il a sauvé la vie d'un ___12___ (chaton/petit/abandonné). Comme d'habitude, Fido cherchait son dîner dans les poubelles° de la rue quand il a entendu le miaulement° du chaton. Il a mis son ___13___ (ami/nouveau) à l'abri° et il lui a

°trashcans
°meowing/shelter

apporté à manger tous les jours pendant trois mois. Fido, lui aussi, avait été abandonné dans une rue. Sa maison est une __14__ (voiture/ vieux/abandonné). Fido est heureux parce qu'il peut toujours faire ce qu'il veut, mais il est triste parce qu'il n'a pas de maître.

B. De vieux vêtements usés, mais confortables. Comment est-ce que vous préférez vos vêtements? Utilisez les adjectifs entre parenthèses pour décrire vos goûts ou choisissez un autre adjectif.

1. J'aime mieux les jeans (nouveau, vieux, délavé, bleu, noir, snow).
2. Je préfère les tee-shirts (ajusté, large, clair, foncé).
3. Je porte parfois des vêtements (sale, emprunté, démodé, trop large).
4. La plupart du temps, pour sortir avec mes amis, je mets des vêtements (élégant, confortable, cher, propre, sale).
5. Je préfère les chemises/chemisiers à manches (long, court).
6. Quand je suis à la maison je porte des vêtements (chaud, léger, laid, de coton, de polyester, de laine).
7. Mes parents se fâchent quand ma sœur achète une jupe (cher, court, ajusté).
8. Je déteste les chemises/chemisiers (à manches longues, en polyester, à carreaux, ajusté).

C. Quelle surprise! Regardez le dessin ci-dessous. Choisissez des adjectifs de la liste suivante pour décrire l'état physique ou mental des personnages en utilisant l'expression **avoir l'air** avec un adjectif.

EXEMPLE   **Le père a l'air surpris.**

choqué°	étonné°	préoccupé°	shocked/amazed/worried
content	fou de joie°	surpris	ecstatic
désespéré°	malheureux	triste	despondent

*L*EÇON 2

Les rencontres

En contexte

Pour commencer

A. Que s'est-il passé? Décrivez ce qui se passe dans cette série d'illustrations, en répondant à ces questions. Reportez-vous à l'**Expansion du vocabulaire** (p. 43) si vous avez besoin de mots supplémentaires.

1. Où est-ce que Stéphanie et Alain se rencontrent?
2. Pourquoi est-ce qu'ils commencent à se parler?
3. Qu'est-ce qu'ils découvrent plus tard?
4. Au téléphone, que décident-ils de faire?
5. Pourquoi est-ce qu'Alain manque leur rendez-vous?
6. Quelle est la réaction de Stéphanie? Pourquoi?

B. Qui a dit cela? Dites qui aurait pu faire ces remarques: **Stéphanie, Alain** ou **tous les deux**?

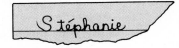

EXEMPLE   Mon parapluie est assez grand pour deux personnes.

Le pays du coup de foudre!

Stéphanie écrit une lettre à son amie Stacey pour lui raconter ce qu'elle a fait depuis son arrivée en France.

Ma chère Stacey,

Voici trois semaines que je suis en France et je m'amuse beaucoup. Je dois dire que ce n'est pas aussi facile que je croyais de m'habituer à la vie française. Tout est tellement différent ici. Pourtant je me débrouille assez bien. Je vis chez Mme Leblanc, l'amie de Maman. Tu te souviens d'elle? Malgré la différence d'âge, Mme Leblanc et moi nous entendons très bien. Elle est très compréhensive et elle est toujours prête à m'aider quand j'ai besoin d'elle. C'est elle qui s'est occupée de mon visa parce qu'elle a une amie qui travaille au Consulat de France à New York.

Il faut que je te raconte ce qui m'est arrivé l'autre jour. J'étais à l'arrêt d'autobus et il s'est mis à pleuvoir. Grâce à la pluie, j'ai fait la connaissance d'un jeune Français—absolument charmant, naturellement! Eh bien, imagine-toi que le lendemain je l'ai rencontré chez Mme Leblanc. C'est son neveu! Il s'appelle Alain et je crois qu'il s'intéresse un peu à moi. Ne t'avais-je pas dit que la France était le pays du coup de foudre?

Une amie de Mme Leblanc, Mme Menton, a été tout à fait scandalisée quand elle a appris que je lui avais parlé à l'arrêt d'autobus. Il semble que «ça ne se fait pas». Alors, j'ai expliqué que je lui avais tout simplement offert de se mettre sous mon parapluie parce qu'il pleuvait très fort. Mme Leblanc a trouvé tout ça très amusant et peu m'importe, d'ailleurs, l'opinion de Mme Menton.

Grosses bises,

Stéphanie

Questions sur la lecture

1. Chez qui est-ce que Stéphanie habite? Depuis combien de temps est-ce qu'elle habite en France?
2. Pourquoi est-ce que Stéphanie connaît Mme Leblanc? Est-ce qu'elle s'entend bien avec Mme Leblanc?
3. Qui s'est occupé du visa de Stéphanie?
4. Comment est-ce que Stéphanie et Alain se sont rencontrés? Quelle a été la réaction de Mme Menton? Quelle a été la réaction de Mme Leblanc?
5. Pensez-vous que Stéphanie se préoccupe beaucoup de l'opinion des autres?

Et vous?

Posez les questions suivantes à un(e) de vos camarades de classe.

1. Depuis combien de temps est-ce que tu habites dans le quartier où tu habites maintenant?
2. Est-ce que tes parents s'occupent de tous les détails de ta vie? Est-ce que tes parents paient ton téléphone? ton assurance automobile? tes P.-V.°?

   traffic tickets

3. Tu sais quelles ont été les réactions de Mme Leblanc et de Mme Menton en apprenant comment Stéphanie et Alain s'étaient rencontrés. Quelle est ta réaction?
4. Est-ce que tu te préoccupes beaucoup de l'opinion des autres? Connais-tu quelqu'un qui, à ton avis, se préoccupe trop de l'opinion des autres? Quelqu'un qui s'en préoccupe trop peu?

Expansion du vocabulaire

NOMS
un(e) **ancien(ne) ami(e)**   an old friend
un **arrêt d'autobus**   bus stop
le **coup de foudre**   love at first sight
le **lendemain**   the next day
un **pays**   a country
une **rencontre**   meeting (by chance)
un **rendez-vous**   a meeting (planned)
un **séjour**   a stay
la **veille**   the day before

VERBES ET EXPRESSIONS VERBALES
s'en aller   to leave
s'amuser (à)   to have fun
se débrouiller   to manage, to get along
décider de   to decide
découvrir   to discover
s'entendre bien/mal (avec)   to get along well/badly (with)
se fâcher   to get angry
faire la connaissance de quelqu'un   to meet someone
s'habituer à   to get used to

s'imaginer   to imagine
s'impatienter (de)   to become impatient
s'intéresser à   to be interested in
se mettre à   to begin
s'occuper (de)   to take care of
se parler (au téléphone)   to talk (on the phone)
pleuvoir   to rain
se préoccuper de   to worry about
raconter   to tell
se rappeler de   to remember
rater l'autobus   to miss the bus
se rencontrer   to meet by chance
se retrouver   to meet again
se souvenir de   to remember

AUTRES EXPRESSIONS
à cause de   because of, due to
compréhensif   understanding
scandalisé   shocked
tout à fait   utterly

PHRASES UTILES
Ça ne se fait pas!   It's just not done!
Peu m'importe!   I couldn't care less!

Application

A. Trouvez le mot qui manque. Complétez logiquement les phrases suivantes en utilisant le vocabulaire qui précède.

1. L'endroit où on attend l'autobus s'appelle ▭.
2. Si vous tombez amoureux (amoureuse) de quelqu'un dès° votre première rencontre, c'est le ▭.   *as of*
3. Si vous faites quelque chose qui ne se fait pas, tout le monde va être ▭.
4. Une personne qui comprend les problèmes des autres est une personne ▭.
5. Un ami que vous n'avez pas vu depuis longtemps est un ▭.
6. Quand on passe un certain nombre de jours ou de semaines dans un endroit, on dit qu'on y fait un ▭.
7. Le jour précédent est la ▭ et le jour suivant est le ▭.

B. Situations. Avec un(e) partenaire, choisissez une des situations et rédigez ensemble un dialogue. Vous pourrez ensuite jouer cette scène en classe.

1. Vous voyez quelqu'un à l'arrêt d'autobus que vous trouvez sympathique et vous voulez parler avec lui ou elle. Trouvez un moyen de commencer une conversation avec cette personne et imaginez la suite de cette conversation.
2. Imaginez la conversation qui a pu suivre l'arrivée d'Alain au café et écrivez un petit dialogue entre Stéphanie et lui.

Exploration

Le présent des verbes pronominaux (ou verbes réfléchis)

A. Les verbes pronominaux se conjuguent avec deux pronoms—un pronom sujet et un pronom réfléchi—qui représentent la même personne.

se reposer°	
je me repose	nous nous reposons
tu te reposes	vous vous reposez
il/elle/on se repose	ils/elles se reposent

to rest

Tous les verbes suivants sont des verbes pronominaux:

s'en aller *to leave*
se baigner *to bathe*

se méfier (de) *to beware of*
se mouiller *to get wet*

se déguiser *to disguise oneself*	s'occuper de *to take care of*
se dépêcher *to hurry*	se passer *to happen*
se déshabiller *to get undressed*	se raser *to shave*
se détendre *to relax*	se salir *to get dirty*
se doucher *to take a shower*	se sauver *to run off*
se faire mal *to hurt oneself*	se sécher *to dry oneself*
se maquiller *to put on makeup*	se sentir *to feel*

B. Le pronom réfléchi précède le verbe auquel il se rattache, sauf quand il y a un verbe auxiliaire. Dans la construction infinitive il correspond toujours au sujet.

Tu ne vas pas **te** fâcher?
Je viens de **me** salir.
Ils **se** sont encore fait mal.

C. A la forme négative, **ne** est toujours placé entre le pronom sujet et le pronom réfléchi. **Pas** est toujours placé après le verbe conjugué.

Tu **ne** te maquilles **pas**?
Il **ne** s'est **pas** encore rasé.

D. Pour la forme interrogative avec inversion, on inverse le pronom sujet avec la forme conjuguée du verbe. Le pronom réfléchi reste devant le verbe auquel il correspond.

A quelle heure **te** couches-**tu**?
Quand vont-**ils se** reposer?

Application

A. Cours ratés. Thierry vient de finir sa première année à l'Université de Paris IV. Malheureusement, il a raté tous ses cours. Imaginez les excuses qu'il invente pour répondre aux questions de ses parents.

> EXEMPLE   Est-ce que tu te lèves tôt pour aller à tes cours?
> **Mais bien sûr! Je me lève à six heures tous les jours.**

1. Est-ce que tu t'intéresses à tes études?
2. Est-ce que tu te couches assez tôt?
3. Est-ce que tu te prépares chaque soir pour les cours du lendemain?
4. Est-ce que tes profs s'intéressent vraiment à toi?
5. Est-ce que tes amis et toi, vous vous rencontrez un peu trop souvent au café? Vous vous amusez peut-être un peu trop?
6. Est-ce que tu t'entends bien avec tes professeurs?

B. Que font-ils? C'est lundi matin chez les Carlier. Dites où est chaque membre de la famille et ce que fait chacun.

> EXEMPLE   **Jérôme est sous la douche. Il se lave les cheveux.**
> **Ensuite il va se sécher et s'habiller.**

C. Baby-sitting. Anne-Sophie s'occupe de son neveu, Jacques, qui a cinq ans. Racontez leur journée en décrivant les scènes ci-dessous. Utilisez un verbe réfléchi pour décrire chaque dessin.

> EXEMPLE   **Anne-Sophie s'occupe de Jacques, son petit neveu.**
> **Jacques passe une journée merveilleuse. Comme il**
> **fait beau, il décide de jouer avec l'arrosoir. Il se**
> **mouille de la tête jusqu'aux pieds! Ensuite...**

1.

2.

3.

4.

5.    **6.**    **7.**    **8.**

Exploration

Les pronoms compléments d'objet direct

singulier	pluriel
me²	nous
te	vous
le, la	les

A. On reconnaît le complément d'objet direct parce qu'il répond à la question **Qu'est-ce que?** ou **Qui est-ce que?**

Alain rate **l'autobus.**   Alain **le** rate.
Stéphanie retrouve **Alain** au café.   Stéphanie **le** retrouve au café.

B. **Le, la** et **les** peuvent représenter une personne, un animal, une chose ou une idée.

Stéphanie rencontre **Alain.**   Stéphanie **le** rencontre.
Ils prennent **l'autobus.**   Ils **le** prennent.
Elle raconte **les détails** à Sylvie.   Elle **les** raconte à Sylvie.

Les pronoms personnels compléments d'objet indirect

singulier	pluriel
me	nous
te	vous
lui	leur

²N'oubliez pas que **me, te, le** et **la** deviennent **m', t'** et **l'** devant une voyelle ou un **h muet.**

A. On reconnaît le complément d'objet indirect parce qu'il est précédé de la préposition **à** et il répond à la question **A qui?**

Stéphanie écrit **à Sylvie**. Stéphanie **lui** écrit.

B. **Lui** et **leur** s'emploient uniquement pour des personnes ou des animaux. Ils peuvent représenter un nom masculin ou féminin.

Alain donne rendez-vous **à Stéphanie**. Alain **lui** donne rendez-vous.

Mme Leblanc donne un sucre **à ses chiens**. Mme Leblanc **leur** donne un sucre.

C. Certains verbes français demandent un complément d'objet **indirect** alors que le verbe anglais correspondant demande un complément d'objet **direct**.

demander à   *to ask*
désobéir à   *to disobey*
obéir à   *to obey*
répondre à   *to answer*
ressembler à   *to resemble*
téléphoner à   *to call*

Le placement des pronoms compléments d'objet

A. La place des pronoms compléments d'objet direct et indirect dans la phrase varie.

1. S'il y a un infinitif, le pronom est placé devant cet infinitif.

   Alain voulait **lui** donner rendez-vous.
   Stéphanie a envie de **le** revoir.
   Stéphanie vient de **l'**inviter.

2. S'il y a deux infinitifs, le pronom est généralement placé devant le deuxième infinitif.

   Il ne va pas pouvoir **lui** dire la vérité.
   Elle ne va probablement pas vouloir **leur** écrire.

3. S'il n'y a pas d'infinitif, le pronom est placé devant le verbe conjugué, quel que soit° le temps du verbe.   **quel...**   whatever

   au présent: Est-ce que je **l'**invite?
   au futur: Nous **lui** écrirons demain.
   au passé composé: Nous **l'**avons déjà fait.

Application

A. Stéphanie rencontre Alain. Stéphanie raconte à une amie comment elle a fait la connaissance d'Alain. Complétez le paragraphe ci-dessous par le pronom complément d'objet direct ou indirect qui convient.

basket

Imagine un peu la situation! Je suis à l'arrêt d'autobus quand je __1__ vois à côté de moi. Il est sans parapluie et comme il pleut très fort je __2__ offre de se mettre à l'abri. Il __3__ remercie et il __4__ demande d'où je viens. Je __5__ explique que je suis américaine et à ce moment-là le conducteur du bus __6__ crie qu'il s'en va. Nous montons dans le bus et juste en face de nous il y a une vieille dame avec ses deux petits chiens. Ces chiens __7__ regardent avec des yeux bien tristes, alors Alain commence à __8__ donner des morceaux de son sandwich. A l'arrêt suivant la vieille dame prend les deux petits chiens, __9__ met dans son panier° et __10__ dit au revoir en descendant du bus. Au moment où elle descend, un de ces petits chiens saute du panier et se sauve. Alain __11__ voit et descend vite du bus pour aller __12__ rattraper. Je descends aussi et je cours pour __13__ aider. Le petit chien continue sa course°. Nous le rattrapons juste au moment où il va traverser la rue et nous retournons vers la vieille dame pour le lui rendre. Après ça, Alain se tourne vers moi et il __14__ regarde avec les mêmes yeux tristes que les petits chiens. Je __15__ souris et il __16__ invite au café. C'est une histoire très romantique, tu ne trouves pas?

sa... on his way

B. Dans ces circonstances. Vous allez passer un an en France chez les Nortier. Vos parents veulent s'assurer de vos bonnes manières et vous demandent ce qu'il faut faire dans les circonstances suivantes. Que leur répondez-vous? Faites vos phrases avec un pronom complément d'objet direct ou indirect.

EXEMPLE   Les Nortier veulent passer des vacances aux Etats-Unis.
　　　　　(inviter, dire)
　　　　　Je les invite à venir chez nous.
　　　　　(Je leur dis qu'ils peuvent venir chez nous.)

1. Les Nortier te demandent de rentrer plus tôt le soir. (obéir, dire)
2. Leur fils Aurélien a des difficultés avec ses devoirs d'anglais. (aider, encourager)
3. Tu fais du ski avec les élèves de ta classe et Mme Nortier s'inquiète pour toi. (appeler, téléphoner)
4. Les Nortier demandent pourquoi tu as de mauvaises notes à l'école. (expliquer, répondre)
5. Ton petit frère vient te rendre visite et il arrive à l'Aéroport Charles de Gaulle. (retrouver, attendre)

6. Les Nortier t'achètent un joli cadeau pour ton anniversaire. (remercier, acheter)
7. Tes amis d'ici t'écrivent beaucoup de lettres. (écrire, envoyer)
8. Aurélien aide sa mère à mettre de l'ordre et à nettoyer la maison. (demander, aider)

Exploration

Le présent des verbes en -er à changement orthographique.

A. Certains verbes en **-er** ont des changements orthographiques. Pour les verbes qui se terminent en **-ger, g** devient **ge** devant **o**.

manger	
je mange	nous mangeons
tu manges	vous mangez
il/elle/on mange	ils/elles mangent

Les verbes suivants sont conjugués comme **manger**.

s'allonger	*to lie down*	déranger	*to bother*
arranger	*to fix*	échanger	*to exchange*
bouger	*to move*	encourager	*to encourage*
changer	*to change*	exiger	*to demand*
corriger	*to correct*	nager	*to swim*
décourager	*to discourage*	partager	*to share*
déménager	*to move* (address)	voyager	*to travel*

B. Pour les verbes qui se terminent en **-cer, c** devient **ç** devant **o**.

commencer	
je commence	nous commençons
tu commences	vous commencez
il/elle/on commence	ils/elles commencent

Les verbes suivants sont conjugués comme **commencer**.

agacer	*to irritate*	effacer	*to erase*
annoncer	*to announce*	lancer	*to throw*
avancer	*to move forward*	placer	*to place, to set*
déplacer	*to move something*	prononcer	*to pronounce*
divorcer (de)	*to divorce*	remplacer	*to replace*

C. Pour les verbes qui se terminent en **-yer, y** devient **i** devant un **e muet**.

payer	
je paie	nous payons
tu paies	vous payez
il/elle/on paie	ils/elles paient

Les verbes qui suivent sont conjugués comme **payer**.

employer	*to use*	essuyer	*to wipe*
ennuyer	*to bore*	nettoyer	*to clean*
s'ennuyer	*to be bored*	renvoyer	*to send back, to fire*
envoyer	*to send*	tutoyer	*to address someone by* **tu**
essayer	*to try, to try on*	vouvoyer	*to address someone by* **vous**

D. Les verbes qui ont un **e muet** à l'avant-dernière° syllabe de l'infinitif   next to the last
ajoutent un accent grave ou redoublent la consonne devant une
syllabe muette.

acheter	
j'achète	nous achetons
tu achètes	vous achetez
il/elle/on achète	ils/elles achètent

appeler	
j'appelle	nous appelons
tu appelles	vous appelez
il/elle/on appelle	ils/elles appellent

Les verbes qui suivent sont conjugués comme

acheter:
amener   *to bring* (a person)
élever   *to raise* (a child)
enlever   *to take off, to remove*
lever   *to raise, to lift*
se promener   *to go for a walk*
soulever   *to lift*

appeler:
épeler   *to spell*
feuilleter   *to leaf through*
jeter   *to throw*
projeter   *to project*
rappeler   *to remind*
rejeter   *to reject*

E. Les verbes qui ont un **é** à l'avant-dernière syllabe de l'infinitif
changent le **é** en **è** devant une syllabe muette.

préférer	
je préfère	nous préférons
tu préfères	vous préférez
il/elle/on préfère	ils/elles préfèrent

Les verbes suivants sont conjugués comme **préférer**.

compléter   *to complete*
considérer   *to consider*
coopérer   *to cooperate*
espérer   *to hope*
exagérer   *to exaggerate*
— exaspérer   *to aggravate, to frustrate*
interpréter   *to interpret*
répéter   *to repeat, to practice*
sécher   *to dry*
suggérer   *to suggest*

Application

A. Travaux ménagers. Les parents de Stéphanie téléphonent à leur fille
W et lui demandent d'aider les Leblanc à faire les travaux ménagers.
Complétez cette conversation entre Stéphanie et ses parents.

LES PARENTS	Les enfants Leblanc et toi, vous __1__ (partager) les travaux ménagers?
STÉPHANIE	Mais oui, nous __2__ (les partager) presque tous!
LES PARENTS	Et vous __3__ (changer) vos draps° chaque semaine?
STÉPHANIE	Mais bien sûr, nous __4__ (les changer) tous les dimanches.
LES PARENTS	Tu __5__ (nettoyer) ta chambre toi-même?
STÉPHANIE	Je __6__ (la nettoyer) tous les samedis matins. Ne vous inquiétez pas!
LES PARENTS	Vous __7__ (bien manger)?
STÉPHANIE	Oui, nous __8__ (manger) très bien parce que M. et Mme Leblanc font, tous les deux, très bien la cuisine.
LES PARENTS	En général, qui __9__ (commencer) à mettre la table?
STÉPHANIE	C'est souvent Arnaud et moi qui __10__ (commencer).
LES PARENTS	Qui __11__ (essuyer) les assiettes et les couverts° quand vous faites la vaisselle?
STÉPHANIE	La plupart du temps, c'est Sabine et moi qui __12__ (les essuyer).
LES PARENTS	Quand tu vas au restaurant avec eux, tu __13__ (payer) ta part?
STÉPHANIE	Non, M. et Mme Leblanc ne me laissent jamais __14__ (payer).
LES PARENTS	Tu __15__ (jeter) toujours les ordures à la poubelle?
STÉPHANIE	Oui, bien sûr que je __16__ (les jeter) toujours à la poubelle. Je ne suis pas folle!

sheets

silverware

LEÇON 3

Chez le coiffeur

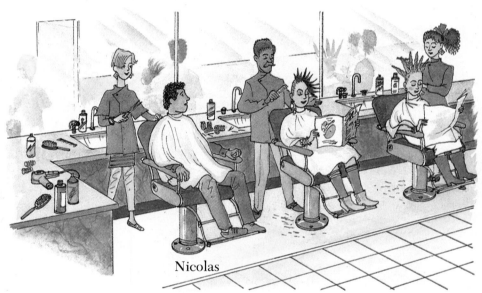

Nicolas

En contexte

Pour commencer

A. Que se passe-t-il? Décrivez l'illustration en répondant aux questions suivantes. Reportez-vous à l'**Expansion du vocabulaire** (p. 56) si vous avez besoin de mots supplémentaires.

1. Où est-ce que Nicolas a rendez-vous cet après-midi?
2. Comment sont les cheveux de Nicolas? des autres clients?
3. Que va faire la coiffeuse? Qu'est-ce qu'elle a dans les mains?
4. A votre avis, quel genre de coupe irait à Nicolas?
5. Nommez les articles qu'un coiffeur utilise dans la pratique de son métier.
6. Et vous? Préférez-vous aller toujours au même salon de coiffure ou préférez-vous changer?
7. Quels conseils donnez-vous au coiffeur (à la coiffeuse)?

B. Qui l'a dit? Dites qui aurait pu faire ces remarques: **la coiffeuse** ou **Nicolas**.

EXEMPLE Quelle coupe voulez-vous?

Quelle surprise!

Nicolas raconte à un ami ce qui lui est arrivé chez le coiffeur.

NICOLAS Salut, mon vieux. Ecoute, tu ne t'imagineras jamais ce qui m'est arrivé aujourd'hui.

LAURENT Eh bien, raconte!

NICOLAS Tu te souviens la semaine dernière que Georges m'a recommandé d'aller chez la coiffeuse près du Centre Pompidou pour me faire couper les cheveux?

LAURENT Oui, il t'a dit qu'elle était très douée et qu'elle saurait exactement la coupe de cheveux qu'il te faut.

NICOLAS C'est ça. Et comme j'avais besoin de me faire couper les cheveux, j'ai pris rendez-vous chez elle. Et tu ne devineras° jamais ce qui s'est passé ensuite.   *will guess*

LAURENT Qu'est-ce qui s'est passé?

NICOLAS J'étais là assis et je me suis mis à regarder les autres clients autour de moi. Eh bien, tous les autres clients avaient les cheveux à la punk. Je n'étais pas rassuré, tu sais!

LAURENT C'est un mauvais rêve que tu as fait.

NICOLAS Non, non, ce n'était malheureusement pas un rêve. Ils étaient tous là autour de moi avec des cheveux jaunes, mauves, verts. Il y en avait de toutes les couleurs!

LAURENT Et ce n'étaient pas des perruques?

NICOLAS Tu parles! Ils étaient rasés sur les côtés et ils avaient même des dessins. Certains d'entre eux avaient même une longue mèche arc-en-ciel° sur le dessus.   **mèche…** *rainbow colored strand*

LAURENT Qu'est-ce que tu as fait? Tu t'es sauvé?

NICOLAS Je n'ai pas eu le temps. J'étais déjà assis dans le fauteuil et la coiffeuse avait ses ciseaux à la main. «Quelle coupe voulez-vous?» m'a-t-elle dit. Moi, je ne savais pas quoi lui répondre. J'ai balbutié° «Oui… euh, non… euh je ne sais pas…». Qu'est-ce que tu aurais fait à ma place?   *mumbled*

LAURENT Je me serais sauvé le plus vite possible.

NICOLAS	Eh bien, elle a dû s'en douter° parce qu'elle ne m'a pas laissé le temps de me sauver. Elle s'est tout de suite mise à me couper les cheveux en me faisant un grand sourire°. Puis elle m'a dit «Ne vous inquiétez pas, je comprends». Et elle a retourné le fauteuil pour que je ne puisse pas me regarder dans la glace. Je m'imaginais déjà avec une coupe à la Mohawk.	a... must have suspected it smile
LAURENT	Mais ta coupe est très bien réussie. Qu'est-ce que tu as fait, tu as mis un produit pour les faire repousser instantanément?	
NICOLAS	Mais non, quand elle a fini, elle a retourné le fauteuil pour que je puisse me voir. Quelle surprise! J'avais une coupe tout à fait normale. C'est alors qu'elle m'a tout expliqué. Les clients autour de moi étaient des acteurs qui jouaient une pièce de théâtre dans le quartier.	
LAURENT	Eh bien mon pote*°, elle t'a quand même joué un drôle de tour!	mon... old pal
NICOLAS	Oui, je dois dire que je n'étais pas fier° au début. De toute manière, comme on dit, tout est bien qui finit bien!	je... I felt pretty small

Questions sur la lecture

1. Pourquoi est-ce que Nicolas choisit d'aller chez cette coiffeuse?
2. Pourquoi est-ce que Nicolas commence à s'inquiéter en regardant autour de lui?
3. A votre avis, pourquoi est-ce que la coiffeuse tourne le fauteuil?
4. Pourquoi est-ce que Nicolas est soulagé quand il se regarde dans la glace?
5. Pourquoi y a-t-il tant de gens de style punk chez la coiffeuse?

Et vous?

Posez les questions suivantes à un(e) de vos camarades de classe.

1. Est-ce que tu te fais couper les cheveux par un coiffeur ou par une coiffeuse? Es-tu content(e) de son travail?
2. Est-ce que tu trouves qu'il est important d'avoir les cheveux bien coupés?
3. Aimes-tu le style punk? As-tu jamais eu une coupe de cheveux à la punk?
4. Préfères-tu avoir les cheveux longs ou courts?
5. Préfères-tu les cheveux lisses, ondulés, bouclés ou frisés?
6. Comment sont tes cheveux?

Expansion du vocabulaire

NOMS

une **barbe**   beard
un **bigoudi**   curler, roller
une **brosse à cheveux**   hairbrush
des **ciseaux** (*m. pl.*)   scissors
un **coiffeur,** une
   coiffeuse   hairdresser
une **coiffure**   hairstyle, hairdo
une **coupe bien réussie**   good
      haircut
une **coupe de cheveux**   a haircut
des **franges** (*f*)   bangs
une **mousse**   mousse
une **moustache**   mustache
un **peigne**   comb
une **perruque**   wig
une **queue de cheval**   ponytail
une **raie**   part
un **rasoir (électrique)**   (electric)
      shaver
un **sèche-cheveux**   hairdryer
un **shampooing**
   (**antipelliculaire**)   (dandruff)
      shampoo

**VERBES ET EXPRESSIONS
VERBALES**

avoir rendez-vous   to have an
   appointment
être doué   to have talent
se faire couper les cheveux
   to get a haircut
se faire faire une mise en plis   to
   get a permanent
se faire faire une teinture   to get
   one's hair dyed

faire un shampoing   to shampoo
jouer un tour à quelqu'un   to play
   a trick on someone
se laisser pousser les cheveux
   to let one's hair grow
recommander   to recommend
se regarder dans la glace   to look
   at oneself in the mirror

**POUR DECRIRE LES CHEVEUX
DE QUELQU'UN**

à la punk   punk-style
blond   blond
bouclés   curly
châtains   brown
chauve   bald
courts derrière   short in the back
courts sur le dessus   short on top
courts sur les côtés   short on the
   sides
décoiffé   uncombed
en queue de cheval   in a pony tail
frisés   very curly or frizzy
gras   oily
lisses   straight
longs derrière   long in the back
longs sur le dessus   long on top
longs sur les côtés   long on the
   sides
mi-longs   shoulder-length
ondulés   wavy
roux   red (hair)
secs   dry
sur les épaules   loose
tirés   tied back

Application

A. Trouvez le mot qui manque.   Complétez logiquement les phrases
suivantes en utilisant le vocabulaire qui précède.

1. Quand on a les cheveux trop longs, on a besoin de se faire ═══.
2. Quand un homme ne se rase pas, il se laisse pousser la ═══.
3. Une personne qui a les cheveux lisses utilise des ═══ pour
   avoir des cheveux bouclés.

4. Une personne qui n'a pas de cheveux est ====.
5. Pour se laver les cheveux on utilise du ====.
6. Si on n'aime pas la couleur de ses cheveux, on peut se faire faire une ====.
7. Pour couper les cheveux de quelqu'un il faut utiliser des ====.

B. Que leur faut-il? Dites ce qu'il faut à chacune des personnes suivantes.

> EXEMPLE   Pierre a les cheveux gras et il voudrait se les laver avant de sortir.
> **Il lui faut du shampooing.**

1. Véronique vient de se laver les cheveux, ils sont mouillés et son copain arrive dans dix minutes.
2. La sœur de Thomas va lui couper les cheveux sur les côtés.
3. Françoise a les cheveux lisses et elle voudrait les avoir bouclés.
4. Paul s'est laissé pousser la barbe et sa petite amie trouve que ça ne lui va pas du tout. Il veut lui faire plaisir et il va donc se raser.
5. Madeleine a essayé de nouveaux produits pour se faire une teinture-mise en plis à la maison. Ses cheveux sont devenus tous blancs et elle s'est retrouvée chauve sur le dessus.
6. Il fait beaucoup de vent et Catherine vient de rentrer toute décoiffée.

C. Situations. Avec un(e) partenaire, choisissez une des situations et rédigez ensemble un dialogue. Vous pourrez ensuite jouer cette scène en classe.

1. Mettez-vous à la place de Nicolas et imaginez une conversation entre la coiffeuse et vous.
2. Vous avez décidé de vous faire couper les cheveux à la punk et vous avez un(e) ami(e) qui essaie de vous persuader de ne pas le faire.

Exploration

Le présent des verbes irréguliers

A. aller (*to go*)

aller	
je vais	nous allons
tu vas	vous allez
il/elle/on va	ils/elles vont

, to make)

faire	
je fais	nous faisons
tu fais	vous **faites**
il/elle/on fait	ils/elles font

C. dire (*to say*), lire (*to read*)

dire	
je dis	nous disons
tu dis	vous **dites**
il/elle/on dit	ils/elles disent

lire	
je lis	nous lisons
tu lis	vous lisez
il/elle/on lit	ils/elles lisent

D. devoir (*to have to, to owe*), boire (*to drink*)

devoir	
je dois	nous devons
tu dois	vous devez
il/elle/on doit	ils/elles doivent

boire	
je bois	nous buvons
tu bois	vous buvez
il/elle/on boit	ils/elles boivent

E. prendre (*to take*)

prendre	
je prends	nous prenons
tu prends	vous prenez
il/elle/on prend	ils/elles prennent

Les verbes suivants sont conjugués comme **prendre**.

apprendre   *to learn*
comprendre   *to understand*
entreprendre   *to undertake*
surprendre   *to surprise*

F. venir (*to come*), tenir (*to hold, to keep*)

venir	
je viens	nous venons
tu viens	vous venez
il/elle/on vient	ils/elles viennent

tenir	
je tiens	nous tenons
tu tiens	vous tenez
il/elle/on tient	ils/elles tiennent

Les verbes suivants sont conjugués comme

venir:
devenir   *to become*
intervenir   *to intervene*
parvenir   *to achieve*
prévenir   *to warn*
revenir   *to come back*
se souvenir   *to remember*

tenir:
appartenir   *to belong*
contenir   *to contain*
maintenir   *to maintain, to insist*
obtenir   *to obtain*
retenir   *to retain, to hold back*
soutenir   *to support*

Notez ces expressions idiomatiques avec le verbe **tenir.**

tenir à   *to really want, to care for*
tenir compte de   *to keep track of, to consider*

G. vouloir (*to want*), pouvoir (*to be able to*)

vouloir	
je veux	nous voulons
tu veux	vous voulez
il/elle/on veut	ils/elles veulent

pouvoir	
je peux	nous pouvons
tu peux	vous pouvez
il/elle/on peut	ils/elles peuvent

H. écrire (*to write*), savoir (*to know*)

écrire	
j'écris	nous écrivons
tu écris	vous écrivez
il/elle/on écrit	ils/elles écrivent

savoir	
je sais	nous savons
tu sais	vous savez
il/elle/on sait	ils/elles savent

Application

A. Mon voisin.   Trouvez le verbe qui convient et employez la forme correcte du présent dans chacune des phrases suivantes. Vous utiliserez certains verbes plus d'une fois.

boire	dire	lire	savoir
comprendre	écrire	pouvoir	venir
devoir	faire	prendre	vouloir

Mon voisin est un écrivain célèbre. Il __1__ des romans de science-fiction. Je __2__ un de ses romans en ce moment. C'est l'histoire de petits bonhommes orange aux cheveux verts qui __3__ d'une galaxie très lointaine°. Ils ont des pouvoirs° magiques car ils __4__ une

distant/powers

potion secrète. Ils __5__ toujours ce que les autres pensent et ils __6__ prendre la forme de n'importe quoi. Ces extraterrestres° ne __7__ pas faire de mal aux êtres humains°. Ils sont sur terre seulement parce qu'ils __8__ des recherches° sur les émotions humaines. Les êtres de leur planète ne ressentent° aucune émotion. Imagine, un jour, à l'arrêt d'autobus, un jeune terrien° __9__ la connaissance d'une de ces extraterrestres qui avait pris la forme d'une jolie terrienne. Le jeune homme tombe amoureux de cette créature incroyable mais elle lui __10__ toujours qu'elle ne __11__ pas se marier avec lui. L'extraterrestre __12__ alors expliquer au jeune terrien pourquoi le mariage ne __13__ pas avoir lieu, mais c'est en voyant la tristesse du jeune homme qu'elle __14__ pour la première fois ce que c'est que l'amour.

extraterrestrials
êtres... human beings
research
feel
earthling

B. A l'arrêt d'autobus. Ces gens prennent le même bus tous les jours. Trouvez la phrase qui correspond à chaque bulle° et complétez-la en donnant la forme correcte du verbe entre parenthèses.

bubble

1. —Tes parents ===== (venir) dîner à la maison dimanche, n'est-ce pas?
   —Ils ne ===== (savoir) pas encore. Nous ===== (devoir) les rappeler samedi soir.
2. —Est-ce que tu ===== (pouvoir) aller au concert avec moi samedi soir?
   —Malheureusement pas! Maman ===== (tenir) absolument à passer le week-end à la campagne.
3. —Ah les mathématiques! Ces problèmes ===== (devenir) impossibles. Tu ne trouves pas?
   —Ce prof est fou. Même mes grands frères ne ===== (pouvoir) pas faire les problèmes qu'il nous donne.
4. —Vous ===== (écrire) encore des articles sur la nouvelle cuisine pour le magazine "Le Grand Gourmet"? Ma femme et moi le ===== (lire) chaque mois.
   —Alors, ne manquez pas le prochain numéro. Je ===== (aller) expliquer comment les Américains ===== (faire) une tarte au potiron°.

pumpkin

C. Connaissez-vous votre coiffeur? Imaginez la vie privée de votre
w coiffeur ou coiffeuse. Ecrivez six phrases pour dire ce qu'il (elle) fait
en dehors de ses heures de travail. Choisissez autant de verbes que
possible de la liste suivante.

EXEMPLE **Mon coiffeur n'est pas seulement coiffeur. En réalité, il
travaille aussi pour une branche ultra-secrète de
notre gouvernement. Chaque vendredi soir il prend
l'autobus et il va...**

aller	devoir	lire	savoir
boire	dire	obtenir	tenir
comprendre	écrire	pouvoir	venir
devenir	faire	prendre	vouloir

Exploration

Le futur immédiat

A. Pour exprimer l'idée d'un futur certain et souvent proche le
français, comme l'anglais, emploie le verbe **aller** + **l'infinitif** du
verbe qui décrit l'action.

Nous **allons prendre** rendez-vous chez le coiffeur.
We are going to make an appointment at the hairdresser's.

Nicolas **va aller** se faire couper les cheveux.
Nicolas is going to go get a haircut.

B. Les pronoms réfléchis et les pronoms compléments d'objet direct et
indirect se placent devant l'infinitif.

Il va **se** fâcher.	*He's going to get angry.*
Va-t-elle **lui** couper les cheveux?	*Is she going to cut his hair?*

C. Les expressions adverbiales suivantes sont souvent suivies ou
précédées du futur immédiat.

demain	*tomorrow*	après-demain	*the day after*
demain matin	*tomorrow*		*tomorrow*
	morning	la semaine prochaine	*next week*
demain après-midi	*tomorrow*	le mois prochain	*next month*
	afternoon	l'année prochaine	*next year*
demain soir	*tomorrow evening*		

Application

A. **Qu'est-ce qu'ils vont faire?** Chacun des personnages suivants cherche quelque chose dont il a besoin. Devinez ce qu'ils vont faire selon ce qu'ils cherchent.

> EXEMPLE   Je cherche le sèche-cheveux.
> **Tu vas te sécher les cheveux.**

1. Madeleine cherche sa brosse à cheveux.
2. Je cherche le numéro de téléphone de mon coiffeur.
3. Papa cherche son rasoir.
4. Mes sœurs cherchent leur shampooing.
5. Je cherche mon peigne.
6. Maman cherche les ciseaux.
7. Les enfants cherchent leurs pyjamas.
8. Nous cherchons notre maquillage.

B. **Une rue mouvementée.** Dites ce que vont faire les gens ci-dessous.

C. La mode ce printemps.   Ecrivez dix phrases pour décrire ce qui, selon vous, va être à la mode et ce qui va être démodé ce printemps. Parlez des coupes de cheveux, des couleurs des vêtements et de leur coupe°.

style

EXEMPLE

Ce printemps les pantalons à carreaux vont être très à la mode...

Exploration

Le passé récent

A. Pour exprimer l'idée du passé récent (*to have just done something*), on emploie **venir de** + **l'infinitif** du verbe qui décrit l'action passée.

La coiffeuse **vient de couper** les cheveux des acteurs.
*The hairdresser **has just cut** the actors' hair.*

B. N'oubliez pas que les pronoms réfléchis et les pronoms compléments d'objet direct et indirect se placent devant l'infinitif.

Nicolas vient de s'asseoir.	*Nicolas has just sat down.*
Elle vient de **leur** teindre les cheveux.	*She has just dyed their hair.*

Application

A. Les excuses.   Mme Roussel demande à ses enfants de l'aider. Mais chacun trouve une excuse. Dans chacun des cas, choisissez ou inventez une excuse logique.

EXEMPLE   Xavier, aide-moi à nettoyer la cheminée.
Mais Maman, je viens de prendre mon bain.

prendre son bain	manger	
s'habiller pour sortir	se coucher	
enlever ses chaussures	boire du café	
se faire les ongles°	perdre ses clés	nails
casser ses lunettes°	perdre l'appétit	glasses

1. Valérie, lis-moi la lettre de ton professeur.
2. Suzanne, fais la vaisselle s'il te plaît.
3. Valérie et Alain, allez aider Xavier à laver les chiens.
4. Suzanne, voudrais-tu sortir la voiture du garage?
5. Alain et Xavier, goûtez à la tarte aux escargots de Mme Michaud.
6. Xavier, va promener les chiens, s'il te plaît.
7. Valérie et Alain, n'oubliez pas de sortir la poubelle.
8. Xavier et Suzanne, il est minuit et demi, allez vous coucher.

B. Qu'est-ce qu'ils viennent de faire? Dites ce que chacun des personnages vient de faire.

Exploration

Faire causatif

A. La construction **faire + infinitif** s'emploie pour indiquer que le sujet ne fait pas l'action mais la fait faire par quelqu'un d'autre.

La coiffeuse **fait** un shampooing à Nicolas.
*The hairdresser **shampoos** Nicolas's hair.*

La coiffeuse **fait faire** un shampooing à Nicolas.
*The hairdresser **has** Nicolas's hair **shampooed** (by someone else).*

B. En anglais, le faire causatif peut correspondre à *to have or to make someone do something, to get something done* ou *to get someone to do something.*

La coiffeuse **fait passer** l'aspirateur à son assistant.
*The hairdresser **has** her assistant **vacuum** the floor.*

C. Faire causatif peut s'employer à tous les temps.

Je **me fais couper** les cheveux.	*I'm **getting** a haircut.*
Je **vais me faire couper** les cheveux.	*I'm **going to get** a haircut.*
Je **me suis fait couper** les cheveux.	*I **got** a haircut.*

D. Avec faire causatif, les pronoms réfléchis et les pronoms compléments d'objet direct et indirect sont placés devant le verbe **faire**.

La coiffeuse **le** fait asseoir.
Nicolas a besoin de **se** faire couper les cheveux.
Nicolas ne va pas **se** faire faire une mise en plis!
Nous venons de **nous** faire couper les cheveux.

Avec les temps composés le pronom réfléchi est placé devant l'auxiliaire.

Nicolas **s'est fait** faire un shampooing.

Application

A. Qui fait le ménage? Vos parents partent pour le week-end et laissent une liste de huit tâches que votre petit frère et vous devez faire pendant leur absence. Chacun de vous doit se charger de quatre tâches. Dites lesquelles vous ferez vous-même et lesquelles vous ferez faire à votre petit frère.

> EXEMPLE sortir la poubelle
> **Je fais sortir la poubelle à mon petit frère.**
> **(Je sors la poubelle moi-même.)**

1. laver les poubelles
2. nettoyer la cheminée
3. tondre le gazon°   tondre... mow the lawn
4. laver la voiture
5. nettoyer le garage
6. faire la vaisselle chaque soir
7. préparer le dîner chaque soir
8. couper les branches mortes des arbres

B. Vous êtes bricoleur? Est-ce que vous aidez beaucoup à la maison? Dites si vous pouvez faire ces choses vous-même ou si vous devez les faire faire.

> EXEMPLE   changer la batterie d'une voiture
> **Je peux changer la batterie moi-même.**
> **(Je dois faire changer la batterie.)**

1. installer un nouveau téléphone
2. remplacer la chaîne de mon vélo
3. allumer le charbon du barbecue
4. planter un arbre
5. réparer un poste de télévision
6. remplacer une vitre° qui est cassée   window pane
7. changer le pneu° d'une voiture   tire
8. coudre° un bouton sur une chemise   to sew
9. repeindre° une pièce   to paint
10. tapisser° les murs   to wallpaper

C. Des frères jumeaux. Xavier et Didier sont jumeaux. Xavier a l'esprit pratique et c'est un très bon bricoleur. Didier, par contre, n'aime pas le bricolage. Il a beaucoup de goût, il aime la peinture, les couleurs et il fait très bien la cuisine. Dans le paragraphe ci-dessous Xavier parle de sa journée. Imaginez ce que dirait Didier.

> EXEMPLE   **C'est aujourd'hui samedi. Je fais réparer la machine à laver et...**

C'est aujourd'hui samedi. Je répare la machine à laver et je repeins la porte d'entrée. Après ça, je vais mettre un nouveau toit° sur la niche à chien°. Cet après-midi je fais décorer la salle de séjour pour la fête d'anniversaire de mariage de mes grands-parents. Je leur fais préparer un délicieux gâteau aux noix°. Le week-end prochain je vais remplacer le carburateur de ma vieille voiture et j'ai besoin aussi de changer la batterie. Je devrais aussi bientôt faire choisir les nouveaux meubles, et faire faire des rideaux pour la chambre à coucher que je vais construire derrière la maison.

roof
niche... doghouse

nuts

CAS SPECIAUX

Comment dit-on to get *en français?*

Le verbe *to get* en anglais peut se traduire de plusieurs manières en français.

A. Pour dire *to get someone to do something* ou *to get something done*, on emploie le causatif avec **faire** en français.

Fais laver la voiture à ton frère.   *Get your brother to wash the car.*
Je dois faire réparer mon vélo.   *I need to get my bicycle repaired.*

On utilise le causatif avec **faire** et un pronom réfléchi pour dire *to get something done to oneself.*

Je vais me faire couper les   *I'm going to get my hair cut.*
  cheveux.
Elle s'est fait faire une teinture.   *She got her hair dyed.*

B. Un verbe pronominal peut souvent traduire *to get + adjective* pour indiquer un changement d'état.

Ne vous fâchez pas mais je me suis perdu.
Don't get angry, but I've gotten lost.

Les enfants commencent à se fatiguer.
The children are beginning to get tired.

se décourager *to get discouraged*	s'habituer à *to get used to*
se déshabiller *to get undressed*	s'impatienter *to get impatient*
s'effrayer *to get scared*	s'inquiéter *to get worried*
s'énerver *to get irritated*	se lever *to get up*
s'ennuyer *to get bored*	se marier *to get married*
s'enrichir *to get rich*	se mouiller *to get wet*
s'enthousiasmer *to get excited*	se perdre *to get lost*
se fâcher *to get angry*	se préparer *to get ready*
se faire mal *to get hurt*	se salir *to get dirty*
se fatiguer *to get tired*	se réunir *to get together*
s'habiller *to get dressed*	

C. Pour traduire *to get + thing*, on emploie **obtenir, recevoir°** ou **acheter**.

to receive

Elle a reçu une excellente note.	*She got an excellent grade.*
Elle a acheté une nouvelle robe.	*She got a new dress.*
J'ai obtenu mon permis de conduire.	*I got my driver's license.*

Application

A. Une amie perdue à Paris. Il se fait tard et Carine s'inquiète pour son amie américaine, Brittany, qui est sortie seule pour faire quelques courses mais qui n'est pas encore rentrée. Carine trouve une liste que son amie a laissée. Utilisez **obtenir, acheter, recevoir** ou le causatif avec **faire** et dites ce que Brittany a fait pendant la journée.

EXEMPLE   **Elle a fait développer ses photos.**

B. Quelle vie! Complétez les phrases suivantes d'une façon originale.

1. Je m'effraie quand…
2. Je m'impatiente quand…
3. Mes amis se fâchent quand…
4. Je ne peux pas m'habituer à…
5. Mes parents s'inquiètent quand…
6. Mes professeurs se fâchent quand…
7. Je me fais mal si…
8. Mes amis et moi nous enthousiasmons pour…
9. Mes amis et moi aimons nous réunir le week-end pour…

– get photos developed
– get camera repaired
– get some film
– get haircut
– get hair dyed
– get international driver's license
– get new dress for the party
– get high heels repaired
– get a new visa
– get some souvenirs for Mom and Dad

Voilà ce qu'on dit

Les compliments

A. Que pouvez-vous dire à un(e) ami(e) si vous voulez lui faire un compliment sur sa coiffure ou ses vêtements?

J'aime bien!	*I like it!*
Ça fait très bien.	*It looks very nice.*
Ça te va très bien.	*It looks great on you.*
C'est génial!	*It's great!*
C'est chouette!	*It's neat!*
C'est à la mode.	*It's in style.*
C'est branché*!	*It's "in"!*
Quel style!	*What style!*
C'est ton style!	*It's your style!*
C'est tout à fait toi.	*It's just your style.*
Tu es très chic!	*You look really classy!*
Tu es élégant(e)!	*You're so well dressed!*
Ça te va comme un gant!	*It fits you like a glove!*
Ça te va à la perfection.	*It fits you perfectly.*
Que tu es jolie (beau) avec ça!	*You look great with that on!*

B. Que pouvez-vous dire à un(e) ami(e) si sa coiffure ou ses vêtements
ne vous plaisent pas?

Je n'aime pas du tout.	*I don't like it at all.*
Ce n'est pas ton genre.	*It's not your style.*
Quelle allure!	*What a getup!*
C'est trop rétro!	*It's too old-fashioned!*
C'est démodé.	*It's out of style.*
C'est affreux!	*It's really ugly!*
C'est vraiment moche*!	*It's really ugly!*
C'est horrible!	*It's horrible!*
Tu as une drôle d'allure avec ça!	*You look funny with that on!*

Application

A. Qu'en penses-tu? Dites si c'est un compliment ou plutôt une
critique.

1. C'est affreux!
2. C'est chouette!
3. C'est génial!
4. Quelle allure!
5. C'est trop rétro!
6. Ça te va comme un gant!

B. Sincèrement, c'est... Imaginez la fin des phrases suivantes en
utilisant les expressions que vous venez d'apprendre.

1. C'est horrible! Tu...
2. Quel style! Vous...
3. Que tu es jolie avec ça! Tu...
4. Il est très branché. Il...
5. C'est vraiment moche! Je...

C. C'est génial! Que diriez-vous si vous voyiez ces personnes avec les
coiffures ou les vêtements suivants?

1. votre meilleur(e) ami(e) avec un chapeau style 1940
2. votre professeur avec les cheveux violets
3. votre père en pantalon de cuir
4. votre mère avec une robe à carreaux et une blouse à rayures
5. la princesse de Monaco en robe du soir°
6. Pee Wee Herman en maillot de bain

robe... evening gown

D. C'est mon avis. Utilisez des éléments de chaque colonne pour faire
des phrases logiques.

	A	**B**
1.	Il faut être élégant	si tu portes un jean délavé.
2.	Tu es à la mode	de mettre des mini-jupes.
3.	C'est rétro	avec cette nouvelle cravate.
4.	Tu es très beau	pour aller à une soirée très chic.
5.	Ce n'est pas mon genre	quand tu mets des chemises trouées°. with a hole
6.	Tu ne fais pas branché	de porter de grands chapeaux.
7.	Tu es moche	quand tu portes tes vêtements démodés

E. Au contraire, mon cher! Trouvez l'opposé, mais utilisez chaque fois une expression différente.

1. Ça te va très bien.
2. Tu as une drôle d'allure avec ça!
3. Tu fais très chic!
4. C'est branché.
5. Ce n'est pas ton genre.
6. C'est vraiment moche!

F. Dictée. Ecoutez ce dialogue entre deux amies et écrivez les mots qui manquent.

ASTRID	Bonjour, Virginie.
VIRGINIE	Salut! Mais, __1__! Où vas-tu?
ASTRID	Je suis invitée avec Philippe à une soirée et __2__.
VIRGINIE	Cette robe __3__ mais ce chapeau est __4__.
ASTRID	Que __5__?
VIRGINIE	Cela __6__, c'est __7__.
ASTRID	Et crois-tu que mes gants noirs vont aller avec ma veste bleue?
VIRGINIE	Je trouve tout cela __8__ et __9__, sauf __10__ qui __11__ avec ta robe, je le __12__, peux-tu le changer?
ASTRID	Oui, j'en ai un autre. Je voulais __13__ mais tu as raison, __14__.
VIRGINIE	Bon, c'est mieux comme cela. Amuse-toi bien et n'oublie pas de me dire si __15__ ont plu à Philippe.
ASTRID	A plus tard!

G. Quel style! Anne, l'amie de Claire, s'est fait couper les cheveux. Ecoutez le dialogue et répondez aux questions qui suivent.

1. Anne a-t-elle les cheveux courts ou longs? bouclés ou lisses?
2. Est-ce que l'amie d'Anne aime sa coiffure?
3. Pourquoi Anne a-t-elle changé de coiffure?
4. Est-ce que Claire aime les chaussures d'Anne? Pourquoi?
5. Quelle est la philosophie d'Anne?
6. Que pensez-vous de son attitude?

Lecture

Ionesco

A quarante ans, Ionesco décide d'apprendre l'anglais. Il achète donc un manuel de conversation et se met au travail. Pour mieux s'imprégner de la langue, il la recopie soigneusement et découvre que les Smith et les Martin vivent dans la banlieue londonienne, qu'ils ont beaucoup d'enfants dont ils sont les parents et que M. Smith est le mari de Mme Smith tandis que Mme Smith est l'épouse de M. Smith. Cette logique indéniable des mots, par leur banalité précipite Ionesco dans un abîme de découvertes. Il commence à écrire un sottisier° où il recopie les proverbes et les phrases toutes faites qui encombrent la pensée de l'homme moderne et lui permettent ainsi de vivre sans trop réfléchir. *La Cantatrice chauve* (1950) est née. Tel est le début d'une carrière brillante et prospère de dramaturge. C'est une anti-pièce, d'un anti-théâtre avec des anti-héros où il n'est jamais question de cantatrice chauve. La pauvreté de la pensée et la banalité du langage est ici la source du comique.

° collection of foolish quotations

Pour commencer

Lisez une première fois cette scène de *La Cantatrice chauve* et répondez aux deux questions suivantes: *Qui sont les deux personnages qui entrent sur la scène? Se connaissent-ils?* Ensuite, relisez la scène plus attentivement et répondez aux questions qui font suite à la lecture.

La Cantatrice chauve
SCENE IV

LES ÉPOUX MARTIN

*Mme et M. Martin s'assoient l'un en face de l'autre, sans se parler.
Ils se sourient, avec timidité.*

M. MARTIN *(le dialogue qui suit doit être dit d'une voix traînante,
monotone, un peu chantante, nullement nuancée):* Mes excuses,
5 Madame, mais il me semble si je ne me trompe, que je vous ai déjà
rencontrée quelque part.

MME MARTIN: A moi aussi, Monsieur, il me semble que je vous ai
déjà rencontré quelque part.

M. MARTIN: Ne vous aurais-je pas déjà aperçue, Madame, à
10 Manchester, par hasard?

MME MARTIN: C'est très possible. Moi, je suis originaire de la ville
de Manchester! Mais je ne me souviens pas très bien, Monsieur, je
ne pourrais pas dire si je vous y ai aperçu, ou non!

M. MARTIN: Mon Dieu, comme c'est curieux! Moi aussi je suis
15 originaire de la ville de Manchester, Madame!

MME MARTIN: Comme c'est curieux!

M. MARTIN: Comme c'est curieux!... Seulement, moi, Madame, j'ai
quitté la ville de Manchester, il y a cinq semaines, environ.

MME MARTIN: Comme c'est curieux! quelle bizarre coïncidence!
20 Moi, aussi, Monsieur, j'ai quitté la ville de Manchester, il y a cinq
semaines, environ.

M. MARTIN: J'ai pris le train d'une demie après huit le matin, qui
arrive à Londres à un quart avant cinq, Madame.

MME MARTIN: Comme c'est curieux! comme c'est bizarre! et quelle
25 coïncidence! J'ai pris le même train, Monsieur, moi aussi!

M. MARTIN: Mon Dieu, comme c'est curieux! peut-être bien alors,
Madame, que je vous ai vue dans le train?

MME MARTIN: C'est bien possible, ce n'est pas exclu, c'est plausible
et, après tout, pourquoi pas!... Mais je n'en ai aucun souvenir,
30 Monsieur!

M. MARTIN: Je voyageais en deuxième classe, Madame. Il n'y a pas
de deuxième classe en Angleterre, mais je voyage quand même en
deuxième classe.

MME MARTIN: Comme c'est bizarre, que c'est curieux, et quelle
35 coïncidence! moi aussi, Monsieur, je voyageais en deuxième classe!

M. MARTIN: Comme c'est curieux! Nous nous sommes peut-être
bien rencontrés en deuxième classe, chère Madame!

MME MARTIN: La chose est bien possible et ce n'est pas du tout
exclu. Mais je ne m'en souviens pas très bien, cher Monsieur!

40   M. MARTIN: Ma place était dans le wagon n° 8, sixième
compartiment, Madame!

    MME MARTIN: Comme c'est curieux! ma place aussi était dans le
wagon n° 8, sixième compartiment, cher Monsieur!

    M. MARTIN: Comme c'est curieux et quelle coïncidence bizarre!
45 Peut-être nous sommes-nous rencontrés dans le sixième
compartiment, chère Madame?

    MME MARTIN: C'est bien possible, après tout! Mais je ne m'en
souviens pas, cher Monsieur!

    M. MARTIN: A vrai dire, chère Madame, moi non plus je ne m'en
50 souviens pas, mais il est possible que nous nous soyons aperçus là,
et, si j'y pense bien, la chose me semble même très possible!

    MME MARTIN: Oh! vraiment, bien sûr, vraiment, Monsieur!

    M. MARTIN: Comme c'est curieux!... J'avais la place n° 3, près de
la fenêtre, chère Madame.

55   MME MARTIN: Oh, mon Dieu, comme c'est curieux et comme c'est
bizarre, j'avais la place n° 6, près de la fenêtre, en face de vous,
cher Monsieur.

    M. MARTIN: Oh, mon Dieu, comme c'est curieux et quelle
coïncidence!... Nous étions donc vis-à-vis°, chère Madame! C'est là   face to face
60 que nous avons dû nous voir!

    MME MARTIN: Comme c'est curieux! C'est possible mais je ne m'en
souviens pas, Monsieur!

    M. MARTIN: A vrai dire, chère Madame, moi non plus je ne m'en
souviens pas. Cependant, il est très possible que nous nous soyons
65 vus à cette occasion.

    MME MARTIN: C'est vrai, mais je n'en suis pas sûre du tout,
Monsieur.

    M. MARTIN: Ce n'était pas vous, chère Madame, la dame qui
m'avait prié° de mettre sa valise dans le filet et qui ensuite m'a   asked
70 remercié° et m'a permis de fumer?   thanked

    MME MARTIN: Mais si, ça devait être moi, Monsieur! Comme c'est
curieux, comme c'est curieux, et quelle coïncidence!

    M. MARTIN: Comme c'est curieux, comme c'est bizarre, quelle
coïncidence! Eh bien alors, alors nous nous sommes peut-être connus
75 à ce moment-là, Madame?

    MME MARTIN: Comme c'est curieux et quelle coïncidence! c'est bien
possible, cher Monsieur! Cependant, je ne crois pas m'en souvenir.

    M. MARTIN: Moi non plus, Madame.

    Un moment de silence. La pendule° sonne 2-1.   clock

    M. MARTIN: Depuis que je suis arrivé à Londres, j'habite rue
80 Bromfield, chère Madame.

    MME MARTIN: Comme c'est curieux, comme c'est bizarre! moi
aussi, depuis mon arrivée à Londres j'habite rue Bromfield, cher
Monsieur.

M. MARTIN: Comme c'est curieux, mais alors, mais alors, nous
nous sommes peut-être rencontrés rue Bromfield, chère Madame.

MME MARTIN: Comme c'est curieux; comme c'est bizarre! c'est bien
possible, après tout! Mais je ne m'en souviens pas, cher Monsieur.

M. MARTIN: Je demeure° au n° 19, chère Madame.   live

MME MARTIN: Comme c'est curieux, moi aussi j'habite au n° 19,
cher Monsieur.

M. MARTIN: Mais alors, mais alors, mais alors, mais alors, mais
alors, nous nous sommes peut-être vus dans cette maison, chère
Madame?

MME MARTIN: C'est bien possible, mais je ne m'en souviens pas,
cher Monsieur.

M. MARTIN: Mon appartement est au cinquième étage, c'est le n° 8,
chère Madame.

MME MARTIN: Comme c'est curieux, mon Dieu, comme c'est
bizarre! et quelle coïncidence! moi aussi j'habite au cinquème étage,
dans l'appartement n° 8, cher Monsieur!

M. MARTIN, *songeur:* Comme c'est curieux, comme c'est curieux,
comme c'est curieux et quelle coïncidence! vous savez, dans ma
chambre à coucher j'ai un lit. Mon lit est couvert d'un édredon° vert.   comforter
Cette chambre, avec ce lit et son édredon vert, se trouve au fond du
fond du corridor, entre les waters° et la bibliothèque, chère Madame!   bathroom

MME MARTIN: Quelle coïncidence, ah mon Dieu, quelle
coïncidence! Ma chambre à coucher a, elle aussi, un lit avec un
édredon vert et se trouve au fond du corridor, entre les waters, cher
Monsieur, et la bibliothèque!

M. MARTIN: Comme c'est bizarre, curieux, étrange! alors,
Madame, nous habitons dans la même chambre et nous dormons
dans le même lit, chère Madame. C'est peut-être là que nous nous
sommes rencontrés!

MME MARTIN: Comme c'est curieux et quelle coïncidence! C'est
bien possible que nous nous y soyons rencontrés, et peut-être même
la nuit dernière. Mais je ne m'en souviens pas, cher Monsieur!

M. MARTIN: J'ai une petite fille, ma petite fille, elle habite avec
moi, chère Madame. Elle a deux ans, elle est blonde, elle a une œil
blanc et un œil rouge, elle est très jolie, elle s'appelle Alice, chère
Madame.

MME MARTIN: Quelle bizarre coïncidence! moi aussi j'ai une petite
fille, elle a deux ans, un œil blanc et un œil rouge, elle est très jolie
et s'appelle aussi Alice, cher Monsieur!

M. MARTIN, *même voix traînante°, monotone:* Comme c'est curieux   slow
et quelle coïncidence! et bizarre! c'est peut-être la même, chère
Madame!

MME MARTIN: Comme c'est curieux! c'est bien possible, cher
Monsieur.

Un assez long moment de silence… La pendule sonne vingt-neuf fois.

M. MARTIN, *après avoir longuement réfléchi, se lève lentement et,*
130 *sans se presser, se dirige vers Mme Martin qui, surprise par l'air*
solennel de M. Martin, s'est levée, elle aussi, tout doucement; M.
Martin a la même voix rare, monotone, vaguement chantante. —
Alors, chère Madame, je crois qu'il n'y a pas de doute, nous nous
sommes déjà vus et vous êtes ma propre épouse°… Elisabeth, je t'ai   wife
135 retrouvée!

Mme Martin s'approche de M. Martin sans se presser. Ils
s'embrassent sans expression. La pendule sonne une fois, très fort.
Le coup de la pendule doit être si fort qu'il doit faire sursauter° les   **faire…** startle
spectateurs. Les époux Martin ne l'entendent pas.
140 MME MARTIN: Donald, c'est toi, darling!
Ils s'assoient° dans le même fauteuil, se tiennent embrassés et   sit down
s'endorment°. La pendule sonne encore plusieurs fois.   fall asleep

Service des Objets Trouvés

Questions sur la lecture

1. D'où est M. Martin, d'où vient Mme Martin? Quand ont-ils
   quitté leur ville?
2. Les expressions «une demie après huit» et «un quart avant cinq»
   sont-elles correctes? Comment devrait-on dire? Pourquoi M. et
   Mme Martin parlent-ils comme cela?
3. Par quel moyen de transport, M. et Mme Martin sont-ils venus à
   Londres? En quelle classe ont-ils voyagé? Dans quel wagon?
   Quel compartiment? Quelle place? Se sont-ils parlés?
4. Où habite Mme Martin? Quelle rue? A quel numéro? Où habite
   M. Martin?
5. Décrivez la chambre de M. Martin, celle de Mme Martin.
6. M. Martin a-t-il une fille? Comment s'appelle-t-elle?
7. Décrivez la fille de Mme Martin. Est-elle jolie?
8. Les époux se retrouvent enfin. Expliquez le changement de
   «vous» à «tu» dans les phrases «Vous êtes ma propre épouse…
   Elisabeth, je t'ai retrouvée.»
9. Les personnages parlent d'une voix monotone, sans vie et
   pourtant ils sont comiques. Pourquoi? Par quels procédés
   Ionesco réussit-il à nous faire rire?

Qu'en pensez-vous?

1. Est-ce une pièce dramatique ou humoristique? Pourquoi?
2. Quel est le ton du texte? Y a-t-il du sarcasme ou est-ce une critique?
3. Quel message veut donner l'auteur aux lecteurs?
4. Est-ce que le rapport qui existe entre M. et Mme Martin est très détaché de la réalité? Pensez-vous que leur rapport reflète une certaine réalité? Pourquoi?
5. Pensez-vous que l'homme et la femme du futur deviendront des machines comme M. et Mme Martin?

Révision

Situations

1. Vous avez décidé de changer de coiffure. Imaginez une discussion entre le coiffeur et vous. Dites-lui exactement ce que vous voulez—un shampooing? une coupe? une mise en plis? une teinture? les cheveux longs? courts? rasés? frisés? ondulés? lisses?
2. Supposez que vous êtes transporté(e) en l'an 2095. Décrivez les gens autour de vous, leur allure°, leurs vêtements, leur coiffure. Donnez vos impressions.   appearance
3. Créez votre personnage idéal et présentez-le à vos camarades de classe. Comment est-il (elle) physiquement? Comment est-il (elle) habillé(e)? Quelles sont ses qualités morales et intellectuelles?
4. Imaginez que vous avez gagné 1.000 F et votre ami(e) et vous décidez d'aller faire des achats et d'acheter ce que vous désirez. Malheureusement, votre ami(e) n'est pas d'accord sur votre choix.

Sujets de rédaction

1. Est-ce qu'il est important d'avoir de bons rapports avec ses parents et les membres de sa famille? Donnez des exemples.
2. Est-il important de critiquer? Est-ce négatif ou positif? Quand pensez-vous que la critique est nécessaire?
3. Aimez-vous changer de mode de vie? Est-ce qu'il est important de changer de coiffure ou de vêtements? Est-ce qu'il est très important d'être à la mode?
4. Décrivez la personne avec laquelle vous vous entendez le mieux et expliquez pourquoi.
5. Est-ce que les qualités morales et intellectuelles de vos amis sont plus importantes que les vêtements qu'ils portent?

CONTEXTE CULTUREL

Jessica compte aller passer quelques mois en France. Elle écrit à son amie Françoise pour savoir quels genres de vêtements elle devrait emporter et pour obtenir quelques renseignements sur la mode actuelle des jeunes. Voici la lettre qu'elle a reçue.

Chère Jessica,

Je suis très contente d'apprendre que tu vas venir passer un certain temps en France avec nous. Dans ta dernière lettre, tu me demandes comment les jeunes s'habillent et quels vêtements tu dois amener. Ne te fais pas trop de souci à ce sujet. Quand nous sortons ensemble, mes copains et moi sommes généralement tous en jean et en baskets. Comme tu peux le constater, c'est une tenue très décontractée et... universelle. Mais je vais malgré tout te donner quelques détails supplémentaires.

Pour le moment la mode est aux vêtements très colorés et aux contrastes entre les couleurs. Comme coloris, le rouge et le noir, le jaune et le noir sont très à la mode. Pourtant, les couleurs unies et les pastels continuent de l'être aussi. On aime porter les chemisiers et les pulls en superposition. C'est aussi la grande mode de porter de très longs pulls. Si longs parfois qu'il n'y a même pas besoin de mini-jupe! A ce propos, hier, en faisant du lèche-vitrines, j'en ai vu une superbe, en cuir marron. Malheureusement, mon budget ne me permet pas d'acheter des vêtements aussi chers!

J'ai entendu dire qu'aux Etats-Unis, les shorts avaient un grand succès en été. Ici, personne n'en porte en ville. Par contre, à la côte, pendant les vacances, il y en a beaucoup qui se promènent en bermuda, surtout parmi les plus jeunes.

Et, si tu t'inscris dans une école privée, tu devras sans doute porter un uniforme. Pour les garçons, cela ne se traduit pas nécessairement par un costume mais plutôt par un pantalon et un blazer. Quant aux filles, elles doivent être en jupe et chemisier d'une teinte définie par l'établissement scolaire.

Ah! j'allais oublier le plus important: n'oublie surtout pas de prendre un blouson imperméable et un bon parapluie!

Je t'attends avec impatience!

Amicalement,
Françoise

DES JEANS DANS LES COULOIRS DU MÉTRO
Il existe neuf distributeurs automatiques de jeans à Paris. On les trouve principalement dans les couloirs du métro ou près des aéroports.

"Des jeans dans les couloirs du métro," dans *Journal Français d'Amérique*, v. 10, no. 13, juin 1988. Copyright © 1988 par et reproduit avec l'autorisation de Journal Français d'Amérique.

Sujets de discussion

1. Comment est-ce que les jeunes Français s'habillent pour sortir avec des amis? A votre avis, est-ce que les jeunes Français donnent plus d'importance à la mode que les jeunes Américains? Pensez-vous que les jeunes Français s'habillent de manière plus (ou moins) décontractée que les Américains?
2. Est-ce que vous pouvez porter des shorts à l'école? Pensez-vous que les élèves français en portent à l'école? Quels élèves doivent porter un uniforme en France? Est-ce que la même règle existe aux Etats-Unis? Quels sont les avantages de porter un uniforme à l'école? Quels en sont les désavantages?
3. Quels coloris sont à la mode en France maintenant? Et aux Etats-Unis? Pensez-vous que les Français portent généralement des vêtements de couleurs plus vives que les Américains? Quels genres de vêtements actuellement à la mode trouvez-vous beaux? Lesquels trouvez-vous affreux?

2

Les Souvenirs

Dans cette unité vous allez

- parler de votre quartier et de ses habitants

- décrire votre maison ou votre appartement

- parler de fêtes familiales et des différents membres de votre famille

- raconter un voyage que vous avez fait

- apprendre ce que disent les enfants quand ils se disputent

Vous allez aussi étudier

- le passé composé

- l'imparfait

- l'emploi de l'imparfait et du passé composé

- l'emploi d'**il y a, pendant** et **depuis** avec le passé

- les prépositions suivies d'un infinitif

- le passé simple

81

*L*EÇON 4

Chez soi

En contexte

Pour commencer

A. Que se passe-t-il? Répondez aux questions d'après ce que vous voyez sur le dessin qui précède.

    1. Est-ce que la concierge, Mme Pipelette, a déjà sorti les poubelles? Que fait-elle? Que crie-t-elle? Pourquoi?

2. Que pensez-vous de la famille Débordé au premier et au deuxième étage? Pensez-vous qu'ils font souvent le ménage?

3. Quelles sont les pièces de leur appartement? Décrivez-les.

4. Est-ce que Mme Débordé a déjà préparé le dîner? Est-ce que son fils a fait son lit? Expliquez.

5. Que font les enfants des Débordé? Que fait Mme Débordé dans l'escalier?

6. A quel étage habite Eric Bogarson, le célibataire? Et Mlle Pincenez, la vieille fille? Décrivez leurs appartements.

7. A qui téléphone Mlle Pincenez? Pourquoi?

8. Que fait la femme de ménage? Pensez-vous qu'elle a déjà passé l'aspirateur? Pourquoi?

9. Pensez-vous que Louise Labelle, qui sonne à la porte, connaît quelqu'un dans l'immeuble? Qui? A quel étage va-t-elle monter? Comment va-t-elle y monter?

10. Pourquoi est-ce qu'Eric Bogarson n'a pas mis les roses qu'il a acheté dans un vase? Qu'est-ce qu'il regarde?

B. Qui a dû dire cela? Regardez le dessin et identifiez la personne qui a probablement dit chacune des phrases que vous entendez.

EXAMPLE   Aiiie!! Ça m'a fait mal!!   *un des enfants Débordé*

M. Débordé
Mme Débordé
un des enfants Débordé
Mme Pipelette

Eric Bogarson
Louise Labelle
Mlle Pincenez
la femme de ménage

Une boum!

Philippe Débordé n'a pas toujours vécu dans cet immeuble. Quand il était encore célibataire, il louait° un petit studio comme celui d'Eric Bogarson. Lisez l'histoire suivante pour mieux connaître son ancien immeuble.

rented

Avant de me marier, j'avais une petite vie bien tranquille. J'habitais un immeuble moderne à Versailles, près de Paris. J'avais un studio minuscule° parce que j'étais célibataire.

tiny

Au premier étage il y avait un couple à la retraite°. Ils étaient très gentils et m'invitaient souvent à dîner chez eux. Après le repas, on parlait parfois de politique ou de religion. Elle avait toujours des idées bien précises, mais lui aimait bien discuter rien que pour le plaisir de discuter. C'étaient des gens très aimables.

à... retired

Au dernier étage de l'immeuble, il y avait un atelier d'artiste° où habitait un sculpteur très excentrique et farfelu°. Son atelier était bourré* de° sculptures de tous les styles et de toutes les formes. Il y en avait partout—dans les placards°, dans les couloirs° et même dans la baignoire. On ne se sentait seul nulle part° dans son atelier!

Un jour, le sculpteur a invité tout l'immeuble à une boum chez lui. Quelle soirée!! Il nous a servi des amuse-gueule, du champagne et même du caviar. C'était un vrai festin! On devait se déguiser. Moi, je me suis déguisé en John Wayne. (Je suis un fana de John Wayne depuis longtemps.) Mes vieux voisins sont venus déguisés en Marie-Antoinette et Louis XVI. Je me souviens aussi qu'il y avait un Groucho Marx, une Amélia Earhart, un Superman et toute une famille d'extraterrestres°. Son deux-pièces était plein à craquer°. Il y avait aussi de la musique fantastique, et nous avons dansé toute la soirée et une partie de la nuit.

C'était une boum inoubliable!

atelier... artist's loft
a little crazy or bizarre
bourré... full of
closets/hallways
nulle... nowhere

extraterrestrials
plein... crammed full

Questions sur la lecture

1. Est-ce qu'un studio minuscule suffisait° à Philippe Débordé à l'époque? Pourquoi?
2. A peu près quel âge avaient les vieux voisins du premier étage? Comment le savez-vous?
3. Pourquoi Philippe trouvait-il ses voisins sympathiques?
4. Comment était l'atelier du sculpteur? Cela vous surprend-il?
5. Donnez une description de la boum. Qu'est-ce que les invités ont bu? Qu'est-ce qu'ils ont mangé? Qu'est-ce qu'ils ont fait?
6. Imaginez les costumes de John Wayne, Louis XVI, Marie-Antoinette, Amélia Earhart, Groucho Marx et Superman.

was enough

Et vous?

Posez les questions suivantes à un(e) de vos camarades de classe.

1. Es-tu déjà allé(e) déguisé(e) à une boum? Si oui, comment est-ce que tu t'es déguisé(e)?
2. Raconte une boum mémorable. Où es-tu allé(e)? Avec qui?
3. Habites-tu un quartier agréable? Est-ce que tu connais bien tes voisins?
4. As-tu des voisins farfelus? Décris un(e) de tes voisin(e)s.
5. Décris un(e) parent(e)° que tu trouves un peu excentrique.
6. Comment est ta chambre à coucher? Décris-la-moi en ordre et en désordre.

relative

Expansion du vocabulaire

NOMS DE PERSONNES
une **bonne**   live-in maid
un **célibataire**   bachelor
une **célibataire**   unmarried woman
un(e) **concierge**   building caretaker
un **couple**   couple
une **famille nombreuse**   large family
une **femme de ménage**   cleaning lady
un(e) **gosse***   kid, child
un(e) **locataire**   renter
une **vieille fille**   old maid
un(e) **voisin(e)**   neighbor

NOMS QUI SE RAPPORTENT A UNE RESIDENCE
un **ascenseur**   elevator
un **aspirateur**   vacuum cleaner
un **atelier d'artiste**   artist's loft
une **baignoire**   bathtub
la **banlieue**   suburbs
un **bibelot**   knickknack
une **cave**   cellar, wine cellar
une **cheminée**   fireplace
une **cuisinière**   stove
un **deux-pièces**   two-room apartment
un **étage**   a story, a floor
une **étagère**   shelves
un **fauteuil**   armchair
un **H.L.M.**   government subsidized housing
un **immeuble**   apartment building
une **loge de concierge**   caretaker's quarters
un **loyer**   rent
une **marmite**   large cooking pot
un **meuble ancien**   antique piece of furniture
une **moquette**   carpet
un **plumeau**   feather duster
une **poubelle**   garbage can

le **rez-de-chaussée**   ground floor, first floor
un **sous-sol**   basement
un **studio**   efficiency apartment
une **table basse**   coffee table

NOMS DIVERS
des **amuse-gueule** (*m. inv.*)   appetizers
une **bataille d'oreillers**   pillow fight
une **boum**   party
un **fana**   fan
un **festin**   feast
des **patins à roulettes** (*m*)   roller skates

VERBES ET EXPRESSIONS VERBALES
se **battre**   to fight
crier (après quelqu'un)   to yell (at someone)
déborder   to overflow
se **déguiser**   to dress up in costume
enlever la poussière   to dust
être en désordre   to be messy, messed up*
faire du bruit   to make noise
faire la lessive   to do the washing
faire le lit   to make the bed
faire le ménage   to do the house cleaning
faire le repassage   to do the ironing
faire la vaisselle   to do the dishes
fouiller   to rummage through
louer   to rent
passer l'aspirateur   to vacuum
ranger   to tidy up, to put away

DIVERS
Laissez ça tranquille!   Leave that alone!
Petits coquins!   You little rascals!

Application

A. Trouvez le mot qui manque. Complétez logiquement les phrases suivantes en utilisant le vocabulaire qui précède.

1. Une personne qui n'est pas mariée est un(e) ═══.
2. Le *first floor* aux Etats-Unis s'appelle le ═══ en France.
3. Parfois, dans un appartement il y a de la jolie ═══ par terre.
4. En France, une famille qui a beaucoup d'enfants s'appelle une ═══.
5. Les gens qui habitent la maison à côté de la vôtre sont vos ═══.
6. On met des livres et des bibelots sur une ═══.
7. Si on habite juste en dehors de la ville mais près de la ville on est en ═══.

B. C'est le monde à l'envers! Utilisez les locataires de l'immeuble décrits au début de la leçon et écrivez un paragraphe dans lequel vous changez la situation et les activités de chacun pour rendre leur vie encore plus comique.

> EXEMPLE **Mme Débordé est mariée avec Eric Bogarson. Louise Labelle, déçue° de la situation, fouille dans les poubelles du quartier...**

disappointed

C. Situations. Avec un(e) partenaire, choisissez une des situations et rédigez ensemble un dialogue. Vous pourrez ensuite jouer cette scène en classe.

1. Mme Pincenez téléphone à Mme Débordé pour se plaindre° du bruit que font ses enfants. Que lui dit-elle? Que répond Mme Débordé? N'oubliez pas que Mme Pincenez est une femme très bien élevée et élégante.

se... to complain

2. Mme Débordé se plaint à son tour à M. Débordé. Que dit-elle à son mari? Se plaint-elle des enfants ou du coup de fil de Mlle Pincenez? Que répond-il?

Exploration

*Le passé composé avec **avoir***

Pour décrire une action achevée° au passé, on utilise le passé composé. Comme son nom l'indique, au passé composé le verbe est composé de deux parties: l'auxiliaire et le participe passé.

completed

A. L'auxiliaire employé avec la plupart des verbes est **avoir**. Au passé composé, on conjugue l'auxiliaire au présent, à la personne du sujet et on utilise le participe passé du verbe qui décrit l'action.

Nous **avons fait** nos lits.
La femme de ménage **a passé** l'aspirateur.

B. Le participe passé des verbes réguliers se forme à partir de l'infinitif du verbe qui décrit l'action.

> **-er:** organiser → organis**é**
> **-ir:** remplir → rempl**i**
> **-re:** répondre → répond**u**

Voici quelques verbes au participe irrégulier.

> avoir → eu   être → été   faire → fait

Verbes irréguliers au participe passé en		
-i:	**-is:**	**-it:**
rire → ri	prendre → pris	conduire → conduit
sourire → souri	apprendre → appris	dire → dit
suivre → suivi	comprendre → compris	écrire → écrit
	mettre → mis	
	permettre → permis	
	promettre → promis	

Verbes irréguliers au participe passé en **-u**	
boire → bu	pleuvoir → plu
connaître → connu	pouvoir → pu
courir → couru	recevoir → reçu
croire → cru	savoir → su
devoir → dû	tenir → tenu
falloir → fallu	venir → venu
lire → lu	vivre → vécu
obtenir → obtenu	voir → vu
plaire → plu	vouloir → voulu

C. Pour formuler une question au passé composé, on peut utiliser **est-ce que** ou invertir le pronom sujet et l'auxiliaire.

> **Est-ce qu'elle a répondu** au téléphone?
> **A-t-elle répondu** au téléphone?

D. Pour faire une phrase négative au passé composé, on place **ne...pas** avant et après l'auxiliaire.

> La femme de ménage **n'**a **pas** passé l'aspirateur.

- Il en est de même pour **ne...jamais** et **ne...rien**.

> Elle **n'**a **jamais** fait son lit.
> Les enfants **n'**ont **rien** trouvé dans la poubelle.

- Pour **ne...personne** et **ne...que**, **personne** et **que** se placent après le participe passé.

> Je **n'**ai vu **personne** dans l'escalier.
> Les invités **n'**ont bu **que** du coca.

E. Au passé composé, on place les pronoms compléments d'objet direct et indirect devant l'auxiliaire.

> Qui a apporté **ces amuse-gueule**?   Qui **les** a apportés?
> Qui a téléphoné à **Mme Débordé**?   Qui **lui** a téléphoné?

Remarquez que le participe passé s'accorde en genre et nombre avec l'objet direct quand celui-ci est placé avant le verbe. Il n'y a pas d'accord quand l'objet direct est après le verbe et il n'y a pas d'accord avec l'objet indirect.

F. La plupart des adverbes qui ne se terminent pas en **-ment** se placent entre l'auxiliaire et le participe passé. Malheureusement, il n'existe pas de règle absolue; c'est souvent une question d'usage, d'équilibre ou de rythme dans la phrase.

> Elle nous a **souvent** téléphoné à cause du bruit.
> Je leur ai **toujours** dit qu'ils faisaient trop de bruit.

G. Les expressions temporelles suivantes sont souvent employées avec le passé composé.

hier *yesterday*	avant-hier *the day before*
hier matin *yesterday morning*	*yesterday*
hier après-midi *yesterday*	la semaine dernière *last week*
afternoon	le mois dernier *last month*
hier soir *last night*	l'année dernière *last year*

Application

A. Qui a fait ça? Mme Pipelette, la concierge, écrit un journal chaque soir sur ce qui est arrivé dans son immeuble. Qui a fait chacune des choses qu'elle mentionne? Reportez-vous au dessin du début de la leçon si vous avez besoin d'un aide mémoire pour les noms des personnages.

> EXEMPLE   faire le repassage chez
> Mlle Pincenez
> **La femme de ménage a fait le repassage chez Mlle Pincenez.**

1. fouiller dans les poubelles
2. punir les petits coquins
3. remplir leur salle de bain d'eau et de savon°   soap
4. téléphoner chez les Débordé à cause du bruit
5. faire brûler le dîner
6. lire le journal sur son fauteuil pendant toute la soirée
7. attendre Louise Labelle avec impatience pendant une heure
8. rendre visite à Eric Bogarson

B. Le dîner du soir. Comment imaginez-vous la soirée de M. et Mme Débordé? Dites si M. Débordé a fait les choses suivantes en rentrant chez lui le soir?

> EXEMPLE   embrasser sa femme en rentrant
> **Non, il ne l'a pas embrassée en rentrant.**

1. apporter des roses à sa femme
2. lire le journal
3. sourire à sa femme pendant le dîner
4. regarder la télévision
5. inviter sa femme à aller danser
6. laisser sa femme s'occuper des enfants

C. Ce n'est pas moi! Mme Débordé crie après ses enfants parce qu'ils font des bêtises. Comment est-ce qu'ils lui répondent?

> **EXEMPLE** Philippe, as-tu mis ce serpent en plastique dans le lit de ton frère? (ne…rien)
> **Je n'ai rien mis dans son lit, Maman.**

1. Marc et Philippe, est-ce que vous avez dit des gros mots° à la concierge? (ne…rien)   gros…   bad words
2. Marie, as-tu insulté Mlle Pincenez? (ne…personne)
3. Marie et Alice, avez-vous mangé tous les chocolats? (ne…que deux)
4. Isabelle, est-ce que tu as fouillé dans les affaires de ton père? (ne…jamais)
5. Philippe, est-ce que tu as mordu° ton petit frère? (ne…personne)   bite
6. Marc et Marie, est-ce que vous avez cassé ce vase? (ne…rien)
7. Marc, as-tu pris la poupée° de ta petite sœur? (ne…jamais)   doll
8. Philippe, tu as encore raté quatre examens à l'école cette semaine? (ne…que trois)

Exploration

Le passé composé avec être

A. Tous les verbes ne se conjuguent pas avec **avoir** au passé composé. Voici quelques verbes qui se conjuguent avec **être**. L'image de **la maison d'être** peut vous aider à vous souvenir des verbes qui se conjuguent avec **être**.

entrer
venir

rester

monter

descendre
passer
tomber

arriver
rentrer
retourner
revenir

aller
partir
sortir

B. Pour les verbes qui se conjuguent avec **être**, le participe passé s'accorde avec le sujet, en genre et en nombre.

La concierge est montée chez les Débordé.
Les garçons sont partis fouiller dans les poubelles.
Les filles sont venues à la boum.

Verbes conjugués avec **être** dont le participe passé est irrégulier:	
venir → **venu**	naître → **né**
devenir → **devenu**	mourir → **mort**
revenir → **revenu**	

C. Certains verbes peuvent se conjuguer avec **avoir** ou avec **être** suivant le sens.

	avec avoir[1]	avec être
descendre	Il **a descendu** la valise. (*brought down*)	Il **est descendu** à la cave. (*went down*)
monter	Elle **a monté** les paquets. (*took up*)	Elle **est montée** au grenier. (*went up*)
passer	Il **a passé** un mois à Paris. (*spent*)	Il **est passé** à Paris. (*went through*)
rentrer	Elle **a rentré** la voiture. (*brought in*)	Elle **est rentrée** chez elle. (*came back, went home*)
retourner	Il **a retourné** la photo. (*turned over*)	Il **est retourné** au café. (*returned*)
sortir	Elle **a sorti** la poubelle. (*took out*)	Elle **est sortie** avec nous. (*went out*)

Application

A. Une histoire d'amour. Eric Bogarson est allé rendre visite à Louise Labelle. La journée a mal commencé mais s'est bien terminée. Ecoutez attentivement l'histoire, puis dites qui a fait chacune des choses suivantes.

> EXEMPLE   venir lui ouvrir la porte
> **Louise est venue lui ouvrir la porte.**

[1] Quand le verbe prend un complément d'objet direct, l'auxiliaire est **avoir.**

1. entrer dans l'appartement
2. rester dans le salon pour attendre Louise
3. monter dans sa chambre se faire belle
4. descendre à la cave
5. tomber dans l'escalier
6. arriver en courant
7. devenir rouge de confusion
8. retourner au salon
9. aller à la cuisine chercher des amuse-gueule
10. rester tous les deux à regarder les étoiles

B. Au feu! Il y a eu un incendie° chez les Débordé, les pompiers sont
W venus et Mlle Pincenez s'est évanouie. Pour connaître tous les détails
de l'histoire, mettez les verbes entre parenthèses au passé composé.

fire

EXEMPLE   Quand l'appartement des Débordé ===== (prendre)
feu, Madame Débordé ===== (sortir) dans le
corridor et ===== (crier) «Au feu! Au feu! Au feu!!!»
**Quand l'appartement des Débordé a pris feu, Madame
Débordé est sortie dans le corridor et a crié «Au feu!
Au feu! Au feu!!!»**

1. La concierge ===== (appeler) les pompiers puis elle ===== (monter) chez M. Bogarson pour l'avertir du danger.
2. M. Bogarson et la concierge ===== (redescendre).
3. Ils ===== (passer) chez moi et c'est à ce moment-là que les pompiers ===== (arriver).
4. Je ===== (devenir) folle de peur, je ===== (tomber) et je ===== (perdre) connaissance.
5. Les pompiers ===== (venir) aider M. Bogarson et la concierge à me sortir de l'appartement.
6. Tous les locataires de l'immeuble ===== (sortir). Mais les pompiers ===== (rester) dans l'immeuble plus d'une heure.
7. Après le feu, Isabelle Débordé ===== (demander) à son père, «Est-ce que notre petit chat ===== (mourir)?»
8. La petite Isabelle Débordé ===== (retourner) dans l'immeuble pour chercher son chat.
9. Elle ===== (entrer) dans leur appartement mais elle ===== (ne pas le trouver). Elle ===== (revenir) toute couverte de suie°.   soot
10. Son père ===== (lui sourire) et ===== (l'amener) dans un coin du jardin et il ===== (lui dire) «Voilà ton chat et ses trois petits chatons qui ===== (naître) pendant tout ce bouleversement°.»   upheaval

C. Mais où sont donc ses lunettes?   M. Débordé a perdu ses lunettes dimanche dernier et toute la famille l'a aidé à les chercher. Complétez le paragraphe ci-dessous en mettant les verbes entre parenthèses au passé composé.

Dimanche matin, M. Débordé __1__ (perdre) ses lunettes et toute la famille __2__ (passer) la matinée à les chercher. Mme Débordé __3__ (monter) dans leur chambre où elle __4__ (sortir) les tiroirs de la commode. Alice, la fille cadette, __5__ (descendre) au garage chercher dans la voiture. Deux des garçons __6__ (aller) fouiller dans les poubelles que M. Débordé avait sorties deux heures avant. Mme Débordé __7__ (devenir) rouge de colère parce qu'ils __8__ (remonter) avec les poubelles et qu'ils les ont vidées° dans la cuisine pour mieux chercher. Dans le salon, M. Débordé __9__ (retourner) tous les coussins du fauteuil et du canapé. Il s'est penché° pour remettre en place les coussins et c'est à ce moment-là que ses lunettes __10__ (tomber) de la poche de sa chemise!   les... emptied them   leaned over

D. Chéri, nous sommes riches!   Un beau jour, Mme Débordé a gagné cinq millions de francs (un million de dollars). Faites une description de la nouvelle vie des Débordé telle que vous l'imaginez.

EXEMPLE   **M. et Mme Débordé ont tous les deux décidé d'arrêter de travailler, ils ont fait de nombreux voyages autour du monde...**

Exploration

Le passé composé des verbes pronominaux

A. Tous les verbes pronominaux forment leur passé composé avec l'auxiliaire **être**.

—Est-ce que les enfants se **sont** encore battus?
—Oui, et leur mère s'**est** impatientée.

B. Dans les questions avec inversion et dans les phrases négatives au passé composé, le pronom réfléchi est placé immédiatement devant l'auxiliaire.

—**Vous** êtes-vous amusés à la boum?
—Non, nous ne **nous** sommes pas beaucoup amusés.

C. Le participe passé des verbes pronominaux s'accorde généralement avec le pronom réfléchi, qui se rapporte au sujet du verbe.

Ils se sont rencontrés à Paris.
Elles se sont retrouvées au café.

1. Il n'y a pas d'accord quand le verbe est suivi d'un objet direct. C'est souvent le cas avec les verbes comme **se laver, se brosser, se couper** et **se casser** qui s'emploient avec les parties du corps.

Elle s'est lavée.   Elle s'est lavé **les cheveux.**
Elle s'est coupée.   Elle s'est coupé **le doigt.**

2. Il n'y a pas d'accord quand le pronom réfléchi est un objet indirect.

Ils se sont souri.   *They smiled at each other.*
(On dit sourire <u>à</u> quelqu'un.)

Application

A. Une histoire romanesque.   Racontez l'épisode deux de l'histoire d'amour entre Eric Bogarson et Louise Labelle en mettant les verbes entre parenthèses au passé composé.

Eric Bogarson et Louise Labelle __1__ (continuer) à se voir de plus en plus souvent. Je sais qu'au moins le premier mois, ils __2__ (se téléphoner) deux fois par jour. Plusieurs fois, ils __3__ (s'acheter) de petits cadeaux. Un jour ils __4__ (se promener) amoureusement dans le parc et ils __5__ (s'embrasser). Tout allait très bien jusqu'au jour où Eric __6__ (oublier) l'anniversaire de Louise.

Elle __7__ (se fâcher). Il __8__ (se vexer). Ils __9__ (se mettre) en colère et ils __10__ (se disputer). Ils __11__ (ne pas se voir) pendant plusieurs jours. Il était tellement triste qu'il __12__ (décider) d'aller chez elle pour lui parler. Elle lui a ouvert la porte et __13__ (l'inviter) à entrer. Ils __14__ (passer) dans le salon. Ils __15__ (se regarder). Ils __16__ (se sourire). Ils __17__ (se précipiter) dans les bras l'un de l'autre et ils __18__ (se réconcilier)!

B. Qu'avez-vous fait hier? Racontez votre journée d'hier en utilisant le plus grand nombre possible des verbes suivants.

se lever
se laver
s'habiller
prendre son petit déjeuner
se brosser les dents
se coiffer
se dépêcher pour aller à l'école
aller en classe
écouter le professeur

parler avec ses copains
retourner à la maison
téléphoner à des amis
dîner
étudier ses leçons
faire ses devoirs
se déshabiller
se coucher
s'endormir

C. L'ami d'Eric Bogarson. Louise Labelle a invité Eric Bogarson à dîner chez elle. Elle lui a demandé d'amener un ami parce que sa cousine, Corine Belamy, lui rendait visite. Racontez ce dîner. Utilisez des verbes pronominaux, sans oublier de faire l'accord convenable.

1. Hier, Louise Labelle et Eric Bogarson ===== (se donner) rendez-vous pour dîner à sept heures.
2. A six heures, Eric Bogarson a retrouvé son ami Marc Gaillard mais ils ===== (se perdre). Ils ===== (s'arrêter) dans une station-service pour demander leur chemin.
3. De leur côté, Louise Labelle et Corine Belamy ===== (s'habiller) et ===== (se maquiller).
4. Ensuite, elles ===== (s'installer) dans le salon pour attendre leurs invités.
5. Après quarante-cinq minutes d'attente, elles ===== (s'impatienter) et elles ===== (se demander) si Eric et son ami allaient leur poser un lapin°.
6. Elles ===== (se regarder) sans parler.
7. Mais, les deux jeunes hommes sont arrivés. Ils avaient une heure de retard. Ils ===== (s'excuser) et Louise et Corine leur ont pardonné ce retard malheureux.
8. Ils sont tous sortis pour aller danser et ils ===== (beaucoup s'amuser).

leur... stand them up

L EÇON 5

L'enfance et la famille

Christophe

Le baptême de Christophe

En contexte

Pour commencer

A. **Que de trouvailles!**   Observez le dessin qui précède et répondez aux questions suivantes.

1. Que fait Christophe dans le grenier? Qui regarde dans la malle avec lui?
2. Qu'est-ce qu'il a trouvé dans la malle?

3. Sur sa photo de baptême, quels membres de sa famille sont présents?
4. Dans sa famille, quels sont ceux qui se ressemblent? Pourquoi?
5. Comment sont ses parents? ses frères et sœurs? ses cousins? son parrain et sa marraine?
6. Pourquoi dit-on que son cousin Stéphane est un enfant gâté et insupportable? Et sa cousine Magali, comment est-elle? Est-ce qu'elle a l'air sage sur la photo?
7. Imaginez ce que pense le curé. Est-il à l'aise? Est-il content?

B. Qui a pu dire cela? Identifiez la personne qui a probablement dit chacune des phrases que vous entendez.

EXEMPLE   J'espère que mon frère ne fera pas l'idiot comme au mariage de ma cousine Julie!

Magali, la sœur de Stéphane

le curé   l'insupportable Stéphane
les parents du bébé   un des cousins de Stéphane
les parents de Stéphane   Magali, la sœur de Stéphane

La vieille malle

Ma grand-mère était veuve depuis une dizaine d'années° déjà, quand elle est morte. Quelques semaines après sa mort, avec mes parents, nous sommes allés dans la maison de ma grand-mère. Tout seul, je suis monté au grenier de cette vieille maison. Dans une grande malle, j'ai trouvé des tas de° photos de famille, y compris° celle de mon baptême avec tous les membres de notre famille. Il y avait mes parents, ma sœur Suzanne, la seule fille de la famille, mes frères jumeaux Jules et Jim, et mon frère aîné Jacques.

Ma marraine, tante Annette, était là avec son mari Henri et leurs enfants: Magali et Stéphane. Magali et sa maman se ressemblaient (et se ressemblent toujours) comme deux gouttes° d'eau.

Evidemment, étant donné° mon âge, je n'ai pas vraiment profité de cet événement° heureux, ni apprécié la fête qui l'a suivi. On m'a dit, cependant, que tout le monde s'était bien amusé. Mon cousin Stéphane était à l'époque° la terreur de la famille. Sa pauvre sœur aînée a bien souffert° à cause de lui, car il n'arrêtait pas de l'ennuyer avec ses bêtises et ses plaisanteries de mauvais goût. Le jour de mon baptême, paraît-il, il a failli recevoir° une fessée car il se comportait si mal. Aujourd'hui Stéphane est un type° pas mal, calme et distingué. Il est

une...   about ten years

des...   lots of/y...
including

drops
étant...   given
event

à...   at that time
suffered

il...   he almost received
guy

avocat. Il est marié et il a trois enfants qui sont les uns plus insupportables que les autres. Et sa sœur, Magali, est devenue bonne sœur°!

bonne... nun

L'autre photo que j'ai trouvée est bien touchante aussi. C'est une photo à double cadre°. D'un côté, il y a le faire-part du mariage de mes grands-parents et de l'autre, leur photo de mariage. Sur le faire-part de mariage, j'ai découvert le nom de mes arrière-grands-parents. Je ne les ai pas connus parce qu'ils sont morts avant ma naissance. La photo de mes grands-parents m'a un peu surpris. Comme ils me semblaient jeunes tous les deux—lui, avec sa belle moustache et elle, avec son chignon°! Elle s'est toujours coiffée de la même façon jusqu'à sa mort. Mais lui, il s'était rasé la moustache depuis longtemps. Mon grand-père adorait la chasse°; il y allait chaque automne. J'y suis allé une fois avec lui quand j'étais petit, mais le bruit des fusils° me faisait peur. Je me souviens bien de ma grand-mère, elle faisait la cuisine à merveille° et j'ai passé de bons dimanches en famille dans sa vieille maison.

à... double-framed

bun

hunting
guns
à... wonderfully

Quels beaux souvenirs j'ai trouvés dans cette vieille malle!

Questions sur la lecture

1. Pourquoi ce jeune homme se trouvait-il dans le grenier de la maison de sa grand-mère?

2. Quels objets est-ce que Christophe a trouvés dans le grenier?

3. Se souvient-il de son baptême et de la fête qui a suivi? Pourquoi?

4. Parlez de son cousin Stéphane. Que dit-on de lui? Qu'est-ce qu'il a failli recevoir? Pourquoi?

5. Est-ce que les professions actuelles de Stéphane et de Magali vous surprennent? Pourquoi?

6. Il trouve une photo de ses grands-parents. Quand a été prise cette photo?

7. Qu'est-ce qu'il a appris en regardant le faire-part de mariage de ses grands-parents? Se souvient-il de ses arrière-grands-parents?

8. Qu'est-ce que son grand-père aimait faire? Et lui, aimait-il accompagner son grand-père? Pourquoi?

Et vous?

Posez les questions suivantes à un(e) de vos camarades de classe.

1. Est-ce qu'il y a un enfant terrible dans ta famille? Qui est-ce? Comment se comporte-t-il ou se comporte-t-elle?

2. As-tu un frère aîné? un frère cadet? une sœur aînée? une sœur cadette? Est-ce qu'il y a des jumeaux ou des jumelles dans ta

famille? Est-ce que tu as un beau-frère ou une belle-sœur? Décris-les.

3. Est-ce que tu te souviens d'une réunion familiale semblable à celle qui est décrite ici? pour quelle occasion?

4. Combien de grands-parents as-tu? As-tu connu tes arrière-grands-parents?

5. As-tu jamais regardé de vieilles photos de famille? Est-ce que ces photos t'amusent? Pourquoi?

6. Aimes-tu voir des photos de toi quand tu étais petit(e)? Pourquoi? Qu'est-ce qui te surprend parfois?

Expansion du vocabulaire

LA FAMILLE
l'aîné, l'aînée oldest child
des arrière-grands-parents great-grandparents
un beau-frère brother-in-law
un beau-père stepfather, father-in-law
un bébé baby
une belle-mère stepmother, mother-in-law
une belle-sœur sister-in-law
le cadet, la cadette youngest child
une demi-sœur half sister, step-sister
un demi-frère half brother, step-brother
un enfant terrible brat
un enfant unique only child
un époux husband
une épouse wife
des jeunes mariés newlyweds
des jumeaux, des jumelles twins
le marié groom
la mariée bride
une marraine godmother
un parent parent, relative
un parrain godfather
un veuf widower
une veuve widow

NOMS DIVERS
un baptême baptism, christening

une bêtise silly act
un curé priest
un événement event
un faire-part (*inv.*) invitation card
un grenier attic
une malle trunk

VERBES ET EXPRESSIONS VERBALES
se comporter bien to behave
se comporter mal to misbehave
donner une fessée to give a spanking
se marier to marry
profiter (de) to take advantage (of)
punir to punish
recevoir une fessée to get a spanking
se ressembler to look like each other
ressembler à to look like

ADJECTIFS
bien élevé well mannered
divorcé divorced
gâté spoiled
insupportable unbearable, naughty
intime close, intimate
mal élevé bad mannered, poorly behaved
polisson mischievous
sage well behaved

Application

A. Trouvez le mot qui manque. Complétez logiquement les phrases suivantes en utilisant le vocabulaire qui précède.

1. Un homme dont la femme est morte est ======.
2. A l'église catholique, c'est le ====== qui célèbre la messe de mariage.
3. Avant de se marier, on envoie des ====== à ses amis pour les inviter à la cérémonie.
4. Les témoins° d'un baptême sont le ====== et la ======.   witnesses
5. Deux enfants qui naissent le même jour de la même mère sont des ======.
6. Un enfant qui n'a ni frère ni sœur est un enfant ======.
7. L'enfant le plus âgé de la famille est l' ====== et le plus jeune est le ======.
8. Un enfant terrible est souvent un enfant trop ======.
9. Quand un enfant n'est pas sage, il reçoit parfois une ======.
10. Sous le toit de la maison se trouve le ======.

B. Quel drôle d'arbre! Faites un arbre généalogique avec les noms ou
W les photos de personnages célèbres. Ensuite, décrivez votre "nouvelle famille" et dites pourquoi vous avez choisi ces personnages pour votre arbre généalogique. Est-ce que cette nouvelle famille vous ressemble? à quel point de vue? De quelle manière êtes-vous différent(e) d'eux? A qui ressemblez-vous le plus dans vos goûts? dans vos désirs? dans vos habitudes?

C. Situations. Avec un(e) partenaire, choisissez une des situations et rédigez ensemble un dialogue. Vous pourrez ensuite jouer cette scène en classe.

1. Vous êtes chez vos grands-parents et vous montez au grenier avec votre grand-père. Vous trouvez trois vieilles malles et vous voulez savoir ce qu'il y a dans chacune d'elles. Imaginez ce que votre grand-père vous répond.

2. Imaginez que vous parlez avec un(e) photographe qui va prendre des photos d'un grand événement dans votre famille (un mariage, une réunion, une bar-mitzva, etc.). Expliquez-lui le genre de photos que vous voulez et n'oubliez pas de lui dire qui va être invité et qui il faut photographier.

Exploration

Formation de l'imparfait

A. L'imparfait se forme régulièrement à partir de la 1ère personne du pluriel pour tous les verbes sauf° pour le verbe **être** qui a un radical° irrégulier. Exception: **être—j'étais.**

except
stem

parler	finir	attendre
nous parlǿŋ∮	nous finissǿŋ∮	nous attendǿŋ∮
je parl**ais**	je finiss**ais**	j'attend**ais**
tu parl**ais**	tu finiss**ais**	tu attend**ais**
il parl**ait**	elle finiss**ait**	on attend**ait**
nous parl**ions**	nous finiss**ions**	nous attend**ions**
vous parl**iez**	vous finiss**iez**	vous attend**iez**
ils parl**aient**	elles finiss**aient**	ils attend**aient**

B. Notez que l'orthographe des verbes qui se terminent en **-ger** et en **-cer** à l'infinitif varie pour maintenir la prononciation.

g → ge devant **a**	c → ç devant **a**
je mang**e**ais	je rempla**ç**ais
tu mang**e**ais	tu rempla**ç**ais
il/elle/on mang**e**ait	il/elle/on rempla**ç**ait
nous mangions	nous remplacions
vous mangiez	vous remplaciez
ils/elles mang**e**aient.	ils/elles rempla**ç**aient

C. Voici quelques expressions qui indiquent une action habituelle et qui s'emploient souvent avec l'imparfait.

à cette époque-là	*at that time*	quand j'étais petit(e)	*when I was young*
autrefois	*in the past*		
dans le temps	*in the past*	souvent	*often*
d'habitude	*usually*	tous les ans	*every year*
généralement	*usually*	tous les jours	*every day*

Application

A. Dictée. Ecoutez la première lecture du paragraphe. Pendant la seconde lecture, écrivez les mots qui manquent.

Quand j'__1__ petite, j'__2__ tous les dimanches chez ma grand-mère pour déjeuner. Elle __3__ des plats délicieux. Je __4__ surtout les pâtisseries qu'elle __5__ avec de la crème glacée. A Noël, toute la famille __6__ chez elle et nous recevions tous des cadeaux. Les enfants __7__ et couraient partout, mais ma grand-mère ne __8__ jamais. Elle riait et __9__ un peu de nos parents qui __10__ de nous calmer. Elle leur __11__ de nous laisser nous amuser, que nous n'__12__ que des enfants!

B. Parle-moi de ton enfance. Posez les questions suivantes à un(e) de vos camarades de classe. Quand vous aurez fini, votre camarade vous posera les mêmes questions.

1. Avais-tu une grand-mère, une tante ou un oncle chez qui tu allais quand tu étais petit(e)?
2. Est-ce que tes parents te laissaient faire tout ce que tu voulais? Explique-toi. As-tu souvent reçu des fessées?
3. Pouvais-tu jouer et courir partout dans une maison où tu étais invité(e)?
4. Qui faisait la cuisine quand ta famille se réunissait pour des fêtes telles que pour le jour de l'Action de Grâce°?
5. Est-ce que tu mangeais tout ce qu'on te servait au dîner? Quels étaient tes desserts préférés?
6. Etais-tu un(e) enfant sage ou insupportable?

jour... Thanksgiving

Exploration

Emploi de l'imparfait

L'imparfait décrit un état ou une action du passé dont on ne connaît ni le commencement ni la fin. L'imparfait se traduit souvent en anglais par *was/were* + *verb* + *ing* ou par *used to* + *verb*.

A. On emploie l'imparfait pour décrire

1. une action continue dans le passé

Les enfants couraient partout.	*The children were running everywhere.*
Les parents essayaient de les calmer.	*The parents were trying to calm them.*

2. un état physique, une situation ou une position

L'église était très jolie.	*The church was very pretty.*
Il ressemblait à sa mère.	*He looked like his mother.*

3. un état d'esprit ou une opinion. Les verbes **aimer, adorer, croire, détester, être, espérer, penser, pouvoir, savoir** et **vouloir** sont très souvent utilisés à l'imparfait.

Elle adorait les mariages.	*She used to love weddings.*
La mariée était heureuse.	*The bride was happy.*

4. des actions habituelles ou répétées dans le passé

    Son grand-père chassait tous les ans au mois d'octobre.
    His grandfather hunted every year in October.

B. Vous avez appris qu'on utilise **aller** + **l'infinitif** pour indiquer l'intention de faire quelque chose dans l'avenir. La même structure peut s'employer avec **aller** à l'imparfait pour indiquer une intention dans le passé.

Mon frère **allait se marier.**   *My brother **was going to get married.***

C. L'imparfait après **si** sert aussi à faire une suggestion. On peut traduire en anglais par *How about...?* ou *Why don't we...?* Dans cet usage de l'imparfait, le verbe n'indique pas une action passée.

Si tu rangeais tes affaires?	*Why don't you put away your things?*
Si on allait chez tante Marie dimanche?	*How about going to aunt Marie's Sunday?*

Application

A. Mon fils, Marc. Marc a beaucoup déçu sa mère. De quoi se plaint-elle? Faites-la dire ce que Marc allait faire et ce qu'il a fini par faire en réalité.

> **EXEMPLE** suivre des cours à l'université en sortant du lycée/
> décider de faire son service militaire°
> **Il allait suivre des cours à l'université en sortant du lycée, mais il a décidé de faire son service militaire.**

faire... join the army

1. se marier après son service militaire/préférer voyager
2. visiter le Mexique/aller au Japon
3. revenir trois mois plus tard/rester trois ans au Japon
4. habiter chez nous à son retour du Japon/aller vivre à New York
5. rentrer vivre en France l'année dernière/retourner au Japon

B. Papa était-il sage ou non? Vous parlez à vos grands-mères et vous voulez savoir si vos parents étaient sages quand ils étaient petits. Ecrivez cinq questions pour votre grand-mère paternelle et cinq questions pour votre grand-mère maternelle.

> **EXEMPLE** **Est-ce que tu donnais souvent des fessées à Papa?**
> **Est-ce que Maman se disputait souvent avec tante Marie?**

C. Si on ...? La famille Rocco est allée passer le week-end chez les grands-parents. Il fait un temps splendide et chacun aimerait faire quelque chose de différent. Que proposent-ils?

> **EXEMPLE** **Si on allait au zoo?**

1.

2.

3.

4.

5.

6.

Exploration

Le passé composé et l'imparfait

Le passé composé et l'imparfait sont souvent employés ensemble, dans une même phrase ou dans un texte. Il est donc important d'apprendre à distinguer l'usage de ces deux temps.

● Le passé composé s'emploie pour indiquer une action qui a eu lieu dans une période de temps **limitée** ou **précisée**. L'accent est sur l'action **finie**.

● L'imparfait s'emploie pour exprimer **l'habitude,** la continuation ou la répétition d'une action dans le passé, dans une période de temps **non-précisée** ou **indéfinie**.

Voici quelques règles plus détaillées qui seront utiles pour vous aider à décider entre les deux temps.

A. L'imparfait exprime

    1. un décor ou une scène

        Le jour de leur mariage, le ciel **était** bleu mais le vent **soufflait** et il **faisait** très froid.

    2. une action habituelle

        Tante Alice **pleurait** toujours aux mariages.

    3. l'action continue dans le passé

        Tout le monde **regardait** la mariée qui **avançait** lentement.

    4. un état physique ou mental

        Le marié **souriait** parce qu'il **savait** qu'elle l'**aimait**.

B. Le passé composé décrit

   1. des actions définies dans le temps

      Le curé **a parlé** pendant quelques minutes.

   2. des actions en série

      La mariée **s'est arrêtée** à côté de ses parents, les **a embrassés** et leur **a dit** qu'elle les aimait.

   3. un événement qui interrompt une action continue

      Le photographe **a pris** plusieurs photos pendant que la mariée **avançait** lentement.

C. Les verbes d'opinion ou d'état d'esprit sont généralement à l'imparfait.

en général $\left\{\begin{array}{l}\text{Le curé } \textbf{pensait} \text{ que Stéphane était insupportable.}\\[2em]\text{Stéphane } \textbf{était} \text{ mécontent.}\end{array}\right.$

Quand ils expriment une action soudaine, terminée à un moment précis, ils sont au passé composé.

précis et fini $\left\{\begin{array}{l}\text{A la réception, le curé } \textbf{a pensé} \text{ que Stéphane était insupportable.}\\[2em]\text{Stéphane } \textbf{a été} \text{ mécontent le jour du baptême.}\end{array}\right.$

D. Certains verbes ont des nuances différentes au passé composé et à l'imparfait.

	au passé composé	à l'imparfait
connaître	Ils **se sont connus** au lycée. (*met each other*)	Ils **se connaissaient** au lycée. (*knew each other*)
savoir	Il **a su** que tu étais là. (*found out*)	Il **savait** que tu étais là. (*knew*)
devoir	Elle **a dû** partir à onze heures. (*had to, must have*)	Elle **devait** partir à onze heures. (*was supposed to*)
vouloir	Il **n'a pas voulu** y aller. (*refused*)	Il **ne voulait pas** y aller. (*didn't want*)
pouvoir	Ils **ont pu** partir. (*were able,* and did)	Ils **pouvaient** téléphoner. (*were able,* but didn't)

Application

A. Quelle confusion!   Lisez l'histoire suivante une première fois.
Ensuite remplissez les blancs en mettant le verbe au temps qui
convient.

Le mariage de ma sœur a failli ne pas avoir lieu°! Quand le matin
du grand jour __1__ (arriver), tout le monde __2__ (être) très
nerveux. Nous __3__ (arriver) à l'église une heure et demie avant la
cérémonie, ma mère, mon père, ma sœur et moi. Il y __4__ (avoir)
quatre demoiselles d'honneur°. Moi, j'__5__ (être) la première
demoiselle d'honneur. Ma mère courait dans tous les sens. Elle
__6__ (arranger) la robe de ma sœur. Elle __7__ (savoir) que tout
__8__ (être) prêt dans l'église, mais elle __9__ (regarder) partout!
Mon père, par contre, __10__ (attendre) devant l'église. Il __11__
(marcher) de long en large° et il __12__ (fumer) sa pipe. Il __13__ (ne
pas parler beaucoup).

Petit à petit, les invités __14__ (commencer) à arriver. L'église __15__
(se remplir) et finalement la musique __16__ (commencer). Tout __17__
(être) prêt: la mariée dans sa belle robe blanche [Je dois avouer que
ma sœur n'était pas mal ce jour-là, elle __18__ (être) même très
belle], la petite sœur (moi) en satin rose, Papa, très élégant dans
son smoking.

Mais où __19__ (être) le marié? Tout le monde __20__ (le chercher).
On __21__ (téléphoner) chez lui. Pas de réponse. Ses parents __22__
(ne pas savoir) où il était. Le curé __23__ (commencer) à regarder sa
montre... dix heures ont sonné... et puis dix heures et quart! Tout le
monde __24__ (s'impatienter) sérieusement! Et puis, tout d'un coup,
les portes de l'église se sont ouvertes° et mon futur beau-frère __25__
(entrer), les cheveux en bataille°, la cravate de travers°. Il __26__
(être) rouge de confusion. Il nous __27__ (vite expliquer) que sa
voiture était tombée en panne° dans une petite rue déserte et qu'il
avait dû courir les 3 kilomètres jusqu'à l'église! On __28__ (lui
donner) un verre d'eau fraîche et hop! la cérémonie __29__
(commencer). Ouf! Quelle émotion!!

a... almost didn't take
place

demoiselles...
bridesmaids

de... back and forth

se... opened
en... messed up/
de... crooked
était... had broken
down

B. Un rêve bizarre.   Vous avez fait un rêve bizarre, mais il y a
Wcertaines parties de votre rêve dont vous ne vous souvenez plus. Le
lendemain matin vous racontez votre rêve à un ami et vous inventez
les parties que vous avez oubliées. Lisez d'abord les parties qui vous
sont données, puis complétez le rêve en écrivant les parties qui
manquent. Ecrivez au moins cinq phrases pour chaque partie.

C'était une nuit froide et très obscure. J'étais tout(e) seul(e) dans
la forêt quand j'ai entendu une voix qui disait mon nom...

…Quand j'ai ouvert les yeux, il y avait une grande salle devant moi. Elle était toute blanche et dorée. Au fond, un petit homme au visage couvert de rides° me regardait et riait. Il venait vers moi et à chacun de ses pas° j'entendais un écho qui me semblait éternel…

wrinkles

steps

…Quel festin! A la fin du repas, je ne pouvais plus rien manger, mais il m'a apporté une tarte et il m'a demandé de la couper. J'ai pris un couteau et quelle surprise quand j'ai coupé la tarte! La tarte était remplie de…

…Quelques minutes plus tard, je me suis retrouvé(e) à nouveau dans la forêt où tout avait commencé. C'est à ce moment-là que je me suis réveillé(e).

C. Une drôle de concierge. Philippe Drolibus a toujours raison de rire quand il s'agit de sa concierge. Lisez ce qu'elle a fait hier matin et mettez les verbes entre parenthèses au passé.

Hier matin, ma concierge __1__ (décider) de saluer tous les locataires qui __2__ (passer) devant sa porte.

Quand Mme Bronsin, astronome à l'université, __3__ (descendre), il __4__ (faire) encore nuit. La concierge __5__ (regarder) la lune et elle __6__ (vouloir) savoir à quelle distance de la terre la lune __7__ (se trouver). Quand Mme Bronsin __8__ (lui expliquer) que la lune __9__ (être) plus loin que Paris, la concierge __10__ (ne pas la croire) parce qu'elle __11__ (pouvoir) voir la lune la nuit mais elle ne pouvait pas voir Paris. C'__12__ (être) donc que Paris __13__ (être) plus loin!

Ensuite, quand le pompier, M. Grimper, __14__ (partir) au travail, la concierge l'__15__ (arrêter) pour lui parler. Elle __16__ (vouloir) savoir quelles étaient les chances d'un incendie dans notre immeuble. Il __17__ (lui répondre) que, d'après les statistiques, il y __18__ (avoir) une chance sur vingt pour qu'un incendie se déclare dans un appartement. La concierge __19__ (réfléchir) un peu, puis __20__ (lui dire) qu'ils __21__ (avoir) de la chance d'avoir seulement dix-neuf appartements dans leur immeuble!

Et hier après-midi, quand M. Chenot __22__ (sortir) la concierge __23__ (être) très étonnée de le voir parce qu'il quitte rarement son appartement. Elle l'__24__ (interroger): —Ça fait près d'un mois que je __25__ (ne pas vous voir). Vous restez toujours enfermé dans votre appartement. Qu'est-ce que vous __26__ (faire) là-haut pendant tout ce temps?

M. Chenot __27__ (lui répondre) qu'il __28__ (écrire) un roman. C'est alors que la concierge __29__ (se mettre) à rire très fort. Puis, elle __30__ (s'exclamer) qu'il __31__ (perdre) son temps parce qu'on __32__ (vendre) des romans tout faits dans toutes les librairies.

Exploration

Il y a, *pendant* et *depuis*

A. **Il y a** (*ago*) suivi ou précédé d'une période de temps peut être utilisé avec le passé composé ou avec l'imparfait.

Nous **avons fait** une croisière en bateau **il y a** quelques années.
*We **took** a cruise a few years **ago**.*

Grand-père **nageait** encore tous les jours, **il n'y a** pas longtemps.
*Not long **ago,** grandfather still **swam** every day.*

B. L'expression **pendant** (*for*) est employée avec le passé composé pour exprimer la durée d'une action achevée dans le passé.

Il **a regardé** des photos **pendant** plus de deux heures.
*He **looked** at photos **for** more than two hours.*

Ma grand-mère **a porté** un chignon **pendant** vingt ans.
*My grandmother **wore** a bun **for** twenty years.*

C. **Depuis** sert à exprimer la durée d'une action continue dans le passé. On emploie l'imparfait parce que l'action est inachevée. Souvent, l'action qui continue est interrompue par une autre action. **Depuis + l'imparfait** se traduit par *had been + verb + ing*.

On **attendait depuis** une heure et demie quand ils sont arrivés.
*We **had been waiting for** an hour and a half when they arrived.*

L'usage de **depuis + l'imparfait** est parallèle à l'usage de **depuis + présent**. Comparez:

> **Depuis + présent** (*has been + verb + ing*)
> s'emploie pour une action continue dans le présent.

Il **travaille** à Paris **depuis** trois ans.
*He **has been working** in Paris **for** three years.*

> **Depuis + imparfait** (*had been + verb + ing*)
> s'emploie pour une action continue dans le passé.

Il **travaillait** à Paris **depuis** trois ans quand il a rencontré Sylvie.
*He **had been working** in Paris **for** three years when he met Sylvie.*

Application

A. **A l'âge de dix ans...** Saviez-vous faire les choses suivantes à l'âge de dix ans? Si oui, depuis combien de temps?

> EXEMPLE nager
> **A l'âge de dix ans je nageais déjà depuis quatre ans.**
> **(A l'âge de dix ans je ne savais pas (encore) nager.)**

1. faire du patinage
2. jouer du piano
3. utiliser un ordinateur
4. jouer aux cartes
5. faire cuire un œuf
6. tondre le gazon°
7. piloter un hors-bord°
8. faire de la planche à roulettes
9. changer un pneu°
10. lire le français

tondre... mow the lawn
motorboat

tire

B. **Le livre des records de Guinness.** Les personnes suivantes ont fait des choses curieuses pendant très longtemps pour battre un record de durée et voir leurs noms dans les records de Guinness. Décrivez leur record en utilisant **pendant**.

> EXEMPLE Ron Woodley
> **Ron Woodley a joué de la guitare pendant 11 jours.**

Solo de guitare. Le plus long solo de guitare a duré 11 jours. Ce record a été établi par Ron Woodley de Raymore au Missouri, du 19 au 30 juin 1984.

Coupes de cheveux. Pierre Ortiz a passé 342 heures successives à couper les cheveux des clients de son salon de coiffure *New York, New York* à Huntington Beach en Californie.

Mariage. Le plus long mariage est celui de Sir Temulji Bhicaji Nariman et de son épouse Lady Nariman. Ce mariage a duré de 1853 à 1940.

Yo-yo. Le record individuel est de 120 heures par John Winslow de Gloucester, en Virginie, du 23 au 28 novembre 1977.

Se tenir sur un seul pied. Kumar Anandan de Colombo, Sri Lanka détient le record pour s'être tenu sur un seul pied. Il a passé 33 heures sur un pied du 15 au 17 mai 1980.

Taper à la machine. Le record de durée de dactylographie sur une machine électrique est de 8 jours et 22 heures. Violet Gibson Burns a établi ce record du 18 au 27 mai 1980 à Cremorne en Australie.

Se balancer dans un rocking-chair. Mme Maureen Weston du Club Athlétique de Petreborough s'est balancée dans un rocking-chair pendant 432 heures, du 14 avril au 2 mai en 1977.

Danse du ventre. Sabra Starr de Lansdowne, en Pennsylvanie détient ce record grâce à sa danse qui a duré 100 heures.

Concert de fanfare. Le plus long concert de fanfare est de 100 heures 2 minutes. Le record appartient à la fanfare de DuVal Senior High School à Lanham dans le Maryland qui a joué du 13 au 17 mai 1977.

1. Pierre Ortiz
2. Sir Temulji Bhicaji Nariman et Lady Nariman
3. John Winslow
4. Kumar Anandan
5. Violet Gibson Burns
6. Maureen Weston
7. Sabra Starr
8. la fanfare de DuVal Senior High School

C. Il y a combien de temps? Sur une feuille de papier écrivez quand était la dernière fois que vous avez fait les choses suivantes. Ensuite vos camarades de classe vont essayer de deviner combien de temps s'est écoulé° depuis. Répondez par **il y a plus longtemps que ça** ou **il y a moins longtemps que ça** jusqu'à ce qu'un de vos camarades trouve la réponse correcte.

has passed

1. écrire une lettre
2. assister à un mariage
3. aller à une réunion de famille
4. attraper un rhume
5. voir un film au cinéma
6. recevoir une fessée
7. vous déguiser
8. faire du patin à roulettes
9. ranger votre chambre
10. déjeuner chez votre grand-mère

ᒪEÇON 6

En vacances

En contexte

Pour commencer

A. Quels sont leurs projets? Examinez le dessin ci-dessus et répondez aux questions suivantes.

1. Ce vol va de Montréal à Paris. Qui, parmi les passagers, ne va probablement pas rester très longtemps à Paris?
2. A quoi rêve Mlle Jolinez, assise à l'avant de l'avion? Qu'est-ce qu'elle a envie de faire? Mais que va-t-elle faire en réalité?
3. Regardez le couple qui est au fond° de l'avion. Est-ce que la femme a les mêmes idées que son mari sur les vacances? Qu'est-ce qu'elle a l'intention de faire? Et lui?

au... at the back

4. Parmi les passagers, qui se croit très sportif? Où vont-ils? Est-ce que ce sont des débutants° ou des experts? beginners

5. Où vont probablement les deux jeunes femmes? Que vont-elles faire?

6. Qu'est-ce que les deux enfants ont envie de faire?

7. Qui pense à des vacances reposantes? à des vacances pleines d'action? à des vacances romantiques? à des vacances éducatives?

B. Qui a pensé à cela? Parmi les passagers dans le dessin, indiquez par le numéro de la rangée où elle est assise (**21, 22, 23, 24** ou **25**), la personne qui a eu cette idée.

EXEMPLE   Je pourrai nager, monter à cheval, jouer au tennis, il y a tant de choses à faire! J'adore le Club Med!

Cartes postales

Chère Maman,
Nous nous amusons beaucoup ici à Paris avec Mamie. Aujourd'hui, nous sommes allés au Zoo de Vincennes où on a vu des singes, des oiseaux rares, des lions, des tigres et des éléphants. Je n'ai jamais vu un ours aussi grand et aussi féroce que celui de ce zoo. Michel avait peur des serpents. Pas moi! Plus de place!
    Je t'embrasse,
        Nicolas

Chers parents,
Bienvenue à Nice! Le soleil ne brille pas depuis trois jours. Il pleut des cordes°! Les gens sont snobs. La plage est couverte de galets. Et je n'ai même pas vu de beaux garçons. Depuis hier, je tousse et j'éternue. J'ai dû attraper un rhume! Il n'y a rien à faire, j'ai bien envie de rentrer. Je vous embrasse.
        Votre fille misérable,
            Ariane

Il...   It's pouring

Chers enfants,

Votre père et moi sommes ravis° de ces vacances au Club Med. Votre papa a mis du temps à se mettre dans le vent° mais ça y est maintenant. Le matin, c'est le tennis et le cheval; l'après-midi, c'est la voile ou la pêche sous-marine; le soir nous dansons. On se repose bien! À la semaine prochaine.

Papa et Maman

Chère Jeanne,

Personne ne me croira jamais mais je m'amuse comme une petite folle ici à Val d'Isère. Moi qui ne suis pas du tout sportive, je ne croyais jamais pouvoir suivre Marc sur des skis. Mais au contraire, après deux jours, je prends les pistes les plus difficiles sans tomber plus de deux ou trois fois. Je me débrouille bien! Et j'adore l'après-ski.

Bises,
—Sylvie

Chère Maude,

Bons souvenirs de Paris! Je passe un bon séjour ici. Je passe des heures tous les jours au musée du Louvre. C'est une merveille! Comme vous le savez, on ne peut jamais y passer assez de temps. Pourtant, j'ai décidé ce matin de descendre sur la côte pour prendre du soleil. Qui sait? Peut-être même pour faire une petite croisière...

Mes meilleurs souvenirs à tout le monde à la banque,

Marie-Josée

Questions sur la lecture

1. Quel animal a le plus impressionné Nicolas au zoo? Pourquoi? Lequel des deux garçons est probablement le plus âgé? Pourquoi?
2. Est-ce que Mlle Jolinez va faire le voyage de ses rêves? Comment le savez-vous?
3. Ariane commence sa carte postale avec "Bienvenue à Nice!" Est-elle contente d'être à Nice? De quoi se plaint-elle?
4. Quel temps fait-il sur la Côte d'Azur à cette époque? Est-ce normal? Quand est-ce qu'il y fait beau?
5. Est-ce que les parents se reposent beaucoup? Pourquoi?
6. Qui est surprise par ses vacances? (Tout va bien mieux qu'elle ne le pensait.)
7. Qui va être épuisé au retour des vacances? Pourquoi?
8. Pour qui les vacances sont-elles une vraie aventure? Expliquez.

Et vous?

Posez les questions suivantes à un(e) de vos camarades de classe.

1. Quelles vacances t'attirent le plus? Pourquoi?
2. Peux-tu imaginer les vacances de tes rêves? Avec qui? Où? En quelle saison de l'année?
3. Imagine que tu es sur la plage. Que fais-tu pour attirer l'attention des jeunes dont tu aimerais faire la connaissance?
4. Pendant tes vacances préfères-tu faire beaucoup de choses? Si oui, lesquelles? Qu'est-ce que tu fais pour te détendre?
5. Qu'est-ce que tu fais généralement pendant les vacances? Avec qui passes-tu ton temps?
6. Parle-moi de tes vacances de l'été dernier ou des vacances particulièrement mémorables.

Expansion du vocabulaire

NOMS
un **autocar**   touring bus
une **croisière en bateau**   cruise
une **piste**   slope, ski trail
une **plage de galets**   beach with small flat rocks
un **séjour**   a stay
une **station de sports d'hiver**   ski resort
un **taxi**   taxi
un **vol**   flight
un **zoo**   zoo

NOMS D'ANIMAUX
un **éléphant**   elephant
une **girafe**   giraffe
un **lion**   lion
un **oiseau**   bird
un **ours**   bear
un **rhinocéros**   rhinoceros
un **serpent**   snake
un **singe**   monkey
un **tigre**   tiger
un **zèbre**   zebra

VERBES ET EXPRESSIONS VERBALES
s'**amuser comme un petit fou**   to have a great time
attirer   to attract

attraper un rhume   to catch a cold
avoir l'intention de   to intend
se **débrouiller**   to manage well
se **détendre**   to relax
éternuer   to sneeze
louer   to rent
monter à cheval   to ride horseback
passer la douane   to pass through customs
se **plaindre**   to complain
récupérer ses valises   to retrieve one's suitcases
se **reposer**   to rest
se **surmener**   to overexercise
tousser   to cough

DIVERS
à **bord de**   on board
bienvenu   welcome
Ça y est!   That's it!, It's done!
éducatif   educational
épuisé   exhausted, worn out
Grosses bises   Hugs and kisses (*at the end of a letter*)
Je t'embrasse   Love (*at the end of a letter*)
meilleurs souvenirs   best regards
misérable   miserable
plus de place   no more room
reposant   restful

Application

A. Trouvez le mot qui manque. Complétez logiquement les phrases suivantes en utilisant le vocabulaire qui précède.

1. Je suis très fatigué; je suis ═══.
2. Il a beaucoup écrit sur sa carte postale. Il n'y a ═══.
3. Je tousse, j'éternue, j'ai attrapé un ═══.
4. Elle adore le ski. Elle s'amuse comme ═══.
5. C'est la première fois qu'il fait du ski mais il se ═══ très bien.
6. Il skie bien. Il ne prend que les ═══ réservées aux experts.
7. Nous avons voyagé l'été passé. Nous avons fait un long ═══ en France.
8. Un animal qui grimpe° aux arbres et vit dans la jungle s'appelle un ═══. climbs
9. Un animal qui a beaucoup de taches° et un très long cou s'appelle une ═══. spots

B. Des vacances idéales. Vous venez de gagner un million de dollars et vous avez décidé de faire un long voyage. Utilisez les questions suivantes comme guide pour écrire un paragraphe dans lequel vous décrivez les vacances de vos rêves.

1. Où allez-vous aller?
2. Comment allez-vous voyager—en bateau, en avion, en train, à pied, en vélo, à cheval?
3. Qui allez-vous inviter à vous accompagner—un groupe d'amis, un(e) seul(e) ami(e), une personne célèbre ou une personne imaginaire?
4. Qu'est-ce que vous avez l'intention de faire pendant votre séjour? Quel va être votre emploi du temps?

C. Situations. Avec un(e) partenaire, choisissez une des situations et rédigez ensemble un dialogue. Vous pourrez ensuite jouer cette scène en classe.

1. Imaginez les vacances du couple assis au fond de l'avion. La femme est très active, mais son mari ne veut jamais rien faire. Que se disent-ils au petit déjeuner, le premier jour au Club Med? La femme

essaie de persuader son mari de participer aux activités de la journée, mais il a toujours une excuse.

2. Mlle Jolinez rencontre un bel étranger mystérieux en croisière et c'est le coup de foudre. Plus ils se connaissent, plus ils sont surpris d'apprendre qu'ils ont les mêmes goûts. Quels sont ces goûts? Que veulent-ils dans la vie?

Exploration

L'emploi de l'infinitif avec les prépositions

A. Certaines prépositions peuvent être suivies de l'infinitif. Remarquez l'usage de l'infinitif avec les prépositions suivantes.

- pour (*to, in order to, for the purpose of*)

  Pour louer une voiture il faut avoir un permis de conduire.

- sans (*without*)

  Ne va pas dans cette station de ski **sans réserver** une chambre.

- avant de (*before*)

  Il faut récupérer ses valises **avant de passer** à la douane.

- au lieu de (*instead of*)

  Souvent on se surmène en vacances **au lieu de se reposer**.

- à condition de (*provided*)

  Je suis d'accord pour les vacances en montagne **à condition de faire** une croisière l'année prochaine

Si l'infinitif est un verbe pronominal, son pronom réfléchi varie selon le sujet de la proposition principale.

Au lieu de **m'**amuser, **j'**ai passé tout mon temps à soigner mon rhume.

B. Avec la préposition **après**, il faut utiliser **l'infinitif passé**. L'infinitif passé se forme comme le passé composé, mais au lieu de conjuguer l'auxiliaire avec un sujet, on le met à l'infinitif.

Elle est allée à la plage **après avoir déjeuné**.
*She went to the beach **after eating lunch**.*
*She went to the beach **after having eaten lunch**.*

Après **nous être reposés,** nous sommes descendus dîner.
After resting, we went down to eat.
After having rested, we went down to eat.

Remarquez que l'infinitif passé suit les mêmes règles d'accord que le **passé composé.**

C. La négation précède généralement l'infinitif.

Pour **ne pas** avoir de problèmes, il faut réserver en avance.
Tu peux écouter à condition de **ne rien** dire à ta sœur.

Les expressions **ne...que** et **ne...personne** se placent comme avec les verbes conjugués.

Tu peux écouter à condition de **ne** révéler ce secret **qu'**à Jean.
Tu peux écouter à condition de **ne** révéler ce secret à **personne.**

Application

A. Qu'ont-ils fait après? Reliez° les phrases à l'aide de la préposition **après** pour dire ce que vont faire les passagers de l'avion. N'oubliez pas de mettre le verbe de la phrase principale au passé composé.

join

EXEMPLE   Ils achètent leurs billets. Ils prennent l'avion.
Après avoir acheté leurs billets, ils ont pris l'avion.

1. Ils arrivent à Paris. Ils descendent de l'avion.
2. Je récupère mes valises. Je passe à la douane.
3. Nous passons la douane. Nous allons à l'hôtel.
4. Il se fait une tasse de café. Il s'installe devant la télé.
5. Elle joue au tennis. Elle monte à cheval.
6. Vous arrivez à Paris. Vous allez chez votre grand-mère.
7. Nous mettons nos skis. Nous descendons la montagne.
8. Tu prends quelques leçons de ski. Tu t'amuses comme une folle.
9. Elles s'installent sur la plage. Elles rencontrent un beau garçon.
10. Nous nous baignons dans la mer. Nous jouons au volley-ball.

B. En croisière. Avec vos parents, vous avez fait une croisière sur la Méditerranée. Vous racontez vos vacances à des copains. Regardez le dépliant° qui décrit votre croisière. Utilisez **avant de + l'infinitif** et **après + l'infinitif passé** pour dire ce que vous avez fait avant et après chacune des étapes suivantes.

leaflet

EXEMPLES   visiter Athènes
Avant de visiter Athènes, nous avons passé du temps libre à bord du bateau et je me suis bronzé à la piscine.

Après avoir visité Athènes, nous avons passé un jour en Crète et nous avons vu les ruines de Cnossos.

1. se baigner à Viarreggio
2. voir les ruines de Pompéi
3. monter à l'Acropole
4. visiter l'île de Crète
5. faire une promenade en bateau sur le Nil
6. se promener à Tunis dans la ville arabe
7. arriver en Corse
8. retourner à Marseille

Faites le tour de la Méditerranée à bord du M/S Ville d'Oran. Départs de Marseille la 1ère et 3e semaine de chaque mois à partir du 1er mai.

Première semaine
LUNDI: Matin à Pise: La "Place des Miracles," visite de la Tour penchée et de la cathédrale romane (XIe–XIIe siècle). Après-midi sur les plages de Viarreggio.
MARDI: Arrivée à Naples: Visite du Musée national. Après-midi à Pompéi.
MERCREDI: Sardaigne et Palerme.
JEUDI: Journée libre: Repos et activités à bord du bateau: cinéma, aérobique, jeux, pêche.
VENDREDI: Arrivée à Athènes: Matin au marché et à l'Acropole. Après-midi libre.
SAMEDI: Crète: Circuit touristique. Visite des ruines de Cnossos et Phaistos.
DIMANCHE: Journée en mer: De la Grèce en Egypte.

Deuxième semaine
LUNDI: Egypte: Arrivée à Alexandrie. Visite du marché. Promenade sur le Nil l'après-midi.
MARDI: D'Alexandrie à Tunis.
MERCREDI: Arrivée à Tunis: Visite de la ville arabe, "La Médina." Visite des ruines de Carthage.
JEUDI: Corse: Ajaccio. Visite de la maison de Napoléon.
VENDREDI: Retour à Marseille.

C. Que faire pendant les vacances? Vous parlez avec des amis de ce
W que vous voulez faire pendant les vacances. Complétez les phrases
suivantes en employant un infinitif.

1. Je veux aller à une agence de voyage avant de…
2. On peut passer des vacances agréables à la maison à condition
   de…
3. J'ai envie de passer deux semaines sans…
4. Faisons quelque chose de nouveau cette année au lieu de…
5. Nous finissons toujours par nous surmener en vacances au lieu
   de…
6. J'aimerais faire une croisière pour…
7. J'ai promis à mes parents de ne partir qu'après…
8. Pour ton voyage, tu devrais étudier la géographie avant de…
9. Avant les vacances, je vais économiser beaucoup d'argent
   pour…
10. Je serai prêt(e) à partir après…

Exploration

Le passé simple des verbes réguliers

A. En français, le passé simple exprime un fait, ou une action
complètement achevée à un moment déterminé du passé. *Le passé
simple s'emploie presque uniquement dans la langue écrite.* Bien
qu'on emploie rarement le passé simple dans la langue parlée, il est
important de pouvoir le reconnaître dans les textes historiques ou
littéraires.

B. Au passé simple, les verbes réguliers prennent les terminaisons
suivantes. Notez que les terminaisons des verbes en **-ir** et en **-re** sont
identiques.

écouter	finir	vendre
j' écout**ai**	je fin**is**[2]	je vend**is**
tu écout**as**	tu fin**is**	tu vend**is**
il/elle/on écout**a**	il/elle/on fin**it**	il/elle/on vend**it**
nous écout**âmes**	nous fin**îmes**	nous vend**îmes**
vous écout**âtes**	vous fin**îtes**	vous vend**îtes**
ils/elles écout**èrent**	ils/elles fin**irent**	ils/elles vend**irent**

[2]Bien que les trois premières personnes du singulier des verbes en **-ir** soient identiques au **présent**
et au **passé simple**, le contexte dictera le temps du verbe. **Présent:** Il **finit** toujours ses devoirs puis
il va jouer. **Passé simple:** Il **finit** ses devoirs à huit heures puis il alla jouer.

Application

A. Un événement qui sort de l'ordinaire. Le passage suivant est un extrait de *Rhinocéros*, nouvelle d'Eugène Ionesco, publiée en 1957. Lisez ce passage, faites une liste des verbes au passé simple que vous reconnaissez et donnez leur infinitif.

Nous discutions tranquillement de choses et d'autres, à la terrasse du café, mon ami Jean et moi, lorsque nous aperçûmes°, sur le trottoir d'en face, énorme, puissant°, soufflant bruyamment, fonçant° droit devant lui, frôlant° les étalages, un rhinocéros. A son passage, les promeneurs s'écartèrent° vivement pour lui laisser le chemin libre. Une ménagère° poussa un cri d'effroi, son panier° lui échappa des mains, le vin d'une bouteille brisée se répandit° sur le pavé°, quelques promeneurs dont un vieillard, entrèrent précipitamment dans les boutiques. Cela ne dura pas le temps d'un éclair°. Les promeneurs sortirent de leurs refuges, des groupes se formèrent qui suivirent du regard les rhinocéros déjà loin, commentèrent l'événement, puis se dispersèrent.

noticed
powerful/charging
inches from
stood aside
housewife/basket
spilled/pavement

flash of lightning

Exploration

Le passé simple des verbes irréguliers

A. Le verbe **aller** se conjugue au passé simple comme les verbes réguliers en **-er**.

aller	
j' allai	nous allâmes
tu allas	vous allâtes
il/elle/on alla	ils/elles allèrent

B. De nombreux verbes irréguliers forment leur passé simple à partir du participe passé.

1. La plupart des verbes irréguliers dont le participe passé se termine en **-u** se conjuguent comme **avoir** au passé simple.

avoir (p.p. **eu**)	
j' **eus**	nous **eûmes**
tu **eus**	vous **eûtes**
il/elle/on **eut**	ils/elles **eurent**

Voici d'autres verbes qui se conjuguent comme **avoir** au passé simple.

verbe	participe passé	passé simple
apercevoir	aperçu	j'**aperçus**, tu **aperçus**…
boire	bu	je **bus**, tu **bus**…
connaître	connu	je **connus**, tu **connus**…
courir	couru	je **courus**, tu **courus**…
croire	cru	je **crus**, tu **crus**…
devoir	dû	je **dus**, tu **dus**…
falloir	fallu	il **fallut**
lire	lu	je **lus**, tu **lus**…
pleuvoir	plu	il **plut**
pouvoir	pu	je **pus**, tu **pus**…
recevoir	reçu	je **reçus**, tu **reçus**…
savoir	su	je **sus**, tu **sus**…
vivre	vécu	je **vécus**, tu **vécus**…
vouloir	voulu	je **voulus**, tu **voulus**…

2. La plupart des verbes irréguliers qui ont un participe passé en **-i**, **-is** ou **-it** forment leur passé simple comme les verbes en **-ir** et **-re**.

dire (p.p. **dit**)	
je **dis**	nous **dîmes**
tu **dis**	vous **dîtes**
il/elle/on **dit**	ils/elles **dirent**

Voici quelques verbes qui suivent la même formule.

verbe	participe passé	passé simple
mettre	mis	je **mis**, tu **mis**…
partir	parti	je **partis**, tu **partis**…
prendre	pris	je **pris**, tu **pris**…
rire	ri	je **ris**, tu **ris**…
suivre	suivi	je **suivis**, tu **suivis**…

C. Quelques verbes irréguliers ne forment pas le passé simple à partir du participe passé. Voici les conjugaisons de trois verbes importants.

être	faire	venir[3]
je **fus**	je **fis**	je **vins**
tu **fus**	tu **fis**	tu **vins**
il/elle/on **fut**	il/elle/on **fit**	il/elle/on **vint**
nous **fûmes**	nous **fîmes**	nous **vînmes**
vous **fûtes**	vous **fîtes**	vous **vîntes**
ils/elles **furent**	ils/elles **firent**	ils/elles **vinrent**

Notez que même les verbes qui ont un passé simple irrégulier gardent le même système de terminaisons: **-s, -s, -t, -mes, -tes, -rent**.

D. Voici le passé simple de la 3ᵉ personne du singulier et du pluriel de quelques autres verbes importants. Vous pourrez complétez leur conjugaison en employant les terminaisons ci-dessus.

voir	il **vit**	ils **virent**
conduire	il **conduisit**	ils **conduisirent**
écrire	il **écrivit**	ils **écrivirent**
mourir	il **mourut**	ils **moururent**
naître	il **naquit**	ils **naquirent**

Application

A. C'est vous le guide. Pour épater° vos amis lors de votre visite à Paris, vous avez décidé de lire un guide auparavant°. Devant les monuments, vous leur répétez ce que vous avez lu en utilisant le passé composé.

amaze
beforehand

Le Louvre
Jusqu'au 14ᵉ siècle, le Louvre **servit** de trésorerie, de bibliothèque et même d'arsenal. Au 14ᵉ siècle le roi Charles V le **convertit** en résidence et **installa** sa bibliothèque dans une des tours. Le Louvre **continua** à être la résidence du roi jusqu'à la Révolution. Ce ne **fut** qu'après la Révolution que le Louvre **devint** un musée.

Notre Dame
La construction de la cathédrale **commença** en 1163 et **dura** presque 200 ans. Pendant la Révolution, la cathédrale **fut** endommagée mais Bonaparte la **fit** restaurer avant d'y être couronné empereur en 1804.

Le Louvre

Notre Dame

---

[3]Souvenez-vous que **devenir, intervenir, prévenir, revenir, se souvenir, tenir** et ses composés **appartenir, obtenir, retenir** et **soutenir** se conjuguent comme **venir**.

La Tour Eiffel

La Tour Eiffel **fut** construite pour célébrer le centenaire de la Révolution française, en 1889. Elle **prit** le nom de l'ingénieur qui la **construisit**. De nombreux artistes et écrivains **protestèrent** et **s'opposèrent** à sa construction. En 1909 elle n'**échappa** à la démolition que parce qu'elle servait d'antenne émettrice de radio.

L'Arc de Triomphe

En 1806, Napoléon **fit** construire un arc de triomphe à la gloire de ses victoires militaires. L'architecte Chalgrin **dut** faire face à de nombreuses difficultés et la construction, abandonnée pendant la Restauration, ne **fut** terminée que trente ans plus tard.

La Conciergerie

La Conciergerie **joua** un rôle sinistre pendant la Révolution. C'est alors qu'elle **devint** l'antichambre de la guillotine. La reine Marie-Antoinette y **passa** ses derniers jours.

La Tour Eiffel

L'Arc de Triomphe

La Conciergerie

B. A la plage. Par erreur, vous avez écrit votre devoir au passé simple. Lisez le passage suivant, faites une liste des verbes au passé simple, donnez leur infinitif et récrivez le passage au passé composé.

Ce matin-là nous allâmes à la plage. Nous nous levâmes vers six heures, nous mîmes nos maillots de bain, nous mangeâmes vite une tartine de beurre et de confiture, puis nous partîmes.

Arrivés sur la plage nous nous promenâmes nu-pieds° dans l'eau puis nous commençâmes à ramasser des coquillages° sur le sable° Nous marchâmes tranquillement sur le sable chaud jusqu'au moment où je vis une large masse noire étendue° sur la plage. Nous nous approchâmes doucement et nous remarquâmes que c'était une baleine échouée°. D'autres gens s'approchèrent aussi de la pauvre bête et quelqu'un alla appeler le vétérinaire. Il vint mais il ne put rien faire pour la malheureuse baleine.

barefoot
seashells/sand

lying

baleine... beached whale

Nous rentrâmes à la maison sans dire un mot et passâmes le reste de l'après-midi à imaginer ce qui avait pu causer sa mort. Robert accusa la pollution, Morgane dit que c'était peut-être à cause d'un virus, Jonathan nous rappela qu'il y avait aussi de nombreux sous-marins le long de la côte. Ce soir-là, je me souvins de la baleine, mais je fis de beaux rêves. Je rêvai du vaste océan, de beaux coquillages et de la magnifique baleine encore pleine de vie.

CAS SPECIAUX

Comment dit-on then *en français?*

A. Pour marquer un moment ou une durée dans le temps, on peut
employer

alors	*then*
à ce moment-là	*then, at that moment*
à cette époque-là	*then, in those days*
en ce temps-là	*then, at that time*

Monsieur Débordé habitait **alors** un petit studio.
Ça ne se faisait pas **à cette époque-là**.
Ton père et moi n'étions pas encore mariés **à ce moment-là**.
En ce temps-là, la vie était bien plus simple.

Ces expressions peuvent aussi être précédées de prépositions.

à partir de	...ce moment-là	*from then on*
	...cette époque-là	
avant	...ce moment-là	*before then*
	...cette époque-là	
depuis	...ce moment-là	*since then*
	...cette époque-là	
	...ce temps-là	
jusqu'	...alors	*until then*
jusqu'à	...ce moment-là	*until then*
	...cette époque-là	

A partir de ce moment-là, nous ne nous sommes plus parlé.
Notre vie a beaucoup changé **depuis ce temps-là**.

B. Pour indiquer une succession d'actions dans le temps, on traduit *then* par

ensuite   *then, next*   après cela   *then, after that*
puis   *then, next*

Nous avons d'abord visité Nîmes, **puis** Marseille et **ensuite** Lyon.
Après cela, nous sommes rentrés directement à Paris.

C. Quand *then* marque une conséquence entre deux événements, on le traduit par

alors   *then, so*   en ce cas   *then, in that case*
donc   *then, therefore*   dans ce cas   *then, in that case*

Alors, à quel endroit voudrais-tu aller?
Tu préfères **donc** ne pas visiter ce château-là.
En ce cas, nous pouvons partir plus tard.

Application

A. Nos premières vacances ensemble. Mme Débordé raconte à son fils
W ses premières vacances avec son mari. Complétez les phrases
suivantes en utilisant l'expression qui traduit le mieux l'adverbe
anglais *then*.

Je me souviens des premières vacances que j'ai passées avec ton
père. Nous étions mariés depuis quelques mois seulement et __1__
nous n'avions pas beaucoup d'argent. Nous avons __2__ décidé
d'employer la vieille voiture de ton père pour aller faire du camping
dans la vallée de la Loire. Ton père avait __3__ une deux-chevaux
qui roulait mal et nous avons eu des tas d'ennuis. Nous étions sur la
route quand nous avons entendu un sifflement dans le moteur. Nous
ne nous sommes pas trop inquiétés mais __4__ nous avons senti le
brûlé et __5__ nous avons vu de la fumée. Quand nous avons vu des
flammes, __6__ nous avons eu très peur tous les deux. __7__ quelque
chose d'incroyable est arrivé. Un fermier passait __8__ avec un
chariot plein de foin°. Des étincelles° volaient de partout. Le foin a
pris feu et tu peux imaginer ce qui s'est passé __9__. Nous avons dû
acheter du foin pour le fermier avec l'argent de notre voyage et il
nous a __10__ fallu revenir passer le reste des vacances à la maison.
Depuis __11__ ton père ne veut plus entendre parler de deux-chevaux.

chariot... wagon full of
  hay/sparks

B. Et après? Qu'avez-vous fait ce matin? Faites une ou plusieurs
W phrases contenant six actions successives en utilisant: **ensuite, puis,
après cela.**

    EXEMPLE   **D'abord, j'ai fait du jogging, puis je me suis douché,
               ensuite...**

*L*ANGUE ET CULTURE

Voilà ce qu'on dit

Les disputes

A. Que disent les enfants quand ils se disputent°?   argue

Arrête!	*Cut it out! Stop it!*
Ça te fera les pieds!	*That'll teach you!*
Cause toujours!*	*Talk all you want!*
C'est ça, va pleurer dans les ju-pons de maman.	*Go on and cry to mommy.*
Crétin(e)!	*Idiot!*
Fiche-moi la paix!	*Leave me alone!*
Imbécile heureux (...heureuse)!	*Idiot!*
Je m'en fiche!	*I couldn't care less!*
Je vais le dire à maman (à papa)!	*I'm going to tell mom (dad)!*
Mêle-toi de tes oignons!	*Mind your own business!*
Menteur (Menteuse)!	*Liar!*
Pleurnicheur (Pleurnicheuse)!	*Crybaby!*
Rapporteur (Rapporteuse)!	*Tattletale!*
Tu es bête comme tes pieds!	*You're really stupid!*
Tu es vraiment casse-pieds!	*You're really a pain!*
Tu m'énerves (Tu m'embêtes)!	*You're getting on my nerves!*
Tu le fais exprès?	*Are you doing it on purpose?*
Tu me tapes sur les nerfs (...sur le système)!	*You're getting on my nerves!*

Tu mens comme tu respires!	*You're a born liar!*
Tu vas te faire sonner les cloches.	*You're really going to get it.*
Tu veux une claque?	*Do you want a smack?*
Va voir là-bas si j'y suis!	*Get out of here!*

B. Que disent les parents quand leurs enfants se disputent?

Arrêtez de vous bagarrer!	*Stop fighting!*
Ça suffit!	*That's enough!*
Je commence à perdre patience!	*I'm beginning to lose my patience!*
La moutarde me monte au nez!	*I'm beginning to get angry!*
Sois gentil (Sois sage).	*Be nice (Be good).*
Tu vas être privé(e) de sortie.	*You're going to be grounded.*
Tu vas être puni(e)!	*You're going to be punished!*
Tu veux une fessée?	*Do you want a spanking?*
Un point c'est tout!	*That's final!*
Va dans ta chambre!	*Go to your room!*

C. Que disent les enfants aux parents?

C'est lui (elle) qui a commencé!	*He (She) started it!*
Ce n'est pas juste!	*That's not fair!*
Ce n'est pas vrai!	*It's not true!*
Je ne l'ai pas fait exprès.	*I didn't do it on purpose.*
Elle (Il) m'a traité(e) de…	*She (He) called me a…*
Mais, je n'ai rien fait!	*But, I didn't do anything!*

D. Voici d'autres expressions qui se rapportent au sujet.

se chamailler*	*to squabble, to quarrel*
se disputer	*to argue, to fight*
donner une fessée	*to give a spanking*
se faire gronder	*to get scolded*
se mettre en boule*	*to fly off the handle*
moucharder*	*to tattle*

Application

A. C'est un enfant? Est-ce que les expressions que vous entendez sont en général celles d'un enfant ou d'un parent? Ecrivez **un parent** ou **un enfant** selon le cas.

EXEMPLE   Mais fiche-moi la paix, imbécile heureux!

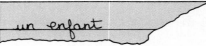
un enfant

B. Tu m'énerves!   Complétez les phrases suivantes selon les expressions que vous venez d'apprendre. Il peut parfois y avoir plus d'une réponse correcte.

1. La moutarde me monte…
2. Tu vas te faire sonner…
3. Tu mens comme tu…
4. Va pleurer dans…
5. Mêle-toi de tes…
6. Tu me tapes sur…
7. Tu es bête comme tes…
8. Tu veux une…
9. Un point c'est…
10. Va voir là-bas si…

C. Arrête!   Quelles expressions pouvez-vous employer si vous vous trouvez dans les situations suivantes?

1. Votre frère ou votre sœur vous a traité(e) d'imbécile.
2. Vous parlez avec un(e) ami(e) de secrets et votre petite sœur essaie d'écouter.
3. Votre petit frère n'arrête pas de vous embêter.
4. Vous avez donné une fessée à votre petit frère et vos parents veulent savoir pourquoi.
5. Vos parents vous accusent d'avoir été au cinéma avec un ami au lieu d'être allé(e) à l'école.

D. Tu vas voir!   Trouvez la phrase la plus logique possible.

A	B
1. C'est de sa faute	et va voir là-bas si j'y suis.
2. Si vous n'êtes pas sages	et arrêtez de vous bagarrer.
3. Je perds patience	parce que c'est lui qui a commencé.
4. Si tu continues	parce que vous vous chamaillez toujours.
5. Mêle-toi de tes oignons	je vais vous punir.
6. Ça suffit tous les deux	tu vas recevoir une fessée.
7. Je sais ce que tu as fait	et je vais le dire à papa.

E. Compréhension.   Anne est en train de se servir le dernier morceau de gâteau au moment où Valérie arrive dans la cuisine. Ecoutez le dialogue et dites si les phrases suivantes sont vraies ou fausses.

1. Anne et Valérie se disputent pour un morceau de gâteau.
2. Anne donne une claque à sa sœur.
3. Valérie traite Anne d'imbécile heureuse.
4. Valérie est une rapporteuse.
5. Leur mère les punit pour la soirée.
6. Leur mère décide de manger le reste du gâteau.

Lecture

René Goscinny

C'est en 1960 que l'humoriste René Goscinny en collaboration avec le dessinateur Jean-Jacques Sempé a publié *Le Petit Nicolas*. Le narrateur, un jeune garçon, raconte ses aventures d'enfant. On aperçoit son petit monde. On fait la connaissance de ses copains, on revit ses jours de classes et on participe à la vie de sa famille. Les aventures de Nicolas nous sont racontées dans une langue d'enfant avec toute son innocence et toute sa naïveté. Cela contribue à son charme et explique son succès qui dure depuis plus de trente ans.

Pour commencer

Lisez une première fois l'histoire de *Louisette* et répondez aux deux questions suivantes: *Quand les enfants se retrouvent seuls, qui commence les hostilités? En êtes-vous étonnés?* Ensuite, relisez l'histoire plus attentivement et répondez aux questions qui suivent la lecture.

Louisette

Je n'étais pas content quand maman m'a dit qu'une de ses amies viendrait prendre le thé avec sa petite fille. Moi, je n'aime pas les filles.

C'est bête, ça ne sait pas jouer à autre chose qu'à la poupée° et à la
marchande° et ça pleure tout le temps. Bien sûr, moi aussi je pleure

doll
storekeeper

5 quelquefois, mais c'est pour des choses graves, comme la fois où le vase
du salon s'est cassé et papa m'a grondé et ce n'était pas juste parce que
je ne l'avais pas fait exprès et je sais bien que papa n'aime pas que je
joue à la balle dans la maison, mais dehors il pleuvait.

«Tu seras bien gentil avec Louisette, m'a dit maman, c'est une charmante
10 petite fille et je veux que tu lui montres que tu es bien élevé.»

Quand maman veut montrer que je suis bien élevé, elle m'habille avec
le costume bleu et la chemise blanche et j'ai l'air d'un guignol°. Moi, j'ai

clown

dit à maman que j'aimerais mieux aller avec les copains au cinéma voir
un film de cow-boys, mais maman elle m'a fait des yeux° comme quand

m'a... gave me a stern
    look

15 elle n'a pas envie de rigoler.

«Et je te prie de ne pas être brutal avec cette petite fille, sinon°, tu

otherwise

auras affaire à moi°, a dit maman, compris?» A quatre heures, l'amie de

auras... will have to
    deal with me

maman est venue avec sa petite fille. L'amie de maman m'a embrassé,
elle m'a dit, comme tout le monde, que j'étais un grand garçon, elle m'a
20 dit aussi: «Voilà Louisette.» Louisette et moi, on s'est regardés. Elle avait
des cheveux jaunes, avec des nattes°, des yeux bleus, un nez et une robe

braids

rouges. On s'est donné les doigts°, très vite. Maman a servi le thé, et ça,

s'est... barely shook
    hands

c'était très bien, parce que, quand il y a du monde pour le thé, il y a
des gâteaux au chocolat et on peut en reprendre deux fois. Pendant le
25 goûter, Louisette et moi on n'a rien dit. On a mangé et on ne s'est pas
regardés. Quand on a eu fini, maman a dit: «Maintenant, les enfants, allez
vous amuser. Nicolas, emmène Louisette dans ta chambre et montre-lui
tes beaux jouets.» Maman elle a dit ça avec un grand sourire, mais en
même temps elle m'a fait des yeux, ceux avec lesquels il vaut mieux° ne

il... it's better

30 pas rigoler. Louisette et moi on est allés dans ma chambre, et là, je ne
savais pas quoi lui dire. C'est Louisette qui a dit, elle a dit: «Tu as l'air
d'un singe.» Ça ne m'a pas plu, ça, alors je lui ai répondu: «Et toi, tu
n'es qu'une fille!» et elle m'a donné une gifle°. J'avais bien envie de me

slap

mettre à pleurer, mais je me suis retenu, parce que maman voulait que

35 je sois bien élevé, alors, j'ai tiré° une des nattes de Louisette et elle m'a
donné un coup de pied° à la cheville°. Là, il a fallu que je fasse «ouille,
ouille» parce que ça faisait mal. J'allais lui donner une gifle, quand
Louisette a changé de conversation, elle m'a dit: «Alors, ces jouets, tu
me les montres?» J'allais lui dire que c'était des jouets de garçon, quand
40 elle a vu mon ours en peluche°, celui que j'avais rasé à moitié° une fois
avec le rasoir de papa. Je l'avais rasé à moitié seulement, parce que le
rasoir de papa n'avait pas tenu le coup°. «Tu joues à la poupée?» elle
m'a demandé Louisette, et puis elle s'est mise à rire. J'allais lui tirer une
natte et Louisette levait la main pour me la mettre sur la figure, quand
45 la porte s'est ouverte et nos deux mamans sont entrées. «Alors, les
enfants, a dit maman, vous vous amusez bien? —Oh, oui madame!» a
dit Louisette avec des yeux tout ouverts et puis elle a fait bouger ses
paupières° très vite et maman l'a embrassée en disant: «Adorable, elle
est adorable! C'est un vrai petit poussin°!» et Louisette travaillait dur
50 avec les paupières. «Montre tes beaux livres d'images à Louisette,» m'a
dit ma maman et l'autre maman a dit que nous étions deux petits pous-
sins et elles sont parties.

Moi, j'ai sorti mes livres du placard et je les ai donnés à Louisette,
mais elle ne les a pas regardés et elle les a jetés par terre°, même celui
55 où il a des tas° d'Indiens et qui est terrible°. «Ça ne m'intéresse pas tes
livres, elle m'a dit, Louisette, t'as pas quelque chose de plus rigolo°?» et
puis elle a regardé dans le placard et elle a vu mon avion, le chouette°,
celui qui a un élastique°, qui est rouge et qui vole. «Laisse ça j'ai dit,
c'est pas pour les filles, c'est mon avion!» et j'ai essayé de le reprendre,
60 mais Louisette s'est écartée°. «Je suis l'invitée, elle a dit, j'ai le droit de
jouer avec tous tes jouets, et si tu n'es pas d'accord, j'appelle ma maman
et on verra qui a raison!» Moi, je ne savais pas quoi faire, je ne voulais
pas qu'elle le casse, mon avion, mais je n'avais pas envie qu'elle appelle
sa maman, parce que ça ferait des histoires°. Pendant que j'étais là, à
65 penser, Louisette a fait tourner l'hélice° pour remonter l'élastique et
puis elle a lâché° l'avion. Elle l'a lâché par la fenêtre de ma chambre
qui était ouverte, et l'avion est parti. «Regarde ce que tu as fait, j'ai
crié. Mon avion est perdu!» et je me suis mis à pleurer. «Il n'est pas
perdu ton avion, bêta°, m'a dit Louisette, regarde, il est tombé dans le
70 jardin, on n'a qu'à aller le chercher.»

Nous sommes descendus dans le salon et j'ai demandé à maman si on
pouvait sortir jouer dans le jardin et maman a dit qu'il faisait trop
froid, mais Louisette a fait le coup des paupières et elle a dit qu'elle
voulait voir les jolies fleurs. Alors, ma maman a dit qu'elle était un
75 adorable poussin et elle a dit de bien nous couvrir pour sortir. Il faudra
que j'apprenne, pour les paupières, ça a l'air de marcher drôlement°, ce
truc°!

Dans le jardin, j'ai ramassé° l'avion, qui n'avait rien, heureusement,
et Louisette m'a dit: «Qu'est-ce qu'on fait? —Je ne sais pas, moi, je lui
80 ai dit, tu voulais voir les fleurs, regarde-les, il y en a des tas par là.»

pulled	
donné...	kicked/ankle

ours...	stuffed bear/
à...	halfway
n'avait...	hadn't held up

a...	batted her eyes
darling (lit. baby chicken)	

par...	on the ground
des...	a bunch of/ really great/fun
le...	the neat one
rubber band	

s'est...	stepped away

hassles
propeller
let go of

dummy

really well
ce... that trick
picked up

Mais Louisette m'a dit qu'elle s'en moquait de mes fleurs et qu'elles
étaient minables°. J'avais bien envie de lui taper° sur le nez, à Louisette,   pitiful/hit
mais je n'ai pas osé, parce que la fenêtre du salon donne sur le jardin,
et dans le salon il y avait les mamans. «Je n'ai pas de jouets, ici, sauf le
85 ballon de football, dans le garage.» Louisette m'a dit que ça, c'était une
bonne idée. On est allés chercher le ballon et moi j'étais très embêté,
j'avais peur que les copains me voient jouer avec une fille. «Tu te mets
entre les arbres, m'a dit Louisette, et tu essaies d'arrêter le ballon.»
   Là, elle m'a fait rire, Louisette, et puis elle a pris de l'élan° et, boum!   **a...**   took off running
90 un shoot terrible! La balle, je n'ai pas pu l'arrêter, elle a cassé la vitre°   window pane
de la fenêtre du garage.
   Les mamans sont sorties de la maison en courant. Ma maman a vu la
fenêtre du garage et elle a compris tout de suite. «Nicolas! elle m'a dit,
au lieu de jouer à des jeux brutaux°, tu ferais mieux de t'occuper de tes   rough
95 invités, surtout quand ils sont aussi gentils que Louisette!» Moi, j'ai
regardé Louisette, elle était plus loin, dans le jardin, en train de sentir
les bégonias.
   Le soir, j'ai été privé de dessert, mais ça ne fait rien, elle est
chouette, Louisette, et quand on sera grands, on se mariera.
100   Elle a un shoot terrible!

Questions sur la lecture

1. Quel âge a le petit Nicolas? Y a-t-il un trait de caractère qui pourrait l'indiquer?
2. Pourquoi Nicolas n'aime-t-il pas les filles en général?
3. Est-ce que Nicolas est un enfant bien élevé? Comment se comporte-t-il avec les invitées de sa Maman?
4. Le comportement de Louisette, vous surprend-il? Pourquoi?
5. Pensez-vous que Louisette soit une fille bien élevée? N'est-elle pas hypocrite? Quelle attitude a-t-elle à l'égard des adultes?
6. Est-ce que Louisette s'intéresse beaucoup aux livres de Nicolas? Avec quoi préfère-t-elle jouer?
7. Les goûts de Louisette vous surprennent-ils? Ressemble-t-elle à toutes les petites filles?
8. Pourquoi est-ce Nicolas qui est grondé quand Louisette casse la vitre de la fenêtre du garage?
9. Comment expliquez-vous le changement d'attitude de Nicolas qui à la fin veut épouser Louisette?
10. Ce texte a été écrit par un homme. Aurait-il été différent s'il l'avait été par une femme?

Qu'en pensez vous?

1. Etiez-vous obligé(e) de jouer avec des enfants que vous n'aimiez pas quand vous étiez petit(e)? Est-ce que vos parents vous obligeaient à partager vos jouets? Avez-vous eu des jouets cassés par d'autres enfants? Par qui? Racontez ce qui s'est passé.
2. Avez-vous connu une fille comme Louisette dans votre enfance ou avez-vous été une petite fille comme elle? Pensez-vous que les filles peuvent être plus hypocrites que les garçons, comme Louisette par exemple? Pourquoi?
3. Pensez-vous que les petites filles doivent jouer avec les poupées et les petits garçons avec des avions ou des ballons de football? Estimez-vous que le sexe n'a pas d'importance et que chacun doit être laissé libre de choisir ce qui lui plaît naturellement?

4. Croyez-vous à l'égalité des sexes? Sommes-nous conditionnés dans notre rôle de femme ou d'homme pendant notre enfance? Quelle est votre opinion?
5. Est-ce que la société actuelle influence plus les jeux d'enfants qu'auparavant? Dites pourquoi.
6. L'enfance est-elle naïve? Est-ce qu'un enfant peut cacher sa personnalité? Quelles pourraient être ses raisons pour le faire?

Révision

Situations

1. Vous venez de rentrer et vous vous apercevez que des voleurs sont entrés chez vous. Imaginez une conversation entre la police et vous. Décrivez ce que vous avez vu, donnez des détails sur la position des meubles, de vos affaires, l'état des pièces, etc.
2. Imaginez une famille idéale. Quelles sont les caractéristiques et la personnalité des enfants, de la femme, du mari, des grands-parents, et des beaux-parents? Quelles sont les choses que chacun devrait faire ou ne pas faire?
3. Vous êtes accusé d'avoir un "D" en français parce que vous n'avez pas travaillé. Imaginez une discussion entre vos parents et vous. Essayez de vous expliquer et d'imaginer ce que vos parents pourraient vous dire.
4. Imaginez que vous venez d'acheter une nouvelle voiture et que quelqu'un vous rentre dedans° parce qu'il ne s'est pas arrêté à un feu rouge°. Imaginez l'échange de mots qui suit.

vous... runs into you
feu... red light

Sujets de rédaction

1. Vous avez hérité d'un vieux château en Normandie. Donnez une description détaillée des pièces, des meubles, du jardin et dites ce que vous voudriez faire pour restaurer ce manoir°.

manor, country house

2. Ecrivez un essai sur un des meilleurs moments que vous avez eu dans votre enfance. Racontez, justifiez et analysez vos sentiments.
3. L'enfance est-elle un moment privilégié? Quelle est votre opinion? Quels sont vos sentiments à ce sujet? Justifiez vos réponses, donnez des exemples concrets et personnels.
4. D'après-vous, est-il possible de vivre sans punition? Quand faut-il punir? Exprimer vos opinions sur ce sujet.
5. Est-il important d'avoir un passe-temps? Quels en sont les avantages et les inconvénients?

CONTEXTE CULTUREL

Leslie a écrit à une jeune correspondante française
pour obtenir quelques renseignements sur sa vie familiale.
Voici la lettre qu'elle a reçue.

Chère Leslie,

Dans ta lettre du 8 octobre que j'ai reçue hier, tu me demandes de te parler un peu de ma famille et de notre vie familiale. Eh bien, voilà. Mon frère, Patrick a 17 ans et il est en terminale. En général, nous nous entendons assez bien mais il y a des fois où il m'énerve un peu, comme tu dois facilement l'imaginer! Mon père travaille dans une banque et ma mère est secrétaire médicale. Elle travaille à mi-temps parce qu'elle s'occupe toujours de nous.

Le personnage le plus « haut en couleurs » de la famille est certainement mon grand-père. Il a fait un peu de théâtre quand il était jeune et il a toujours de merveilleuses histoires à nous raconter à ce sujet. Pour compléter le tableau familial, il faut aussi que je te parle de Karine, ma cousine. Nous avons le même âge et nous sommes inséparables! Nous vivons tous à Paris mais traditionnellement, nous passons nos vacances d'été tous ensemble dans le mas que mes grands-parents possèdent en Provence. Là, nous nous retrouvons, oncles, tantes, cousins, cousines et mes grands-parents, pour passer les vacances. Au cours de l'année, nous nous retrouvons en famille pour d'autres occasions aussi — s'il y a un mariage, un baptême, une fête, un anniversaire et aussi, bien sûr, à Pâques et à Noël.

Il paraît qu'aux Etats-Unis, les membres d'une famille vivent assez éloignés les uns des autres, le plus souvent pour des raisons professionnelles. Etant donné les distances qui vous séparent aux Etats-Unis, il doit vous être plus difficile de vous retrouver.

Mais les jeunes ont peut-être un avantage aux USA. En Amérique, les jeunes sont plus libres qu'en France et ils sont plus souvent laissés à eux-mêmes parce que leurs parents travaillent. Pour te donner un exemple de ce qui ce passe en France, je te dirai que moi, je n'ai pu sortir qu'à partir de 16 ans et que mes parents tiennent toujours à connaître mes copains, à savoir où je vais et à quelle heure je vais rentrer. Et je n'ai pas intérêt à être en retard! Mais ils peuvent se montrer très sympa aussi. Pour mon anniversaire, ils ont accepté de me laisser inviter mes copains à la maison. Tous mes copains étaient là et on a dansé jusqu'à trois heures du matin!

Comme tu peux le constater, mes parents, sous des airs stricts, ont quand même les idées larges!

Donne-moi vite de tes nouvelles et dis-moi quelle vie tu mènes là-bas aux États-Unis.

Ton amie,
Christine

Sujets de discussion

1. Passez-vous la plupart de votre temps libre avec des copains ou en famille? A votre avis, est-ce que les jeunes Français passent plus de temps avec leurs parents? Pensez-vous que les parents français sont plus sévères que les parents américains? Pourquoi? A quel âge est-ce que vos parents vous ont permis de sortir le soir avec des copains?

2. En général, jusqu'à quel âge est-ce que les jeunes Américains vont en vacances avec leurs parents? Et les jeunes Français, avec qui passent-ils généralement leurs vacances? Avez-vous déjà passé des vacances chez vos grands-parents avec vos cousins, vos oncles et vos tantes?

3. Voyez-vous souvent vos grands-parents? De quoi parlez-vous quand vous êtes avec vos grands-parents? Quels sont les avantages d'habiter la même ville que ses grands-parents ou d'autres parents°? Est-ce que toute votre famille se réunit pour célébrer les grandes fêtes?

relatives

GAZETTE

MODE:
Nouveautés drôles
et drôles de
nouveautés

**CONFORT
MAISON:**
Comment faire
marcher l'espace
intérieur pour vous

**LES
SURDOUÉS:**
Une enquête sur
les élèves
d'aujourd'hui

FLASH INFOS

MENOTTE AU DOIGT

Le créateur de ce bijou original, Francis Verzar, est Belge, jeune (il a 24 ans), et plein d'idées. Cette bague-menotte, il en porte l'image en lui depuis longtemps. «A seize ans», avoue-t-il, «je pensais déjà à sa réalisation. Mais j'étais trop occupé à réfléchir à un élevage d'escargots pour concrétiser plus avant ce projet». Un adolescent original, que personne, à l'époque, ne prenait fort au sérieux. Lui non plus. Il poursuit quelques études («parce que cela m'amusait»), n'en termine aucune, mais pense toujours à sa bague. Jusqu'à ce que, tout récemment, il se décide à réaliser son rêve. A l'aide d'un artisan belge, il procède à une première fabrication, prend des photos au laser du modèle, présente son œuvre au Centre d'Information du Diamant.

Et après? Eh bien, notre orfèvre va mettre sur pied un réseau de distribution en France, pour commencer. Et espère que grâce à l'exposition, les investisseurs se manifesteront. Parce que des idées, il en a encore d'autres. Si elles sont aussi réussies que celle-ci, il serait dommage qu'il doive attendre trop longtemps.

RETRO SUR CANAPE

Pour entrer complètement dans l'atmosphère des années 50, Atomic Juke-boxes vend une ligne de mobilier inspirée de l'automobile, réalisée par Phil Schroeder à Kansas City dans le Missouri: canapés «Cadillac 1962» (70 000 F en modèle numéroté), canapé «Chevrolet Bel Air 1957» (70 000 F en modèle numéroté, 35 000 F en réplique). C'est cher, mais les feux arrière s'allument, la radio et le lecteur de cassette sont incorporés dans la trappe à essence. Tous les meubles sont faits sur commande, et l'on peut même choisir les couleurs et les tissus.

Une mezzanine à géométrie variable

Une solution originale pour le citadin partagé entre le désir d'espace et le prix du mètre carré: la mezzanine à hauteur variable télécommandée! Une simple pression sur un bouton fait descendre du plafond une pièce supplémentaire... Elle glisse silencieusement le long de quatre colonnes abritant chacune un moteur. Selon le principe «vis-écrou», le moteur, en tournant au pas de vis, entraîne la mezzanine vers le haut ou vers le bas. La programmation électronique assure une horizontalité constante. Elle permet également de fixer les hauteurs minimale et maximale en fonction du décor.

Tendance Mode

Vos lunettes vous échauffent les oreilles, vous glissent au bout du nez ou se déglinguent au moindre hoquet sur neige? Optez pour les branches molles! Cébé propose pour le ski un modèle ultra-perfectionné dont les branches, en caoutchouc modulable, s'adaptent à toutes les morphologies, 270 f. Berhet-Bondet, pour sa collection été 88, va plus loin avec ses tordantes «Gummies» dont la monture en résine élastomère se laisse torturer ou mordiller selon l'irritation du moment. Existent en cinq coloris, 195 f.

ET CLIP, LA CODA!

La «coda», c'est le nom que les trappeurs ont donné à cette double queue de marmotte. Doublée d'une pince astucieuse, on la clipe selon l'humeur: dans les cheveux, à la ceinture, sur le revers d'une veste parka, ou sur l'é-

paulette d'un pull. Clin d'œil d'authenticité à la mode trappeur de cet hiver, elle s'accorde à toutes les tenues anti-froid. Et puis il paraît que la queue de marmotte porte chance! En vente dans les Printemps, Prisunic, Samaritaine, Séphora Paris et province. Son prix: 110F environ.

Trouver chaussures à sa semelle

Une semelle pour trois chaussures, voilà une règle de 3 pour nos enfants, qui risque de les faire marcher... Le principe est simple: il suffit de placer le dessus de la chaussure sur la semelle, de zipper la fermeture à glissière, et la voilà prête à chausser. Selon l'humeur, ces chaussures emboîtent le pas... de la basket, des tennis ou des chaussures-bateau avec élastiques sur les côtés. Elles existent dans plusieurs coloris vifs. 240F le kit «shoes».

Aujourd'hui plus que jamais, le summum du luxe est la superficie. Hélas, dans les grandes villes, l'espace individuel se réduit tous les jours. Nous vous montrons une manière inhabituelle de résoudre ce problème, qui est le résultat de beaucoup d'imagination, de ténacité et d'intelligence architecturale. Roger Salem, pour le docteur C., a reconstruit un nouvel appartement à l'intérieur d'un vieil immeuble. Voici le récit de cette expérience exemplaire. (Photos: Serge Korniloff.)

A LA CONQUETE DE L'ESPACE INTERIEUR

CHEZ LE DOCTEUR C.

Dans un immeuble modeste, plus que centenaire où il s'était installé encore étudiant, il put au cours des ans, acquérir trois niveaux; sans toucher à l'enveloppe, il s'est construit un espace moderne et fonctionnel.

Marie Claire : Vous avez commencé dans cet immeuble, par acheter un étage?

Dr. C. : Oui, 55 m² au troisième. C'était en 1964. Nous avons eu nos deux fils les deux années suivantes, et nous avons vécu là jusqu'en 72. A l'époque, ce n'était pas du tout distribué comme maintenant. La lumière était donnée par trois fenêtres et il y avait trois pièces sur un seul niveau.

M.C. : Et le mobilier?

Dr. C. : Des meubles pris chez les parents, très modestes, en bois qu'on avait peint en blanc. Par terre, des tapis blancs, imitation de peaux de chèvre.
Tout cela a duré assez longtemps, et puis, les gens qui habitaient au-dessous, des gens âgés, ont vendu leur appartement occupé. Je l'ai acheté pas cher du tout. C'était le même que le nôtre. Quand on a pu l'avoir, on y a mis d'abord les chambres des enfants.

M.C. : Votre cabinet n'était pas ici?

Dr. C. : A l'époque, je n'étais pas encore installé. Je me spécialisais en psychiatrie. J'ai alors réussi à acheter un troisième niveau à des gens qui habitaient là depuis toujours et prenaient leur retraite.

M.C. : C'est à ce moment que vous avez fait intervenir l'architecte Roger Salem?

Dr. C. : Il a proposé un plan assez hardi consistant à gagner sur la moitié de la surface un niveau supplémentaire, ce qui supposait de baisser le plafond et de se contenter pour chaque niveau d'une hauteur de deux mètres. Pour obtenir la lumière dont il avait besoin, il avait d'abord imaginé de relier les deux fenêtres.

M.C. : Une sorte de baie.

Dr. C. : De haut en bas, un peu comme dans un atelier d'artiste. Mais cela, on n'a pas pu le réaliser. Les fenêtres sont superposées, non reliées. Mais, cet espace, libre de haut en bas, donne un éclairage naturel. On a une bonne lumière partout, même dans la cuisine, alors qu'avant l'appartement n'était pas lumineux.

M.C. : Vous avez tout abattu?

Dr. C. : Tout, même les planchers. Il le fallait, pour gagner la hauteur dont on avait besoin pour le niveau supplémentaire.

M.C. : Vous avez donc refait tout le gros œuvre?

Dr. C. : La seule chose qui est restée, ce sont les quatre murs.

M.C. : Les locataires du dessus étaient d'accord sur ces travaux?

Dr. C. : Oui, on en a discuté. Ils ont été sympathiques.

M.C. : Alors, vous avez décidé de tout changer. Comment avez-vous pris cette décision importante?

«Un élément nous avait impressionnés: cette banquette jaune des années 50. C'est Royer, un décorateur célèbre à l'époque, qui l'avait faite pour la délégation de France en Finlande. Elle ressemble à un nounours.»

«En fait, il y a un séjour en trois parties. Ici, la partie repas. Là-bas, la partie pour discuter. En haut, la partie pour s'allonger, écouter de la musique, regarder la télévision...»

«...le travail d'un psychanalyste consiste à provoquer des associations libres. Il y a une partie visuelle dans ce cabinet qui est importante.»

Dr. C. : Salem est un ami très intime. Il savait très bien de quoi nous avions besoin. Son idée, c'était de faire quelque chose de très chaleureux, très familial, comme une boîte, où tout le monde se rencontre facilement et où on puisse se voir de partout, mais en même temps où chacun serait complètement isolé lorsqu'il en aurait envie. Quand les enfants sont dans leur chambre, s'ils font de la musique, on ne s'en rend pas compte. On peut vivre dans une chambre et ne pas communiquer avec le reste. Mais on peut aussi très bien communiquer si on en a envie par des fentes qui permettent de voir à travers. Dans ma chambre, par exemple, il y a un petit regard. Même les marches des escaliers sont ouvertes. On voit très bien à travers. Elles sont posées comme des lames.

M.C. : Et les couleurs?

Dr. C. : Un élément nous avait impressionnés: cette banquette jaune des années 50. C'est Royer, un décorateur célèbre à l'époque, qui l'avait faite pour la délégation de France en Finlande. Elle ressemble à un nounours. C'était le genre de meubles en peluche des années 50.

Nous aimions le jaune de cette banquette.

M.C. : Où l'avez vous trouvée?

Dr. C. : C'est ma femme Mara qui l'a trouvée. Elle a un stand aux Puces et un loft où elle expose les meubles. Elle est spécialiste des années 30 et des années 50. Nous avons été très influencés par cette époque 50.

M.C. : Que signifie exactement pour vous ce style 50?

Dr. C. : C'est un après-guerre, une période de création dans tous les domaines; des formes arrondies, des pattes frêles, un tas de choses qui m'amusent beaucoup.

M.C. : Pourrait-on visiter pièce par pièce?

Dr. C. : En fait, il y a un séjour en trois parties. Ici, la partie repas. Là-bas, la partie pour discuter. En haut, la partie pour s'allonger, écouter de la musique, regarder la télévision.

M.C. : Il y a beaucoup d'escaliers!

Dr. C. : Mais on ne les voit pas du tout. Selon le plan, les escaliers devaient être des espaces de transition. Ce ne sont pas des escaliers pour monter, descendre, ce sont des escaliers pour s'asseoir, pour parler...

M.C. : Et votre cabinet?

Dr. C. : C'est compliqué quand on est psychanalyste de se faire faire un cabinet, parce que les gens ont une conception de ce qu'est la psychanalyse et projettent cette conception sur ce qui les entoure. En fait, il faudrait que ce soit une page blanche, un lieu neutre où ils puissent parler librement sans être influencés. J'ai pensé, pour moi, à quelque chose d'assez accessible, à peu près l'environnement d'une galerie de tableaux.

M.C. : Mais ce n'est pas un lieu neutre, une galerie de tableaux.

Dr. C. : Non, mais ce qui est privilégié dans une galerie de tableaux, c'est l'intérieur, pas le décor. C'est ce qu'on montre, ce qui va se projeter. Et le travail d'un psychanalyste consiste à provoquer des associations libres. Il y a une partie visuelle dans ce cabinet qui est importante. Les gens peuvent y inscrire ce dont il ont envie. En somme, un espace de création.

M.C. : Pour un enfant, ce n'est pas gai. Il ne doit pas faire de bruit.

Dr. C. : Oui. Et quand ma femme et moi nous avons décidé que j'aurais mon cabinet dans notre appartement, elle s'inquiétait beaucoup de me voir recommencer comme mon père. Dans ma famille, on est médecin de père en fils et j'ai été élevé dans ce métier. J'ai vécu dans des maisons où on recevait tout le temps des malades. On en a pas mal discuté et on a décidé de vraiment les isoler. Ainsi, la partie professionnelle et la partie privée ne sont reliées que par le téléphone. Et je peux dire que, pour Mara, les enfants et pour moi, tout cela fonctionne très bien.

Etudiants
Les cracks : qui sont-ils?

Les «cracks»: qui sont-ils et comment se fabriquent-ils? Formés dans les meilleurs lycées de Paris, comme Louis-le-Grand ou Henri-IV, mais aussi dans les grands établissements de province, les cracks, en vérité, ne dessinent pas une géographie particulière de l'intelligence. En revanche—sans tirer cependant une loi sur leur origine sociologique—ils sont, dans une proportion ahurissante, fils ou filles d'enseignants. Ils baignent donc dans un milieu où les valeurs familiales sont d'emblée en harmonie avec celles de l'école. Chez eux, point de contradictions propres à l'adolescence, point de dilemmes, pas même une période d'adaptation. Famille et école sont deux univers qui se combinent, voire s'interpénètrent. Ces jeunes sont ensuite avant tout amoureux du labeur.

Dédaignant la télévision, les concerts rock ou la plupart des sollicitations de la société moderne, tirant l'essentiel de leur satisfaction de l'effort intellectuel, ils sont, quoi qu'on en dise, assez hors du commun. Pour autant, le secret de leur réussite tient moins dans un code génétique indéchiffrable que dans une organisation méthodique. Certes, de nombreux parents élèvent leurs enfants dans la plus grande liberté, sans pour autant que leur progéniture brille sous les feux de l'estrade. Certes, bien des élèves font preuve de bonne volonté et de sens de l'effort, sans jamais pourtant dépasser la barre d'une terne moyenne. Reste que les «forts en thème» ont un point commun: leur manière de

MARIE GARNIER

■ **Age:** 18 ans.
■ **Etablissement:** lycée Descartes, à Tours.
■ **Mention:** premier prix d'éducation musicale.
■ **Milieu familial:** «Mes parents animent un foyer de jeunes. Ils ne s'occupent pas spécialement de mes études, mais mon père m'a aidée au début pour le solfège.»
■ **Premiers signes de talent:** «J'ai commencé à jouer de la flûte à 10 ans, et de la trompette à 15 ans, ça a tout de suite marché.»
■ **Emploi du temps:** *Lever:* 7 h. *Petit déjeuner:* «Je mange par raison, non par plaisir. C'est donc assez succinct: du café et une tartine.» *Déjeuner:* «Repas simples et rapides, car, entre midi et 2 h, je chante dans une chorale et joue dans un orchestre au lycée.» *Soirée:* «Après la classe, je vais chaque jour à mon cours au conservatoire. Je dîne, puis je travaille de 21 h 30 à 23 h. Je regarde très peu la télé.»

■ **Nombre d'heures d'étude:** quinze heures par semaine et six heures le week-end.
■ **Comportement en classe:** «Je suis plutôt sérieuse, mais je suis aussi bavarde.»
■ **Activités extrascolaires:** «Je fais partie de l'aumônerie du lycée.»
■ **Héros:** «Aucun, mais j'admire Purcell, Bach, Poulenc, Ravel et Stravinsky.»
■ **Profession idéale:** «Etre luthier pour fabriquer et réparer des instruments à cordes.»
■ **Etudes envisagées:** «Je veux faire le Centre national de formation des métiers de la musique, au Mans.»
■ **Qu'est-ce que la réussite pour vous?** «Subvenir à mes besoins, mais avoir de multiples centres d'intérêt.»

■ **Plat préféré:** gâteau au chocolat.
■ **Boisson favorite:** l'eau.
■ **Livres préférés:** «Un Prêtre chez les loubards», de Guy Gilbert; «La Cité de la joie», de Lapierre et Collins.
■ **Journaux:** *La Vie, La Nouvelle République du Centre-Ouest.*
■ **Homme politique préféré:** «Aucun. Ils se crêpent tous le chignon.»
■ **Votre plus grande crainte dans la vie:** «Que le fossé riches-pauvres s'accentue encore.»
■ **Type de vacances:** «J'aime surtout passer des vacances chez moi, dans ma famille. Je suis incapable de rester sans rien faire, je me promène, je bricole.»
■ **Vous considérez-vous intelligente?** «Je ne sais pas. Je n'en connais pas les critères. Tout le monde l'est, mais n'a pas la possibilité de développer ses facultés.»

travailler. *«La plupart d'entre eux ont toujours été très méticuleux, très ordonnés»*, observe Jean-Claude Lamy. Des cahiers bien tenus, une écriture soignée, des devoirs bien présentés semblent être leur règle de vie. Dans le sillage de ces «bonnes habitudes» prises dès l'enfance, ils règlent leur univers et leur emploi du temps comme une journée militaire.

Ce goût du travail et de l'effort a son revers: les cracks sortent peu et ont peu d'activités extrascolaires. Sauf pour quelques surdoués, qui semblent concilier avec bonheur une vie de fêtard accompli avec des performances scolaires hors

pair, les activités de loisir relèvent davantage d'une discipline de santé et de rendement intellectuel que d'un investissement réel. Pour autant, ces cracks ne sont pas des «polars» à l'esprit étroit et aux mœurs surannées. Au contraire, ces jeunes sont de plain-pied avec la réalité qui les entoure.

La quantité de travail fourni est, elle aussi, impressionnante. Les études sont manifestement leur préoccupation, mais également leur source de plaisir première. *«Je travaille tout le temps»*, reconnaît, sans aucune fanfaronnade, Serge Audier, lauréat de philosophie. *«Je ne suis pas spécialement doué, mais je*

travaille davantage que les autres», ajoute Fabrice Mattatia, lauréat de géographie. Littéraires ou matheux, toujours complets, les cracks présentent cet intérêt de servir d'exemple: si la réussite scolaire est moins une affaire de don qu'une question de travail, elle devient susceptible de faire des émules.

Voici deux parmi les cent quatre-vingt-six lycéens récompensés cette année par le Concours général, qui ont accepté de répondre à un questionnaire indiscret. Ils y dévoilent leurs secrets, leurs méthodes de travail autant que leur vie quotidienne.

 RAPHAËL BES

■ **Age:** 17 ans.
■ **Etablissement:** lycée La Pérouse, à Albi.
■ **Mentions:** premier prix de version grecque, deuxième prix de thème latin, troisième prix de version latine.
■ **Milieu familial:** père en pré-retraite, mère commerçante. «Aucune influence directe des parents; en revanche, le fait que mon père ait fait des études classiques m'a motivé.»
■ **Premiers signes de talent:** «Très jeune, vers 7 ans, je préférais la lecture du *Petit Larousse illustré* à toute autre activité; en cours préparatoire, j'ai su lire bien avant les autres, dès le début de l'année.»
■ **Emploi du temps:** *Lever:* 7 h les jours de cours; 12 h le dimanche. *Petit déjeuner:* un lait chaud. *Déjeuner:* à la cantine. *Soirée:* «Je fais souvent un tour en ville avec les copains avant de rentrer chez moi travailler; je vais parfois au théâtre

municipal d'Albi.»
■ **Nombres d'heures d'étude à la maison:** «Je travaille environ quatre heures par semaine. Pour les interros, je bûche au dernier moment.»
■ **Comportement en classe:** «J'interviens, je pose des questions lorsque j'ai un doute, surtout en maths. Dans la classe, j'ai des amis aussi bien parmi les bons élèves que parmi les moins bons.»
■ **Activités extrascolaires:** tennis, natation, piano.
■ **Héros:** Tintin, Wilander et McEnroe.
■ **Profession idéale:** «J'ai toujours rêvé de devenir écrivain ou compositeur.»
■ **Etudes envisagées:** lettres classiques ou langues vivantes.
■ **Rêve le plus fou:** «Voyager toujours, toujours...»

■ **Qu'est-ce que la réussite pour vous?** «C'est bien s'intégrer, c'est-à-dire faire en sorte que ceux que j'aime, m'aiment bien. L'argent et la gloire ne m'intéressent pas. Je veux surtout être bien dans ma peau.»
■ **Avez-vous une petite amie?** «Pas actuellement.»
■ **Plats préférés:** riz et pâtes.
■ **Boissons favorites:** coca, limonade.
■ **Livres préférés:** les œuvres de Gide, Proust, Simone de Beauvoir.
■ **Journaux préférés:** toutes les revues sur le sport, notamment sur le tennis.
■ **Homme politique préféré:** Mitterrand.
■ **Votre plus grande crainte dans la vie:** la solitude complète.
■ **Type de vacances:** «Je les passe en famille, à la campagne. Je joue au tennis, je me promène et je lis.»
■ **Vous considérez-vous intelligent?** «Je me trouve plutôt bête dans la vie pratique.»

Les Amis

Dans cette unité vous allez

- parler de vos sorties avec vos amis

- parler des invitations que vous avez reçues

- dire ce que vous aimez faire pendant votre temps libre

- apprendre ce qu'on dit pour accepter ou refuser une invitation

Vous allez aussi étudier

- l'impératif des verbes

- les pronoms disjonctifs

- les verbes **offrir** et **recevoir**

- les pronoms interrogatifs

- l'emploi de l'infinitif

- les verbes conjugués comme **sortir**

- la formation et la position des adverbes

- les verbes **savoir** et **connaître**

L EÇON 7

Les invitations

Philippe   Caroline   Martine et Sophie

En contexte

Pour commencer

A. Qu'est-ce que je vais faire?   Observez le dessin qui précède et répondez aux questions suivantes.

1. Qui invite Caroline? Où l'invite-t-on? Pourquoi doit-elle choisir entre les deux invitations?
2. Qu'est-ce qu'elle pourrait faire au lac?

3. Que savez-vous du concert auquel Caroline est invitée?
4. Qu'est-ce que Caroline doit faire ce week-end?
5. Est-ce que Caroline est studieuse? Qu'est-ce qu'elle étudie? Est-ce qu'elle en a assez d'étudier°? Comment le savez-vous?   **en...**   is fed up with
6. A votre avis, qu'est-ce qu'elle décidera de faire? Pourquoi?

B. Qui a dit cela?   Regardez le dessin et identifiez la personne qui a probablement dit chacune des phrases que vous entendez. Dites si c'est **Caroline, Philippe** ou **Martine et Sophie.**

EXEMPLE   Je me suis crevé les yeux à lire. Je commence à voir double.

Caroline

Quel mois surchargé°!

busy

Caroline regarde son calendrier pour le mois qui vient. Quel mois surchargé! Les week-ends sont si courts!

Le week-end du sept, son petit ami Philippe l'a invitée à aller au concert du groupe *Indochine*. Quelle chance il a eue d'avoir des places! Il n'y avait plus une place depuis un mois! Elle est ravie de cette invitation. Ses deux amies, Martine et Sophie, l'ont invitée à passer le même week-end avec elles, au bord du lac dans la maison des grands-parents de Martine. Caroline a beaucoup regretté de ne pas pouvoir accepter mais elle ne voulait pas décevoir Philippe. D'ailleurs, ce n'est pas tous les jours qu'on a des places au premier rang pour voir *Indochine*. Le week-end au bord du lac sera pour une autre fois.

Caroline réserve le week-end suivant pour un festival de films classiques américains. Il y aura des films avec Humphrey Bogart, Lauren Bacall, James Cagney, Katharine Hepburn…, tous les grands du cinéma américain! Elle a invité quelques copains qui sont aussi fana qu'elle de ces vieux films américains. Certains films sont doublés mais la plupart sont en version originale. Ce sera un excellent exercice d'anglais!

Le samedi d'après, c'est le mariage de sa cousine Brigitte. Il y aura toute la famille. Caroline est demoiselle d'honneur et elle va mettre une robe longue. Les réunions de famille sont toujours amusantes. On a l'occasion de bavarder avec ses cousins et de savoir ce qu'ils font. Le mariage aura lieu dans le village de ses grands-parents. Après le mariage civil à la mairie, la cérémonie religieuse aura lieu dans la vieille église du village. Ensuite, il y aura une réception chez ses grands-parents et un repas qui durera° probablement quatre ou cinq heures! Ouf!   will last

Le dernier samedi du mois, Caroline fête ses dix-sept ans. Elle a décidé avec ses parents de faire une boum chez elle. Ses parents lui laissent la maison pour la soirée et elle fera tous les préparatifs elle-même. Elle enverra des cartes d'invitation et elle aura une cinquantaine d'enveloppes à écrire. Il y aura beaucoup de monde. Au début, elle pensait donner une soirée élégante et demander à tous ses amis de venir en robe longue et en smoking. Puis, elle a changé d'avis. Elle préfère que ses amis soient à l'aise et que tout reste simple. Alors, elle n'a rien demandé et tout le monde sera décontracté. Elle a demandé à quelques copains qui font du théâtre de préparer des sketches comiques. Ça va être marrant. Ils vont bien s'amuser.

Questions sur la lecture

1. En regardant son calendrier, quel week-end semble plaire le plus à Caroline? Pourquoi?
2. Pourquoi Caroline est-elle surprise que Philippe ait pu acheter des billets pour le concert?
3. Où est-ce que Caroline va aller pour apprendre à mieux comprendre l'anglais? Quand et avec qui va-t-elle y aller?
4. Y aura-t-il des sous-titres à tous les films qu'ils vont voir? Pourquoi?
5. Que savez-vous du mariage de la cousine de Caroline? Où aura lieu le mariage civil? Où aura lieu le mariage religieux? Qui va assister à ce mariage? Caroline s'amusera-t-elle ou s'embêtera-t-elle? Comment le savez-vous?
6. Pourquoi est-ce que les parents de Caroline lui ont permis de faire une boum à la maison? Est-ce que ses parents seront là? Qui s'occupera de faire les préparatifs pour cette boum?
7. Pourquoi est-ce que Caroline a décidé de faire une boum plutôt que d'avoir une soirée élégante avec tout le monde en tenue de soirée?

Et vous?

Posez les questions suivantes à un(e) de vos camarades de classe.

1. Si tu étais à la place de Caroline, irais-tu au concert ou au bord du lac? Pourquoi?
2. Est-ce que tu aimes les films étrangers? Est-ce que tu as déjà vu un film français sous-titré? Préfères-tu voir un film doublé ou un film en version originale avec des sous-titres? Connais-tu les noms de quelques grands acteurs du cinéma français?
3. Aimes-tu les réunions de famille? Pourquoi? Décris la dernière fois que tu as rencontré tes cousins, tes tantes et tes oncles. Est-ce que tu es déjà allé(e) à un mariage?
4. Est-ce que tu es allé(e) à une boum récemment? Chez qui? Comment est-ce que tu t'es habillé(e)? Préfères-tu aller à une soirée élégante où il faut être en tenue de soirée ou est-ce que tu préfères être en tenue décontractée? Pourquoi?

5. Est-ce que tu aimes jouer des sketches? Est-ce que tu écris parfois des sketches pour amuser tes amis?
6. Si Caroline t'invitait à passer un de ces week-ends avec elle, lequel choisirais-tu? Pourquoi?

Expansion du vocabulaire

NOMS
un **bateau à voiles** sailboat
un **billet de concert** concert ticket
un **bouquin*** book
un **calendrier** calendar
une **canne à pêche** fishing rod
une **cinquantaine** around fifty
une **demoiselle d'honneur** bridesmaid
un **garçon d'honneur** best man
un(e) **grand(e) du cinéma** movie great
un **hors-bord** speedboat, motorboat
un **invité, une invitée** guest
des **jeux** (m) **de lumière** light effects
une **mairie** city hall
une **maison au bord du lac** house at the lake
un **mariage civil** civil wedding
un **mariage religieux** religious wedding
des **préparatifs** (m) preparations
une **robe longue** formal (dress)
un **sketch, des sketches** skit(s)
un **smoking** tuxedo
des **sous-titres** (m) subtitles
une **star** movie star

ADJECTIFS
complet sold out
extra* fantastic, terrific
mignon (mignonne) cute
studieux studious
super* great

VERBES ET EXPRESSIONS VERBALES
aller à la pêche to go fishing

en avoir assez (de) to be fed up (with)
avoir les yeux cernés to have bags under one's eyes
bavarder to chat
bûcher* to study hard
changer d'avis to change one's mind
décevoir to disappoint
durer to last
s'embêter to be bored, to have a boring time
être à l'aise to be comfortable
être crevé* to be worn out, to be exhausted
être épuisé to be exhausted
être ravi to be thrilled
faire de la plongée to scuba dive
faire de la voile to sail
faire du ski nautique to water-ski
faire voler un cerf-volant to fly a kite
fêter to celebrate
payer cher to pay a lot for
regretter to be sorry, to regret

AUTRES EXPRESSIONS
à l'envers upside down, backwards
au bord du lac on the lakeshore
au premier rang in the first row
d'ailleurs moreover, besides
doublé dubbed
en tenue décontractée dressed very casually
en tenue de soirée dressed formally
en tenue de ville dressed casually
en version originale with subtitles
marrant* funny
surchargé very busy, overworked

Application

A. Trouvez le mot qui manque. Complétez logiquement les phrases suivantes en utilisant le vocabulaire qui précède.

1. On peut dire d'un élève qui étudie beaucoup, qu'il ===== du matin jusqu'au soir.
2. Un ami qui rit beaucoup et qui fait rire les autres est =====.
3. Une personne qui parle tout le temps aime =====.
4. Sur un lac, on peut se promener en bateau à =====, s'il y a assez de vent. Quand il n'y a pas de vent, on peut toujours utiliser un =====.
5. Quand on est très fatigué, on peut dire qu'on est =====.
6. Un film étranger qui n'est pas doublé a généralement des =====.
7. On ===== souvent de ne pas avoir fait ce qu'on aurait pu faire.
8. Si vous portez un jean et un tee-shirt quand vous êtes invité(e) quelque part, vous y allez en tenue =====.

B. Situations. Avec un(e) partenaire, choisissez une des situations et rédigez ensemble un dialogue. Vous pourrez ensuite jouer cette scène en classe.

convince

1. Imaginez que des amis vous ont offert leur maison au bord d'un lac pour y passer le week-end. Vous essayez de persuader un(e) ami(e) de vous y accompagner, mais votre ami(e) a deux billets de concert pour ce même week-end. Chacun(e) essaie de convaincre° l'autre de l'accompagner.
2. Un(e) ami(e) et vous avez décidé d'inviter vos amis un soir. L'un(e) de vous deux voudrait que ce soit une soirée élégante et l'autre préférerait faire quelque chose de plus simple. Chacun(e) donne ses raisons et essaie de convaincre l'autre.

Exploration

L'impératif

A. L'impératif est le mode utilisé pour exprimer un ordre ou une suggestion. L'impératif s'emploie seulement à trois personnes: **tu**, **nous** et **vous**.

Bavarde un peu avec moi.	*Chat with me a bit.*
Prenons l'escalier.	*Let's take the stairs.*
Ne courez pas.	*Don't run.*

1. Tous les verbes en **-er** (y compris le verbe **aller**) et ainsi que les verbes **offrir, ouvrir, couvrir, souffrir** et leurs composés perdent le **s** de la terminaison pour former l'impératif de **tu**.

tu vas	→ va	**Va** le voir demain.
tu invites	→ invite	**Invite** son frère à la boum.
tu offres	→ offre	**Offre**-lui ta place.

2. On garde le **s** pour toutes les autres conjugaisons.

tu finis	→ finis	**Finis** tes devoirs et partons!
tu vends	→ vends	**Vends**-moi ta voiture.
tu fais	→ fais	**Fais**-moi plaisir. Va les voir.

3. Devant **y** et **en** <u>tous</u> les impératifs gardent le **s** pour raison d'euphonie.

Manges-en   Offres-en   Vas-y

4. Pour exprimer l'interdiction on emploie l'impératif négatif avec **ne...pas**.

Ne faites **pas** ça.   *Don't do that.*

B. Certains verbes ont des impératifs irréguliers.

avoir	- aie, ayons, ayez
être	- sois, soyons, soyez
savoir	- sache, sachons, sachez
vouloir	- veuillez (*une seule forme est employée*)[1]

C. On peut également exprimer une suggestion en faisant une question avec **on**. La traduction en anglais est *Shall we...?*

On y va?	*Shall we go?*
On prend la voiture?	*Shall we take the car?*

D. L'infinitif peut remplacer l'impératif pour donner des conseils, des ordres impersonnels ou des instructions qui s'adressent à un public général.

Ouvrir avec précaution.	*Open with care.*
— Ne pas jeter d'ordures.	*Do not litter.*

---

[1]L'impératif du verbe **vouloir** ne s'emploie qu'à la 2e personne du pluriel. Cette forme exprime une suggestion ou une requête polie: **Veuillez entrer, s'il vous plaît.** (*Please, do come in.*)

Application

A. Le diable et l'ange gardien. En général, Caroline est très raisonnable mais pas toujours. Jouez le rôle du «diable» et essayez de la persuader de faire le mal. Ou jouez le rôle de «l'ange gardien» et conseillez-lui de faire le bien.

EXEMPLE   Caroline trouve des lettres de la petite amie de son frère.

LE DIABLE   **Lis toutes les lettres et demande-lui de te donner dix dollars avant de les lui rendre. Mais d'abord, fais des photocopies.**

L'ANGE GARDIEN   **Rends ces lettres à ton frère tout de suite et ne les lis pas.**

1. Les parents de Caroline partent pour le week-end et la laissent seule à la maison. Ses amis veulent faire une boum.
2. Il y a une interrogation écrite de chimie demain et Caroline a trouvé une copie de cette interrogation écrite sur un bureau.
3. Caroline a promis d'accompagner son petit frère au zoo pour son anniversaire mais au dernier moment Philippe l'invite à aller faire une promenade à cheval.
4. Caroline se promène en ville avec son appareil-photo pour un cours de photographie et dans un café elle remarque que la fille qui sort avec son ancien petit ami est en train d'embrasser un autre garçon.
5. Caroline est à une boum et une fille qu'elle n'aime pas est prête à s'asseoir sur une chaise où quelqu'un vient de renverser un pot de moutarde.

B. Je n'habite pas loin. Vous avez invité deux de vos camarades de classe à venir chez vous mais ils ne connaissent pas le chemin. Utilisez le vocabulaire suivant pour leur expliquer comment ils peuvent trouver votre maison en partant de votre école. D'après vos directives, ils feront un plan.

EXEMPLE **Tournez à gauche au premier feu rouge...**

tourner	à droite	(sur)	le boulevard	**la station-service**	
traverser	à gauche	(sur)	l'autoroute	le carrefour°	intersection
continuer	tout droit	(dans)	la rue	le feu rouge	
prendre	jusqu'à	(dans)	l'avenue	le stop	

C. Ne pas toucher°! Après votre premier voyage en France vous avez décidé de faire une liste de quelques-uns des panneaux que vous avez vus. Dites ce qui était écrit sur les panneaux que vous avez vus.

touch

EXEMPLE au jardin botanique
Ne pas marcher sur le gazon.

1. au zoo

2. au musée

3. à la campagne

4. sur l'autoroute

5. au musée

D. On vous confie la maison! Vos parents partent en week-end et sont d'accord pour vous laisser seul(e) à la maison. Ecrivez un paragraphe dans lequel vous précisez les conseils qu'ils vous donnent. Vous pouvez choisir des expressions dans la liste suivante ou utiliser des expressions de votre choix.

> EXEMPLE **Ferme bien toutes les portes à clef avant de te coucher...**

ranger ta chambre	ne pas prendre la voiture	
faire ton lit	ne pas rester au téléphone	
arroser° les plantes	pendant des heures	to water
donner à manger au chat	ne pas inviter tous tes amis	
nettoyer la caisse° du chat	ne pas oublier de sortir les poubelles	litter box
bien fermer toutes les	ne pas laisser entrer d'inconnus°	strangers
portes à clef	dans la maison	

Exploration

L'impératif des verbes pronominaux

A. Avec les verbes pronominaux, il faut distinguer entre l'impératif négatif et l'impératif affirmatif.

1. Pour l'impératif négatif, les règles sont les mêmes que pour tous les autres verbes. On doit, cependant, toujours inclure le pronom réfléchi.

   Ne te lève pas.   *Don't get up.*
   Ne nous levons pas.   *Let's not get up.*
   Ne vous levez pas.   *Don't get up.*

2. A l'impératif affirmatif, le pronom réfléchi suit le verbe et **te** devient **toi**.

   Lève-toi.   Levons-nous.   Levez-vous.

B. Les verbes pronominaux irréguliers **s'asseoir** (*to sit down*) et **se taire** (*to be quiet*) s'emploient souvent à l'impératif. Voici leurs formes:

s'asseoir	se taire
assieds-toi	tais-toi
asseyons-nous	taisons-nous
asseyez-vous	taisez-vous

C. Notez les formes de l'impératif affirmatif et négatif du verbe **s'en aller** (*to leave, to go away*).

Va-t'en!   Ne t'en va pas.
Allons-nous-en!   Ne nous en allons pas.
Allez-vous-en!   Ne vous en allez pas.

Application

A. Un petit conseil. Vous venez d'obtenir un poste dans une grande compagnie et un collègue de travail° vous donne quelques conseils. Dites trois choses qu'il vous dit de faire ou de ne pas faire. Vous pouvez choisir parmi les expressions de la liste suivante ou utiliser des expressions de votre choix.

collègue... coworker

> EXEMPLE   **Ne te moque pas des autres employés.**
> **Excuse-toi si tu bouscules° quelqu'un.**

bump into

se fâcher si les autres ne font pas ce que tu veux
parler au téléphone pendant des heures
essayer de s'entendre avec tout le monde
s'habiller d'une façon plus classique
rire quand les autres rient
se taire quand les autres se taisent
être timide
se moquer du directeur de la compagnie
s'impatienter avec les gens que tu n'aimes pas
s'occuper de ce qui ne te regarde pas

B. Préparez-vous. Alex et Marianne sont invités à un mariage. Le mariage aura lieu cet après-midi. Utilisez l'impératif pour les encourager à se préparer.

> EXEMPLE   **Alex, réveille-toi! Va t'habiller...**

Alex

Marianne

Exploration

L'impératif avec complément d'objet direct et indirect

A l'impératif, les pronoms compléments d'objet suivent les mêmes règles de placement que les pronoms réfléchis.

Faites-le!   Ne le faites pas!
Téléphonons-lui!   Ne lui téléphonons pas!

Comme pour le pronom réfléchi **te**, le pronom **me** devient **moi** quand il suit le verbe.

Téléphone-moi!   Ne me téléphone pas!
Donne-moi de l'eau!   Ne me donne pas d'eau!

Application

A. Des préparatifs. Caroline organise une boum pour fêter son anniversaire et demande conseil à ses frères. Malheureusement, ils ne sont jamais d'accord. Que répondent-ils à chacune de ses suggestions?

> EXEMPLE   Je demande à Alain de faire des tours de cartes°?   tours...   card tricks
>
> DIDIER   **Oui, demande-lui de faire des tours de cartes.**
> XAVIER   **Non, ne lui demande pas de faire des tours de cartes.**

1. J'invite Marie-Claire et André?
2. Je mets ma nouvelle robe à carreaux rouges et jaunes?
3. Je sers les amuse-gueule dans la cuisine?
4. Je demande à mes amis d'apporter les boissons?
5. Je dis à Sophie de préparer un sketch?
6. Je mets ma chaîne-stéréo dehors?

B. Séjour relax. Vous avez gagné un séjour dans un centre «anti-stress» situé près d'un lac dans les Alpes suisses. Le personnel de ce centre aimerait rendre votre séjour aussi agréable que possible. Répondez à leurs questions.

> EXEMPLE   A quelle heure voulez-vous qu'on vous réveille?
> **Réveillez-moi vers huit heures et demie.**
> **(Ne me réveillez pas avant neuf heures.)**

1. Est-ce qu'on vous sert le petit déjeuner dans votre chambre ou sur la terrasse?

2. Est-ce que vous voulez qu'on vous donne des croissants ou du pain grillé?
3. Est-ce que vous voulez que je vous apporte un guide des environs°? surrounding areas
4. Est-ce que vous aimeriez qu'on vous laisse la première journée de libre?
5. Vous préféreriez qu'on vous laisse dormir?

C. La chasse au trésor.   Caroline décide d'organiser une chasse au trésor° le jour de sa boum. Le trésor sera son vieil ours en peluche°. Cherchez votre chemin dans le labyrinthe et répondez aux questions de ses amis pour les aider à le trouver.

chasse… treasure hunt/
ours… teddy bear

> **EXEMPLE**   Nous prenons les clés?
> **Oui, prenez-les.**

1. Nous parlons à ton voisin?
2. Nous descendons l'escalier?
3. Nous suivons les indications de ce panneau?
4. Nous suivons ces chiens?
5. Nous traversons ce pont?
6. Nous parlons à ta petite sœur?
7. Nous grimpons° à cet arbre? climb
8. Nous lisons ce journal?

Exploration

Les pronoms personnels disjonctifs

A. Les pronoms disjonctifs s'emploient uniquement pour désigner des personnes ou des animaux. On ne les emploie jamais pour les choses.

pronoms disjonctifs	
singulier	**pluriel**
moi	nous
toi	vous
lui	eux
elle	elles

B. On emploie les pronoms disjonctifs

1. dans une réponse sans verbe

   —Qui est allé à la boum?   —*Who went to the party?*
   —Moi!   —*I did!*

2. après les prépositions

   Nous sommes allés chez lui.   *We went to his house.*

3. quand il y a plusieurs pronoms reliés par **et** ou par **ne...ni...ni**

   On ira, toi et moi.   *You and I will go.*
   Je n'ai vu ni lui ni toi.   *I saw neither him nor you.*

4. avec l'adjectif **même**

   Il a tout fait lui-même.   *He did everything himself.*

5. après **que** dans les comparaisons

   André danse mieux que moi.   *André dances better than I.*

6. après **c'est** ou **ce sont**

   C'est nous qu'il cherche.   *He is looking for us.*

7. pour accentuer un pronom sujet

   Toi, tu t'es bien amusé!   *You really had a good time!*

   Parfois on ajoute au pronom: **aussi, non plus** ou **seul**.

   Moi aussi, je voudrais y aller.   *I'd like to go too.*

C. Tous les verbes suivis des prépositions **de, par, pour, sans,** ainsi que quelques verbes suivis de la préposition **à** sont suivis d'un pronom disjonctif.

être à	*to belong to*	avoir besoin de	*to need*
penser à	*to think of*	avoir peur de	*to be afraid of*
tenir à	*to care about*	avoir honte de	*to be ashamed of*
avoir confiance en	*to trust*	se moquer de	*to make fun of*

Application

A. Je suis d'accord avec toi. Vous allez faire une boum avec des amis et chacun d'eux a une idée différente. Dites avec qui vous êtes d'accord et pourquoi. Utilisez un pronom disjonctif dans votre réponse.

> EXEMPLE —J'aimerais bien qu'on se déguise pour la boum mais Catherine trouve que c'est ridicule.
> **—Moi, je suis d'accord avec toi. C'est bien plus amusant de se déguiser.**
> **(Sincèrement, je suis d'accord avec elle. C'est plutôt ridicule de se déguiser.)**

1. Didier et Henri aimeraient faire un barbecue mais Anne et Suzanne veulent servir des fruits et du fromage.
2. Je voudrais bien qu'on joue de la musique des années cinquante mais Luc ne veut pas.
3. Nous voulons commencer la boum vers six heures du soir mais Didier, Henri et Catherine veulent commencer plus tard.
4. Marc pense que ce serait plus amusant de danser dehors mais Anne insiste pour qu'on danse à l'intérieur.
5. Didier et Marc insistent pour qu'on joue aux charades mais Anne et Catherine trouvent ça bête.
6. Didier veut louer des vidéoclips mais moi, j'ai peur qu'on regarde la télé toute la soirée.

B. Questions personnelles. Posez ces questions à un(e) autre élève qui répondra en utilisant un pronom disjonctif.

> EXEMPLE Est-ce que tu es plus patient que ton meilleur ami?
> **Oui, je suis bien plus patient que lui.**
> **(Non. C'est lui qui est plus patient. Moi, je ne suis pas du tout patient.)**

1. Est-ce que tu es plus studieux (studieuse) ou moins studieux (studieuse) que ton meilleur ami (ta meilleure amie)? Est-ce que ton meilleur ami (ta meilleure amie) et toi étudiez parfois ensemble?

2. Est-ce que tu es plus drôle que cet(te) ami(e)? Est-ce que tu te moques parfois de ton ami(e)? Quand? Est-ce que cet(te) ami(e) se moque parfois de toi?

3. Qu'est-ce que cet(te) ami(e) et toi aimez faire ensemble? Est-ce que tu es parfois jaloux (jalouse) de ton ami(e)? Pourquoi? Est-ce que tu te sens à l'aise avec ses parents?

4. Quand tu fais une boum, est-ce que tu aimes faire tous les préparatifs toi-même? Est-ce que tu paies tout toi-même? Est-ce que tes parents ont confiance en toi? Ont-ils confiance en tes amis?

C. Du courage. Vous avez un ami qui veut sortir avec une jeune fille mais il est trop timide pour lui parler. Il se confie à vous et vous l'encouragez. Complétez la conversation suivante en utilisant les pronoms disjonctifs ou les pronoms compléments d'objet.

—Ah, Véronique! Je ne rêve que d'__1__. Je ne peux pas __2__ oublier, même le week-end quand je ne __3__ vois pas, mais je n'ai pas le courage de __4__ dire un seul mot. Je suis sûr qu'elle ne pense jamais à __5__.

—Il faut avoir confiance en __6__-même. Invite-__7__ à sortir et à aller avec __8__ chez Nicolas samedi. Je sais qu'elle __9__ trouve sympa.

—Mais elle danse si bien et __10__, je suis si maladroit. Elle aura honte de __11__ et elle ne voudra plus jamais __12__ parler.

—Tu es trop sensible. Personne ne va se moquer de __13__. Je suis sûr qu'elle serait contente de __14__ apprendre à danser.

—Mais ses parents ne vont pas __15__ permettre de sortir ensemble. Ils ont l'air bien sévères.

—N'aie pas peur d'__16__, ils sont très gentils. Par contre, son petit frère est vraiment casse-pieds. S'il __17__ dit des bêtises, ne fais pas attention à __18__. Il ment comme il respire.

—Bon. Alors, c'est décidé. Je vais peut-être __19__ téléphoner ce soir.

Exploration

Les verbes comme offrir et recevoir

A. Les verbes **offrir, ouvrir, couvrir, souffrir, cueillir** et leurs composés se conjuguent au présent comme les verbes réguliers en **-er**.

offrir°	
j' offre	nous offrons
tu offres	vous offrez
il/elle/on offre	ils/elles offrent
passé composé: j'ai offert	

to offer, to give (a gift)

Tous les verbes suivants sont conjugués comme **offrir** au présent. Remarquez cependant que les participes passés de ces verbes sont irréguliers.

infinitif		présent	passé composé
ouvrir	*to open*	j'ouvre	j'ai ouvert
couvrir	*to cover*	je couvre	j'ai couvert
souffrir	*to suffer*	je souffre	j'ai souffert
accueillir	*to greet*	j'accueille	j'ai accueilli
cueillir	*to pick* (*flowers, fruit*)	je cueille	j'ai cueilli

B. Le verbe **recevoir** se conjugue de la manière suivante au présent.

recevoir°	
je reçois	nous recevons
tu reçois	vous recevez
il/elle/on reçoit	ils/elles reçoivent
passé composé: j'ai reçu	

to receive

Les verbes qui suivent sont conjugués comme **recevoir**.

infinitif		présent	passé composé
apercevoir	*to see*	j'aperçois	j'ai aperçu
s'apercevoir de	*to notice*	je m'aperçois	je me suis aperçu
décevoir	*to disappoint*	je déçois	j'ai déçu

Application

A. C'est mon anniversaire! Complétez ce paragraphe au présent en utilisant les verbes **couvrir, offrir, ouvrir, recevoir** ou **souffrir**.

C'est l'anniversaire de Christine et tous ses amis viennent chez elle. Son père s'occupe des rafraîchissements et sa mère __1__ la porte à l'arrivée de chaque invité. Et Christine? Elle s'occupe de tous ses amis, bien sûr. Comme on fête son anniversaire, tous les invités lui __2__ un cadeau. Kévin lui __3__ des fleurs qu'il a cueillies dans son jardin et naturellement Christine __4__ ces fleurs avec un grand sourire. Au milieu de la salle, des tas de cadeaux et de bonnes choses à manger __5__ la table. Il n'y a qu'une personne qui ne s'amuse pas beaucoup, c'est Antoine. Le pauvre Antoine __6__ d'une jalousie très forte. Il trouve Christine très sympa mais elle semble préférer la compagnie de Kévin.

B. Et pour votre anniversaire? Complétez les questions suivantes et posez-les ensuite à vos camarades de classe.

1. Qu'est-ce que vos parents vous ===== (offrir) d'habitude comme cadeau d'anniversaire?
2. Et vous, qu'est-ce que vous leur ===== (offrir)?
3. Est-ce que vous ===== (cueillir) des fleurs de temps en temps dans votre jardin?
4. ===== -vous (recevoir) souvent des fleurs? Aimez-vous en ===== (recevoir)?
5. ===== -vous (souffrir) beaucoup quand vous ===== (ne pas recevoir) ce que vous voulez comme cadeau d'anniversaire?

C. La surprise mystérieuse. Complétez l'histoire suivante en mettant les verbes entre parenthèse au passé composé ou à l'imparfait.

C'__1__ (être) un matin splendide mais le pauvre Martin __2__ (souffrir) énormément parce que c'__3__ (être) son anniversaire. Les anniversaires __4__ (décevoir) toujours ce vieil homme parce qu'il __5__ (se sentir) très seul. Mais ce matin-là, il __6__ (être) très surpris quand il __7__ (ouvrir) sa porte pour sortir. Sur le trottoir, il __8__ (découvrir) trois petites cages. Chacune de ces cages contenait un magnifique oiseau. Un cadeau pour lui! Mais qui le lui avait offert? Il __9__ (chercher) une carte mais il __10__ (ne rien trouver). Il n'avait pas reçu de cadeaux depuis longtemps parce que tous ses vieux amis étaient morts. Il __11__ (rentrer) les trois cages et il __12__ (admirer) ses trois oiseaux. L'un __13__ (être) rouge, l'autre rose et le troisième blanc. C'est pourquoi il les __14__ (nommer) Tulipe, Orchidée et Marguerite. Au bout d'une heure, il __15__ (s'apercevoir) que ses trois compagnons __16__ (souffrir) d'être enfermés, alors il __17__ (ouvrir) leurs cages et ils __18__ (sortir). Ils __19__ (se mettre) à siffler°. Mais, est-ce qu'il rêvait? Non. C'était bien «Bon Anniversaire» qu'ils sifflaient! Martin __20__ (passer) le meilleur anniversaire de sa vie à écouter «son cadeau». Mais le lendemain quand il __21__ (se lever), il __22__ (apercevoir) de sa fenêtre les trois oiseaux très loin dans le ciel. Est-ce qu'ils l'avaient abandonné? Il __23__ (ouvrir) la porte et il __24__ (se précipiter) dehors. Mais une fois dans le jardin, il __25__ (se rendre compte) que tout avait changé. C'était une vraie merveille; son jardin était couvert de tulipes, d'orchidées et de marguerites! Il __26__ (cueillir) un gros bouquet de fleurs et il __27__ (mettre) les fleurs dans un vase sur sa table. A partir de ce jour-là, il __28__ (continuer) à faire pousser° ces fleurs dans son jardin et il __29__ (ne plus jamais souffrir) de la solitude parce que tous les gens qui __30__ (passer), __31__ (s'arrêter) pour admirer les fleurs de son jardin.

whistle

faire... grow

LEÇON 8

Projets de vacances d'hiver

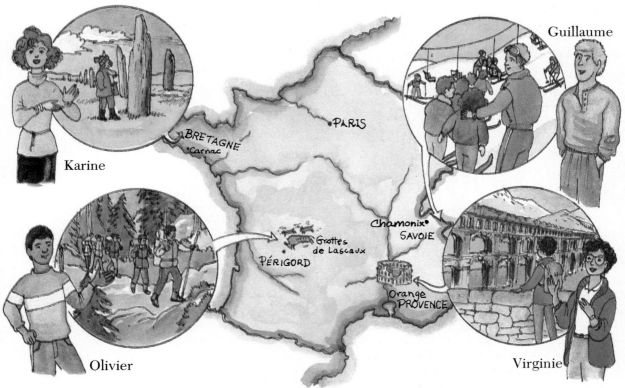

Karine

Guillaume

Olivier

Virginie

En contexte

Pour commencer

A. Que se passe-t-il? Observez ce qui se passe sur ce dessin et répondez aux questions suivantes.

1. Qu'est-ce que Guillaume a l'intention de faire pendant les vacances d'hiver? Où est-ce qu'il va travailler? Sur ce dessin, que fait-il? Qu'est-ce qu'on peut faire pour s'amuser en Savoie? Où se trouve la Savoie?

2. Où est-ce que Virginie va passer ses vacances d'hiver? Où se trouve la Provence? Qu'est-ce qu'on peut visiter dans cette région?

3. Quels sont les projets d'Olivier? Qu'est-ce qu'il va faire? Avec qui? Où est-ce qu'ils vont loger?

4. Où se trouve la Bretagne? Qui va explorer la Bretagne? Qu'est-ce qu'il y a d'intéressant à voir? Est-ce que les vestiges celtiques° de Bretagne sont plus anciens ou moins anciens que les ruines romaines de Provence?

   vestiges... Celtic remains

5. Laquelle de ces quatre régions vous attire° le plus? Pourquoi?

   attracts

6. Lequel des quatre projets de vacances d'hiver vous paraît le moins intéressant? Pourquoi?

B. **Dans quelle région sommes-nous?** Est-ce que les personnes qui parlent sont **en Savoie, en Bretagne, en Provence** ou **au Périgord**?

EXEMPLE   Allez les enfants! Rentrons au chalet pour boire quelque chose de chaud.

en Savoie.

Un séjour en Bretagne

Karine choisit de passer ses vacances chez ses cousins qui habitent Carnac, petite ville sur la côte sud de la Bretagne. Carnac est célèbre pour ses alignements de menhirs (en breton, men = *pierre*, hir = *longue*). Ces pierres de granit, hautes de deux à trois mètres, se dressent les unes à côté des autres au milieu de champs de bruyère°. Même si certains pensent que ces menhirs sont des pierres tombales, l'origine de ces alignements reste une énigme. Karine, qui erre au milieu de ces pierres, aime le mystère qui les entoure.

heather

Une des promenades préférées de Karine est de suivre la route unique qui relie Carnac à Quiberon, petit bourg situé au bout de la presqu'île qui porte son nom. Sur la gauche, s'étendent des plages de sable fin où les baigneurs, en été, peuvent s'amuser sans risque, alors que sur la droite, des falaises° dangereuses surplombent° la mer. Karine, aventureuse, se risque du côté des rochers, où elle doit lutter contre un vent assez fort pour la renverser. Le bruit des vagues qui s'engouffrent° dans les cavités rocheuses est assourdissant. Karine ne se lasse pas de regarder les gerbes d'écume° que font les vagues en se fracassant contre les rochers.

cliffs/overhang

surge, rush into

gerbes... showers of foam

Karine commence à être trempée par les embruns° et le crachin (petite pluie fine) qui mouillent ses vêtements. Elle décide de se réfugier à la crêperie du petit port de Quiberon où elle pourra se sécher auprès d'un bon feu de bois et se réchauffer en buvant un grand bol de café au lait accompagné de délicieuses crêpes.

sea spray

Questions sur la lecture

1. Pourquoi la ville de Carnac est-elle célèbre? Dans quelle région se trouve cette ville?
2. Qu'est-ce que c'est qu'un menhir? Comment explique-t-on l'origine de ces pierres levées?
3. Décrivez un paysage de la côte de Bretagne. Quel temps y fait-il?
4. Qu'est-ce que Karine voit et entend en se promenant au long de la côte?
5. Où est-ce que Karine se réfugie pour se réchauffer? Qu'est-ce qu'elle va manger?

Et vous?

Posez les questions suivantes à un(e) de vos camarades de classe.

1. As-tu déjà passé des vacances chez un membre de ta famille? Où es-tu allé? Chez qui? Pendant combien de temps?
2. Aimes-tu l'aventure? As-tu le goût du risque? Est-ce que tu aurais peur de te promener le long d'une falaise? d'escalader des rochers?
3. Si tu avais seulement un jour à passer en Bretagne, que voudrais-tu faire et voir? Pourquoi?
4. Penses-tu que les anciennes civilisations, comme celles des Celtes ou des Romains, sont dignes° de notre intérêt? Pourquoi? Dans quels pays d'Amérique du Nord ou d'Amérique du Sud peut-on voir des ruines d'anciennes civilisations?

worthy

Expansion du vocabulaire

NOMS

une auberge de jeunesse youth hostel
un baigneur, une baigneuse swimmer, bather
un bourg small town
un chalet chalet
un champs field
un dolmen a prehistoric monument consisting of two stones supporting a horizontal stone
l'écume (*f*) foam
une énigme enigma
une falaise cliff
un feu de bois open fire
une grotte cavern
un menhir an upright, prehistoric, monolithic stone
un moniteur (une monitrice) de ski ski instructor
une pierre (tombale) (tomb)stone
une presqu'île peninsula
un projet plan
un remonte-pente ski lift
des rochers (*m*) large, jagged rocks or boulders
des ruines (*f*) ruins
le sable sand
un scout, une scoute scout
le scoutisme scouting
le ski de fond cross-country skiing
une station de ski ski resort
une vague wave

VERBES ET EXPRESSIONS VERBALES

se dresser to rise up, to stand up

entourer to surround
errer to wander
escalader to climb, to scale
s'étendre to stretch out, to extend
explorer to explore
faire de l'alpinisme to go mountain climbing
faire de la marche à pied to hike
faire de l'escalade to go rock climbing
se fracasser to smash, to shatter
se lasser to grow tired
loger to lodge
lutter to struggle
se réchauffer to warm oneself
se réfugier to take refuge
relier to connect
renverser to knock over, to spill
se risquer to take a chance
se sécher to dry oneself
tremper to soak

ADJECTIFS

assourdissant deafening
celte Celtic
haut high
rocheux rocky
romain Roman

DIVERS

alors que while, whereas
à l'ouest (de) west (of)
au bout (de) at the end (of)
au centre (de) in the center (of)
au nord-ouest (de) northwest (of)
dans le nord in the north
dans le sud in the south
dans l'est in the east
dans l'ouest in the west

Application

A. Trouvez le mot qui manque. Complétez logiquement les phrases suivantes en utilisant le vocabulaire qui précède.

1. Quand on a froid, il suffit de ===== à côté d'un bon ===== de bois.

2. Une personne qui se perd dans un désert peut ==== pendant des jours sans retrouver son chemin.
3. Sur les plages de Nice, il n'y a pas de ==== mais il y a de petites ==== plates qu'on appelle des galets.
4. Une personne qui aime le ski mais qui a peur des remonte-pentes peut faire du ====.
5. En Europe, les jeunes qui voyagent et qui n'ont pas beaucoup d'argent peuvent loger dans une ====.
6. Sur la côte de Bretagne, on peut faire de l'escalade sur les ==== et les ====.
7. Un bruit ==== est un bruit très fort et très violent.
8. La Bretagne est dans l' ==== de la France et la Provence dans le ====.

B. Tout est beau, mais…! Karine essaie d'écrire une lettre à son frère Patrick qui a dû rester à Paris pour étudier. Elle voudrait lui dire ce qu'elle fait en Bretagne. Mais, elle ne veut pas qu'il soit triste ni jaloux, alors dans sa lettre elle mentionne aussi les aspects désagréables de son voyage. Aidez-là à rédiger sa lettre.

EXEMPLE

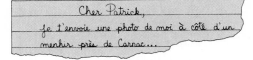

Cher Patrick,
Je t'envoie une photo de moi à côté d'un menhir près de Carnac…

C. Situations. Avec un(e) partenaire, choisissez une des situations et rédigez ensemble un dialogue. Vous pourrez ensuite jouer cette scène en classe.

1. Vous êtes sur la côte de Bretagne avec un(e) ami(e) qui aimerait faire de l'escalade sur les falaises et les rochers. Vous trouvez cela dangereux mais votre ami(e) trouve au contraire que c'est passionnant. Comparez vos points de vue en les opposant.
2. Vous aimez les activités de plein air° mais vous êtes malheureusement avec un(e) ami(e) qui ne sort jamais. Essayez de convaincre cet(te) ami(e) qu'un peu d'exercice lui fera beaucoup de bien. Dites-lui tout ce qu'on peut faire près de chez vous. Ne soyez pas à court de suggestions parce que votre ami(e) aura bien des raisons de dire non.

de… outdoors

Exploration

Les pronoms interrogatifs

Dans une question, il faut toujours distinguer s'il s'agit° d'une personne ou d'une chose. Il faut également savoir si le pronom interrogatif est sujet, complément direct ou objet de la préposition.

refers

les pronoms interrogatifs			
	sujet	**complément direct**	**objet de la préposition**
personne	qui qui est-ce qui	qui + *inversion* qui est-ce que	*prép.* + qui + *inversion* *prép.* + qui est-ce que
chose	--- qu'est-ce qui	que + *inversion* qu'est-ce que	*prép.* + quoi + *inversion* *prép.* + quoi est-ce que

A. S'il s'agit d'une personne.

1. Quand le <u>sujet</u> est une personne, on utilise **qui** ou **qui est-ce qui**.

   —**Qui** a téléphoné? (**Qui est-ce qui** a téléphoné?)
   —**Annick et Jean-Marc** ont téléphoné ce matin.

2. Quand le <u>complément direct</u> est une personne, on peut utiliser **qui + inversion** ou **qui + est-ce que**.

   —**Qui** as-tu invité? (**Qui est-ce que** tu as invité?)
   —J'ai invité **Robert et Sylvie**.

3. Quand l'<u>objet de la préposition</u> est une personne, on commence toujours la question par **la préposition**. Cette préposition est suivie par **qui + inversion** ou par **qui + est-ce que**.

   —**Avec qui** vient-elle? (**Avec qui est-ce qu**'elle vient?)
   —Elle vient **avec Philippe et Mathieu**.

B. S'il s'agit d'une chose.

1. Quand le <u>sujet</u> est une chose, **qu'est-ce qui** est la seule forme possible.

   —**Qu'est-ce qui** s'est passé?
   —**Quelque chose** d'incroyable m'est arrivé.

2. Quand le <u>complément direct</u> est une chose, on emploie **que + inversion** ou **que + est-ce que**.

   —**Que** veulent-ils boire? (**Qu'est-ce qu**'ils veulent boire?)
   —Ils veulent boire **un verre de limonade**.

3. Quand l'<u>objet de la préposition</u> est une chose, on commence toujours la question par la préposition. Cette préposition est suivie de **quoi + inversion** ou par **quoi + est-ce que**.

   —**De quoi** ont-ils peur? (**De quoi est-ce qu**'ils ont peur?)
   —Ils ont peur **de tomber**.

Application

A. Le pauvre moniteur. Eric est moniteur d'un groupe de garçons dans un camp de vacances d'hiver. Imaginez les questions qu'il poserait dans la scène ci-dessous. Utilisez les pronoms interrogatifs **qui est-ce qui, qui est-ce que, qu'est-ce qui** et **qu'est-ce que**. Les verbes suivants peuvent vous être utiles.

> EXEMPLE   **Mais, qu'est-ce qui se passe?**

cacher	manger
se passer	crier
enfermer	sentir mauvais
casser	faire du bruit

B. A Lascaux. Vous visitez les grottes de Lascaux et vous posez des questions au guide. Complétez chacune des questions suivantes en utilisant le pronom interrogatif convenable.

> EXEMPLE   **Qu'est-ce que** ces dessins représentent?

1. ══════ a fait ces dessins?
2. Avec ══════ est-ce qu'ils ont fait ces dessins?
3. ══════ ces hommes chassaient?
4. ══════ ils portaient pour se protéger du froid?
5. ══════ a découvert ces grottes?
6. ══════ était le propriétaire de ces terres quand les grottes ont été découvertes?
7. ══════ a donné cette couleur aux dessins?
8. ══════ ces hommes ont utilisé pour faire ces peintures?

C. **Vacances d'hiver.** Des jeunes disent à leurs parents ce qu'ils aime-raient faire pendant les vacances. Imaginez quelles questions les parents vont leur poser. Utilisez les mots entre parenthèses avec **qui** ou **quoi**.

> EXEMPLE Je voudrais aller en Bretagne avec des amis.
> (y aller avec)
> **Avec qui est-ce que tu vas y aller?**
> **(Avec qui veux-tu y aller?)**

1. J'espère aller faire du ski avec ma classe. (payer ton voyage avec)
2. Christophe m'a invité à aller en Provence et nous pourrons rester chez des gens qu'il connaît. (rester avec)
3. Je ne veux pas aller en Suisse avec toute la famille cette année. (passer les vacances avec)
4. J'ai une autre idée pour mes vacances. (penser à)
5. Est-ce qu'il faut faire ce voyage avec ces gens que je ne connais pas? (parler de)
6. Les autres scouts veulent explorer des grottes mais je n'aime pas beaucoup ça. (avoir peur de)
7. Nous allons faire de la marche à pied et je dois acheter de quoi manger. (avoir besoin de)
8. Je voudrais inviter Jean-Luc à venir avec nous mais il n'aime pas les activités de plein air. (s'intéresser à)

D. **Qu'est-ce qu'il y a?** Imaginez une question posée avec **qui** ou **quoi** aux personnes suivantes. Utilisez l'une des expressions ci-dessous.

> EXEMPLE **De quoi est-ce que tu as honte?**
> **(De quoi as-tu honte?)**

| acheter pour | avoir honte de | jouer à | parler de |
| rêver de | avoir peur de | écrire à | téléphoner à |

 1.  2.  3.

4.  5.  6.  7.

Exploration

Emploi de l'infinitif

Un verbe peut être suivi d'un autre verbe. Ce second verbe est toujours à l'infinitif. Certains verbes sont suivis de la préposition **à** ou **de** devant l'infinitif, d'autres ne prennent pas de préposition.

A. Les verbes qui n'exigent° pas de préposition quand ils sont suivis   require
d'un infinitif sont généralement des verbes qui indiquent la volonté, la préférence, le mouvement, l'opinion ou l'intention.

adorer	croire	falloir	sembler
aimer	détester	laisser	souhaiter
aimer mieux	devoir	pouvoir	venir
aller	espérer	préférer	voir
compter°	faire	savoir	vouloir

compter°   to intend, to plan

Je compte partir avec eux.   *I plan to leave with them.*
Il vient nous voir demain.   *He is coming to see us tomorrow.*

B. Les verbes ci-dessous prennent la préposition **à** quand ils sont suivis d'un infinitif.

aider à	avoir du mal à°	s'habituer à	se préparer à
s'amuser à	commencer à	hésiter à	réussir à
apprendre à	continuer à	inviter à	songer à°
arriver à	se décider à	se mettre à°	tenir à

avoir du mal à°   to have difficulty
songer à°   to think, to dream
se mettre à°   to begin

Il commence **à** pleuvoir.   *It's starting to rain.*
J'ai du mal **à** l'entendre.   *I have a hard time hearing him.*

C. Les verbes suivants prennent la préposition **de** quand ils sont suivis d'un infinitif.

accepter de	avoir l'intention de	se dépêcher de°	persuader de
s'arrêter de	avoir peur de	essayer de	refuser de
avoir besoin de	cesser de°	s'excuser de	regretter de
avoir envie de	choisir de	finir de	rêver de
avoir honte de°	décider de	oublier de	se souvenir de

se dépêcher de°   to hurry
cesser de°   to stop
avoir honte de°   to be ashamed of

Il refuse **de** rester à la maison.   *He refuses to stay home.*
Excusez-moi **d'**être arrivé en retard.   *Forgive me for arriving late.*

Application

A. A la fin des vacances d'hiver. Tout le monde a passé de très bonnes vacances. Expliquez ce que chacun a fait.

> **EXEMPLE** Karine est très aventureuse. (ne pas hésiter/escalader
> les rochers)
> **Elle n'a pas hésité à escalader les rochers.**

1. Karine a beaucoup aimé la Bretagne. (décider/revenir l'été prochain)
2. Karine est restée en Bretagne jusqu'au dernier jour des vacances. (se dépêcher/rentrer à Paris)
3. Il a plu pendant tout le séjour de Karine en Bretagne. (s'habituer/être trempée)
4. A la fin des vacances, Guillaume en avait assez des gamins° du cours de ski. (ne pas regretter/les voir partir)   kids
5. Guillaume s'est beaucoup amusé à être moniteur de ski. (accepter/revenir l'hiver prochain)
6. Olivier et les autres scouts ont parcouru° plus de 150 kilomètres. (essayer/faire quinze ou vingt kilomètres par jour)   covered
7. En Provence, Virginie s'est fait beaucoup d'amis. (les inviter/venir chez elle à Paris)
8. Virginie était très triste quand sa tante lui a dit au revoir à l'aéroport. (se mettre/pleurer)

B. En camping. Est-ce que vous aimez faire du camping? Utilisez les verbes de la colonne A avec un des infinitifs de la colonne B pour faire des phrases logiques.

> **EXEMPLE** faire un feu de bois
> **Je réussis généralement à faire un feu de bois.**
> **(La plupart du temps, j'ai du mal à faire un feu de bois.)**
> **(Je n'ai jamais essayé de faire un feu de bois.)**

A	B
accepter	dormir à la belle étoile
refuser	se laver dans une rivière
aimer bien	faire de l'escalade/du canot
avoir peur	explorer des grottes
adorer	se baigner dans un lac
détester	aller à la pêche
savoir	reconnaître les plantes dangereuses
essayer	suivre la trace d'un animal
s'habituer	planter une tente° pitch a tent
réussir	faire la cuisine sur un feu de bois
avoir du mal	dire l'heure d'après la position du soleil

Exploration

Les verbes comme sortir

A. Vous savez la conjugaison des verbes réguliers en **-ir**, comme **choisir**. Les verbes comme **sortir** font partie d'un autre groupe de verbes en **-ir** et n'ont pas la même conjugaison.

sortir°	
je sors	nous sortons
tu sors	vous sortez
il/elle/on sort	ils/elles sortent

to go out, to take out

Les verbes suivants sont conjugués au présent comme **sortir**.

dormir   *to sleep*
s'endormir   *to fall asleep*
se rendormir   *to fall back asleep*
partir   *to leave, to go away*
mentir   *to lie*

sentir   *to smell, to feel*
se sentir   *to feel*
servir   *to serve*
servir à   *to be used for*
se servir de   *to use*

B. Au passé composé, le verbe **sortir** se conjugue avec **être** quand il a le sens de *to leave* ou *to go out* et se conjugue avec **avoir** quand il a le sens de *to take out*.

Je **suis sorti** hier soir.   *I went out last night.*
J'**ai** déjà **sorti** la poubelle.   *I've already taken out the trash.*

Application

A. Une longue journée.   Olivier fait du camping avec les scouts et il écrit une courte lettre à ses parents. Complétez sa lettre au présent en utilisant les verbes suivants: **se servir, se sentir, sortir, dormir** ou **s'endormir**.

Cher Papa, chère Maman,

Le Périgord est magnifique. Nous faisons vingt-cinq kilomètres à pied tous les jours et nous __1__ tous bien facilement à la fin de la journée. Quand les nuits ne sont pas trop fraîches, nous __2__ tous à la belle étoile. Sinon, les plus petits __3__ sous une tente. Les plus grands préfèrent rester dehors dans leurs sacs de couchage. Avant de __4__, il y a, bien sûr, plusieurs choses à faire. Il faut planter la tente et préparer quelque chose à manger. Je suis chargé de faire la soupe. Je __5__ les provisions du sac à dos et je __6__ de quelques branches mortes que je ramasse pour faire un bon feu de bois. Quand tout est prêt, chacun __7__ dans sa gamelle°. La plupart du temps, on se couche tout de suite après avoir mangé mais je __8__ toujours le dernier parce que je __9__ un peu nerveux quand j'entends le hululement° des hiboux.

mess tin

hoot

Je vous embrasse très fort,

Olivier

B. Un voyage en train. Claire, sa cousine Camille et des amis de Camille prennent le train pour aller à Orange. Comme elle ne connaît pas très bien les amis de sa cousine, Claire veut s'assurer qu'elle a bien appris leurs noms. Complétez ses phrases d'après ce que vous voyez sur le dessin en utilisant les verbes suivants: **dormir, s'endormir, se sentir, servir** ou **sortir.**

Jérôme   Julie et Cécile   Gérard   Luc et Stéphane
    Alexandra   Claire et Camille   Valérie et Florence

1. C'est Julie et Cécile qui ═══?

2. C'est Gérard qui ═══ son jeu d'échecs?

3. Est-ce que c'est Valérie et Florence qui ═══ leurs billets?

4. C'est à Alexandra qu'on ═══ un sandwich?

5. Est-ce que c'est Jérôme qui ═══ là-bas?

6. Et ces deux garçons qui ne ═══ pas bien, c'est Luc et Stéphane?

C. L'agence de publicité. Vous travaillez pour une agence de publicité
W et vous devez écrire des slogans pour les produits ci-dessous. Utilisez
un des verbes suivants dans votre slogan: **dormir, servir, sentir,
partir** ou **mentir.**

> EXEMPLE **Nous servons nos clients comme des rois à l'Hôtel
> Henri.
> (On dort comme chez soi à l'Hôtel Henri.)**

1.

2.

3.

4.

5.

LEÇON 9

Les sorties

une rue piétonne   un parc   une Maison des jeunes

En contexte

Pour commencer

A. Que se passe-t-il? Observez le dessin ci-dessus et répondez aux questions suivantes.

1. Qu'est-ce qu'un groupe de jeunes peut faire dans une rue piétonne?
2. Où peut-on s'installer si on veut regarder les gens passer?

3. Que font tous les gens devant le cinéma? Pourquoi?
4. Quelles distractions peut offrir le lac?
5. Quels genres de distractions y a-t-il à la Maison des jeunes?
6. Si vous étiez dans cette ville, où iriez-vous pour voir un film? pour faire du canot? pour faire de la natation? pour faire de la planche à voile? pour monter une pièce de théâtre? pour vous promener?

B. Où sont-ils? Dites si les personnes qui parlent sont dans une rue piétonne, au parc ou dans une Maison des jeunes.

EXEMPLE   Arrêtons-nous prendre un café.   *Une rue piétonne*

Une Maison des jeunes du tonnerre

Je m'appelle Jérémy Jacquin. J'habite à Blois, en Val de Loire. Nous sommes à une centaine de kilomètres au sud-ouest de Paris. Blois est une ville très agréable. Il y a un château fabuleux, une cathédrale renommée, une rue piétonne formidable, et pour les jeunes, il y a une Maison des jeunes du tonnerre. Mes copains et moi y allons le mercredi après-midi parce que nous n'avons pas cours. Nous y faisons du judo. Ça nous plaît beaucoup. Moi, j'aime surtout les grands matchs qui ont lieu une fois par mois.

Comme j'aime bien aussi les sports d'équipe, je joue au foot tous les samedis après-midi. Nous avons une très bonne équipe et nous nous amusons bien. Le frère de l'un de mes copains est joueur professionnel et il a offert d'être notre entraîneur. L'année dernière, nous avons gagné neuf matchs sur dix.

Je fais aussi du théâtre. Au printemps, nous allons monter une pièce d'Anouilh—*Le Voyageur sans bagages*. Nous aurons pas mal de répétitions, au moins trois fois par semaine. Un des moniteurs de la Maison des jeunes nous aidera mais le metteur en scène sera un élève. Les membres du groupe feront les décors et tous les costumes. Je suis responsable de l'éclairage. J'aurais aimé avoir un rôle mais j'ai changé d'avis parce que j'ai toujours le trac quand je suis sur scène et que je vois tous les spectateurs qui me regardent. J'ai toujours voulu faire du théâtre mais je suis très content d'apprendre à m'occuper des projecteurs.

Ce week-end, il y a un festival Woodie Allen au ciné-club. J'y vais avec des copains. Nous sommes tous fana de Woodie Allen et tous ses films vont être en version originale. La première séance commence samedi soir à 8 h 30. Tous les copains vont se retrouver au café du coin vers 8 h. J'aime sortir en groupe parce qu'on ne s'ennuie jamais. Enfin je trouve la vie à la Maison des jeunes très chouette. Je m'y plais° beaucoup!

Je... I like it there

Questions sur la lecture

1. Quels sports pratique Jérémy? Pourquoi aime-t-il particulièrement jouer au foot?
2. Qui s'est offert d'être leur entraîneur? Combien de matchs ont-ils gagné?
3. Quand est-ce que les jeunes Français vont à la Maison des jeunes? Qu'est-ce qu'ils y font?
4. Cette année, Jérémy va faire quelque chose qu'il n'a encore jamais fait. Que va-t-il faire?
5. Quand est-ce que les jeunes vont présenter leur pièce?
6. Qu'est-ce qu'ils apprennent à faire au cours de théâtre?
7. Quel est le titre de la pièce qu'ils vont jouer? Qui est l'auteur de cette pièce? Pourquoi est-ce que Jérémy ne veut pas avoir de rôle? De quoi est-il responsable?
8. Pourquoi est-ce que Jérémy va au ciné-club ce soir? Où est-ce qu'il va retrouver ses copains? A quelle heure est la première séance?
9. Est-ce que Jérémy profite de la Maison des jeunes à Blois? Comment? Pourquoi aime-t-il sortir en groupe?

Et vous?

Posez les questions suivantes à un(e) de vos camarades de classe.

1. Qu'est-ce que tu aimes faire quand tu as du temps libre? Aimes-tu faire les mêmes choses que Jérémy?
2. Est-ce que cela te plairait d'aller à une Maison des jeunes? Pourquoi?
3. Est-ce que tu fais du théâtre? Est-ce que tu as le trac avant d'entrer en scène? Est-ce que tu as le trac avant un examen?
4. Quel est l'équivalent d'une Maison des jeunes aux Etats-Unis?
5. Y a-t-il un ciné-club dans notre ville? Si tu veux voir des films classiques, où vas-tu?
6. Que penses-tu de Woodie Allen? Est-ce que tu as un autre acteur favori qui lui ressemble? Quels sont tes acteurs ou tes actrices de cinéma préférés?
7. D'après ce texte, quelles différences y a-t-il entre les activités des jeunes Français et les tiennes?
8. Aimes-tu mieux sortir à deux ou en groupe? Pourquoi?

Expansion du vocabulaire

NOMS

un accessoire prop, accessory
un canot rowboat
un ciné-club movie house that specializes in classics or foreign films
l'éclairage (m) lighting
un entraîneur coach
l'équitation (f) riding
un joueur player
une location de canot rowboat rental
une Maison des jeunes youth center
un match game
un metteur en scène director
un pédalo pedal boat
une pièce a play
une piscine swimming pool
une randonnée a hike
une répétition rehearsal
une rue piétonne pedestrian quarter
la scène stage
une séance showing
un sentier a path
une sortie outing, date
un sport d'équipe team sport
un sport individuel individual sport
une terrasse de café outdoor café

VERBES ET EXPRESSIONS VERBALES

s'asseoir to sit down

auditionner pour un rôle to audition for a part
avoir le trac to have stage fright, to be nervous (before exams, performances)
avoir un rôle to play a part
se balader to go for a stroll
courir to run
être responsable de to be in charge of
faire du canot to go canoeing
faire du judo to do judo
faire du théâtre to act in plays
faire la queue to stand in line
faire un match de foot to play a soccer game
gagner to win
s'installer to settle down comfortably, to find a place
monter une pièce to put on a play
s'offrir to volunteer
plaire to please
se promener to take a walk
se réunir to meet
sortir seul to go out alone
sortir à deux to go out as a couple
sortir en groupe to go out in a group

DIVERS

du tonnerre* fantastic, great
pas mal de quite a few

Application

A. Trouvez le mot qui manque. Complétez logiquement les phrases suivantes en utilisant le vocabulaire qui précède.

1. Cette pièce est fantastique! Elle est vraiment du ══════.
2. Le foot est un sport ══════.
3. Les acteurs jouent sur la ══════.
4. *Le Voyageur sans bagages* est une ══════ d'Anouilh.

5. Le ===== dirige le jeu des acteurs.
6. Les rues ===== sont interdites à la circulation des autos.
7. Avant d'entrer en scène, il est toujours très nerveux. Il a le
   =====.
8. Ce film passe deux fois par jour. Il y a deux =====, une matinée
   et une soirée.

B. Situations. Avec des camarades de classe, choisissez une des
situations et rédigez ensemble un dialogue. Ensuite, jouez la scène
en classe.

1. Vous êtes à la terrasse d'un café d'une
   rue piétonne avec un(e) ami(e) et vous
   regardez les gens passer. Faites des
   commentaires sur les gens que vous
   voyez passer. Comment sont-ils habillés? Que font-ils?
2. Vous avez un(e) nouvel(le) ami(e) et
   vous l'invitez à venir à la Maison des
   jeunes avec vous. Cet(te) ami(e) hésite, alors vous lui demandez ce qui l'inté‑
   resse et vous lui expliquez tout ce
   qu'on peut y faire.

Exploration

La formation des adverbes

A. Les adverbes les plus nombreux sont les adverbes en **-ment**.

1. On ajoute le suffixe **-ment** aux adjectifs dont le masculin se
   termine par une voyelle. Pour les adjectifs qui se terminent par
   une consonne, on ajoute **-ment** au féminin de l'adjectif. Ces
   adverbes correspondent aux adverbes anglais en *-ly*.

   vrai → **vraiment**
   absolu → **absolument**
   naturel → naturelle → **naturellement**
   malheureux → malheureuse → **malheureusement**

2. Certains adverbes ont la terminaison **-ément**.

   aveugle → **aveuglément**
   confus → **confusément**
   énorme → **énormément**
   précis → **précisément**
   profond → **profondément**

3. Pour les adjectifs en **-ent** ou **-ant**, la terminaison adverbiale est **-emment** ou **-amment**.

$$patient \rightarrow \textbf{patiemment}$$
$$apparent \rightarrow \textbf{apparemment}$$
$$constant \rightarrow \textbf{constamment}$$
$$brillant \rightarrow \textbf{brillamment}$$

Exception: lent $\rightarrow$ **lentement**

4. Quelques adverbes ont une formation irrégulière.

$$traître \rightarrow \textbf{traîtreusement}$$
$$grave \rightarrow \textbf{grièvement}$$
$$bref \rightarrow \quad brève \rightarrow \textbf{brièvement}$$
$$gentil \rightarrow gentille \rightarrow \textbf{gentiment}$$

B. De nombreux adverbes ne se forment pas à l'aide de l'adjectif. Parmi ceux-là sont les adverbes suivants.

manière	**temps**
ainsi *thus*	d'abord *first*
bien *good*	alors *then*
debout *standing up*	aujourd'hui *today*
ensemble *together*	auparavant *previously*
mal *bad*	autrefois *long ago*
mieux *better*	bientôt *soon*
plutôt *rather*	demain *tomorrow*
tout *all*	déjà *already*
vite *quickly*	désormais *from now on*
volontiers *gladly*	ensuite *then*
	hier *yesterday*
fréquence	maintenant *now*
encore *again*	tard *late*
enfin *finally*	tôt *early*
parfois *sometimes*	
quelquefois *sometimes*	**quantité**
souvent *often*	assez *enough*
toujours *always*	autant *as much*
	beaucoup *a lot*
lieu	moins *less*
ailleurs *elsewhere*	peu *little*
dedans *inside*	plus *more*
dehors *outside*	presque *almost*
ici *here*	tant *so much*
là *there*	tellement *so much*
nulle part *nowhere*	très *very*
partout *everywhere*	trop *too much*
quelque part *somewhere*	

Application

A. Une journée au parc. Vos amis et vous avez décidé de passer la journée au parc. Utilisez les adverbes qui correspondent aux adjectifs ci-dessous pour décrire les actions des personnes sur le dessin suivant.

> EXEMPLE   (confus) **L'agent de police parle confusément.**

tranquille	courageux	attentif	rapide	nerveux
vif	amoureux	furieux	élégant	joyeux
passionné	confus	calme	jaloux	curieux

B. Des directives. Vous avez un ami qui sait tout. Voici les conseils qu'il donne. Complétez les phrases à l'aide d'un adverbe.

1. Comment obtenir un rôle dans une pièce.

inutilement	trop	distinctement
courageusement	clairement	passionnément

Entre __a__ en scène. Ne parle pas __b__, mais demande __c__ au metteur en scène ce qu'il cherche. Lis le rôle __d__ mais il ne faut pas __e__ exagérer. Fais attention de parler __f__.

2. Comment faire du canot.

immédiatement   très   régulièrement
vigoureusement   légèrement°   *slightly*

Après être monté dans le canot, assieds-toi __a__. Fais __b__ attention parce que si tu te penches° __c__ d'un côté, tu risques de   *lean*
tomber à l'eau. Il faut ramer° __d__ et __e__ si tu veux   *row*
aller vite.

3. Comment monter à cheval.

ensuite   d'abord   lentement   fermement
doucement°   légèrement   calmement   *gently*

__a__ il faut s'approcher __b__ du cheval. Parle-lui __c__ et
caresse-le __d__. __e__, mets __f__ le pied gauche dans l'étrier° et   *stirrup*
saute __g__ sur le cheval.

4. Comment faire de la planche à voile.

ensuite   doucement   fermement
lentement   d'abord   légèrement

__a__ allonge-toi sur la planche. __b__, essaie de te lever __c__
mais __d__. Une fois sur pieds, penche-toi __e__, prends le wishbone et relève __f__ la voile.

C. A la Maison des jeunes. Un jeune Français parle de la Maison des jeunes avec un jeune Américain. Complétez logiquement chaque phrase en vous servant d'un adverbe de la liste suivante.

partout   désormais   ailleurs   ensemble
tard   finalement   dehors

     EXEMPLE   Je passe tout mon temps libre à la Maison des jeunes.
                    J'y arrive tôt le matin et je pars **tard** le soir.

1. Quand il fait mauvais, nous restons dedans mais quand il fait beau, nous préférons aller ═══.
2. Quand un ami m'a invité pour la première fois à une Maison des jeunes, j'ai d'abord refusé mais ═══ j'ai accepté.
3. Autrefois, on ne faisait pas de judo dans cette Maison des jeunes, mais ═══ il va y avoir une leçon tous les samedis après-midi.
4. Ici nous n'avons pas de canot, mais ═══ on peut faire du canot.
5. On n'est jamais loin d'une Maison des jeunes, il y en a ═══.
6. Si tu veux, nous allons nous entraîner ═══.

Exploration

La position des adverbes

A. Pour les temps simples, tels que le présent, le futur et l'imparfait, l'adverbe se place généralement après le verbe.

> Je viens **ici** pour faire du vélo.
> Est-ce que tu veux **vraiment** aller voir ce film?

B. Pour les temps composés, tels que le passé composé, les adverbes se placent généralement entre l'auxiliaire et le participe passé.

> J'ai **bien** aimé ce film.
> Est-ce que vous avez **beaucoup** dansé?

Exceptions:

1. Généralement les adverbes en **-ment** suivent le participe passé.

> Il a parlé **lentement** pour que nous comprenions mieux.
> Les enfants sont descendus **rapidement** sans dire un mot.

2. Les adverbes **certainement, complètement, finalement, probablement** et **vraiment** suivent la règle générale et se placent entre l'auxiliaire et le participe passé.

> Elle est **probablement** partie à Nice.
> Etes-vous **vraiment** allés au parc hier?

3. Les adverbes **heureusement, malheureusement, évidemment** et **naturellement** sont souvent placés au début de la phrase.

> **Malheureusement,** le marié était en retard.
> **Naturellement,** Stéphane a été insupportable.

C. Les adverbes de temps et de lieu se placent au début ou à la fin de la phrase comme en anglais.

Ici, on danse chaque samedi soir.   On danse chaque samedi soir **ici.**

Autrefois, il habitait Blois.   Il habitait Blois **autrefois.**

D. Les adverbes employés pour modifier un adjectif ou un autre adverbe précèdent le mot qu'ils modifient.

> Elle portait une **très** jolie robe.
> Les enfants font un bruit **absolument** incroyable!

Application

A. On fait du théâtre. On vous a donné le rôle principal dans une pièce. Au début, le metteur en scène vous trouve maladroit(e), mais vous faites des progrès à chaque répétition. Utilisez les adverbes qui correspondent aux adjectifs ci-dessous pour décrire vos progrès. Assurez-vous que l'ordre des adverbes indique une progression.

> EXEMPLE   **A la première répétition, j'ai joué affreusement.**

admirable	médiocre	
affreux°	parfait	horrible
bon	passable°	acceptable
mauvais	naturel	

bats

B. Les spéléologues. Olivier et ses amis scouts ont décidé de faire de la spéléologie. Récrivez l'histoire de leur aventure en mettant dans le texte autant d'adverbes que possible. Vous pouvez utiliser les adverbes suivants.

alors	énormément	presque	tôt
bientôt	exactement	rapidement	tout
complètement	lentement	tout à fait	très
curieusement	longtemps	tellement	tout à coup
dedans	nerveusement	partout	terriblement

Hier, nous sommes allés à la grotte de Lacave, près de Lascaux quand il faisait presque nuit. Juste au moment où nous entrions dans les cavernes, un nuage noir de chauves-souris° en est sorti. Tout le monde a eu peur mais nous avons continué notre chemin. Nous sommes entrés dans les cavernes. Il faisait noir et ça sentait mauvais. Nous avons allumé nos lampes de poche et ce que nous avons vu était incroyable. Il y avait des stalactites et des stalagmites magnifiques. Olivier a claqué des mains et on a entendu un écho, mais l'écho a continué et continué. On s'est aperçu que ce n'était plus l'écho qu'on entendait mais qu'il y avait quelque chose à l'intérieur des cavernes, des mouvements, des pas°, un bruit régulier qui venait vers nous, mais qu'est-ce que c'était? un ours? un monstre inconnu? C'était tout près. Nous pouvions entendre nos cœurs battre. En tournant le coin, on apercevait une lumière. Est-ce que c'était un gros lézard qui soufflait du feu? On allait le savoir. Le mystère allait se résoudre devant nous. Tout le monde tremblait. Mais quoi? Ce n'était pas possible! On entendait des rires et des gens qui parlaient! Ce n'était donc pas un animal mystérieux? Non, c'était tout simplement un autre groupe de scouts qui sortait de la grotte.

footsteps

Exploration

Les verbes *savoir* et *connaître*

A. Pour traduire le verbe anglais *to know*, le français emploie deux verbes différents: **savoir** et **connaître**.

savoir	
je sais	nous savons
tu sais	vous savez
il/elle/on sait	ils/elles savent
passé composé: j'ai su	

connaître	
je connais	nous connaissons
tu connais	vous connaissez
il/elle/on connaît	ils/elles connaissent
passé composé: j'ai connu	

Voici d'autres verbes qui se conjuguent comme **connaître**.

apparaître   *to appear, to come into sight*
disparaître   *to disappear*
paraître   *to appear, to seem*
réapparaître   *to reappear*
reconnaître   *to recognize*

B. Employez **savoir** avec

1. un fait comme la date, l'heure ou un nom

> Est-ce que tu sais quelle heure il est?
> Elle sait comment il s'appelle.

2. quelque chose que vous avez appris par cœur

> Je sais les paroles de cette chanson.
> Il sait ce poème. Il peut le réciter.

3. un infinitif pour indiquer une aptitude

> Il ne sait pas taper à la machine.
> Et toi, tu sais te servir d'un ordinateur?

4. une conjonction

> Je sais pourquoi tu ne veux pas venir.
> Nous savons que tu n'aimes pas danser.
> Elle ne sait pas si la fête a lieu ce soir ou demain.

C. Employez **connaître** avec

1. une personne

> Tu connais Mlle Lamartine, n'est-ce pas?
> A la boum, je ne connaissais personne.

2. un endroit

> Est-ce que tu connais bien cette région?
> Je connais tous les bons magasins.

3. un film, une émission ou une œuvre d'art

> Connaissez-vous le théâtre de Ionesco?
> Nous connaissons bien l'émission dont tu parles.

D. Remarquez la différence entre **savoir** et **connaître** employés avec une chanson, un poème ou une histoire.

> Je sais ce poème et je peux le réciter.
> *I know (by heart) this poem and I can recite it.*

> Je connais ce poème, mais je ne peux pas le réciter.
> *I know (am familiar with) this poem, but I can't recite it.*

E. N'oubliez pas qu'au passé, **savoir** et **connaître** sont généralement à l'imparfait, car au passé composé ils ont un sens différent.

> Je **savais** qu'il allait téléphoner.   *I **knew** he was going to call.*
> J'ai **su** qu'il t'avait téléphoné.   *I **found out** he had called you.*

> Je **connaissais** déjà ce garçon.   *I already **knew** that boy.*
> Je l'**ai connu** l'an dernier.   *I **met** him last year.*

Application

A. Un fana du sport.   Andrew, un vrai fana du sport, vient d'arriver en France. Il aimerait poser des questions à un nouvel ami mais il ne parle pas encore très bien français. Aidez-le à les traduire.

1. Do you know that Americans love baseball?
2. Do you know who Reggie Jackson is?
3. Do you know how to play baseball?
4. Do you know if there's a park near here where we could play?
5. Do you know somebody who would like to play on our team?
6. You can call me at home. Do you know my phone number?

B. Un match intéressant. Sylvie est allée à un match de foot avec une amie. Elle est venue voir jouer Jérémy et ne parle que de lui. Complétez cette conversation en utilisant **connaître** ou **savoir**.

SYLVIE ___1___-tu Jérémy?

ANNETTE Oui, je le ___2___. Je le ___3___ depuis l'année dernière. ___4___-tu que c'est le meilleur ami de mon frère?

SYLVIE C'est vrai? Mais je ne ___5___ pas ton frère.

ANNETTE Regarde. C'est lui. Celui qui joue au foot avec Jérémy. Mon frère ___6___ très bien jouer au foot. Et toi, ___7___-tu jouer au football?

SYLVIE Non, mais je ___8___ que le match va être formidable aujourd'hui. Et après je vais au café avec mes copains. Veux-tu nous accompagner?

ANNETTE Oui, je voudrais bien, mais je dois partir avant la fin du match. Peux-tu venir me chercher? J'habite tout près. ___9___-tu mon adresse?

SYLVIE Non, je ne ___10___ pas ton adresse exacte, mais je ___11___ où tu habites. Je viendrai te chercher après le match.

ANNETTE Eh bien, à tout à l'heure. Tu ___12___, si tu veux, je peux inviter Jérémy et mon frère à nous accompagner.

SYLVIE Chouette!

C. Un magicien. Vous êtes allés voir un magicien dans un petit théâtre en ville avec vos amis. Racontez ce qu'il fait en utilisant les verbes indiqués.

EXEMPLE paraître
Le chapeau paraît tout à fait normal. Il est vide.

1. apparaître   2. disparaître   3. réapparaître   4. paraître

5. disparaître   6. apparaître   7. apparaître   8. savoir

CAS SPECIAUX

Comment dit-on to take *et* to bring *en français?*

A. Il y a plusieurs verbes en français qui traduisent les verbes anglais *to take* et *to bring*. Le choix du verbe dépend du complément direct du verbe.

1. Si le complément direct est une personne ou un animal, on emploie:

amener	*to bring (somebody)*
emmener	*to take (somebody)*

   —Est-ce que tu vas **amener** quelqu'un au match de foot samedi?
   —Oui, **j'amène** ma petite amie.

   —Robert, **emmène**-moi au parc avec toi!
   —D'accord, mais n'**emmène** pas ton chien cette fois-ci.

2. Si le complément direct est une chose, on emploie:

apporter	*to bring (something)*
emporter	*to take (something)*

—Marc, **apporte**-moi mes clés. Je les ai laissées sur la table.
—Elles ne sont plus là. Ariane a dû les **emporter** avec elle.
Elle a pris ta voiture, tu sais.

3. Il faut également distinguer entre **prendre** et **emporter** ou
emmener pour dire *to take*. **Emporter** a le sens de *to carry along,
to carry away* ou *to carry off*. On emploie **emmener** pour dire *to
take someone away*. Dans les autres cas *to take* se traduit
généralement par **prendre**. Voici quelques expressions avec
prendre:

> prendre l'autobus/l'avion/sa voiture
> prendre une autoroute/une rue/un chemin
> prendre bien/mal des nouvelles
> prendre un bain/une douche
> prendre des médicaments
> prendre des notes
> prendre une photo
> prendre son temps
> prendre quelque chose/quelqu'un au sérieux
> prendre quelqu'un pour un(e) imbécile/un génie/etc.

—Est-ce que tu me **prends** pour un imbécile? C'est évident ce
que tu dis.
—Pourquoi es-tu si pressé? **Prends** ton temps.

4. On peut aussi utiliser le verbe **prendre** quand on achète quelque
chose.

—Quelle robe est-ce que tu vas **prendre**, la robe à carreaux
jaune et noire ou la bleue à rayures?

Application

A. **Je peux faire quelque chose?** Brigitte organise une boum chez elle et
ses copains l'aident. Que leur dit-elle? Utilisez les verbes suivants à
l'impératif: **amener, apporter** ou **prendre.**

> EXEMPLE   mes disques
> **Apporte tes disques.**

1. tes cousines
2. ton maillot de bain
3. ton appareil-photo
4. des photos de la boum
5. des amuse-gueule
6. ton frère
7. ta petite amie
8. un bain avant de venir

B. Vous me confiez la maison? Brigitte parle avec sa mère de la boum qui aura lieu chez eux le lendemain. Complétez les phrases en utilisant les verbes suivants: **amener, emmener, apporter, emporter** ou **prendre**.

MME RÉMY   Est-ce que tout est prêt? Ton père va __1__ des chaises pliantes° ce soir.   folding

BRIGITTE   Je pense que ça va. Martine m'a __2__ en ville cet après-midi pour faire des courses. Nous avons eu du mal à choisir des gâteaux mais nous avons fini par __3__ une tarte aux fraises et des feuilletés. Martine va __4__ des jus de fruits et de la glace demain.

MME RÉMY   Est-ce que Martine va __5__ son frère ici? Je n'ai pas confiance en lui. Il ne __6__ rien au sérieux et la dernière fois qu'il est venu ici, quelques bibelots de la salle de séjour ont disparu. Je pense qu'ils les a __7__ dans son sac à dos.

BRIGITTE   Maman, ne le __8__ pas pour un voleur! Il est un peu bizarre mais il est très honnête. C'est mon cher petit frère Armand qui a tout cassé. Dis, puisqu'on parle de lui, __9__-le avec toi chez tante Elise demain, tu veux bien? Je préfère qu'il ne soit pas là cette fois-ci.

MME RÉMY   Si tu veux. Est-ce que tu as dit à tes amis de faire attention de __10__ la rue de la Gare et pas la rue du Gard pour venir ici?

BRIGITTE   Oui, maman. Ne t'en fais pas, j'ai pensé à tout!

C. La fête. Décrivez la dernière réunion de famille ou une boum à laquelle vous êtes allé(e). Dites ce que votre famille ou vos amis ont apporté à cette fête et dites s'ils ont amené quelqu'un avec eux.

Vendredi dernier, je suis …

*L*ANGUE ET CULTURE

Voilà ce qu'on dit

Les invitations

A. Que peut-on dire quand on veut inviter quelqu'un?

Je t'emmène à…	*I'm taking you to…*
Je t'invite chez moi pour…	*I'm inviting you to my house for…*
Ça te dit de…?	*Do you feel like…?*
Pourrais-tu venir à…?	*Can you come to…?*
Si on allait à…?	*How about going to…?*
Que dirais-tu si je t'invitais à…?	*What would you say if I invited you to…?*
Peux-tu me faire le plaisir de venir avec moi à…?	*Could you come with me to…?*
Me ferez-vous l'honneur de m'accompagner?	*Will you do me the honor of accompanying me?*
Aurai-je le plaisir de vous voir à…?	*Will I have the pleasure of seeing you at…?*

B. Que peut-on dire pour accepter une invitation?

Formidable!	*Great!*
Chouette, alors!	*Great!*
Bien sûr!	*Of course!*
Super!	*Super!*

Génial!	*Great!*
D'accord! C'est entendu.	*OK! It's agreed.*
Ce serait sympa!	*That would be fun (great)!*
Oui, bien sûr que je peux y aller!	*Yes. Of course, I can go!*
Quelle bonne idée!	*What a great idea!*
J'ai bien envie de dire oui.	*I really want to go.*
Tu peux compter sur moi.	*You can count on me.*
Oui, j'accepte avec plaisir!	*Yes, I accept with pleasure!*
Oui, d'accord, avec grand plaisir!	*Yes. OK. With (great) pleasure!*
Merci d'avoir pensé à moi.	*Thanks for thinking of me.*
C'est gentil de ta part.	*That's nice of you.*
Je serais ravi(e).	*I would be thrilled.*
Je suis enchanté(e)!	*I'm delighted! (more formal)*

C. Que peut-on dire quand on refuse une invitation?

Oh, zut alors! Je ne peux pas.	*Darn! I can't.*
J'ai déjà fait d'autres projets.	*I've made other plans.*
Cela m'ennuie, mais...	*I feel really bad about it, but...*
C'est dommage mais c'est impossible.	*It's a shame, but it's impossible.*
Je ne suis pas libre.	*I'm busy.*
Non, je suis pris(e) ce jour-là.	*I have a previous commitment.*
Je ne serai pas en ville ce jour-là.	*I'll be out of town on that day.*
Je regrette beaucoup de ne pas pouvoir accepter ton invitation, mais...	*I'm really sorry I can't accept your invitation, but...*
Je suis vraiment désolé(e) mais je ne peux pas venir parce que...	*I'm really sorry, but I can't come because...*
Laisse-moi réfléchir.	*Let me think about it.*
Je vous prie de m'excuser.	*Please forgive me. (more formal)*

D. Que peut-on dire quand on refuse une invitation *par écrit*?

Vous me voyez navré de devoir refuser votre aimable invitation.	*I am really sorry to have to refuse your kind invitation.*

Application

A. C'est une invitation? Pour chaque phrase que vous entendez écrivez **I** si c'est une **invitation**. Ecrivez **R** si c'est une **réponse à une invitation**.

EXEMPLE   On t'emmène avec nous au lac?   `I`

B. Accepter ou Refuser.   Pour chaque phrase que vous entendez, écrivez **A** si la personne **accepte** une invitation, **R** si la personne **refuse** et **?** si elle n'a **pas encore décidé.**

EXEMPLE   J'ai déjà prévu d'y aller avec un autre copain.   R

C. Ça n'a pas de sens!   Pour chaque groupe, trouvez l'expression qui ne va pas avec les deux autres.

1. **a.** Bonne idée.
   b. Génial.
   c. Dommage.
2. **a.** Je suis pris ce soir-là.
   b. Je suis ravi.
   c. D'accord.
3. **a.** Ça te dit d'y aller?
   b. Je vous prie de m'excuser!
   c. Si on allait au resto?

4. **a.** C'est entendu.
   b. Laisse-moi réfléchir.
   c. Formidable.
5. **a.** Je n'ai rien prévu.
   b. Cela m'ennuie.
   c. Tu m'as convaincu.
6. **a.** Viens donc avec nous.
   b. Puis-je t'emmener au cinéma?
   c. Je suis enchanté de venir.

D. Des invitations.   Imaginez chaque situation et donnez une réponse en utilisant les expressions qui s'appliquent aux personnes qui vous invitent.

1. Vous êtes invité(e) à une partie par une star de cinéma.
2. Vous êtes invité(e) à une réunion de retraités°.   retired people
3. Vous êtes invité(e) à une boum par votre meilleur(e) ami(e).
4. Vous êtes invité(e) au mariage de votre ancien(ne) petit(e) ami(e).
5. Vous êtes invité(e) à dîner par le gouverneur de votre Etat.

E. Ça te dit?   Posez la question ou répondez à la question.

1. ══════? C'est dommage mais je ne peux pas y aller ce jour-là.
2. Est-ce que ça t'intéresse d'aller voir un film de Renoir? ══════.
3. ══════? Génial, ce sera avec plaisir, à quelle heure dois-je arriver?
4. Si on allait faire du patin à glace après les cours? ══════.
5. ══════? Je vous prie de m'excuser, c'est impossible.
6. ══════? Tu peux compter sur moi.

F. Venez à ma boum!   Ecoutez le dialogue et répondez aux questions qui suivent.

1. Pour quelle occasion Sylvain invite-t-il Joëlle et Morgane?
2. Pour quel jour les invite-t-il?
3. Pourquoi les filles ne veulent-elles pas y aller?
4. Quelle est la réaction de Sylvain devant la réponse de ses camarades? Que décide-t-il de faire?
5. Est-ce que les filles acceptent finalement l'invitation de Sylvain?
6. D'après vous, est-ce que Sylvain a su convaincre ses deux amies?

Lecture

Antoine de Saint-Exupéry

Pilote de ligne° dès 1927, Saint-Exupéry a été aussi pilote d'essai, pilote de chasse°, journaliste et romancier°. Ses œuvres s'inspirent de sa vie même.

Sous les étoiles, pilotant son avion, il médite sur la grandeur de l'homme et sur sa responsabilité à l'égard° de tous. «La grandeur de l'homme,» écrit-il, «c'est de se sentir, dans la mesure° de son travail, quelque peu responsable du destin des hommes.»

Le Petit Prince reprend ces mêmes thèmes sous la forme d'une parabole poétique, accessible aux enfants mais destiné réellement aux adultes. Il s'en excuse d'ailleurs dans sa dédicace: «Je demande pardon aux enfants d'avoir dédié ce livre à une grande personne. J'ai une excuse sérieuse: cette grande personne est le meilleur ami que j'aie au monde… cette grande personne peut tout comprendre même les livres pour enfants… cette grande personne habite la France où elle a faim et froid.»

Pilote… Airplane pilot
pilote… fighter pilot/
novelist

with respect to
insofar as

Pour commencer

Lisez une première fois l'histoire du *Petit Prince* et répondez à la question suivante: *Pourquoi est-ce que le renard demande au Petit Prince de l'apprivoiser?* Ensuite, relisez l'histoire plus attentivement et répondez aux questions qui suivent la lecture.

Le Petit Prince (*extrait*)

C'est alors qu'apparut le renard.

—Bonjour, dit le renard.

—Bonjour, répondit poliment le petit prince, qui se retourna mais ne vit rien.

5 —Je suis là, dit la voix, sous le pommier...

—Qui es-tu? dit le petit prince. Tu es bien joli...

—Je suis un renard, dit le renard.

—Viens jouer avec moi, lui proposa le petit prince. Je suis tellement triste...

10 —Je ne puis° pas jouer avec toi, dit le renard. Je ne suis pas appri-   *peux*
voisé°.   *tame*

—Ah! pardon, fit le petit prince. Mais après réflexion, il ajouta:

—Qu'est-ce que signifie «apprivoiser»?

—Tu n'es pas d'ici, dit le renard, que cherches-tu?

15 —Je cherche les hommes, dit le petit prince. Qu'est-ce que signifie «apprivoiser»?

—Les hommes, dit le renard, ils ont des fusils° et ils chassent. C'est   shotguns
bien gênant°! Ils élèvent aussi des poules. C'est leur seul intérêt. Tu   annoying
cherches des poules?

20 —Non, dit le petit prince. Je cherche des amis. Qu'est-ce que signifie «apprivoiser»?

—C'est une chose trop oubliée, dit le renard. Ça signifie «créer des
liens°...»   bonds

—Créer des liens?

25 —Bien sûr, dit le renard. Tu n'es encore pour moi qu'un petit garçon
tout semblable à cent mille petits garçons. Et je n'ai pas besoin de
toi. Et tu n'as pas besoin de moi non plus. Je ne suis pour toi qu'un
renard semblable à cent mille renards. Mais, si tu m'apprivoises,
nous aurons besoin l'un de l'autre. Tu seras pour moi unique au
30 monde. Je serai pour toi unique au monde...

—Je commence à comprendre, dit le petit prince. Il y a une fleur... je
crois qu'elle m'a apprivoisé...

—C'est possible, dit le renard. On voit sur la Terre toutes sortes de
choses...

35 —Oh! ce n'est pas sur la Terre, dit le petit prince.

Le renard parut très intrigué:

—Sur une autre planète?

—Oui.

—Il y a des chasseurs, sur cette planète-là?

40 —Non.

—Ça, c'est intéressant! Et des poules?

—Non.

—Rien n'est parfait, soupira° le renard.   sighed
Mais le renard revint à son idée:

45 —Ma vie est monotone. Je chasse les poules, les hommes me chassent. Toutes les poules se ressemblent, et tous les hommes se ressemblent. Je m'ennuie donc un peu. Mais, si tu m'apprivoises, ma vie sera comme ensoleillée°. Je connaîtrai un bruit de pas° qui sera différent de tous les autres. Les autres pas me font rentrer sous terre. Le tien
50 m'appellera hors du terrier°, comme une musique. Et puis regarde! Tu vois, là-bas, les champs de blé°? Je ne mange pas de pain. Le blé pour moi est inutile. Les champs de blé ne me rappellent rien. Et ça c'est triste! Mais tu as des cheveux couleur d'or°. Alors ce sera merveilleux quand tu m'auras apprivoisé! Le blé, qui est doré°, me fera
55 souvenir de toi. Et j'aimerai le bruit du vent dans le blé...
   Le renard se tut° et regarda longtemps le petit prince:
   —S'il te plaît... apprivoise-moi! dit-il.
   —Je veux bien, répondit le petit prince, mais je n'ai pas beaucoup de temps. J'ai des amis à découvrir et beaucoup de choses à connaître.
60 —On ne connaît que les choses que l'on apprivoise, dit le renard. Les hommes n'ont plus le temps de rien connaître. Ils achètent des choses toutes faites chez les marchands. Mais comme il n'existe point de marchands d'amis, les hommes n'ont plus d'amis. Si tu veux un ami, apprivoise-moi!
65 —Que faut-il faire? dit le petit prince.
   —Il faut être très patient, répondit le renard. Tu t'assoiras d'abord un peu loin de moi, comme ça, dans l'herbe. Je te regarderai du coin de l'oeil et tu ne diras rien. Le langage est source de malentendus°. Mais, chaque jour, tu pourras t'asseoir un peu plus près...
70 Le lendemain revint le petit prince.
   —Il eût mieux valu° revenir à la même heure, dit le renard. Si tu viens, par exemple, à quatre heures de l'après-midi, dès trois heures je commencerai d'être heureux. Plus l'heure avancera, plus je me sentirai heureux. A quatre heures, déjà, je m'agiterai et m'inquié-
75 terai; je découvrirai le prix du bonheur! Mais si tu viens n'importe quand°, je ne saurai jamais à quelle heure m'habiller le coeur... Il faut des rites.
   —Qu'est-ce qu'un rite? dit le petit prince.
   —C'est aussi quelque chose de trop oublié, dit le renard. C'est ce qui
80 fait qu'un jour est différent des autres jours, une heure, des autres heures. Il y a un rite, par exemple, chez mes chasseurs. Ils dansent le jeudi avec les filles du village. Alors le jeudi est jour merveilleux! Je vais me promener jusqu'à la vigne°. Si les chasseurs dansaient n'importe quand, les jours se ressembleraient tous, et je n'aurais point de
85 vacances.
   Ainsi le petit prince apprivoisa le renard. Et quand l'heure du départ fut proche:
   —Ah! dit le renard... Je pleurerai.
   —C'est ta faute, dit le petit prince, je ne te souhaitais point de mal,
90 mais tu as voulu que je t'apprivoise...

	sunny/steps
	burrow
	champs... fields of wheat
	gold
	golden
	passé simple de se taire
	misunderstandings
	il... it would have been better
	n'importe... just anytime
	vineyard

—Bien sûr, dit le renard.

—Mais tu vas pleurer! dit le petit prince.

—Bien sûr, dit le renard.

—Alors tu n'y gagnes rien!

95 —J'y gagne, dit le renard, à cause de la couleur du blé.

Questions sur la lecture

1. Quelle voix le petit prince, entend-il, sous le pommier?
2. Pourquoi le renard ne peut-il pas jouer avec le petit prince?
3. Le petit prince est-il de la même planète que le renard? D'où vient-il? Que cherche-t-il?
4. Comment le renard voit-il les hommes de sa planète?
5. Que signifie «apprivoiser»? Pourquoi le renard est-il maintenant semblable à tous les renards et le petit prince un petit garçon comme tous les autres? Qu'est-ce qui change une fois que le petit prince a apprivoisé le renard?
6. Pourquoi la vie du renard est-elle monotone? A-t-il des amis?
7. Quelle ressemblance y a-t-il entre le petit prince et les champs de blé? Pourquoi le renard aimerait-il le bruit du vent dans le blé?
8. Est-il facile d'apprivoiser quelqu'un? Décrivez les étapes des liens qui unissent peu à peu le renard et le petit prince.
9. Qu'est-ce qu'un rite? Suivez-vous des rites?
10. Qu'y a-t-il de touchant dans la séparation des deux amis?

Qu'en pensez-vous?

1. D'après vous, est-il plus facile d'apprivoiser un animal qu'un être humain? Pourquoi?

2. Comment le blé rappelle-t-il au renard les cheveux blonds du petit prince? Comment vous souvenez-vous d'une personne chère?
3. D'après vous, pourquoi l'auteur écrit-il que les hommes n'ont plus d'amis? Est-il facile d'avoir de vrais amis? Peut-on acheter des amis?
4. Quels avantages ou quels dangers y a-t-il lorsque deux êtres s'aiment très fort?
5. Est-il possible de vivre sans amis? Quand est-ce que la solitude devient nécessaire?

Révision

Situations

1. Vous êtes agent de voyage et vous essayez de convaincre un(e) touriste d'aller passer ses vacances en Bretagne. Rapportez votre conversation.
2. Choisissez une région de France et faites-la deviner à vos camarades de classe en leur donnant sept indices précis.
3. Créez un itinéraire idéal pour des touristes américains venant passer deux semaines en France pendant l'été. (Citez les villes, spécialités régionales, climat, monuments, etc.)
4. Une étudiante que vous n'aimez pas particulièrement vous invite à une boum. Essayez de trouver des excuses pour ne pas accepter son invitation. Elle insiste... Imaginez le dialogue entre elle et vous.
5. Racontez la sortie la plus extraordinaire ou la plus insolite° que vous ayez faite.   unusual

Sujets de rédaction

1. Quel est le prix du bonheur?
2. Vous venez de passer un mois de vacances en France. Vous y avez voyagé à bicyclette. Racontez ce que vous avez fait, vu et découvert.
3. Est-ce que la distraction est un fait social? Pensez-vous que dans une vie trépidante° et surmenée°, se distraire soit devenu un   hectic/stressful
   privilège?
4. Imaginez que vous allez vous marier avec une star de rock and roll. Rédigez l'invitation que vous voudriez envoyer à vos
   parents° et à vos amis.   relatives
5. Aimez-vous recevoir des invitations? Avez-vous du plaisir à rencontrer des gens?
6. Rappelez-vous les week-ends de ce mois-ci. Racontez les invitations que vous avez reçues ou que vous avez faites. Donnez des détails précis.

CONTEXTE CULTUREL

*Julie répond à la lettre qu'elle a reçue
d'une jeune correspondante américaine.*

Chère Christine

Comment vas-tu? Ici, nous allons tous très bien. Hier matin, j'ai reçu la lettre où tu me demandes de te parler de mes copains. Comment décrire mes copains? Je vais essayer de t'en faire un petit portrait rapide, mais exact. Il y a d'abord ma meilleure amie, Anne-Sophie. Elle est très bavarde! Très extravertie! Elle adore la musique pop, aime bien danser, s'amuser. Elle est toujours de bonne humeur et tout le monde l'aime beaucoup. Quand j'ai le cafard, c'est à Anne-Sophie que je téléphone. Elle peut toujours me remonter le moral.

Comme copains, j'ai Olivier et Guillaume, deux camarades de classe. Olivier est brillant, bon étudiant, assez sérieux, 17 sur 20 à tous ses thèmes et versions... un génie, quoi! C'est le chouchou de tous les profs. Souvent il nous casse les pieds parce qu'il bûche tout le temps, mais quand on arrive à lui faire laisser ses bouquins, il s'amuse comme un petit fou. Quand j'ai des colles* et des examens, c'est avec Olivier que j'aime étudier!

Guillaume, c'est autre chose. Il n'est pas sérieux du tout. C'est le rigolo du groupe. Il est tellement marrant qu'il arrive même à faire rire Monsieur Forestier, notre prof de maths. On se tord de rire quelquefois quand il joue des mauvais tours en classe. Mais de temps en temps il exagère!

Et puis nous avons notre « Star », Véronique. Elle est très jolie, grande, brune aux yeux noirs. Elle ressemble à un mannequin. Elle fait du théâtre à la Maison de jeunes de notre quartier. Elle est aussi sympa que belle. Mais il y a évidemment des filles qui sont jalouses d'elle et ça lui fait de la peine.

Et puis il y a mon ami Denis. C'est celui avec qui je sors le plus. Généralement, nous sortons tous en groupe avec des copains mais de temps en temps, Denis (on l'appelle Dédé) et moi sortons seuls. Nous allons danser ou nous allons au cinéma. Ce n'est pas comme aux États-Unis. Nous n'avons pas de permis de conduire (et de toutes façons, nous n'avons pas de voiture). Alors, on prend l'autobus ou le métro. On parle au téléphone pendant des heures... On a toujours quelque chose à se dire. De temps en temps, Dédé vient dîner à la maison. Mes parents l'aiment bien aussi et il aime discuter avec mon grand frère.

Voilà, je t'ai tout dit sur mes amis! Maintenant, c'est à ton tour de me parler de ceux que tu fréquentes.

Amitiés,
Julie

Sujets de discussion

1. Décrivez les amis de Julie. Préférez-vous une amie comme Véronique ou comme Anne-Sophie? un ami comme Guillaume ou Olivier? Pourquoi? Lequel/Laquelle des amis de Julie ressemble le plus à un de vos amis? Pourquoi? Lequel/Laquelle des amis de Julie vous plaît le plus? vous déplaît le plus? Pourquoi?

2. Sortez-vous seul(e) avec un(e) ami(e) ou sortez-vous en groupe avec plusieurs amis? Décrivez votre meilleur(e) ami(e). Quelles sont les qualités que vous recherchez, admirez ou préférez? Quelles sont les qualités qui font un très bon ami? Et vous, êtes-vous un bon ami/une bonne amie? Pourquoi?

3. Qui dans votre classe est: extraverti, sérieux, sympa, bon étudiant, bavard.

L'Avenir

Dans cette unité vous allez

- parler de votre avenir personnel

- parler de la vie dans le monde moderne

- faire un voyage imaginaire dans le passé et dans l'avenir

- apprendre ce qu'on peut dire pour exprimer la surprise, le regret ou l'indifférence

Vous allez aussi étudier

- le futur et le futur antérieur

- le conditionnel et le conditionnel passé

- les verbes conjugués comme **conduire** et **vivre**

- les propositions avec **si**

- le plus-que-parfait

*L*EÇON 10

Votre avenir

En contexte

Pour commencer

A. Comment seront-ils? Quand il avait seize ans, André, un jeune
Français, a passé un an dans une école secondaire américaine. Nous
sommes maintenant en l'an 2000, et il va retourner aux Etats-Unis
pour participer à une réunion d'anciens élèves. Observez le dessin
qui précède et répondez aux questions suivantes.

1. A votre avis, est-ce qu'André aura du mal à reconnaître certains
   de ses amis? Lesquels?
2. Qui aura grossi? Qui aura maigri? Qui aura perdu ses cheveux?

3. Qui aura changé le moins? Qui aura changé le plus? En quoi?
4. Et André, en quoi aura-t-il changé?
5. Qui parmi ses amis sera déjà marié? Qui sera encore célibataire?
6. Et comment imaginez-vous vos camarades de classe dans dix ans?

B. A qui pense-t-il?   Le matin, en se rasant avant d'aller à la réunion, André imagine les amis qu'il n'a pas vus depuis dix ans. Pour chaque phrase qu'il se dit, dites à qui il pense.

EXEMPLE   Je suis sûr qu'elle doit avoir un poste important maintenant. Avec la bourse qu'elle a reçue elle sera sans doute allée à l'université. Elle aura aussi continué à faire du sport, c'est certain.

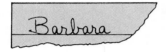

Comment seront-ils alors?

Il y a dix ans, André a participé à un programme d'échange entre une école secondaire américaine et son lycée en France. Après tout ce temps, il va enfin revoir ses anciens camarades de classe à une réunion d'anciens élèves. Comment seront ses amis? Qu'est-ce qu'ils seront devenus? Est-ce qu'ils auront changé? Il essaie d'imaginer ses anciens copains tels qu'ils sont maintenant.

D'abord, il y avait David, le comique du groupe. Il ne prenait jamais rien au sérieux et ses études encore moins que le reste. Il passait tout son temps soit° à la plage, soit à bricoler le moteur de sa voiture. Que sera-t-il devenu? Il est peut-être mécanicien ou vendeur de voitures. Il ne peut tout de même plus être surveillant de plage°. Me dira-t-il qu'il fait des poids et haltères avec autant d'acharnement ou sera-t-il beaucoup plus gros? Je l'imagine très bien travaillant dans un club de gym. Il est peut-être marié avec une prof* d'aérobique ou de yoga après tout!

Et puis il y avait aussi Barbara. Elle avait toujours de la chance et elle était forte en tout. Championne de basket et d'athlétisme, elle a battu tous les records de l'école. Plusieurs universités lui ont offert une bourse. Elle avait beaucoup d'endurance et de discipline. Elle aura certainement choisi une carrière où elle a beaucoup de responsabilités. Elle doit être PDG.

Le génie du groupe c'était Thomas. Si on voulait savoir comment fonctionnait une machine, il savait toujours tout expliquer: un sèche-cheveux, un réfrigérateur, un ordinateur ou même une centrale nu-

soit° either

surveillant… lifeguard

cléaire. Il adorait la physique et on disait qu'il avait un laboratoire au sous-sol de sa maison. Il aura sûrement fait des recherches en physique nucléaire et il doit passer tout son temps dans un laboratoire où il fait des recherches pour la défense nationale.

Il ne faut pas oublier Nicole. Pendant son temps libre, elle travaillait à la Société Protectrice des Animaux. Elle essayait toujours de nous persuader d'adopter un gentil petit chien ou un petit chat câlin. Une fois, je suis allé chez elle. Elle avait plusieurs chats et plusieurs chiens. Elle avait aussi deux lapins et trois perroquets°. Je me demande comment tous ces animaux pouvaient vivre ensemble. Est-ce qu'elle aura réalisé son rêve? Est-elle vétérinaire? **parrots**

Et Kathy? J'aimais bien cette fille. Elle portait toujours des vêtements de couleurs voyantes° et des bijoux qu'elle faisait elle-même. J'ai su par des amis qu'après ses études universitaires, elle a épousé Paul. Quelle surprise! Au lycée, ils se disputaient toujours! Elle était démocrate et lui républicain. Quand il était question du MLF°, c'était toujours de grandes disputes. S'intéressent-ils toujours à la politique? Lui, conservateur comme il était, sera sans doute devenu expert-comptable° ou banquier comme son père. Et Kathy, est-elle assistante sociale comme elle le voulait? Elle se préoccupait toujours du sort° et des malheurs des autres. Elle est peut-être devenue conseiller municipal° ou même maire. Ça ne me surprendrait pas du tout! **bright**

Mouvement pour la Libération de la Femme
Certified Public Accountant
lot, fate
conseiller... city council member

Et moi, que penseront-ils de moi? Est-ce qu'ils me trouveront très changé? Je me suis fait pousser la moustache et je porte des lunettes, mais à part ça, je n'ai pas beaucoup changé. Est-ce qu'ils pourront deviner que je suis dessinateur dans une agence de publicité? Peut-être se rappellent-ils que je dessinais toujours des caricatures de nos profs. Et les professeurs, que seront-ils devenus? J'attends cette réunion avec impatience et je serai tellement content de revoir tous mes anciens camarades de classe.

Questions sur la lecture

1. Pourquoi André pense-t-il que David travaillera dans un club de gym ou qu'il sera vendeur de voitures?
2. Pourquoi est-ce qu'André pense que Barbara occupera un poste important?
3. Qui aura peut-être fait des découvertes scientifiques? Pourquoi?
4. Qui travaillait à la Société Protectrice des Animaux? Qu'est-ce que cette jeune fille sera sans doute devenue?
5. Selon André, qui sera peut-être maire? Comment est-ce qu'elle aimait s'habiller? Quelle autre profession aura-t-elle pu choisir?
6. Selon André, qu'est-ce que Paul sera probablement devenu? Est-ce qu'il était conservateur ou libéral quand André le connaissait?

7. Est-ce qu'André a beaucoup changé? Qu'est-ce qu'il y a de nouveau dans son apparence?
8. Qu'est-ce qu'André fait dans la vie maintenant? Qu'est-ce qu'il aimait faire en classe avant?

Et vous?

Posez les questions suivantes à un(e) de vos camarades de classe.

1. En quoi est-ce que ta vie sera différente dans dix ans? Où est-ce que tu travailleras? Est-ce que tu auras plus de responsabilités?
2. Est-ce que quelqu'un dans notre classe sera devenu vétérinaire? conseiller municipal? assistant(e) social(e)? professeur? expert-comptable?
3. Est-ce que tu iras à l'université? Espères-tu obtenir une bourse? Quel(s) métier(s) aimerais-tu exercer?
4. Dans dix ans, comment est-ce que tu auras changé physiquement? Est-ce que tu auras la même coupe de cheveux que maintenant? Est-ce que tu porteras le même genre de vêtements?
5. Est-ce que tu reviendras souvent visiter notre lycée? Est-ce que tu viendras aux réunions de notre classe? Pourquoi?
6. Seras-tu marié(e)? Combien d'enfants auras-tu?
7. Est-ce que tu comptes beaucoup voyager dans ta vie? Est-ce que tu chercheras une carrière où tu pourras beaucoup voyager?
8. Est-ce que tu habiteras dans la même ville ou est-ce que tu voudras déménager de temps en temps?

Expansion du vocabulaire

NOMS DE PROFESSIONS
un(e) assistant(e) social(e) social worker
un banquier banker
un(e) cadre executive
un conseiller municipal (*m*) city council member
un dessinateur (une dessinatrice) de publicité commercial artist
un(e) expert-comptable CPA
un maire mayor
un(e) mécanicien(ne) mechanic
un PDG (Président Directeur Général) chairman of the board
un(e) vétérinaire veterinarian

AUTRES NOMS
l'aérobique (*f*) aerobics
l'athlétisme (*m*) track
l'avenir (*m*) future
une bourse scholarship
une carrière career
une centrale nucléaire nuclear power plant
un(e) champion(ne) champion
un club de gym health club
le conseil municipal city council
un génie genius
un métier occupation
le MLF (le Mouvement pour la Libération de la Femme) National Organization for Women (in France)
des recherches (*f*) research
la Société Protectrice des Animaux Humane Society
un(e) surveillant(e) de plage lifeguard

VERBES ET EXPRESSIONS VERBALES
attendre avec impatience to not be able to wait for

avoir du mal (à) to have a hard time
avoir du ventre to have a potbelly
battre un record to break a record
bricoler to tinker around
dessiner to draw
deviner to guess
engager (quelqu'un) to hire (someone)
être au chômage to be unemployed
exercer un métier to practice a profession
faire des poids et haltères to lift weights
grossir to gain weight
s'intéresser à to be interested in
maigrir to lose weight
persuader persuade
se prendre au sérieux to take oneself seriously
prendre quelque chose au sérieux to take something seriously
se préoccuper de to worry about, to be concerned about
réaliser un rêve to make a dream come true
recevoir une bourse to get a scholarship
reconnaître to recognize
renvoyer (quelqu'un) to fire (someone)

ADJECTIFS
câlin cuddly
conservateur, conservatrice conservative
fort strong
ventru potbellied

AUTRES EXPRESSIONS
à part ça besides that
avec acharnement relentlessly
quelque part somewhere
sans doute without doubt

Application

A. Trouvez le mot qui manque. Complétez logiquement les phrases suivantes en utilisant le vocabulaire qui précède.

1. Il avait de très bonnes notes. Il a reçu une ===== et va pouvoir aller à l'université sans ruiner ses parents.
2. Le directeur du personnel d'une entreprise peut =====, mais aussi ===== un employé.
3. On dit qu'une personne est au ===== quand cette personne a perdu son emploi et ne travaille pas.
4. Quand on mange trop et qu'on ne fait pas suffisamment d'exercice, on =====. Mais quand on fait de l'exercice et qu'on mange moins, on =====.
5. Pour développer ses muscles on peut faire des =====.
6. Mon chien est malade. Il va falloir que je l'amène chez le =====.
7. Il a tendance à tout prendre =====. Pour lui, tout est important.
8. Ce n'était pas facile, j'ai eu ===== faire ça.
9. Elle a souvent travaillé dur, elle a fait de nombreux sacrifices et tous ses rêves vont enfin se =====.

B. Situations. Avec un(e) partenaire, choisissez une des situations et rédigez ensemble un dialogue. Vous pourrez ensuite jouer cette scène en classe.

1. Dix ans plus tard, deux anciens camarades se retrouvent à l'occasion d'une réunion d'anciens élèves. Ils ne se reconnaissent pas mais refusent de l'admettre et font semblant de° se reconnaître. Imaginez leur conversation.
2. Vous vous présentez aux élections du conseil municipal de votre ville. Les opinions de votre adversaire dans la campagne électorale sont diamétralement opposées° aux vôtres. Discutez ce que chacun de vous propose pour améliorer° sa ville.

font... pretend

diamétralement... diametrically opposed to better

Exploration

Les professions

A. Pour exprimer la profession de quelqu'un on emploie **il est, elle est, ils sont** ou **elles sont** suivi de la profession sans article.

Elle est dentiste.   *She's a dentist.*
Mes amis sont vendeurs.   *My friends are salesclerks.*

B. Pour désigner une personne dont la profession est qualifiée par un adjectif on emploie **c'est un(e)** ou **ce sont des**.

C'est une excellente dentiste.   *She is an excellent dentist.*
Ce sont de bons techniciens.   *They are good technicians.*

C. En français les noms qui désignent les professions ou les métiers changent souvent de forme, suivant que° la personne qui exerce ce métier est un homme ou une femme.

suivant... depending on whether

un architecte	une architecte	*architect*
un fonctionnaire	une fonctionnaire	*civil service employee*
un interprète	une interprète	*interpreter*
un journaliste	une journaliste	*journalist*
un psychiatre	une psychiatre	*psychiatrist*
un secrétaire	une secrétaire	*secretary*
un styliste de mode	une styliste de mode	*fashion designer*
un artisan	une artisane	*artisan*
un avocat	une avocate	*lawyer*
un employé	une employée	*employee*
un marchand	une marchande	*storekeeper*
un infirmier	une infirmière	*nurse*
un ouvrier	une ouvrière	*worker*
un électricien	une électricienne	*electrician*
un pharmacien	une pharmacienne	*pharmacist*
un technicien	une technicienne	*technician*
un chanteur	une chanteuse	*singer*
un coiffeur	une coiffeuse	*hairdresser*
un joueur	une joueuse	*player*
un programmeur	une programmeuse	*programmer*
un vendeur	une vendeuse	*salesclerk*
un acteur	une actrice	*actor/actress*
un dessinateur	une dessinatrice	*commercial artist*
un directeur	une directrice	*manager, principal*
un distributeur	une distributrice	*distributor*
un instituteur	une institutrice	*elementary school teacher*
un garçon (de café)	une serveuse	*waiter/waitress*

D. Certains noms de professions n'ont pas de forme féminine.[1]

un auteur *author*	un juge *judge*
un charpentier *carpenter*	un médecin *doctor*
un chauffeur *driver*	un peintre *painter*
un diplomate *diplomate*	un plombier *plumber*
un docteur *doctor*	un professeur *teacher*
un écrivain *writer*	un sculpteur *sculptor*
un ingénieur *engineer*	un soldat *soldier*

Application

A. Quel est leur métier? Quel est le métier de ces personnes? Décrivez ces personnes en utilisant l'un des adjectifs suivants: **inepte, doué, maladroit, agile, compétent, incompétent, expert, dangereux, aimable, bon** ou **mauvais**.

EXEMPLE   **Il est chauffeur de taxi. C'est un chauffeur maladroit.**

B. Qui est-ce?   Choisissez le nom d'un personnage célèbre. Votre partenaire vous posera des questions auxquelles vous répondrez par **oui** ou par **non**. Votre partenaire doit découvrir le nom du personnage que vous avez choisi.

> EXEMPLES   **Est-ce que c'est une femme?**
> **Est-ce qu'elle est encore vivante?**
> **Est-ce qu'elle est écrivain?**

Humphrey Bogart	Lionel Richie	Agatha Christie
Michael J. Fox	Madonna	William Shakespeare
Gérard Depardieu	Barbara Streisand	Gustave Eiffel
Meryl Streep	Steffi Graf	Peter Jennings
Ingrid Bergman	Boris Becker	Connie Chung
Stephen Spielberg	Pierre Cardin	Florence Nightingale

C. Choix de profession.   Choisissez trois métiers que vous aimeriez exercer et rangez-les par ordre de préférence. Expliquez pourquoi vous avez choisi chacune de ces professions. Indiquez aussi trois professions qui ne vous attirent° pas et expliquez pourquoi.   attract

> EXEMPLE
>
> *Je voudrais surtout être psychiatre parce que ...*

Exploration

Le futur

A.   Le futur simple se forme généralement à partir de l'infinitif.

travailler	répondre	terminaisons
je travaillerai	je répondrai	-ai
tu travailleras	tu répondras	-as
il/elle/on travaillera	il/elle/on répondra	-a
nous travaillerons	nous répondrons	-ons
vous travaillerez	vous répondrez	-ez
ils/elles travailleront	ils/elles répondront	-ont

B.   Les verbes en **-er** qui subissent un changement orthographique au présent ont ce même changement d'orthographe au futur.

acheter → j'ach**è**terai
appeler → j'appe**ll**erai
payer → je pa**i**erai
Exception: préférer → je préf**é**rerai

C. De nombreux verbes irréguliers ont aussi un radical irrégulier au futur.

infinitif	radical
aller	ir-
faire	fer-
être	ser-
avoir	aur-
savoir	saur-
tenir	tiendr-
vouloir	voudr-

infinitif	radical
devoir	devr-
recevoir	recevr-
voir	verr-
envoyer	enverr-
pouvoir	pourr-
courir	courr-
mourir	mourr-

D. Notez bien le futur des expressions suivantes.

présent	futur
il y a	il y aura
il pleut	il pleuvra
il faut	il faudra
il vaut mieux	il vaudra mieux

E. Le futur exprime un état ou un événement dans l'avenir. Ce futur correspond à l'anglais *will + verb*.

Elle aura un métier intéressant et elle sera bien payée.
She will have an interesting job and she will be well payed.

F. On emploie aussi le futur après certaines conjonctions quand la proposition subordonnée exprime un état ou un événement dans l'avenir.

à mesure que	*as*	lorsque	*when*
aussitôt que	*as soon as*	quand	*when*
dès que	*as soon as*	tant que	*as long as*

Dès que tu **travailleras,** tu **gagneras** de l'argent.
*As soon as you **work,** you **will earn** money.*

Il **aura** des problèmes tant qu'il **sera** au chômage.
*He **will have** problems as long as he **is** unemployed.*

Remarquez qu'en anglais le verbe de la subordonnée est au présent mais en français le verbe doit être au futur.

G. Le futur peut remplacer l'impératif pour donner un ordre d'une manière moins abrupte.

Vous achèterez du pain pour ce soir!   *Buy some bread for tonight!*

Application

A. Des prédictions.   Est-ce que vous pouvez prédire l'avenir? Essayez de deviner qui fera les choses suivantes cette année.

1. recevoir l'Oscar du meilleur acteur/de la meilleure actrice/pour le meilleur film
2. réussir le plus grand nombre de tubes°   hit records
3. gagner le Grammy cette année pour la meilleure chanson/pour le meilleur groupe
4. avoir les meilleures émissions de télévision l'année prochaine/être l'émission la plus populaire
5. jouer au prochain Superbowl/à la prochaine Série Mondiale
6. jouer aux finales du prochain tournoi de tennis de Wimbledon (pour les hommes et pour les femmes)/à la prochaine Coupe du monde de football

B. Ce sera quand...   Complétez les phrases suivantes pour décrire vos sentiments et désirs.

> EXEMPLE   Je serai content(e) quand...
> **Je serai content quand le conseil municipal fera construire une nouvelle piscine près d'ici.**

1. Mes amis et moi ferons une boum aussitôt que...
2. Je serai préoccupé(e) tant que...
3. Nous aurons plus de responsabilités lorsque...
4. Nous prendrons les choses plus au sérieux dès que...
5. Je ne réaliserai pas tous mes rêves tant que...
6. Je me marierai quand...
7. Je serai vraiment heureux (heureuse) quand...

C. Le premier jour au travail.   Mademoiselle Nicolas vient d'être embauchée comme assistante à la Société Protectrice des Animaux. Quelles instructions lui donne-t-on le premier jour?

> EXEMPLE   d'abord, donner à manger à tous les animaux
> **D'abord, vous donnerez à manger à tous les animaux.**

1. promener ensuite les plus gros chiens
2. puis, nettoyer les caisses des chats°   caisses... litter boxes
3. après cela, donner un bain au grand danois° qui vient d'arriver   grand... great dane
4. vers onze heures, aller avec le vétérinaire pour examiner les animaux malades
5. là, suivre toutes ses instructions
6. après cela, prendre une demi-heure pour déjeuner
7. l'après-midi, recevoir les gens qui veulent adopter un animal
8. à cinq heures, pouvoir finalement rentrer chez vous

D. A qui ressemblerez-vous?   Est-ce que vous ressemblez à votre mère
W ou à votre père? Dites en quoi vous aurez changé quand vous aurez
l'âge de vos parents.

EXEMPLE

> Quand j'aurai l'âge de mon père, j'aurai grossi un
> tout petit peu mais je ne serai pas...

Exploration

Le futur antérieur

A. Le futur antérieur est un temps composé qui se forme avec
l'auxiliaire **avoir** ou **être** conjugué au futur + le participe passé.

parler	aller
j'aurai parlé	je serai allé(e)
tu auras parlé	tu seras allé(e)
il/elle/on aura parlé	il/elle/on sera allé(e)
nous aurons parlé	nous serons allé(e)s
vous aurez parlé	vous serez allé(e)(s)
ils/elles auront parlé	ils/elles seront allé(e)s

B. Le futur antérieur s'emploie pour décrire une action future qui aura
lieu avant une autre action au futur. Il correspond à l'anglais *will
have + past participle*.

En septembre, ils **se seront inscrits** à l'université.
*In September they **will have enrolled** at the university.*

C. Après **quand, lorsque, dès que, aussitôt que, tant que, à mesure que**
et **après que,** on emploie le futur antérieur dans la proposition
subordonnée. En anglais on emploie le *present perfect*.

Quand j'**aurai trouvé** du travail, j'achèterai une voiture.
*When I **have found** a job, I will buy a car.*

Dès que j'**aurai fini** mes études, je chercherai du travail.
*As soon as I **have finished** my studies, I will look for work.*

D. On emploie le futur antérieur pour exprimer une probabilité ou une
supposition.

Il est dix heures, ils **auront** sûrement **fini** de dîner.
*It's ten o'clock. They **will** surely **have finished** dinner.*

Application

A. A la réunion. Imaginez qu'après dix ans, vous revenez dans votre école pour assister à une réunion d'anciens élèves. Est-ce que vous pensez que dans dix ans vous aurez accompli les choses suivantes?

> **EXEMPLE** obtenir votre diplôme universitaire
> **Oui, j'aurai obtenu mon diplôme universitaire.**

1. vous marier
2. avoir des enfants
3. acheter une maison
4. écrire un roman
5. visiter l'Europe
6. devenir millionnaire
7. apprendre quatre langues
8. faire le tour du monde
9. faire une croisière en Méditerranée
10. voter aux élections présidentielles

B. Qu'est-ce qu'ils auront fait? Laura parle des anciens camarades de classe qu'elle va enfin revoir à une réunion. Son frère essaie de deviner ce que chacun d'eux sera devenu. Suivez l'exemple et imaginez l'avenir de chacune des personnes décrites.

> **EXEMPLE** Annie était très curieuse, surtout dans son cours de chimie. Une fois on a dû évacuer le labo à cause d'une de ses expériences°.   *experiments*
> **Elle aura probablement fait exploser un laboratoire quelque part.**

1. Eric se passionnait pour les avions et portait toujours un uniforme d'officier de l'armée de l'air.
2. Jean-Luc suivait toujours la toute dernière mode et il adorait les couleurs très vives.
3. Sophie aimait danser et faisait du jogging tous les matins avant d'aller à l'école.
4. Laurent était toujours bien organisé et quand on faisait des projets en groupe il se chargeait de tout préparer.
5. David faisait des poids et haltères et il était très fort.
6. Jeanne inventait continuellement des trucs° pour rendre la vie quotidienne plus facile.   *things*
7. Nancy cultivait des fleurs exotiques dans son jardin et ses roses étaient toujours magnifiques.

C. Un drôle de maire! Imaginez qu'un de vos amis soit élu maire de votre ville dans quinze ans. En quoi est-ce que votre ville changera? Faites travailler votre imagination.

> **EXEMPLE**
> *Aussitôt que Max sera élu maire, il engagera sa mère comme chef de police...*

L EÇON 11

Le monde moderne

En contexte

Pour commencer

A. Que se passe-t-il?   Observez le dessin qui précède et répondez aux questions suivantes.

1. Que représente cette scène? Que changeriez-vous dans le monde moderne pour éviter les problèmes qu'illustre ce dessin?
2. Qu'est-ce qui a causé cette situation décourageante?
3. Qu'est-ce qu'on voit dans la forêt? Quels obstacles est-ce que les loups recontrent dans le monde d'aujourd'hui? Y a-t-il d'autres animaux menacés de disparition°? Lesquels?
4. Est-ce que la pluie qui va tomber est dangereuse? Pourquoi?

animaux... threatened or endangered species

5. Quels autres problèmes vous préoccupent dans le monde moderne? Expliquez pourquoi.

6. Avec un(e) partenaire faites une liste des problèmes illustrés sur ce dessin. A chaque problème proposez une solution raisonnable.

B. De quoi parle-t-on? Après avoir fait des études de linguistique à l'université, vous êtes engagé(e) comme traducteur (traductrice) aux Nations Unies. Pour chacune des phrases que vous entendez, dites de quel problème on parle: **de la faim, des armes nucléaires ou de la pollution**.

EXEMPLE   Il faut que les pays développés exportent leur technologie agricole pour que les peuples du tiers monde parviennent à se nourrir eux-mêmes.

Les problèmes du monde moderne

Depuis qu'il suit des cours d'écologie, Philippe est devenu très sensible° aux problèmes du monde moderne tels que l'énergie nucléaire, la pollution et les animaux menacés de disparition. Vivant près de l'océan, Philippe est aussi très inquiet° du sort° des baleines et des tortues de mer. Mais il sait bien qu'il y a de nombreux autres animaux qui risquent de connaître le même sort. Il est furieux, par exemple, que les pêcheurs de thon continuent à tuer les dauphins qui s'égarent° dans leurs filets.

Philippe aimerait faire quelque chose pour améliorer° le monde de demain. Il rêve d'un monde où il n'y aurait plus de guerres. La paix permettrait° aux hommes de vivre sans peur. On ne dépenserait plus des sommes° folles pour construire des tanks, des chasseurs-bombardiers° et des sous-marins atomiques. On pourrait se préoccuper de conserver nos ressources naturelles, de contrôler la pollution et d'améliorer les conditions de vie dans les grandes villes. Depuis un certain temps déjà, Philippe a des discussions très animées à ce sujet avec son meilleur ami, Laurent, qui n'est pas de son avis.

Laurent partage ce rêve de paix mondiale, mais il pense que pour obtenir cette paix, il faut être fort, garder les armes nucléaires et moderniser l'équipement de nos forces armées. Il croit fermement au développement de l'énergie nucléaire car il pense que c'est une ressource naturelle disponible et presque inépuisable. Et, il ne faut pas l'oublier, c'est aussi un moyen très sûr de donner un dynamisme accru° à la recherche scientifique.

Philippe maintient que l'homme devra faire des sacrifices personnels et de nombreux changements pour assurer la vie des générations à

sensitive

worried/fate

stray
to better

would allow
amounts/fighter-
bombers

increased

venir. Il voudrait éviter l'épuisement de nos ressources naturelles en faisant appel à l'énergie solaire, car c'est une source d'énergie abondante et inoffensive. Tous les problèmes du monde actuel le préoccupent d'autant plus° qu'il ne voit pas de solution dans un avenir proche.

    Malgré leurs différences d'opinion, Philippe et Laurent sont d'accord sur un point essentiel: il faut supprimer° la faim dans le monde. Aussi°, tous les week-ends, ils travaillent tous deux comme bénévoles° pour l'Association Internationale Contre la Faim dans le Monde.

d'autant…   even more

eliminate/and so
volunteers

Questions sur la lecture

1. Quels sont les problèmes du monde moderne qui préoccupent Philippe?
2. Quels animaux menacés de disparition mentionne-t-il? Pourquoi est-il furieux contre les pêcheurs de thon?
3. Philippe et Laurent veulent tous les deux la paix dans le monde mais ils ne sont pas d'accord sur la meilleure façon d'y parvenir. Quel est pour chacun le meilleur moyen d'arriver à ce but°?   goal
4. Quelles solutions Philippe et Laurent proposent-ils en ce qui concerne les problèmes de l'énergie? Quels sont les avantages et les désavantages de chaque solution?
5. Sur quoi Philippe et Laurent sont-ils d'accord? Que font-ils pour combattre ce fléau°?   affliction
6. Est-ce que Philippe est optimiste ou pessimiste à l'égard des problèmes du monde?

Et vous?

Posez les questions suivantes à un(e) de vos camarades de classe.

1. Es-tu optimiste ou pessimiste en face de l'avenir? Justifie ta réponse.
2. Parmi les problèmes mentionnés par Philippe, quels sont les plus graves? Est-ce qu'il y a, d'après toi, des problèmes qui sont plus graves, ou aussi graves?
3. Es-tu plutôt d'accord avec Philippe ou avec Laurent sur la meilleure façon d'obtenir la paix dans le monde et d'assurer les sources d'énergie pour l'avenir?
4. Est-ce que la pollution est un problème dans notre ville ou dans notre état? Que fait-on pour la combattre?
5. Dans notre vie quotidienne, est-ce qu'on gaspille° la nourriture, l'électricité, l'essence° et même l'eau? Es-tu toi-même parfois coupable° de ce genre de gaspillage?   waste gasoline guilty
6. Est-ce qu'il y a d'autres problèmes concernant le monde moderne dont Philippe n'a pas parlé? Quels sont ceux qui te préoccupent?

Expansion du vocabulaire

LES PROBLEMES DU MONDE MODERNE
les animaux menacés de disparition threatened or endangered species
les armes nucléaires (*f*) nuclear armaments
la course à l'armement arms race
la destruction des forêts tropicales destruction of tropical forests
l'érosion (*f*) **du sol** soil erosion
la faim dans le monde world hunger
le gaspillage des ressources naturelles waste of natural resources
la pauvreté dans le monde world poverty
la pénurie du pétrole oil shortage
la pluie acide acid rain
la pollution pollution
les sans-abri (*m*) the homeless
la surpopulation overpopulation

NOMS D'ANIMAUX MENACES DE DISPARITION
l'aigle (*m*) eagle
la baleine whale
le loup wolf
la loutre de mer sea otter
le lynx lynx
l'ours (*m*) bear
le panda panda
la tortue de mer sea turtle
le vison mink

AUTRES NOMS
une catastrophe catastrophe

une crise crisis
un dauphin dolphin
des déchets (*m*) waste
l'écologie (*f*) ecology
l'énergie (*f*) **nucléaire** nuclear energy
l'énergie (*f*) **solaire** solar energy
une espèce species
un être humain human being
un être vivant living being
un filet net
le gaz naturel natural gas
un mammifère mammal
un océan ocean
la paix peace
un pêcheur fisherman
le pétrole oil
le taux (de) rate (of)
un thon a tuna
le tiers monde third world
la tuerie killing

VERBES
avoir tendance à to tend to
éviter to avoid
gaspiller to waste
manifester to demonstrate
nourrir to feed
polluer to pollute
protéger to protect

ADJECTIFS
cancérigène carcinogenic
disponible available
industrialisé industrialized
inépuisable inexhaustible
mondial worldwide
répandu widespread

Application

A. Trouvez le mot qui manque. Complétez logiquement les phrases suivantes en utilisant le vocabulaire qui précède.

1. Plusieurs pays d'Afrique, d'Amérique Centrale, d'Amérique du Sud et du Moyen-Orient° composent ce que les sociologues appellent le ====.   Middle East
2. Le soleil est une source d'énergie, mais nous ne savons pas encore capter toute l' ==== que nous pourrions utiliser.
3. Le pétrole et le gaz naturel sont des ==== qu'on ne devrait pas gaspiller.
4. Le ==== n'est pas un poisson, c'est un mammifère, sociable et carnassier°.   meat eating
5. Le ==== est un poisson migrateur. Pour l'attraper, on place souvent des ==== sur son chemin.
6. La ==== de certains animaux pour des raisons commerciales est un problème qu'il n'est pas toujours facile de résoudre.
7. Les enfants, les hommes et les femmes sont des êtres ====. Les arbres, les plantes et les dauphins sont des êtres ====.

B. Vos réactions?   Choisissez trois des thèmes suivants et sur chacun
W d'eux, écrivez trois ou quatre phrases qui expriment vos idées et vos émotions. Donnez des exemples qui vous sont familiers.

la pluie acide   les animaux menacés de disparition
les sans-abri   les ressources naturelles
les armes nucléaires   l'énergie nucléaire ou solaire

C. Situations.   Avec un(e) partenaire, choisissez un de ces sujets et rédigez ensemble un dialogue. Vous pourrez ensuite jouer cette scène en classe.

1. Si les animaux pouvaient parler, que diraient-ils? Imaginez une conversation entre deux animaux menacés de disparition. De quoi se plaignent-ils? De quoi ont-ils peur?
2. On va construire une centrale nucléaire près de chez vous et vous en parlez avec un(e) ami(e). L'un de vous est pour l'énergie nucléaire, l'autre est contre. Discutez les avantages et les inconvénients de cette centrale nucléaire?

Exploration

Les propositions avec **si** + le présent

A. Pour exprimer la probabilité d'une action future qui dépend d'une condition présente, on emploie la formule suivante:

proposition avec si	proposition principale
Si + présent →	futur

Si on **nettoie** ce lac pollué, on **sauvera** les poissons.
*If we **clean up** this polluted lake, we **will save** the fish.*

B. La condition présente peut aussi être suivie du présent, du
futur immédiat ou même de l'impératif.

proposition avec si	proposition principale
Si + présent →	présent futur immédiat impératif

Si on **emploie** de grands filets, on **attrape** aussi des dauphins.
S'il **veut** vraiment nous aider, il **va trouver** un moyen.
Si tu **es** contre l'énergie nucléaire, **viens** avec nous demain.

C. N'oubliez pas que la proposition avec **si** peut se placer au début ou à
la fin de la phrase.

Les baleines survivront si on protège leur espèce.

Application

A. Si on fait ça... Exprimez votre opinion en complétant chacune des
phrases ci-dessous par une phrase au futur.

> EXEMPLE Si on développe l'énergie nucléaire...
> **Si on développe l'énergie nucléaire, il n'y aura plus de
> crise d'énergie.**

1. Si on ne protège pas la couche d'ozone,...
2. Si on arrive à capter l'énergie solaire,...
3. Si on continue à gaspiller les ressources naturelles,...
4. Si on continue à tuer les animaux menacés de disparition,...
5. Si on ne nourrit pas les peuples du tiers monde,...
6. Si on continue à polluer les océans,...
7. Si on continue à produire de nouvelles armes nucléaires,...
8. Si tout les gens essaient de se comprendre,...

B. De jeunes inventeurs. Est-ce que vous avez l'esprit créateur? Avez-
W vous déjà inventé quelque chose? Voici des inventions un peu
farfelues. Expliquez comment ces inventions fonctionnent en faisant
des phrases avec **si.** Les verbes qui suivent peuvent vous être utiles.

> EXEMPLE **Si la petite aiguille du réveil-radio atteint sept heures,
> le couteau touchera le ballon...**

appuyer *to press*   éclater *to burst*
atteindre *to reach*   se mettre en route *to start up*

la petite aiguille
le couteau
le bouton
le domino
le ballon

1. le réveil-radio

le disque   la balle
la souris
le fromage
le chat

2. la souricière

C. **Entre l'enclume et le marteau.**   Vous êtes membre d'un club d'action écologique et vous réfléchissez aux problèmes qui se posent dans les situations suivantes. Qu'est-ce que vous dites? Employez des phrases avec **si**.

> EXEMPLE   Vos amis veulent manifester contre une usine° qui   factory
> pollue une rivière. Malheureusement, votre grand-
> père est PDG de cette usine.
> **Si je manifeste avec mes amis, mon grand-père se**
> **fâchera contre moi.**
> **(Si je ne manifeste pas, mes copains me traiteront**
> **d'hypocrite.)**

1. On va construire des immeubles là où il y a maintenant une belle forêt et vos amis vont manifester, mais il fait froid et il va pleuvoir.
2. Vous travaillez l'été comme pêcheur et vous gagnez beaucoup d'argent. Vous attrapez beaucoup de thons grâce à vos grands filets, mais vous tuez souvent les dauphins qui sont pris avec les thons.
3. Vous voulez faire installer un système d'énergie solaire sur le toit de votre maison pour économiser l'électricité, mais vos voisins trouvent que c'est très laid.
4. La ferme de vos grands-parents est envahie° par des insectes qui   invaded
   mangent tous les légumes. Ils vous demandent de les aider à
   pulvériser° des insecticides dans leur jardin potager°.   to spray/**jardin...**
                                                                    vegetable garden
5. Votre petit(e) ami(e) vous offre de belles bottes très chères pour votre anniversaire, mais ces bottes sont en cuir de crocodile.

Exploration

La formation du conditionnel

A. Le conditionnel, comme le futur, se forme à partir de l'infinitif. Les terminaisons du conditionnel sont celles de l'imparfait.

travailler	répondre	terminaisons
je travaillerais	je répondrais	-ais
tu travaillerais	tu répondrais	-ais
il/elle/on travaillerait	il/elle/on répondrait	-ait
nous travaillerions	nous répondrions	-ions
vous travailleriez	vous répondriez	-iez
ils/elles travailleraient	ils/elles répondraient	-aient

B. Tous les verbes irréguliers ont le même radical qu'au futur.

être → je serais   faire → je ferais   venir → je viendrais
avoir → j'aurais   aller → j'irais   pouvoir → je pourrais

L'emploi du conditionnel

A. Le conditionnel, comme son nom l'indique, exprime une action qui dépend d'une condition probable ou non.

Si on **nettoyait** ce lac pollué, on **sauverait** les poissons.
*If we **cleaned up** this polluted lake, we **would save** the fish.*

B. Le conditionnel peut s'utiliser pour exprimer la politesse.

Pourrais-tu me rendre un service?   *Could you do me a favor?*

C. Le conditionnel s'emploie pour décrire une supposition ou un fait rapporté. (En anglais, on emploie le présent.)

D'après ce qu'on m'a dit, il passerait ses vacances à Cannes.
According to what I've heard, he is vacationing in Cannes.

D. Le conditionnel s'emploie toujours avec l'expression **au cas où** (*in case*). (En anglais, on emploi le présent.)

Emportons nos imperméables au cas où il pleuvrait.
Let's take our raincoats in case it rains.

Application

A. Selon les écologistes. Pierre est allé voir une exposition sur les baleines et il explique à ses amis ce qu'il a appris. Commencez chaque phrase avec **Selon les écologistes**.

> EXEMPLE   Certaines baleines vivent jusqu'à l'âge de soixante ans.
> **Selon les écologistes, certaines baleines vivraient jusqu'à l'âge de soixante ans.**

1. Certaines espèces de baleines nagent en groupes de cent et même de mille.
2. La baleine peut respirer 2.000 litres d'air en deux secondes.
3. Les baleines savent communiquer les unes avec les autres.
4. Les chansons de certaines baleines s'entendent parfois à 80 kilomètres de distance.
5. Les jeunes baleines grossissent en moyenne de 90 kilos par jour.
6. Il y a soixante-quinze sortes de baleines dans le monde.
7. Il reste seulement 2.800 baleines bleues dans le monde et 1.000.000 de baleines d'autres espèces.
8. Les pêcheurs tuent environ 15.000 baleines par an.
9. Plusieurs espèces de baleines sont menacées de disparition.

B. Un monde différent. Est-ce que vous pouvez imaginez un monde sans montagnes, sans lacs, sans nuit ou sans gravité? Ecrivez un paragraphe décrivant le monde tel qu'il serait sans l'un des phénomènes naturels suivants.

> EXEMPLE   **Dans un monde sans bactéries il ne faudrait plus mettre la viande et le lait au réfrigérateur, mais on ne pourrait plus faire de fromage ni de yaourt...**

les océans	la nuit	les insectes
les montagnes	la guerre	les bactéries
la gravité	les quatre saisons	les êtres humains

C. Des scrupules. Est-ce que vous êtes toujours honnête? Que feriez-vous dans les circonstances suivantes?

> EXEMPLE   Le petit ami d'une copine (la petite amie d'un copain) flirte avec vous.
> **Je le dirais à ma copine (à mon copain)**
> **(Je flirterais avec lui (elle).)**

1. Une amie demande comment vous trouvez sa nouvelle robe qui est très chère mais que vous trouvez affreuse.
2. Vous êtes dans un grand magasin et le caissier° vous rend trop d'argent.

cashier

3. Vous êtes en ville et vous trouvez un solitaire° d'un carat dans la   diamond ring
   rue.
4. Vous voyez un de vos amis qui copie à un examen.
5. Un professeur a oublié de vous enlever dix points en faisant le
   total de votre note à l'examen final.
6. Vous avez un petit frère qui dit à tous ses copains qu'une actrice
   célèbre est votre cousine et ce n'est pas vrai.

Exploration

Les propositions avec si + l'imparfait

On emploie le conditionnel et l'imparfait dans des subordonnées avec **si**
qui expriment une condition dont la réalisation est douteuse.

proposition avec si	proposition principale
Si + imparfait →	conditionnel

Si je pouvais faire des économies, je pourrais aller en voyage.
If I could save money, I could go on a trip.

Je l'aimerais mieux si elle était un peu plus gentille.
I would like her better if she were a little nicer.

Application

A. **Dans le tiers monde.**   Si vous habitiez dans le tiers monde, en quoi
   est-ce que votre vie serait différente? Faites une phrase avec **si** pour
   chaque aspect qui changerait dans votre vie quotidienne.

   EXEMPLE   votre maison
             **Si j'habitais dans le tiers monde, ma maison serait sans
             doute très simple. Nous aurions peut-être l'électricité
             mais...**

   1. votre nourriture   5. vos vêtements
   2. votre école   6. vos moyens de transport
   3. votre travail   7. votre famille
   4. vos divertissements   8. votre avenir

B. **Si j'étais...**   Vous êtes allé(e) voir un psychologue qui vous a posé
   des questions étranges. Avec un(e) de vos camarades de classe,
   recréez votre visite en répondant aux questions suivantes.

EXEMPLE   Si vous étiez un arbre, quelle sorte d'arbre est-ce que
vous seriez?

Si j'étais un arbre, je serais sans doute un cocotier°   coconut tree
parce que j'aime passer tout mon temps libre à la
plage.

1. Si vous étiez un animal, quel animal est-ce que vous seriez?
2. Si vous pouviez faire la connaissance de n'importe qui, qui
   aimeriez-vous connaître?
3. Si vous trouviez la lampe d'Aladin, quels seraient vos trois
   souhaits?
4. Si vous pouviez changer quelque chose dans votre vie, qu'est-ce
   que vous changeriez?
5. Si la vie durait seulement une semaine, comment passeriez-vous
   ces sept jours?

C. Des voisins français.   En quoi est-ce que la vie aux Etats-Unis en
général et votre vie en particulier changerait si les Etats-Unis étaient
situés en Europe, à côté de la France?

EXEMPLE

> *Si les Etats-Unis étaient situés en Europe, à côté de la France,*
> *les Américains s'intéresseraient beaucoup plus à . . .*

Exploration

Les verbes irréguliers *vivre* et *conduire*

vivre°	
je vis	nous vivons
tu vis	vous vivez
il/elle/on vit	ils/elles vivent
passé composé: j'ai vécu	

to live

Les verbes suivants se conjuguent comme **vivre:**

revivre   *to experience again*   survivre   *to survive*

conduire°	
je conduis	nous conduisons
tu conduis	vous conduisez
il/elle/on conduit	ils/elles conduisent
passé composé: j'ai conduit	

to drive

UNITE QUATRE   **229**

Les verbes suivants se conjuguent comme **conduire:**

construire	*to build*	introduire	*to introduce*
cuire	*to cook*	produire	*to produce*
déduire	*to deduce*	réduire	*to reduce*
détruire	*to destroy*	séduire	*to seduce*
instruire	*to instruct*	traduire	*to translate*

Application

A. Des solutions.   Comment pourrait-on améliorer le monde moderne?

> EXEMPLE   réduire le taux° de pollution/vivre mieux   level
> **Si on réduisait le taux de pollution, on vivrait mieux.**

1. vivre en paix/ne pas avoir besoin d'armes
2. réduire le stress/vivre plus longtemps
3. recycler plus de papier/détruire moins de forêts
4. réduire la pollution de l'air/protéger la couche d'ozone
5. conduire de plus petites voitures/gaspiller moins d'essence
6. produire moins de déchets industriels/avoir des rivières et des lacs propres

B. Dans cinquante ans.   Comment sera notre planète dans cinquante ans?

> EXEMPLE   Si on (détruire) la couche d'ozone,…
> **Si on détruit la couche d'ozone, il y aura plus de cas de cancer dans le monde.**

1. Si nous (détruire) toutes les armes nucléaires,…
2. Si les Américains (conduire) moins de grosses voitures,…
3. Si nous (détruire) les forêts,…
4. Si on (produire) trop de déchets industriels,…
5. Si les Américains (réduire) le stress dans leur vie quotidienne,…
6. Si nous (produire) plus de nourriture,…
7. Si on (réduire) le gaspillage des ressources naturelles,…

C. Questions personnelles.   Posez les questions suivantes à un(e) de vos camarades de classe.

1. Pourquoi vit-on plus longtemps aujourd'hui qu'il y a cent ans?
2. Qui dans ta famille a vécu le plus longtemps? Qu'est-ce qu'il faut faire pour vivre longtemps?
3. A ton avis, est-ce qu'on vit mieux en France qu'aux Etats-Unis?
4. Est-ce que tu as une voiture? De quelle marque est la voiture que tu conduis?
5. A quel âge as-tu conduit une auto pour la première fois?
6. A quel âge peut-on obtenir son permis de conduire aux Etats-Unis?

*L*EÇON 12

Voyage dans le temps

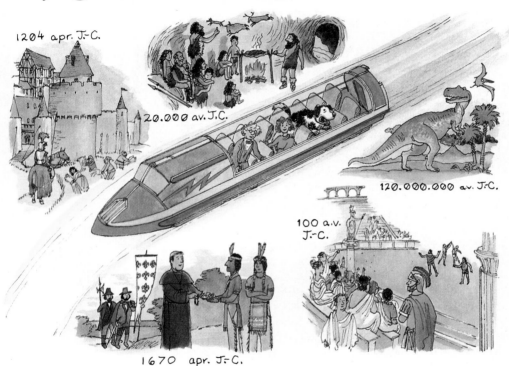

1204 apr. J.-C.

20.000 av. J.C.

120.000.000 av. J.-C.

100 a.v. J.-C.

1670 apr. J.-C.

En contexte

Pour commencer

A. Que se passe-t-il? Observez le dessin qui précède et répondez aux questions suivantes.

1. Que font nos ancêtres dans cette grotte?
2. Que font les Romains? Savez-vous où ils ont construit des amphithéâtres en France?
3. Qu'est-ce qui se passe devant le château?
4. Aimeriez-vous pouvoir faire un voyage dans le temps? Pourquoi?

5. Parmi les époques illustrées, laquelle vous intéresse le plus? Pourquoi?

6. Comment le Canada a-t-il été colonisé? Et la Louisiane? Quelles étaient les principales ressources du Canada?

B. A quelle époque?   Vous faites un voyage dans la machine à voyager dans le temps du professeur Folamour. A chaque phrase que vous entendez, dites si c'est **à l'époque préhistorique, pendant la conquête romaine, au moyen âge** ou **à l'époque des grandes découvertes.**

EXEMPLE   Si tu veux être chevalier, mon fils, il faudra que tu apprennes à te servir de ta lance.

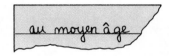

au moyen âge

La machine à voyager dans le temps

Le professeur Folamour a construit une machine à voyager dans le temps. Avec sa fille, Anaïs, et leur chien, Gargantua, ils retournent au temps des dinosaures, il y a des millions d'années!

La terre est belle, couverte d'une jungle opulente et pleine d'animaux qui n'existent plus de nos jours. Les rivières grouillent de poissons de toutes sortes. Des oiseaux rares, multicolores et curieux survolent la machine pour voir ces êtres bizarres qui envahissent leur territoire. Anaïs reste bouche bée° devant ces merveilles mais le temps passe vite et la machine à voyager dans le temps doit continuer son voyage. Elle aurait voulu rester explorer ce monde inconnu des hommes modernes. Si elle avait eu le temps, elle serait allée faire une longue promenade à pied, elle aurait passé des heures à regarder cette séduisante nature. «Pas de temps à perdre!» dit le professeur, «Il faut continuer le voyage.» Et hop!… ils sont catapultés à l'époque de la conquête de la Gaule par les Romains. Anaïs a bien appris dans son cours d'histoire de France que les Romains ont conquis la Gaule entre 125 et 52 av. J.-C. Le professeur et Anaïs se sont arrêtés au théâtre d'Orange pour assister à une représentation d'*Amphitryon*, une pièce de Plaute, le grand dramaturge romain. Ils continuent. «Dommage, il faut partir!» dit le professeur Folamour. Et zoummmmmmm!…ils arrivent au moyen âge. «C'est le Château-Gaillard en Normandie, le château de Richard Cœur de Lion. Il protège une petite ville qui s'appelle aujourd'hui Le Petit Andelys» dit le professeur Folamour. Malheureusement, ils arrivent lors d'une bataille féroce. C'est l'armée du roi de France, Philippe Auguste, qui attaque. Anaïs a bien appris dans son cours d'histoire que l'armée de Philippe Auguste a gagné cette bataille, mais pour le moment, le

agape

château semble imprenable sur sa haute falaise au-dessus de la Seine. Anaïs regarde une dernière fois le château-fort. Et zoummmmmm!... ils s'en vont vers l'avenir. Ils arrivent dans le Nouveau Monde, à l'époque des grandes découvertes. Anaïs pense à Jacques Cartier, à Cavelier de la Salle, et à Samuel de Champlain. Elle voit un drapeau tout blanc semé de fleurs de lys, le drapeau du roi de France. Elle aurait voulu s'arrêter et parler aux grands aventuriers de cette époque, mais l'implacable présent les rappelle et la machine à voyager dans le temps fonce° vers les temps modernes avec le professeur Folamour, Anaïs et Gargantua. Quelle aventure!!!

rushes

Questions sur la lecture

1. Qui est le professeur Folamour? Qu'est-ce qu'il a construit?
2. Qui est Anaïs? Avec qui est-elle? Que font-ils?
3. Comment était la terre au temps des dinosaures? Qu'est-ce qu'Anaïs aurait aimé faire à cette époque?
4. Avant son voyage à travers le temps, qu'est-ce qu'elle avait étudié?
5. Qu'est-ce que les Romains ont construit après la conquête de la Gaule? De nombreux monuments romains existent encore en France. En connaissez-vous quelques-uns?
6. Décrivez la scène du moyen âge. Que se passe-t-il? A qui appartenait Château-Gaillard? Quelle est l'armée qui attaque?
7. Qui sont les grands explorateurs français du 16e, 17e et 18e siècles? Est-ce que les territoires colonisés par les Français appartiennent encore à la France?
8. Est-ce qu'on sent encore l'influence de la France dans certaines régions du monde qui ne sont plus des territoires français? Lesquelles?

Et vous?

Posez les questions suivantes à un(e) de vos camarades de classe.

1. Quelles époques de l'histoire t'intéressent le plus? Pourquoi?
2. Si tu pouvais retourner à ton siècle favori, que ferais-tu? Qui serais-tu?
3. Quel personnage historique aimerais-tu rencontrer? Pourquoi?
4. Quel événement du passé aurais-tu aimé vivre?
5. Si tu avais été à la place d'Anaïs, qu'est-ce que tu aurais pensé de cette aventure? Qu'est-ce que tu aurais dit au professeur Folamour? Imagine une conversation entre vous deux.

6. Est-ce que tu aimerais pouvoir voyager dans le temps? Pourquoi?

Expansion du vocabulaire

L'EPOQUE PREHISTORIQUE
l'**âge de la pierre**   the stone age
un **dinosaure**   dinosaur
l'**homme des cavernes**   caveman
la **jungle**   jungle
une **lance**   lance
un **oiseau préhistorique**   prehistoric bird

L'EPOQUE DE L'EMPIRE ROMAIN
un **amphithéâtre**   amphitheater
un **aqueduc**   aqueduct
un **char**   chariot
la **conquête (romaine)**   (Roman) conquest
un **gladiateur**   gladiator
un **légionnaire**   Roman soldier
une **route (romaine)**   (Roman) road

LE MOYEN AGE
un **arc**   bow
un **archer**   archer, bowman
une **armée**   army
une **bataille**   battle
un **champ**   field
un **château-fort**   fortress
un **chevalier**   knight
une **épée**   sword
une **flèche**   arrow
une **guerre**   war
le **moyen âge**   the Middle Ages
un **paysan, une paysanne**   peasant
un **pont-levis**   drawbridge
un **règne**   reign

L'EPOQUE DES GRANDES DECOUVERTES
un **aventurier**   adventurer

un **colon**   colonist, pioneer
une **colonie**   colony
le **commerce de la fourrure**   fur trade
un **drapeau**   flag
un **explorateur**   explorer
une **fourrure**   fur
un **fusil**   shotgun
un **Indien**   Indian
un **territoire**   territory
un **trappeur**   fur trader

AUTRES MOTS UTILES
une **époque**   time period
une **ère**   era
une **machine à voyager dans le temps**   time machine
une **merveille**   wonder
une **puissance**   power
un **savant**   scientist
un **siècle**   century

VERBES ET EXPRESSIONS VERBALES
attaquer   to attack
coloniser   to colonize
conquérir   to conquer
envahir   to invade
être poursuivi   to be chased
grouiller   to swarm, to be alive with
poursuivre   to pursue, to hunt down, to chase
récolter   to harvest
tirer   to shoot

AUTRES EXPRESSIONS
au-dessus de   above
féroce   ferocious
immense   immense
imprenable   impregnable
poilu   hairy
terrifiant   terrifying

Application

A. Trouvez le mot qui manque. Complétez logiquement les phrases suivantes en utilisant le vocabulaire qui précède.

1. Nous vivons au 20ᵉ ══════.
2. De toutes les grandes ══════, les Etats-Unis restent le pays de la vraie démocratie.
3. L' ══════ de Napoléon a été battue par les Anglais à la ══════ de Waterloo.
4. Le ══════ français est bleu, blanc, rouge.
5. A l'époque des grandes découvertes, la France a établi son autorité dans de nombreux ══════.
6. Au moyen âge, les ══════ voyaient souvent leurs champs détruits par les guerres des nobles.
7. Un archer est un soldat armé d'un ══════ avec lequel il lance des ══════.

B. Situations. Avec un(e) partenaire, choisissez une des situations et rédigez ensemble un dialogue. Vous pourrez ensuite jouer cette scène en classe.

1. Un soir, assis auprès du feu dans leur grotte, un homme des cavernes et sa femme parlent. Que disent-ils? Imaginez leur conversation.
2. Un homme et une femme du 22ᵉ siècle reviennent au 20ᵉ siècle dans leur machine à voyager dans le temps. C'est vous qu'ils sont venus voir! Qui sont-ils? Quel genre de questions vous posent-ils? Que leur répondez-vous?

Exploration

Le plus-que-parfait

A. Le plus-que-parfait est un temps composé qui se forme avec l'auxiliaire **avoir** ou **être** conjugué à l'imparfait + un participe passé.

parler	aller
j'avais parlé	j'étais allé(e)
tu avais parlé	tu étais allé(e)
il/elle/on avait parlé	il/elle/on était allé(e)
nous avions parlé	nous étions allé(e)s
vous aviez parlé	vous étiez allé(e)(s)
ils/elles avaient parlé	ils/elles étaient allé(e)s

Les règles d'accord du participe passé sont les mêmes que pour le passé composé.

B. Le plus-que-parfait exprime généralement une action ou un état qui précède dans le passé une autre action ou un autre état. C'est le passé du passé.

L'ours a mangé les poissons qu'il **avait attrapés**.
*The bear ate the fish he **had caught***.

Les hommes dansaient autour du feu qu'**ils avaient allumé**.
*The men were dancing around the fire they **had lit***.

Application

A. **On avait fait ça auparavant.**   Est-ce que vous avez le sens de la chronologie? Dites si on avait déjà fait les choses suivantes avant la Déclaration de l'Indépendance américaine en 1776.

> EXEMPLE   construire la tour Eiffel
> **Non, on n'avait pas encore construit la tour Eiffel.**

1. partir en croisade°   crusades
2. construire la cathédrale Notre-Dame de Paris
3. prendre la Bastille
4. brûler Jeanne d'Arc
5. découvrir le vaccin contre la variole°   smallpox
6. guillotiner Marie-Antoinette

B. **Un voyage dans le passé.**   Vous avez fait un voyage dans une machine à voyager dans le temps. Plusieurs fois vous avez dû quitter une époque parce que vous étiez en danger. Maintenant que vous êtes de retour, vous racontez quels dangers vous avez courus.

> EXEMPLE   le 14ᵉ siècle/un copain/mourir de la peste bubonique°.   **peste...** bubonic
> **J'ai dû quitter le 14ᵉ siècle parce qu'un copain était**   plague
> **mort de la peste bubonique.**

1. l'ère secondaire/un dinosaure/décider de me manger
2. l'époque de l'Empire romain/je/perdre le combat contre un gladiateur
3. le moyen âge/on/me mettre dans un donjon°   dungeon
4. l'époque des grandes découvertes/nous/se perdre sans provisions
5. le 16ᵉ siècle/des pirates/essayer de prendre notre machine à voyager dans le temps
6. l'an 79/je/arriver à Pompéi quelques heures avant l'éruption du Vésuve

C. Le loup-garou°. Un de vos amis a fait un voyage dans le temps et il a visité un château du moyen âge. De retour dans le présent il raconte l'histoire qu'un troubadour lui avait racontée à la cour. Complétez l'histoire en mettant les verbes entre parenthèses au passé composé, à l'imparfait ou au plus-que-parfait.

werewolf

*D'après le **Lai du Bisclavaret** de Marie de France (12ᵉ siècle)*

Un jeune chevalier, ami du roi, __1__ (quitter) son château chaque semaine pendant trois jours. Rentrant chez lui un beau matin, il __2__ (trouver) sa femme dans une grande colère. Elle __3__ (lui demander) où il __4__ (aller) car elle __5__ (tenir) à savoir ce qu'il __6__ (faire) pendant ce temps. Il __7__ (devoir) lui avouer° qu'il __8__ (être) un loup-garou et qu'il __9__ (errer) dans la forêt pendant trois jours chaque semaine. Il __10__ (lui dire) aussi que s'il __11__ (ne pas retrouver) ses vêtements en arrivant au château, il serait resté loup. Sa femme __12__ (être) effrayée par cette histoire et un jour quand son mari __13__ (se changer) en loup elle __14__ (demander) à un beau jeune homme de trouver les vêtements de son mari et de les lui donner. La femme __15__ (cacher) les vêtements de son mari qui __16__ (rester) loup, et la femme __17__ (se marier) avec ce beau jeune homme.

admit

Un jour, pendant que le roi __18__ (chasser) dans la forêt, il __19__ (rencontrer) le loup. Comme le loup, loin d'être féroce, __20__ (lui donner) des preuves de respect, le roi __21__ (l'emmener) avec lui dans son château. Par la suite, le roi et le loup __22__ (devenir) amis. Un jour, voyant sa femme et son nouveau mari parmi les invités du roi, le loup __23__ (se jeter) sur le jeune homme puis il __24__ (mordre) le nez de son épouse infidèle. Le roi __25__ (comprendre) que le loup __26__ (devoir) connaître cette femme. Obligée de répondre aux questions qu'on lui posait, elle __27__ (expliquer) au roi comment elle __28__ (tromper) son mari. Pendant ce temps, on __29__ (enfermer) le loup dans une chambre où il y avait des vêtements et quand on __30__ (rouvrir) la porte, on __31__ (découvrir) que le loup __32__ (se transformer) en chevalier. Le roi __33__ (être) fou de joie de retrouver ce vieil ami qui __34__ (disparaître). Ne voulant pas attendre sa punition, la femme __35__ (s'enfuir°) avec son complice.

fled

Exploration

Le conditionnel passé

A. Le conditionnel passé est un temps composé qui se forme avec l'auxiliaire **avoir** ou **être** conjugué au conditionnel + un participe passé.

parler	aller
j'aurais parlé	je serais allé(e)
tu aurais parlé	tu serais allé(e)
il/elle/on aurait parlé	il/elle/on serait allé(e)
nous aurions parlé	nous serions allé(e)s
vous auriez parlé	vous seriez allé(e)(s)
ils/elles auraient parlé	ils/elles seraient allé(e)s

Les règles d'accord du participe passé sont les mêmes que pour le passé composé et le plus-que-parfait.

B. Le conditionnel passé exprime un souhait non réalisé ou un devoir inaccompli.

J'aurais aimé vivre au moyen âge.
*I **would have liked** to live during the middle ages.*

Nous **aurions dû partir** en vacances avec toi!
*We **should have gone** on vacation with you.*

C. Pour rapporter un fait peu sûr, les reporters des mass-médias emploient souvent le conditionnel passé.

Un savant aurait inventé une machine à voyager dans le temps.
A scientist supposedly has invented a time machine.

Application

A. Une visite au moyen âge. Un de vos amis vous raconte qu'il est retourné au moyen âge grâce à une machine à voyager dans le temps. Mais, dit-il, il s'est parfois trouvé dans des situations difficiles. Dites ce qu'il aurait préféré faire ou ce qu'il aurait dû faire.

EXEMPLE   Il est allé à la chasse mais il ne savait pas tirer à l'arc.
Il aurait préféré avoir un fusil.
Il est arrivé à un château fort pendant une bataille.
Il aurait dû visiter un château d'une autre époque.

visiter une autre époque   dormir à la belle étoile
avoir un fusil   éviter cette princesse
apporter de l'aspirine   faire plus d'exercice
aller à un concert de rock   manger une pizza
se lever plus tard   se laver à l'eau chaude

1. Son armure° était trop lourde et il avait du mal à marcher. armor
2. Pour dîner, on lui a servi de la soupe à la tortue et de la viande de sanglier°. wild boar
3. Au château, tout le monde se levait à cinq heures du matin.
4. Le bruit de la bataille lui a donné mal à la tête.
5. Il devait se laver à l'eau froide en plein hiver.
6. Le soir, pour s'amuser, tout le monde écoutait les troubadours.
7. Il a flirté avec la fille du roi et le roi s'est fâché.
8. Il a passé une nuit dans le donjon.

B. Qu'est-ce qui s'est passé? Vous êtes reporter d'une chaîne de télévision et vous faites un reportage sur un OVNI° qui a atterri° dans votre ville. Utilisez le conditionnel passé pour décrire ce qui serait arrivé selon les témoins°. UFO/landed

witnesses

Selon plusieurs personnes, un OVNI __1__ (atterrir) dans la ville aujourd'hui. Cet OVNI __2__ (venir) de l'an 2552 et il __3__ (détruire) plusieurs voitures en atterrissant dans un parking. Des habitants d'une autre planête en __4__ (descendre) mais les descriptions des témoins sont contradictoires. D'après certains, ces êtres étranges auraient une peau bleuâtre° et les yeux rouges. D'après d'autres, ils porteraient des uniformes bleus mais leur peau serait verte et leurs yeux jaunes. Un des extraterrestres __5__ (dire) quelque chose d'incompréhensible d'une voix qui ressemblait au bruit que fait une bouteille qui se vide. Ils __6__ (rester) ici pendant à peu près une demi-heure et __7__ (partir) apparemment sans laisser de traces. D'après plusieurs témoins, ils __8__ (cueillir) des fleurs et soigneusement° déraciné° des plantes et ils __9__ (emporter) un chien et un chat avec eux. Est-ce qu'ils __10__ (trouver) ces animaux plus intéressants que les êtres humains? bluish

carefully
uprooted

C. La rubrique°. C'est vous qui rédigez la rubrique des petites
W nouvelles et des commérages° pour le journal de votre école.
Employez au moins six verbes au conditionnel passé pour rapporter
les nouvelles que vous inventez.

newspaper column
gossip

EXEMPLE

> D'après plusieurs membres de la classe de onzième, il y aurait
> eu une petite explosion dans le laboratoire de chimie...

D. J'aurais dû faire ça. Décrivez trois choses que vous auriez dû faire
W ces temps derniers° et que vous n'avez pas faites. Citez aussi trois
choses que vous auriez voulu faire et que vous n'avez pas pu faire.
Expliquez pourquoi vous n'avez pas fait ce que vous auriez dû faire.

ces... lately

EXEMPLE

> J'aurais dû me coucher plus tôt hier soir mais je
> suis sorti avec des amis et...

Exploration

Les propositions avec si + le plus-que-parfait

Pour exprimer une hypothèse sur ce qui aurait pu arriver dans le passé
on emploie la formule suivante.

proposition avec si	proposition principale
Si + plus-que-parfait →	conditionnel passé

Si nous **avions vu** un dinosaure, nous **aurions eu** peur.
*If we **had seen** a dinosaure, we **would have been** afraid.*

J'**aurais récité** un autre poème si tu ne **t'étais pas endormi**.
*I **would have recited** another poem if you **hadn't fallen** asleep.*

Application

A. Si on avait déjà inventé... Imaginez comment l'histoire aurait été
différente si on avait déjà inventé les choses suivantes au temps de
Christophe Colomb.

EXEMPLE la télévision.
**Si on avait inventé la télévision à l'époque de
Christophe Colomb, Shakespeare aurait peut-être
écrit des films policiers.**

1. l'appareil-photo
2. le tracteur
3. l'avion
4. la bombe atomique
5. l'ordinateur
6. la guitare électrique

B. Si vous aviez... Vous faites un voyage dans une machine à voyager dans le temps et vous arrivez en l'an 2100. Les êtres humains de cette période se plaignent° de l'insouciance° des hommes et des femmes du 20ᵉ siècle. Que disent-ils? Faites des phrases avec **si**.

complain/recklessness

> EXEMPLE recycler plus de papier/détruire moins de forêts
> **Si vous aviez recyclé plus de papier, vous auriez détruit moins de forêts.**

1. vivre plus simplement/ne pas gaspiller toutes les ressources naturelles
2. se soucier° plus de la pollution/ne pas réduire la couche d'ozone
3. utiliser moins d'essence/ne pas épuiser° tous les puits° de pétrole
4. contrôler la pollution des rivières/ne pas tuer tous les poissons
5. construire moins d'autoroutes/ne pas enlaidir° tant de paysages°
6. vendre moins de tanks et de canons/maintenir la paix sur notre planète
7. ne pas être aussi insouciants/avoir une vie bien plus productive

to worry

to use up/wells

to defile/countryside

C. Si j'avais été là. Si vous pouviez retourner dans le passé et
W changer le cours de l'histoire, quels moments de l'histoire choisiriez-vous? Choisissez quatre dates et dites comment vous auriez changé l'histoire si vous aviez été présent à ces moments-là.

> EXEMPLE
> *Si j'avais été à Washington le 14 avril 1865, j'aurais dit au président Lincoln de ne pas aller au théâtre Ford et...*

D. Si j'avais vécu au... De quelle manière est-ce que votre vie aurait
W été différente si vous aviez vécu à une autre époque? Choisissez une époque qui vous plaît et écrivez un paragraphe pour décrire votre vie si vous aviez vécu à cette époque-là.

> EXEMPLE
> *Si j'avais vécu à l'époque préhistorique, j'aurais chassé avec une lance. J'aurais dormi dans une grotte...*

LES PLUIES ACIDES

le glas sonne déjà

CAS SPECIAUX

Comment dit-on to drive, to walk *et* to fly?

A. Pour indiquer le moyen de transport, on utilise les expressions suivantes.

aller (quelque part) à pied	*to walk (somewhere)*
aller (quelque part) en voiture	*to drive (somewhere)*
prendre sa voiture (pour aller quelque part)	*to drive, (somewhere) to take one's car*
aller (quelque part) en avion	*to fly (somewhere)*
prendre l'avion	*to fly, to take the plane*
piloter un avion	*to fly a plane*

J'y suis allé à pied parce que j'ai raté l'autobus.
I walked there because I missed the bus.

On y va en voiture ou on prend l'avion?
Are we driving or are we going to fly?

B. Si on parle d'un loisir, on emploie les expressions suivantes.

faire une promenade (à pied)	*to go for a walk, to walk*
se promener	*to go for a walk, to walk*
faire une promenade en voiture	*to go for a drive*

Nous aimons faire une promenade dans le parc après le dîner.
We like to walk in the park after dinner.

C. Dans les autres cas on emploie les verbes qui suivent.

marcher *to walk*   conduire *to drive*   voler *to fly*

Mon fils a commencé à marcher à l'âge de onze mois.
My son started walking at the age of eleven months.

Je conduisais la voiture au moment de l'accident.
I was driving the car at the time of the accident.

Les pingouins sont des oiseaux qui ne volent pas.
Penguins are birds that do not fly.

Application

A. Un voyage d'affaires. Choisissez parmi les expressions apprises
W pour compléter le paragraphe suivant avec les mots qui conviennent.

Le mois dernier, ma femme a dû faire un voyage d'affaires à Marseille. Elle avait l'intention d'y __1__ (*fly*) et elle avait déjà acheté son billet. Mais comme je venais d'acheter une nouvelle voiture, je l'ai persuadée d'y __2__ (*drive*) pour profiter du paysage. Samedi, nous sommes arrivés à Cassis, près de Toulon. Nous sommes descendus de voiture pour __3__ (*walk*) le long de la côte. Il faisait bon, la mer était calme, les mouettes° __4__ (*were flying*) dans le ciel tout bleu et nous __5__ (*walked*) nu-pieds sur la plage. Le sable° était très chaud. Nous __6__ (*walked*) longtemps. Après cette longue promenade, nous avons décidé de reprendre la route. Comme ma femme __7__ (*had driven*) jusqu'ici, elle m'a demandé de __8__ (*drive*) le reste.

seagulls

sand

Voilà ce qu'on dit

La surprise, le regret et l'indifférence

A. Que peut-on dire pour exprimer la surprise ou l'incrédulité?

C'est inouï!	*It's unheard of!*
J'en suis ébahi!	*I'm astounded!*
Quelle coïncidence!	*What a coincidence!*
Je n'en crois pas mes yeux!	*I can't believe my eyes!*
Je n'en crois pas mes oreilles!	*I can't believe my ears!*
Pas possible!	*Impossible!*
Tu me fais marcher!	*You're pulling my leg!*
Je n'en reviens pas!	*I can't get over it!*
Je n'arrive pas à y croire!	*I just can't believe it!*
Ça alors!	*You don't say!*
Ça m'étonne!	*I don't believe it!*
Ça me souffle!	*That staggers me!*
Tu me racontes des histoires!	*You're telling me stories!*
Tiens, tiens!	*Well, well!*
Mon œil!*	*Sure!*
Tu rigoles!*	*You're joking!*

C'est pas vrai!*	*It can't be true!*
Tu te fiches de moi!*	*You've got to be kidding!*
C'est du baratin!*	*What smooth talk!*
Sans blague!*	*No kidding!*

B. Que peut-on dire pour exprimer le regret?

C'est dommage!	*What a shame!*
Cela me bouleverse!	*That really upsets me!*
Je me fais du souci!	*I'm worried!*
Je me fais des cheveux blancs!	*I'm worried stiff!*
Ça c'est un problème!	*That's quite a problem!*
J'ai les nerfs à fleur de peau!	*My nerves are on edge!*
J'en suis tout retourné!	*I'm shaken up by it!*
Je vais payer les pots cassés!	*I'm going to suffer the consequences!*
Ça m'énerve!*	*That gets on my nerves!*
Quelle poisse!*	*What a pain!, Just my luck!*

C. Que peut-on dire pour exprimer l'indifférence?

Ce n'est pas mon problème!	*It's not my problem!*
C'est le moindre de mes soucis!	*It's the least of my worries!*
Qu'importe?	*What does it matter?*
Ça m'est égal.	*It's all the same to me.*
Ça ne me fait ni chaud ni froid!	*I couldn't care less!*
Je m'en moque!	*I don't give a hoot!*
Que veux-tu que j'y fasse?	*What do you want me to do about it?*
C'est comme ça et c'est tout!	*There's nothing we can do about it!*
C'est pas la peine de s'en faire!	*It's useless to worry about it!*
Et alors!*	*So what!*
T'en fais pas!*	*Don't worry!*
Je m'en balance!*	*What do I care?*
Bof!*	*Ho hum!*

Application

A. Quelle drôle de fille! Pour chaque phrase que vous entendez, dites si la petite amie de Marcel est **concernée** par la situation décrite ou si elle y est **indifférente**.

> EXEMPLE Tu es privé de sortie pour ce week-end. Quelle poisse!
> **concernée**

B. Trouvez l'intrus. Trouvez l'expression qui ne s'accorde pas logiquement avec les deux autres.

1. **a.** Ça me souffle!
   b. C'est inouï!
   c. Bof!
2. **a.** Tiens! Tiens!
   b. Ça alors!
   c. Quelle poisse!
3. **a.** C'est pas vrai!
   b. C'est dommage!
   c. Sans blague!
4. **a.** J'en suis ébahi!
   b. Je m'en balance!
   c. Je n'en reviens pas!
5. **a.** Ça m'est égal!
   b. Je m'en moque!
   c. Ça m'énerve
6. **a.** Je me fais du souci!
   b. C'est le moindre de mes soucis!
   c. Je me fais des cheveux blancs!

C. Eh bien, moi... Complétez les phrases suivantes d'une façon originale.

1. Quelquefois je me fais du souci parce que...
2. Quand je dis que c'est inouï, c'est parce que...
3. Ça ne me fait ni chaud ni froid que...
4. C'est pas la peine de s'en faire quand...
5. Nous disons «Quelle coïncidence!» quand...
6. Je dis à mon frère de ne pas s'en faire quand...
7. Je n'en crois pas mes oreilles parce que...

D. Tu rigoles! Comment est-ce que vous réagiriez si votre meilleur(e) ami(e) disait les choses suivantes? Utilisez une expression qui exprime la surprise, le doute ou l'indifférence.

1. Je vais devenir PDG et je vais gagner $100.000 par an.
2. Je suis apparenté(e)° à l'explorateur français Cavelier de la Salle. related
3. J'ai fait un voyage au moyen âge dans une machine à voyager dans le temps.
4. J'ai vu des dauphins dans un lac près d'ici.
5. Il y a dix baleines qui se sont échouées sur la plage.
6. Des extra-terrestres m'ont rendu visite hier soir!

E. Le héros de la lessive°. Ecoutez le dialogue entre ces deux amis et detergent
répondez aux questions suivantes.

1. Pourquoi Fabien est-il si étonné?
2. Olivier a un rendez-vous. Pourquoi?
3. Quelles sont les raisons pour lesquelles il a eu ce petit boulot?
4. Est-ce qu'Olivier a le trac? Quelle est sa réaction?
5. Qu'est-ce que Fabien suggère à Olivier?
6. Est-ce que Fabien est sérieux ou est-ce qu'il plaisante quand il parle avec Olivier? Pourquoi lui parle-t-il de cette manière?

Lecture

Gérard Klein

Economiste de profession, Gérard Klein est un des plus brillants écrivains en science-fiction de France. Né à Neuilly en 1937, il a obtenu un diplôme en sciences politiques à l'âge de 20 ans et en psychologie à l'âge de 22 ans. Il est l'auteur de nombreux romans et nouvelles parmi lesquels: *Le Gambit des étoiles, Les Perles du temps, Le temps n'a pas d'odeur* et *Les Seigneurs de la guerre.* La nouvelle *Les Villes* a paru en 1970.

Dans ce conte la machine infernale, inhumaine, implacable et impitoyable rôde pour «protéger les habitants». Le monde se rétrécit°: même si tous les hommes se ressemblent, les hommes de la même ville ne se connaissent même pas et la machine oublie qui sont ses protegés.

Il est permis de penser que la machine représente l'indifférence meurtrière° des hommes entre eux ou la mort qui nettoie, protège et détruit° sans discernement et sans pitié°.

se... shrinks

murderous
destroys/pity

Pour commencer

Lisez une première fois la nouvelle intitulée *Les Villes* et répondez à la question suivante. *Il y a quatre personnages dans ce texte. Certains sont humains, les autres non. Pouvez-vous les identifier?* Ensuite, relisez l'histoire plus attentivement et répondez aux questions qui suivent la lecture.

Les Villes

La Machine rôdait°, inlassable°. Le vent inclinait les antennes, le soleil jaunissait les feuilles des arbres, mangeait la peinture des volets°, le temps ridait° les hommes et endormait la Ville, mais la Machine rôdait, éternelle. Elle parcourait°, jour après jour, nuit après nuit, les rues
5   larges et sèches, elle interrogeait les rares passants: «Qui êtes-vous? Votre nom? Votre adresse? Que faites-vous ici? A cette heure?» Elle saluait les habitants. Elle s'introduisait dans les maisons, silencieuse, indécelable°, et fouillait. Elle gardait et protégeait la Ville. Elle désinfectait minutieusement et détruisait avec un air de fatalité tout ce qui
10 n'était pas de la Ville. Elle errait et cherchait entre les carrés° d'herbe et les marronniers° calmes, dans les cours fraîches et dans les petites forteresses tièdes et closes, les espions venus des autres villes, les étrangers.

M. Ferrier était assis sur sa pelouse°, ne pensant à rien, ne regardant
15 rien. De sa maison, de toutes les maisons sortaient des bruits étranges. C'était une musique douce et lente, étirée°, écœurante°. L'après-midi, M. Ferrier fuyait° son poste et ses écrans. Ici, le son ne parvenait° qu'amorti°, par les murs épais, mais il persistait, imprégnait l'air comme une odeur tenace°. M. Ferrier vit venir quelqu'un qu'il ne connaissait
20 pas. C'était une chose rare.

— Bonne soirée, dit l'inconnu.

— Bonjour, dit M. Ferrier d'une voix rouillée°. Il y avait longtemps qu'il n'avait rien dit de tel°. Il tendit un doigt vers l'homme.

— Vous n'habitez pas ce quartier? Je ne vous connais pas.

25 — Je ne suis pas de cette ville.

Un silence.

— Oh. Vous êtes un étranger.

— Pas exactement. Ma ville n'est pas tellement lointaine°. Je parle la même langue que vous. Nous habitons le même pays.

30 — Qu'est-ce qu'un pays, dit sentencieusement° M. Ferrier, sinon° de l'histoire ancienne. Il existait autrefois des pays et des empires. Mais nous vivons maintenant au temps des Villes. Il faut se méfier° de toute chose. Surtout des autres Villes. Grâce au ciel° nous pouvons nous suffire à nous-mêmes°. Vous n'êtes pas un espion, au moins.

35 — Je ne crois pas. Je me promène simplement. Sur les routes. Savez-vous que les routes entre les Villes sont en très mauvais état?

— Cela ne m'étonne pas.

— Et qu'il circulait dessus autrefois des milliers et des milliers de gens et de bolides°?

40 — Autrefois.

— Je voulais faire comme eux. Je voulais connaître d'autres Villes, d'autres endroits. Mais les Villes ne sont pas ce qu'il y a de plus intéressant. Le plus passionnant, ce sont les heures et les jours de marche° entre les Villes. Avez-vous déjà marché sur l'herbe? Avez-vous vu fuir°

---

prowled about/tireless

shutters

wrinkled

ran all over

undetectable

squares
chestnut trees

lawn

drawn out/sickening
fled/reached
deadened

clinging

rusty

de... of the sort

far away

pompously/other than

se... be wary of
Grâce... Thank Heavens

nous... be self-suffi-
cient

high-speed vehicles

jours... days of walking
flee

248

des fourmis° et jaillir° des sauterelles° de dessous vos semelles°?

— Je… Je ne sais pas.

— Toutes les Villes se ressemblent. Elles ont les mêmes petites rues chaudes bordées des mêmes petits arbres secs et rabougris°, et sur leurs toits pousse partout la même floraison° métallique d'antennes. Elles ont chacune le même dôme. Et chacune, la même Machine chargée de traquer° ce qui est étranger. Même les habitants se ressemblent. Avez-vous une Machine, ici?

— Bien sûr. C'est absolument nécessaire. Nous sommes très fiers de notre Machine. Rien ne peut lui échapper°. Vous devriez vous dépêcher de partir. Il est peut-être trop tard.

— Mais je ne fais rien de mal.

— Vous êtes un étranger? (Les lèvres de M. Ferrier se plissèrent°.) Je ne crois pas que vous lui échapperez. Elle est extrêmement perfectionnée. Elle connaît tous les habitants par leur nom. Elle ne peut pas se tromper. Elle a une mémoire étonnante°. Quand elle rencontre quelqu'un, elle sait immédiatement si c'est un ami ou un… étranger.

— Vous ne trouvez pas cela dangereux?

— Dangereux? Seulement pour les étrangers.

— Si elle se trompait? Si elle vous prenait un jour pour un étranger?

— Elle me tuerait. Mais elle ne peut pas se tromper.

— Au revoir. J'ai été heureux de parler un instant avec vous.

— Moi de même. Bonne chance.

«Pourquoi ai-je dit bonne chance, pensa M. Ferrier. Il ne peut pas lui échapper. Il ne peut pas. Il n'a aucune chance.»

Il ferma à demi les yeux.

. . .

Puis il entendit des frôlements° légers. Un bruit parfaitement étrange, inconnu, fragile. Un chant d'insecte. Couvrant le raclement lourd° de la Machine. Laissant dans le silence des traces irrégulières. Des pas° d'homme.

Ils reviennent par ici. Pourvu que°… pourvu que cela ne se passe pas dans cette rue, devant moi.

La rue était trop propre et trop claire. Les arbres étaient trop soignés° et les feuilles trop bien vernies°.

Les bruits cessèrent°. Ils s'étaient arrêtés un peu avant le coin. Ils étaient invisibles, mais M. Ferrier entendait les questions sèches de la Machine, et le frottement° hésitant des pieds de l'étranger sur le ciment.

— Quel est votre nom? Vous êtes un étranger? Qu'êtes-vous venu faire dans cette ville?

— Rien. Je me promenais. Je passais.

— N'avez-vous donc pas de ville? Etes-vous un vagabond?

— Non. J'ai une Ville, derrière ces collines°. Mais je ne voulais plus y rester. Je croyais que c'était différent, ici.

— Ne saviez-vous pas qu'il est interdit° de pénétrer dans cette Ville?

Margin glosses:

ants/spring/grasshopper/soles

stunted
flowering

chargée… assigned to hunt down

escape

se… puckered

amazing

rustlings
raclement… heavy scraping/footsteps

Pourvu… Let's hope that

cared for/polished
ceased

scuffling

hills

forbidden

— Je le savais. J'ai lu les pancartes°. *Interdit aux étrangers.*

90 — Il y a autre chose, dit la Machine.

— Je sais.

M. Ferrier entendit un tout petit filet° de voix: Sous peine... sous peine de mort°.

— Avez-vous quelque chose d'autre à déclarer?

95 — Attendez. Etes-vous une Machine autonome?

— Je suis une Machine autonome.

— Personne ne vous dirige?

— Personne.

— Pas un homme qui parle par votre voix et écoute par vos oreilles?

100 — Personne.

— Personne ne peut vous arrêter, vous modifier?

— Non. Je défends cette Ville. Je suis immortelle. Qui pourrait vouloir m'arrêter sinon des ennemis?

— Alors je n'ai plus rien à dire. Il est trop tard.

105 — Bien. Etes-vous prêt?

Un silence. Si seulement il y avait un souffle de vent qui fasse grincer° des volets, chanter les feuilles° des arbres, soupira° M. Ferrier.

— Je crois que je suis prêt.

M. Ferrier entendit la rafale°. Il devina° la langue de feu, les cendres
110 aspirées°, soufflées, projetées à travers les airs. Cela n'avait rien d'effrayant.

— Propre, dit-il. (Sa langue était sèche.) C'est de sa faute. C'est de sa faute. A-t-on idée de quitter sa Ville, de se jeter dans la gueule° du loup. C'est dommage, pensa-t-il, c'était un gentil garçon. Mais c'est bien
115 fait. Un espion. Pourquoi pas un espion. Ou pire, un vagabond.

La Machine passa devant lui, pressée.

— Bonjour, M. Ferrier, dit-elle.

— Bonjour, dit-il machinalement. Il songeait: «Il n'y a pas de regret à avoir. Cela ne pouvait pas se terminer autrement. Ridicule.
120 Ridicule...»

• • •

Le matin suivant, il prit rapidement son petit déjeuner. Il vivait seul. Tandis qu'il vidait sa tasse, il entendit des bruits et des cris dans la maison voisine. Puis le silence. Il vit la Machine sortir furtivement° par une fenêtre ouverte.

125 — Etrange, dit-il.

Il découvrit soudain combien les voisins étaient lointains et étrangers. Des inconnus. Plus lointains et inaccessibles que l'homme de l'autre Ville. Il sortit et s'installa sur la pelouse. Il perçut° le crissement° de la Machine. La voix métallique le héla°.

130 — Sortez.

Il se leva. Il se tourna vers les yeux rouges et immobiles.

— Sortez. C'est à vous que je m'adresse.

Glossary (right margin):

signs

thread

Sous... Under penalty of death

creak

leaves/sighed

burst/imagined

cendres... ashes

sucked up

jaws (mouth)

stealthily

detected/squeaking

hailed

— A moi? dit M. Ferrier, incrédule.

— Oui, à vous. Dépêchez-vous.

Il sortit. Il se tint° au milieu de la rue, la Machine en face de lui.   se... stood

— Quel est votre nom?

— Ferrier. Vous me connaissez...

— Je ne vous connais pas. Vous êtes un étranger.

— J'habite cette Ville.

Il se tordit° les mains.   se... wrung

— Vous m'avez salué hier, et tous les autres jours. Je suis un habitant de cette Ville. Mon nom est inscrit là-bas.

Il tendit le doigt vers le dôme.

— Je ne connais personne du nom de Ferrier.

— Ce n'est pas possible. (Ses ongles° faisaient des taches roses sur ses   fingernails mains très blanches.) J'habite cette maison.

— Si vous l'habitiez, je vous connaîtrais.

— Je vous jure°. Ecoutez. Qui habite cette maison? Dites-moi qui   swear habite cette maison.

Ils attendirent un instant.

— Personne. Cette maison est vide, abandonnée. Je ne me souviens pas que quelqu'un l'ait jamais habitée.

— Vous avez oublié, oublié.

Il sanglotait°.   was sobbing

— Je ne peux pas oublier. Je ne peux pas me tromper.

Il eut une idée.

— Dites-moi qui habite cette rue. Toute cette rue. Les noms.

— Personne. Personne n'a jamais habité cette rue.

— Et la Ville, toute la Ville, cria M. Ferrier. Il comprit soudain le bruit et les cris insolites° dans la maison voisine tôt le matin.   strange

— Personne n'habite cette Ville. Elle est déserte. Vide. Je n'ai aucune information au sujet de quelqu'un qui l'aurait habitée. Il n'y a que des étrangers. N'avez-vous pas de Ville, demanda la Machine?

— Celle-ci, dit M. Ferrier. Sa voix était faible et cassée.

— Ignoriez-vous qu'il était interdit d'y pénétrer?

— Non, dit M. Ferrier, non, puisque je l'habitais.

Sa lèvre inférieure° s'avança comme s'il allait pleurer.   lower

— Avez-vous quelque chose à dire?

— Puis-je vous demander encore... un renseignement?

— Bien sûr, dit la Machine. Nous ne sommes pas pressés.

— Il est tombé une bombe, hier soir?[1]

— C'est exact.

— Quelle sorte de bombe était-ce?

— Une bombe magnétique. Il n'y a pas eu de dégâts°.   damages

Je comprends, se dit M. Ferrier. Je comprends. Et il songea à tous les rouleaux, les rubans° de l'état civil, vierges°, effacés. Une bombe magné-   tapes/blank

[1]Après la rafale qui avait abattu l'étranger, M. Ferrier avait en effet senti les effets d'une bombe.

tique. La Machine amnésique°. Tous des étrangers au sein de° leur propre Ville. C'est logique. C'est normal. Rayé°, oublié là-bas. Mort ici.

— Est-ce tout ce que vous désirez savoir? dit la Machine.

180 — Oui, dit M. Ferrier. (Je ne peux pas lui dire qu'elle a oublié. Elle ne peut pas me croire. Une Machine ne peut pas se tromper.)

— Vous prendrez bien soin de ma maison, n'est-ce pas?

— Etes-vous prêt?

— Je crois que je suis prêt.

185 Ses lèvres tremblaient.

— Vous ne souffrirez pas, dit la Machine.

Une rafale. Une langue de feu. Des cendres aspirées, soufflées et projetées à travers les airs, planant° et retombant sur la Ville désertée pour un million d'années.

amnesic/au... in the heart of/scratched out

hovering

Questions sur la lecture

1. Quelle est la fonction de la Machine dans la Ville?
2. Pourquoi l'inconnu est-il sorti de sa ville?
3. La Ville où se passe cette histoire est-elle une ville comme vous les connaissez? Ressemble-t-elle à la vôtre?
4. Pourquoi est-il dangereux de pénétrer dans la Ville? La mort de l'étranger était-elle inévitable?
5. Que pensez-vous de l'attitude de M. Ferrier vis-à-vis de l'étranger? Etes-vous surpris par son indifférence et par sa lâcheté°? Pouvez-vous penser à des faits semblables qui arrivent dans nos villes?
6. M. Ferrier a-t-il des rapports amicaux avec ses voisins? Leur parle-t-il souvent et beaucoup? Les connaît-il bien?
7. Racontez le dialogue entre la Machine et M. Ferrier. La Machine a-t-elle des intentions précises?

cowardice

Qu'en pensez-vous?

1. Comment définissez-vous le terme «étranger»? Est-il possible d'être étranger dans sa propre ville? Ou dans son propre pays?
2. Pensez-vous que les robots dirigeront notre vie? Pourquoi?
3. Est-ce que cette histoire est une histoire qui nous touche de très près? Pourquoi?
4. Préférez-vous vivre à la campagne ou en ville? Pourquoi?
5. Est-il important de se sentir libre? Si vous aviez le choix entre la liberté de pensée ou la liberté de mouvement, laquelle choisiriez-vous? Pourquoi?
6. L'indifférence nous rapproche-t-elle de la machine? Quelles actions humaines pourraient nous faire ressembler à un robot ou à un ordinateur?

Révision

Situations

1. Vous vous préparez à aller à une manifestation politique lorsqu'un(e) ami(e) arrive. Vous l'invitez à venir avec vous. Il (elle) vous répond qu'il (elle) se soucie très peu de politique. Rapportez le dialogue entre vous: vous donnez vos arguments pour lesquels il faut s'engager dans les causes politiques et votre ami(e) présente ses arguments contre.
2. Deux jeunes gens communiquent d'un siècle à l'autre. L'un vit à l'âge de bronze et l'autre à la fin du vingtième siècle. Que peuvent-ils se dire? Ecrivez leur dialogue avec un(e) partenaire et présentez-le à la classe.
3. Vous rencontrez une personne célèbre qui exerce la profession de vos rêves. Vous approchez cette personne que vous admirez beaucoup et qui répond à toutes vos questions. Un élève sera la personne célèbre et vous établirez le dialogue avec elle.

Sujets de rédaction

1. Quels sont les avantages des voyages? Est-il profitable de connaître les gens qui vivent dans d'autres pays?
2. Voyez-vous votre avenir en rose ou en noir? Qu'est-ce que l'avenir vous réserve?
3. Est-ce que la robotisation peut contribuer à l'extinction de nos pensées? Justifiez vos réponses.
4. Vous avez été hypnotisé(e) et vous retournez en pensée à une époque de votre choix. Racontez ce que vous voyez.
5. Un jour, vous arrivez au lycée et votre professeur a été remplacé par un robot. Quelle est votre réaction et celle de vos camarades de classe?

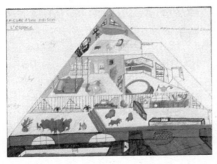

Une maison en 2010, d'après un dessin d'enfant.

CONTEXTE CULTUREL

Claudine répond à une lettre qu'elle a reçue de Samantha; dans cette lettre la jeune américaine lui demande de parler de ses propres° préoc-cupations en ce qui concerne l'avenir.

ses... her own

Chère Samantha,

Et voilà, j'ai réussi au baccalauréat! Quel soulagement! Mais maintenant, il s'agit de penser sérieusement à l'avenir...

Mon rêve, évidemment, serait de mener parallèlement une vie professionnelle et une vie familiale. Bien sûr, ce n'est pas facile d'arriver à combiner les deux! Mais, c'est possible... Et de nos jours, elles se font de plus en plus rares celles qui renoncent à une profession pour rester à la maison et élever leurs enfants. Il y a plusieurs raisons à cela : d'abord, le coût de la vie qui nécessite presque deux salaires par ménage; ensuite, les jeunes partagent actuellement de plus en plus souvent les responsabilités au sein du couple et enfin, pour une femme, le fait d'avoir une indépendance financière vis-à-vis de son mari ne constitue pas le moindre attrait de la chose...

Évidemment, le but est de trouver une profession où il y a encore des débouchés, car, tout comme aux États-Unis, je suppose, le chômage en Europe a pris des proportions démesurées. Pour te donner un exemple de ce qui ce passe en France, je connais plein de copains qui, après des années d'études universitaires, se retrouvent sans emploi et qui, finalement, se contentent de petits boulots précaires qui leur permettent tout juste de subsister en attendant mieux. C'est une solution, bien sûr, mais, si cette situation se prolonge, le jour où ils trouvent enfin l'emploi rêvé, ils sont dépassés par tous les changements et par tout ce qui est intervenu dans le domaine qu'ils ont jadis étudié. Comme tu le vois, c'est un cercle vicieux...

De plus, il existe une différence fondamentale entre l'Europe et les États-Unis. Ici, tu ne peux pas commencer une carrière après quarante ans. Par contre, j'ai entendu dire que chez vous, il n'était pas rare de voir des femmes se lancer dans la vie professionnelle et réussir après avoir élevé leurs enfants.

Bref, comme tu le constates, mon principal souci c'est mon avenir personnel. Tu diras qu'il y a des sujets de préoccupation bien plus sérieux comme la course à l'armement, par exemple. Tu as sans doute raison et il y en a qui ont plus peur d'une guerre nucléaire que du chômage.

Pas moi! Je n'y crois pas! Vois-tu, à mon avis, le conflit ne sera pas nucléaire, mais plutôt économique. Et cette guerre-là est déjà engagée... Comme tu le constates, j'en reviens à mon point de départ.

Mais qui sait, Samantha, peut-être qu'à défaut de trouver le boulot rêvé ici, je viendrais te rejoindre aux USA où on me dit que tout paraît possible.

Bien amicalement,
Claudine

Sujets de discussion

1. Quels aspects de l'avenir préoccupent le plus Claudine? Est-ce que les jeunes Américains se préoccupent des problèmes mondiaux tels que la possibilité de guerre, les armes nucléaires, la pollution et la famine? Ou est-ce qu'ils se préoccupent plus du chômage, de leur sécurité professionnelle et de leur vie personnelle?

2. Quand vous aurez fini vos études et que vous chercherez du travail, pensez-vous qu'il y aura des débouchés° dans la carrière que vous aurez choisie? Est-ce que le chômage augmentera ou diminuera d'ici là°? Dans quelles professions pensez-vous qu'il y aura le plus de débouchés? Qu'est-ce qui vous influence dans le choix d'une profession?

   job openings

   d'ici... between now and then

3. Croyez-vous qu'il vaut mieux se spécialiser afin de garder le même travail toute sa vie ou qu'il est préférable de pouvoir changer de profession plusieurs fois dans sa vie? Quels sont les avantages de votre choix—la sécurité professionnelle? la compétence? la satisfaction personnelle? la mobilité sociale? la mobilité géographique? Quels en sont les inconvénients—le déménagement? l'ennui? l'insécurité?

GAZETTE

APOCALYPSE TRANQUILLE:
Forêts, plages, faune! Notre terre sera-t-elle bientôt chauve et déserte?

NOUVEAUTÉS, MODERNITÉ!
la Vesta, automobile du futur. Bornes Billetel, les réservations par carte! La chimie pour la santé?

EN FIN D'ANNÉE:
La fête pour pas cher!

FLASH INFOS

L'invasion annuelle

La Riviera, la Costa del Sol, la Côte d'Azur, autant de noms qui font rêver au soleil, aux plages, à la mer et aux vacances... Chaque année, les côtes de la Méditerranée attirent plus de 100 millions de touristes. Les journées d'été sans pluie, un ensoleillement exceptionnel et une eau à 23° C ont fait de l'Adriatique un but de vacances préféré de l'Europe. Le bleu de la mer caractéristique dispense un charme extraordinaire.

Malheureusement, le rêve de l'eau bleue, limpide comme du cristal, est en train de se transformer en cauchemar. L'eau de mer est troublée par la pollution et les plages sont souillées par le mazout. Beaucoup d'Européens de l'intérieur du continent ne prennent conscience des graves problèmes de pollution que pendant leurs vacances. C'est alors qu'ils ressentent désagréablement combien la mer est malade... lorsque les immondices flottent autour d'eux, qu'ils se retrouvent avec du mazout collé sous la plante des pieds ou qu'ils souffrent d'une grave indisposition après un repas de fruits de mer.

Cependant, leur colère ne s'adresse généralement pas aux vrais responsables. La pollution de la mer n'est pas due essen-

TELEMATIQUE
Il est temps de franchir les bornes

Face aux bornes télématiques qui se multiplient dans les rues et lieux publics, êtes-vous, selon le classement d'un sociologue, un démonstrateur, un testeur ou un usager conforme? Ou passez-vous à côté, simplement parce que vous ignorez leur fonction? Aux côtés des Points Minitel installés à Beaubourg, dans les universités, grandes écoles et restaurants Burger King, certaines bornes rendent un service particulier.

Choix, réservation et retrait de places de spectacles, concerts, théâtre et bientôt cinéma, grâce à un lecteur de carte bancaire et à une imprimante. Bornes Billetel, dans certains magasins FNAC, Palais des congrès et au parc de la Villette, une centaine à la fin de l'année.

Calendrier scolaire, liste des professeurs, menu de la cantine, emplois du temps, activités culturelles et sportives... Bornes colonne Morris, dans environ 300 lycées. Les parents peuvent également les consulter de chez eux à partir du Minitel.

Les dangers du ski sauvage

Plus les pistes de ski sont balisées et banales, plus la tentation est grande pour les skieurs d'aller chercher l'aventure hors piste. Malheureusement cette pratique est souvent mortelle pour la faune, qu'on dérange sans s'en apercevoir. Un animal qui a quitté son igloo par peur d'un skieur reste ensuite à découvert. Par une température de -20°C, il «brûle» 40% d'énergie supplémentaire pour résister au froid, c'est-à-dire plus que ce que son organisme est capable d'assimiler.

Dans les stations, il faut absolument renoncer au ski sauvage. Quant aux randonneurs hors stations, ils doivent respecter les règles suivantes:
1) Eviter les pentes où les traces de mammifères sont nombreuses.
2) Ne jamais suivre les traces laissées par des animaux: se sentant poursuivis, ils épuiseront leurs réserves dans leur fuite.
3) Eviter les secteurs forestiers: la faune y est généralement abondante, et les carres des skis détruisent les jeunes arbres.

tiellement aux pétroliers et aux habitants de la côte, mais surtout aux vacanciers du continent.

Les quelques mois annuels de "la saison" durant lesquels des milliers de villégiateurs veulent se loger, se nourrir, se distraire…ont provoqué la multiplication des hôtels, pensions, appartements, bungalows et campings sauvages qui ont dévoré le littoral. Cette concentration périodique de population est accompagnée d'une production énorme de nuisances.

Les premiers plongeurs sous-marins qui explorèrent la Côte d'Azur vers 1930 découvrirent un paradis. Depuis, des côtes en-

tières ont été pillées par la chasse sous-marine: poissons harponnés, étoiles de mer et coraux récoltés. Pour beaucoup de touristes, cette dégradation de la mer n'est pas un problème; ils vont plus loin dans les pays où les plages sont encore propres, la mer encore limpide. Il faut espérer que tous les responsables sauront prendre conscience de ces problèmes avant qu'il ne soit trop tard; la préservation de la nature est aussi à long terme intéressante sur le plan économique… Il ne faut pas que le tourisme détruise les propres bases de son existence.

LE MATIN DES MOLECULES

Qui n'a jamais dit: «Je n'en veux pas, c'est chimique»? Erreur, erreur, la chimie c'est (aussi) naturel. Savez-vous, par exemple, que ce sont des champignons qui fournissent les molécules nécessaires à la fabrication de la pénicilline?

La chimie, c'est de la cuisine! Il suffit de s'intéresser aux recettes… Choisissez quelques molécules avec soin (les entreprises utilisent actuellement 100 000 molécules différentes sur les 7 millions connues) et vous avez déjà les ingrédients qui vous serviront à fabriquer des médicaments, de la nourriture, des matières plastiques, des textiles, etc.

La voiture de l'avenir

Moins de 2 litres de super aux 100 kilomètres: ce record mondial de consommation vient d'être établi par la Vesta, une étrange petite voiture sortie des bureaux d'études de la Régie Renault. En juin dernier, on pouvait la croiser sur l'autoroute d'Aquitaine: un parcours de 500 km, effectué avec 10 l d'essence seulement… à 100 km/h de moyenne! Clés de cette performance: un profil de soucoupe volante dessiné par ordinateur, mais surtout une perte de poids spectaculaire, grâce à l'usage de nouveaux matériaux. De la carrosserie aux têtes de culbuteurs, en passant par les pédales, l'acier a presque partout cédé la place aux composites, aux céramiques et aux alliages spéciaux. Résultat: la Vesta pèse 250 kg de moins que la R 5 de série, dont elle est dérivée. Pas question de la commercialiser pour l'instant: il s'agit malheureusement d'un prototype expérimental, sur lequel les ingénieurs de la Régie testent les éléments d'une «automobile du futur».

LA FÊTE POUR PAS CHER

Temps froid, ciel gris-mouillé, tirelire à sec, mobylette en panne, petit(e) ami(e) en fuite, bref, ça ne va pas fort. Et alors? Ce n'est pas une raison pour rester inerte sous l'oreiller. Secouez vos blues, donnez un coup de botte dans vos soucis et avec panache. Comment? En organisant pour tous vos amis une nuit de réveillon magique... Premier acte: ouvrez votre agenda et dressez la liste de vos invités. Faire le compte des fêtards va vous donner une idée du budget à prévoir, et donc du montant de la participation à demander à chacun pour couvrir vos frais. N'ayez aucun scrupule, il est tout à fait normal de demander un droit d'entrée pour un réveillon. Faites votre collecte une semaine avant le grand soir, autant par prudence pour ne pas avoir à piocher dans votre tirelire pour faire les courses. Pour calculer cette participation, il vous suffira d'additionner toutes les dépenses que nous avons chiffrées pour vous puis de diviser la somme par le nombre d'invités.

Mais il est bien sûr possible de réduire les frais au maximum, avec un peu d'imagination. Les cartons d'invitations, par exemple. Inspirez-vous de la b.d. et demandez à un copain un peu doué de vous faire un dessin de votre fête, avec tous vos amis en caricatures. Des petites bulles partent de chacun pour dire tout haut ce qu'ils pensent tout bas, comme ce gourmand de Charlie préoccupé par une seule chose: les petits fours dressés sur le buffet. Le but est de faire rire mais attention toutefois aux susceptibilités sensibles. Ajoutez un slogan comme: «Venez fêter le réveillon à pleines bulles» puis indiquez votre adresse et le montant de la participation. Ensuite, il ne vous reste plus qu'à faire des photocopies ou, mieux, à squatter la photocopieuse couleur du bureau d'un copain, le résultat est épatant. Enfin, pour donner le ton, glissez dans l'enveloppe un ballon coloré, un serpentin ou de la poudre de paillettes qui leur collera sur les doigts lorsqu'ils liront l'invitation. Comme disent les publicitaires, l'impact est assuré! Mais pour ne pas risquer de vous retrouver entre huit yeux aux douze coups de minuit, relancez les indécis par téléphone. En indiquant le ton vestimentaire. Bien sûr, vous pouvez fêter l'événement en jean et bal-

lerines mais un peu de paillettes donnera d'emblée un coup de baguette magique à votre ambiance. Voici quelques idées de soirées à thème qui ont fait leurs preuves:

— Black and white: magnifique si vous louez une boîte noire (60 F), cette lumière qui fait ressortir le blanc immaculé.

—Rose Malabar: le ton est audacieux, surtout pour les garçons, mais si votre copain Julo (barbu et haltérophile) joue le jeu, le fou rire est assuré dès la porte d'entrée. Coordonnez votre décoration, le rose euphorise l'humeur.

—Hollywood: chacun se déguise en star illustre du cinéma américain; Greta Garbo, Marilyn, Rambo, Tootsy, Woody Allen, Laurel et Hardy, Marlon Brando, King- Kong, Sue Ellen, etc.

CHANGEZ LA DECO

★★
★☆
★☆ Hélas vous ne disposez pas de la Galerie des Glaces pour recevoir votre bande de copains. Et tout le problème est là: comment caser sans empiler, 22 copains dans votre studette?

— D'abord, ne comptez pas plus d'une personne par m^2 utilisable ou vos amis seraient obligés d'enjamber les corps pour atteindre les cacahuètes. Si vous disposez d'une seconde pièce (chambre, buanderie, petite entrée) ouvrez grandes les portes et aménagez-là de gros coussins. Ou bien installez-y votre buffet et gardez votre pièce principale pour les rocks.

— Si vous ne voulez pas retrouver votre moquette percée par les talons des rockeuses, ou plus encore, si vous squattez le living des parents pour l'événement, vous avez intérêt à limiter les dégâts.

— Furetez dans la cave des parents, vous y trouverez peut-être un vieux lino ou une grande chute de moquette que vous taillerez en cercle et fixerez sur le sol avec du collant double-face. Cette piste de danse improvisée sauvera votre moquette. Mais l'idéal c'est le lino: sa surface glissante facilite les passes de rock et on peut les peindre à la bombe fluo ou pailletée, comme dans les discothèques.

— Recouvrez vos canapés de grands draps blancs, sur lesquels vous aurez fixé des petites pastilles de couleur autocollantes (dans toutes les papeteries).

Faites de même sur la table du buffet, ajoutez des serpentins de couleur et des bolducs frisés (récupérés le soir de Noël). Enfin, remplissez des aquariums de marshmallows couleur pastel et disposez-les un peu partout. C'est joli et tout le monde adore. Mais c'est surtout l'éclairage qui va donner l'ambiance à votre fête. Bannissez les néons, les halogènes et les lumières trop blanches qui donnent mauvaise mine. Empruntez ou louez des spots de couleur (60 F) en préférant les teintes chaudes comme le rouge ou le rose. Autres gadgets dignes du Palace: les rafales d'éclairs qui fusent au rythme de la musique (120 F la barre de 2 mètres). ou la boule-miroir à facettes (60 F).

BOISSONS A GOGO

★★
★☆
★☆ Mélangez de la limonade à vos jus de fruits et servez-le dans un grand aquarium dont vous aurez enneigé les rebords de sucre cristallisé. Puis plongez-y un glaçon géant que vous aurez préparé dans un moule à charlotte de la façon suivante: 1 litre et demi d'eau, 1 grand verre de grenadine ou autre sirop coloré, 50 g de feuilles de menthe et de morceaux de fruits confits. C'est superbe. Prévoyez un stock d'eau minérale et disposez des bouteilles partout.

ASTUCES FOUS RIRES

★★
★☆
★☆ Et pour que votre fête batte son plein sans ratés jusqu'au petit matin, prévoyez quelques animations:

— Empruntez ou achetez un Polaroïd (à partir de 250 F) et photographiez tous les fous rires, baisers et grimaces de la soirée, que vous accrocherez au fur et à mesure au mur. Une fois la fête terminée, ils iront droit dans votre album en gardant leur ordre chronologique, de l'arrivée des premiers invités cravatés aux derniers rocks plutôt chaloupés.

— Faites sauter une bombe-surprise (env. 60 F dans les rayons décoration de Noël) pleine de serpentins, cotillons faux nez et langues de belle-mère.

— Organisez un quart d'heure américain (ce sont les filles qui invitent les garçons à danser) au moment des slows.

— Achetez des croissants ou des petits pains au chocolat surgelés que vous passerez au four dès les premières lueurs de l'aube.

— Enfin, installez le vestiaire tout près de la sortie afin que les couche-tôt puissent se sauver en catimini, sans faire retomber l'ambiance de votre fête.

Forêts: L'apocalypse tranquille

Notre planète devient chauve. Chaque minute, 30 hectares de forêts sont coupés, arrachés, brûlés ou dévastés quelque part dans le monde. Soit, en moyenne 160 000 km² chaque année! Territoires dévastés pour quelques troncs et un tas de bananes: ainsi finissent la plupart des forêts pluviales. Ainsi, de l'Amazonie à l'Indonésie, en passant par l'Afrique, déjà bien élimée, la «ceinture verte» tropicale est-elle en train, rapidement, de s'amenuiser. A ce rythme, nous habiterons dans trente ans une Terre dépouillée de la moitié de ses forêts. Un monde pelé…

Le triste sort des tropiques nous importe car, au-delà des habituels clichés — la jungle mystérieuse des aventuriers — il y a une réalité plus fondamentale: les forêts des autres continents sont, pour nous, un capital primordial, vital. Réserve de bois, bien sûr, que nous exploitons largement. Régulateur du climat, également, et, en ce sens, la déforestation est déjà lourde de conséquences.

Mais, surtout, les forêts constituent le plus formidable stock génétique de la planète, essentiel pour inventer de nouvelles matières premières, des médicaments, des aliments. Hélas! des millions d'espèces sont détruites avant même qu'on n'ait pu les identifier. Ce sont donc les germes de notre futur que nous sommes en train de dévaster! «On perd une espèce par jour. La déforestation s'accroit plus rapidement que prévu: chaque année de 18 à 20 millions d'hectares s'évanouissent et la plupart des pays, si l'on continue à ce rythme seront chauves en l'an 2000.» Le mot du biologiste Norman Myers n'est pas exagéré: il s'agit bien d'une «tranquille» et silencieuse «apocalypse».

Que faire? Juguler l'explosion démographique des pays pauvres et les ambitions des pays riches, qui, les uns pour leur survie, les autres pour leur économie, consomment toujours davantage de forêts? On peut toujours espérer… Mais, face à cette boulimie planétaire, la nature est sérieusement handicapée: les arbres ont besoin de décennies pour exister; les hommes, eux, vivent à la journée…

A ce grand mal il n'y a, malheureusement, que de petits remèdes: les recherches accélérées des scientifiques, qui tentent de saisir la complexité des écosystèmes forestiers; les efforts redoublés des organismes internationaux pour reboiser, préserver, alerter, éduquer; la (lente) prise de conscience des gouvernements concernés. 500 hectares de plantations ici, une réserve protégée là… Des initiatives minuscules, mais qui annoncent peut-être un changement: on commence à réaliser que la compréhension des équilibres naturels n'est pas une fantaisie d'écologistes mangeurs de graines, mais un élément clé de la modernité, un nouveau défi lancé à la science, à la technologie, à l'économie. Et qu'il est urgent d'apprendre à gérer la nature avec intelligence, à l'exploiter sans la mettre en faillite — car personne n'a encore trouvé le moyen de la remplacer.

Ces troncs ont été traînés au travers de la forêt par des véhicules chenillés et entassés sur des places de chargement des deux côtés de la route d'accès, en attendant l'arrivée des camions. Des plantes avides de soleil jaillissent en bordure de la route.

Mais longtemps avant que la route ne soit envahie arrivent les planteurs, sur la trace des bûcherons. Ils n'ont presque rien de commun avec les autochtones. Les planteurs déboisent à 100% les surfaces qu'ils choisissent.

Les premières années, la terre incendiée a été d'un bon rendement. Les planteurs ont récolté bananes, maïs, ignames et tomates et les ont transportés vers les villes. Ils ont créé de nouvelles plantations et abandonné les anciennes aux broussailles.

Les rendements ont baissé. On a débroussaillé encore une fois le terrain et planté une dernière fois. Seul le manioc a réussi à pousser. L'érosion fait son œuvre. Les planteurs sont partis. Le sol est épuisé.

Brochettes 6f pièce
Avocats aux œufs
Cailles aux raisins
Langues sauce piquante
Choux-Farcis

La Bonne Cuisine

Dans cette unité vous allez

- parler de ce qu'on achète dans différents magasins

- parler des restaurants que vous connaissez

- décrire les plats que vous aimez cuisiner et manger

- apprendre ce qu'on dit à table

Vous allez aussi étudier

- l'article partitif

- les expressions de quantité

- les pronoms y et **en**

- l'ordre des pronoms quand ils se suivent

- le comparatif et le superlatif

- les verbes conjugués comme **mettre**

- les pronoms relatifs

*L*EÇON 13

Les provisions

En contexte

Pour commencer

A. Que se passe-t-il? Observez le dessin qui précède et répondez aux
questions suivantes.

1. Que fait le chien?
2. Pourquoi le marchand de légumes est-il fâché?
3. Pouvez-vous imaginer ce que les deux jeunes filles ont acheté à
   l'épicerie?
4. Dans quel magasin peut-on acheter des tartelettes? un pot° de   jar
   confiture? des asperges? de la viande hachée? des caramels?
5. Qu'est-ce qu'on peut acheter dans une boucherie-charcuterie?
   Faites une liste.

B. Où a-t-on dit cela? Regardez le dessin et dites dans quel magasin on a probablement dit chacune des phrases que vous entendez.

EXEMPLE Donnez-moi trois tartelettes aux fraises, s'il vous plaît.

à la pâtisserie - confiserie

à l'épicerie
à la boucherie-charcuterie

à la pâtisserie-confiserie
au magasin de fruits et légumes

Premier séjour en France

Peggy écrit une lettre à son amie Ariane pour lui parler de son séjour en France.

Ma chère Ariane,

Je t'écris en français parce que maintenant que je suis en France, je ne parle que français! Nous sommes très bien installées° chez tes parents! Qu'est-ce qu'ils sont sympathiques! On les adore déjà!   *settled*

Depuis que nous sommes à Paris, Sally et moi nous amusons beaucoup! Ce matin, nous avons fait des courses. Nous sommes allées à la charcuterie pour acheter du saucisson fumé et à l'épicerie parce que nous voulions des flageolets° en boîte. Chez le marchand de fruits et légumes, nous avons acheté des carottes et des oignons. Tu as déjà deviné: pour dîner, nous allons manger un cassoulet!   *white beans*

Comme toujours, le spectacle de la rue nous enchante ou nous surprend. Il est arrivé une petite catastrophe chez le marchand de fruits. Un petit garçon accroché° à la laisse d'un chien qui chassait un pauvre chat effrayé, a renversé l'étal du marchand de fruits. Oh là là! Les fruits ont roulé partout. Le marchand, furibard*°, s'est mis à hurler des injures au chien et au pauvre gamin°. Les gens dans la rue continuaient leur petit train-train° sans vraiment faire attention à ce qui se passait. Sally et moi, nous avons aidé le marchand à ramasser ses fruits et en remerciement, il nous a donné deux barquettes° de framboises! Quel bonheur! Nous avons continué à nous gâter°. Nous sommes allées à la confiserie où nous avons acheté des truffes au chocolat et des caramels-maison°. Quel délice! Et puis, j'ai acheté quelques tartelettes aux fruits pour le dessert ce soir. Tu vois, tu pourrais croire que nous ne pensons qu'à manger depuis que nous sommes en France, mais je t'assure que nous apprenons beaucoup de choses!

hanging on

furious
kid
continuaient... carried on
small containers of
nous... treat ourselves

-maison... homemade

Mais c'est vrai, j'aime la France pour tout ce qu'elle a à offrir à des gourmandes incorrigibles comme nous! Encore une semaine ici et puis c'est le train pour Lyon. Nous irons dans notre école de cuisine. J'aurai alors un tas de° choses à te raconter mais pour l'instant, il faut que tu attendes ma prochaine lettre.

un... lots of

Sally se joint à moi pour t'embrasser très fort,

Peggy

Questions sur la lecture

1. Pourquoi Sally et Peggy sont-elles allées en France? Que font-elles en France maintenant?
2. Sont-elles à l'hôtel? Où habitent-elles?
3. De quoi parle surtout Peggy dans sa lettre?
4. Comment Peggy et Sally ont-elles aidé le marchand de fruits?
5. Comment le marchand de fruits les a-t-il remerciées de leur gentillesse?
6. Qu'est-ce qui intéresse le plus Peggy et Sally?
7. Combien de temps vont-elles rester à Paris? Où iront-elles après? Pourquoi?
8. Qu'est-ce que Sally et Peggy vont manger ce soir chez les parents d'Ariane?

Et vous?

Posez les questions suivantes à un(e) de vos camarades de classe.

1. Si tu voulais manger quelque chose de bon, dans quel magasin irais-tu et qu'est-ce que tu achèterais?
2. Aimerais-tu faire le marché aux Etats-Unis comme on le fait en France: aller d'un petit magasin à l'autre pour acheter exactement ce que tu veux? Pourquoi?
3. Si tu étais en France, où irais-tu pour acheter une boîte de thon°? du saucisson? des carottes? des pommes? un pot de moutarde? du pain? des bonbons? des mille-feuilles?

boîte... can of tuna

4. Si tu avais une bourse pour aller en France dans une école hôtelière°, dans quelle ville de France aimerais-tu aller? Que voudrais-tu apprendre à cuisiner?

catering school

5. Est-ce que tu as déjà renversé quelque chose dans un supermarché? Quoi? Qu'est-ce qui s'est passé?

Expansion du vocabulaire

**CHEZ LE MARCHAND DE
FRUITS ET LEGUMES**
un **ananas**   pineapple
un **artichaut**   artichoke
des **asperges** (*f*)   asparagus
du **brocoli**   broccoli
un **champignon**   mushroom
un **chou**   cabbage
un **chou-fleur**   cauliflower
des **choux de Bruxelles** (*m*)
        Brussels sprouts
une **courgette**   squash
une **fraise**   strawberry
une **laitue**   lettuce
un **melon**   melon
un **oignon**   onion
une **pastèque**   watermelon
une **pêche**   peach
un **poireau**   leek
une **prune**   plum

**A LA BOUCHERIE-
CHARCUTERIE**
du **boudin blanc**   white sausage
du **filet**   filet
du **jambon**   ham
du **pâté**   pâté
du **saucisson** (**fumé**)   (smoked)
        sausage
de la **viande hachée**   ground meat

A LA PATISSERIE-CONFISERIE
un **bonbon**   candy
un **caramel**   caramel
un **éclair au chocolat**   chocolate
        éclair
une **glace**   ice cream
un **mille-feuille**   napoleon
une **tartelette**   tart
une **truffe** (**au chocolat**)
        (chocolate) truffle

A L'EPICERIE
des **boissons** (*f*)   beverages
des **boîtes de conserves** (*f*)
        canned goods

du **café**   coffee
des **corn-flakes** (*m*)   corn flakes
un **fromage**   cheese
un **pot de confiture**   jar of jam
un **pot de moutarde**   jar of
        mustard
un **tube de mayonnaise**   tube of
        mayonnaise

NOMS DIVERS
un **étal**   stall
une **facture**   bill
un **filet**   bag used for grocery
        shopping
un **gourmand**   someone who
        loves to eat
une **laisse**   leash
un **produit surgelé**   frozen food
une **rue commerçante**   street with
        shops
un **traiteur**   caterer

ADJECTIFS
croustillant   crusty, crispy
effrayé   terrified
furibard*   furious
gras   fatty
incorrigible   relentless, determined
mûr   ripe
salé   salty
sucré   sweet

**VERBES ET EXPRESSIONS
VERBALES**
courir après   to chase
faire des courses   to go shopping
faire ses provisions   to go grocery
        shopping
hurler   to scream
prêter attention (**à**)   to pay
        attention (to)
ramasser   to pick up
remercier (**quelqu'un**)   to thank
        (someone)
renverser   to overturn, to knock
        over
tenir en laisse   to hold on a leash

Application

A. Trouvez le mot qui manque. Complétez logiquement les phrases suivantes en utilisant le vocabulaire qui précède.

1. Le pauvre chat est ===== parce que le chien court après lui.
2. Le petit garçon a ===== l'étal du ===== de fruits et légumes.
3. Dans une rue =====, quand on fait ses =====, on doit tenir son chien en =====.
4. Un ===== aurait du mal à ne manger qu'un seul bonbon.
5. On peut dire de quelqu'un qui est très fâché, qu'il est ===== et quand il crie très fort, qu'il =====.
6. On va s'arrêter à la boucherie-charcuterie pour acheter de la viande ===== et du ===== blanc.

B. Situations. Avec un(e) partenaire, choisissez une des situations et rédigez ensemble un dialogue. Vous pourrez ensuite jouer cette scène en classe.

1. Sur le trottoir, votre chien part à la poursuite du chat de l'épicier. Votre partenaire est l'épicier. Imaginez le dialogue. Comment est-ce que vous arrivez à calmer la colère du marchand?
2. Vous allez dans deux magasins de cette rue commerçante. Dans chaque magasin, vous achetez cinq ou six choses. Dans votre dialogue, demandez ce que vous voulez. Votre partenaire jouera le rôle des marchands.

Exploration

L'article partitif

A. On emploie l'article partitif (**du, de la, de l'**) quand on considère seulement une partie ou une portion de quelque chose que l'on ne peut pas compter séparément.

N'oublie pas d'acheter **du** sel.	*Don't forget to buy salt.*
Elle a **de la** patience, cette serveuse!	*That waitress sure is patient!*
Je voudrais seulement **de l'**eau.	*I only want water.*

B. Des est un article indéfini, mais il est parfois traité comme partitif. Son singulier est toujours **un** ou **une**.

N'oublie pas d'acheter **des** légumes.
Achète **un** chou-fleur s'ils sont beaux.

C. Dans une phrase négative, le partitif devient généralement **de** (ou **d'** devant une voyelle). Les phrases avec **être** font exception à cette règle.

Je **ne** mange **jamais de** beurre.
Ce **n'est pas <u>du</u>** beurre, c'est **<u>de la</u>** margarine.

D. Avec les verbes **aimer, préférer, adorer** et **détester,** on n'emploie pas le partitif si on considère la totalité.

J'**aime <u>le</u>** chocolat et j'**adore <u>les</u>** caramels.
I like (all) *chocolate and I love* (all) *caramels.*

Application

A. Des brochettes. Vous faites un barbecue chez des amis et chacun doit préparer sa propre brochette°. Que mettez-vous sur la vôtre?

shish kebab

EXEMPLE **Je mets de l'agneau, des lardons...**

crevettes°	agneau°	saucisse	tomate
porc	poulet	poivron°	olives
bœuf	lardons°	oignon	carotte

shrimp/lamb
bell pepper
bits of bacon

B. Quelle confusion! C'est la première fois que Sally est en France et lorsqu'elle fait les courses avec Peggy, elle se sent un peu perdue. Imaginez les réponses de Peggy à chacune des questions suivantes.

EXEMPLE SALLY L'épicier vend-il du poulet?
PEGGY **Mais non, Sally. L'épicier ne vend pas de poulet. Il vend des boîtes de conserve, de la moutarde...**

1. Est-ce que le boucher vend du pain?
2. Le charcutier vend du poisson?
3. On vend du lait à la boulangerie?
4. Est-ce qu'il y a du pâté à la pâtisserie?
5. Est-ce que le charcutier vend des légumes?
6. Est-ce que je peux acheter du café à la confiserie?

C. Un bon petit dîner. Pour leur dernier jour chez les parents d'Ariane, Peggy et Sally ont décidé de préparer le dîner. Complétez les phrases suivantes en employant un article indéfini, défini ou partitif.

PEGGY	Pour commencer, on pourrait servir __1__ jambon fumé et __2__ pâté de campagne avec __3__ bon pain et __4__ beurre frais. Mais après ça, je ne sais vraiment pas quoi servir.
SALLY	On pourrait faire __5__ poulet rôti.
PEGGY	Bonne idée! Et avec ça, on pourrait servir __6__ purée de pommes de terre. Et comme légume? __7__ chou-fleur, __8__ asperges ou __9__ champignons?
SALLY	Ah non, surtout pas __10__ chou-fleur! Tu sais bien que je déteste __11__ chou-fleur!
PEGGY	Bon, alors on fera __12__ champignons. Je connais une bonne recette et ça ira bien avec __13__ poulet.
SALLY	Tu ne comptes pas servir __14__ salade? Tu sais comme c'est important pour les Français!
PEGGY	Mais si, cela va sans dire! Maintenant, il faut qu'on pense sérieusement au dessert! Qu'est-ce qu'on achète, __15__ gâteau, __16__ glace ou __17__ tartelettes?
SALLY	Pour des gourmandes comme nous, il faut bien un peu de tout!

Exploration

Les expressions de quantité

A. Les expressions de quantité, **assez, beaucoup, un peu...,** sont toujours suivies de la préposition **de,** sans article.

assez de *enough*	plus de *more*
autant de *as much (as many)*	tant de *so much (many)*
beaucoup de *a lot*	trop de *too much (many)*
combien de *how many, how much*	trop peu de *too few*
	un certain nombre de *a certain number*
moins de *less, fewer*	
peu de *little, few*	un tas de *a whole bunch*

B. Les expressions de quantité qui suivent décrivent une quantité plus précise.

une boîte de *a can of, a box of*	une livre de *a half kilo of*
une botte de *a bundle of*	un million de *a million*
un bouquet de *a bouquet of*	un morceau de *a piece of*
une bouteille de *a bottle of*	un paquet de *a package of*
une douzaine de *a dozen*	un pot de *a jar of*
200 grammes de *200 grams of*	un sac de *a bag of*
un kilo de *a kilo of*	une tranche de *a slice of*
un litre de *a liter of*	un verre de *a glass of*

Application

A. La liste de provisions. Vous allez faire du camping avec des copains et ils vous ont chargé(e) de faire les provisions. Une copine a écrit cette liste rapidement. Est-ce que vous savez ce que vous devez acheter?

> EXEMPLE 1 k viande hachée
> **un kilo de viande hachée**

[liste manuscrite:]

> 1 k viande hachée
> 3 k pommes de terre
> 3 p spaghetti
> 2 d œufs
> 3 p confiture
> 10 b eau minérale
> 2 b carottes
> 20 t jambon
> 1 p moutarde
> 10 p chips
> 3 b thon

B. A l'épicerie. Vous êtes à l'épicerie et vous voulez acheter les articles suivants. Utilisez une expression logique pour préciser la quantité que vous voulez.

> EXEMPLE de la moutarde
> **Je voudrais un pot de moutarde, s'il vous plaît.**

1. de la limonade
2. des poires
3. des céréales
4. du sucre
5. du lait
6. du miel°
7. des carottes
8. des spaghetti

honey

C. Ça n'a pas de goût! Vous avez gardé les enfants de vos voisins pendant le week-end. Quand leurs parents sont rentrés de voyage, les enfants se sont plaints de votre art culinaire. De quoi se plaignent-ils?

> EXEMPLE **Samedi matin, il y avait trop de lait et pas assez de céréales et pas assez de fruits dans les corn-flakes.**

samedi matin

samedi à midi

samedi soir

dimanche matin

dimanche à midi

dimanche   soir

D. Etes-vous difficile? Construisez six phrases en choisissant un
élément de chaque colonne pour critiquer un cuisinier de votre
famille et sa cuisine. Choisissez des expressions de la liste suivante
ou parlez des plats de votre choix.

EXEMPLE   **Mon grand-père met trop d'ail dans sa sauce tomate.**

	moutarde	lasagne (*f*)	
	mayonnaise	sauce tomate (*f*)	
beaucoup de	ketchup	pizza (*f*)	
trop de	huile°	hamburger (*m*)	oil
beaucoup trop de	beurre	soupe (*f*)	
assez de	sucre	poisson (*m*)	
peu de	ail°	salade de thon (*f*)	garlic
trop peu de	tomate	salade verte (*f*)	
un tas de	oignon	farce°(*f*)	stuffing
	sel	citron pressé (*m*)	
	poivre	thé (*m*)	
	eau	steak (*m*)	

Exploration

Les pronoms **y** et **en**

A. On utilise **y** pour remplacer

   1. la préposition **à, en, dans, chez, sur, sous** + un endroit

   Es-tu déjà allé **en Grèce**?   **Y** es-tu déjà allé?
   Va **dans ta chambre**.   Vas-**y**.

   2. la préposition **à** + un nom complément

   As-tu répondu **à sa lettre**?   **Y** as-tu répondu?
   Ne pensons plus **à nos soucis**.   N'**y** pensons plus.
   Jacques tient **à partir en vacances**.   Il **y** tient.

   Note: N'oubliez pas que lorsque le complément qui suit la
   préposition **à** est une personne ou un animal, il faut utiliser les
   pronoms compléments d'objet indirect.

   Je vais écrire **à Mayette**.   Je vais **lui** écrire.
   J'ai donné un sucre **à ton chien**.   Je **lui** ai donné un sucre.

B. On utilise **en** pour remplacer

   1. la préposition **de** + un nom complément

   Est-ce que tu veux **du café**?   Est-ce que tu **en** veux?
   J'ai besoin **de ton livre**.   J'**en** ai besoin.

2. un nom précédé d'une expression de quantité (dans ce cas, on répète l'expression de quantité)

Tu as mangé **trop de chocolat**.   Tu **en** as **trop** mangé.
Achète trois **kilos d'oranges**.   Achètes-**en** trois **kilos**.

3. un nom précédé d'un nombre (dans ce cas, on répète le nombre)

Est-ce que tu as **une cuillère**?   Est-ce que tu **en** as **une**?
Elle a acheté **trois gâteaux**.   Elle **en** a acheté **trois**.

4. **de** ou **que** + une chose, un infinitif ou une idée dans une phrase avec le verbe **être** suivi d'un adjectif

Il est très content **de tes progrès**.   Il **en** est très content.
Es-tu heureux **qu'il soit là**?   **En** es-tu heureux?

Note: N'oubliez pas que lorsque le complément de la préposition **de** est une personne ou un animal, il faut utiliser les pronoms accentués.

Tu as peur **de mon chien**?   Tu as peur de **lui**?
Je suis fier **de ma petite sœur**.   Je suis fier d'**elle**.

C. Les pronoms **y** et **en** occupent la même place dans la phrase que les pronoms compléments d'objet direct et indirect.

Nous **en** profitons.   Nous n'**en** profitons pas.
J'**y** ai beaucoup réfléchi.   Je n'**y** ai pas beaucoup réfléchi.
Nous allons **en** parler.   Nous n'allons pas **en** parler.

D. A l'impératif affirmatif, **y** et **en** restent après le verbe. A la deuxième personne du singulier, les verbes en **-er** prennent un **-s** pour des raisons d'euphonie.

Mange un peu de fromage.   { Manges-en un peu.
                              { N'en mange pas.

Va à la boulangerie.   { Vas-y.
                         { N'y va pas.

Application

A. **Vos invités.**   Vous avez invité les parents de votre petit(e) ami(e) à dîner et vous aimeriez que tout aille pour le mieux. Proposez-leur les choses suivantes en employant le pronom **y** ou **en**.

EXEMPLE   Dites à son père de prendre encore un peu de salade.
Prenez-en encore un petit peu.

1. Dites à ses parents d'entrer dans la salle à manger.
2. Dites à son père de reprendre un peu de saumon fumé.
3. Dites à votre petit(e) ami(e) de laisser du saumon pour sa mère.
4. Dites à votre petit(e) ami(e) de goûter à votre soufflé au fromage.
5. Demandez à votre petit(e) ami(e) d'aller dans la cuisine chercher le tire-bouchon.
6. Dites à votre petit(e) ami(e) d'apporter encore deux petites cuillères.
7. Dites à sa mère de reprendre un petit peu de café.
8. Dites à votre petit(e) ami(e) de manger encore un peu de gâteau.

B. **Au régime.**   Deux amis ont fait le pari° de maigrir de 3 kilos. Ils vous ont demandé de les aider à suivre rigoureusement leur régime. Employez **y** ou **en** pour les conseiller dans chacun des cas suivants.

bet

EXEMPLES   David met une montagne de ravioli dans son assiette.
N'en prends pas trop, David.
Tania voudrait faire du vélo.
Fais-en! Ça te fera du bien!

1. David dit qu'il pourrait peut-être aller au gymnase.
2. Tania va mettre quatre morceaux de sucre dans son thé.
3. David va acheter un kilo de caramels.
4. Tania va entrer dans une confiserie.
5. David dit qu'il devrait manger plus souvent de la salade.
6. Un ami offre des chocolats à Tania.
7. David dit qu'il va peut-être aller au parc faire du jogging.
8. Tania va suivre des cours d'aérobique.

C. **Un ami curieux.**   Vous allez passer vos vacances en Suisse et votre ami a beaucoup de questions à vous poser. Répondez aux questions suivantes en utilisant les pronoms **y** ou **en**.

1. J'imagine que tu es très heureux d'aller en Suisse?
2. Combien de temps penses-tu rester à Lausanne?
3. Tu as bien l'intention de rendre visite à ton copain suisse?
4. Est-ce que tu vas passer plusieurs jours chez lui?
5. Est-ce que tu vas aussi aller à Genève?
6. Tu n'oublieras pas de m'envoyer des cartes postales?
7. Est-ce que tu as déjà des francs suisses?
8. Tu me rapporteras une tablette de chocolat suisse?

*L*EÇON 14

Au restaurant

En contexte

Pour commencer

A. Quel restaurant! Observez le dessin qui précède et répondez aux questions suivantes.

1. Pourquoi le garçon tombe-t-il?
2. Est-ce que les enfants de cette famille nombreuse sont très sages? Que font-ils?
3. Que fait leur père? Pouvez-vous vous imaginer de quoi il se plaint?
4. Qui semble ne pas faire attention à tout ce qui se passe dans le restaurant? Pourquoi?
5. La vieille dame va bientôt être très surprise. Que va-t-il lui arriver?
6. A-t-elle l'air contente? Qu'est-ce que vous croyez qu'elle est en train de dire à son mari?

EXEMPLE Une table pour deux, s'il vous plaît.

le couple qui a un chien

le garçon de table   le couple qui a un chien
le maître d'hôtel   le père de famille
le vieille dame   un des enfants

Quel après-midi!

Ma chère Ariane,

Aujourd'hui dimanche, nous sommes allées déjeuner dans un petit restaurant du quartier. Nous avons vécu des heures dont nous nous souviendrons toute notre vie! Au beau milieu du restaurant, il y avait une grande table où était installée une famille nombreuse. Les enfants étaient absolument insupportables; il y en avait un qui empilait des verres les uns sur les autres; il y en avait un autre qui versait sa soupe sur la tête de sa sœur; les deux plus petits étaient en train de se bagarrer à quatre pattes sous la table comme des petits fous… un vrai cinéma, quoi! Leur mère, complètement blasée°, bavardait tranquillement au bout de la table avec sa fille aînée. Leur père n'arrêtait pas de réclamer des choses au garçon — du pain, de la moutarde, encore un peu d'eau minérale, ou de se plaindre — tel plat était trop froid, tel autre, trop chaud, et patati! et patata! Enfin, tu vois le scénario.   *indifferent*

Le pauvre garçon qui arrivait de la cuisine avec un grand plateau, a trébuché sur un petit teckel°. Et patatras! Tout le contenu° de son plateau s'est renversé sur une vieille dame assise à la table devant lui. La pauvre femme était déjà de mauvaise humeur car son mari avait choisi la table près de cette famille trop animée à son goût. Elle était en train de faire des reproches à son mari quand cette avalanche a interrompu son discours. J'ai cru voir son mari sourire!   *dachshund/contents*

La table voisine de la nôtre était occupée par un couple de jeunes amoureux qui buvaient leur café sans même faire attention à toute la pagaille° juste à côté d'eux.   *chaos*

Après tout ça, nous avons quand même pu commander un bon repas. Pour commencer, nous avons pris chacune une soupe à l'oignon, gratinée bien sûr. Et puis, j'ai pris un châteaubriand à la sauce béarnaise, des pommes de terre dauphine et des tomates à la provençale. Sally a pris des brochettes, grillées à point comme elle les aime et avec ça, des pâtes fraîches. Nous avons commandé un plateau de fromages—du camembert, du chèvre° et du fromage aux fines herbes. Et comme dessert, pour moi (tiens-toi bien!) des profiteroles! et Sally une crème au caramel.

goat cheese

Ouf! Inutile de te dire que nous n'avons pas dîné ce soir!

A bientôt, escargot!

Peggy

Questions sur la lecture

1. Que font les enfants assis à la grande table? Est-ce que leur conduite° vous semble normale?

behavior

2. Que fait le père de famille? et la mère? Est-ce une famille typique?

3. Pourquoi est-ce que le garçon est tombé? De quelle humeur pensez-vous qu'il sera maintenant?

4. Quel a été le résultat de sa chute°? Pourquoi croyez-vous que le mari de la vieille dame a souri?

fall

5. Quelle est l'attitude des jeunes amoureux? Expliquez cette attitude.

6. Qu'est-ce que Peggy et Sally ont commandé pour commencer? comme plat principal? et comme dessert?

7. Pourquoi Peggy et Sally n'ont-elles pas dîné ce soir-là?

Et vous?

Posez les questions suivantes à un(e) de vos camarades de classe.

1. Qu'est-ce que tu trouves de comique dans le passage que nous avons lu?

2. As-tu déjà vu des enfants se conduire comme ceux qui sont décrits dans la lecture? En quelles circonstances?

3. As-tu déjà assisté à un incident, ou amusant ou gênant, dans un restaurant? Que s'est-il passé?

4. Quel repas aurais-tu préféré, celui de Peggy ou celui de Sally? Pourquoi?

5. Dans un restaurant, qu'est-ce que tu aimes commander?

6. As-tu déjà mangé des escargots ou des cuisses de grenouilles? Est-ce que ça t'a plu?

7. Quel est le nom de ton restaurant préféré? Pourquoi aimes-tu y aller?

8. Aimerais-tu être chef cuisinier dans un grand restaurant? Pourquoi?

Expansion du vocabulaire

AU RESTAURANT
un **chef cuisinier**   chef
un **garçon**   waiter
un **maître d'hôtel**   headwaiter
un **plateau**   tray
une **serveuse**   waitress

AU MENU
une **brochette**   shish kebab
un **camembert**   a soft, ripened cheese
un **châteaubriand**   beef tenderloin
une **crème au caramel**   a caramel custard
des **cuisses de grenouille** (*f*)   frog's legs
un **escargot**   snail
un **fromage aux fines herbes** cheese with garlic and spices
une **mousse au chocolat**   chocolate mousse
des **pâtes** (*f*)   pasta, noodles
des **pommes de terre dauphine** (*f*) scalloped potatoes
des **profiteroles** (*f*)   a kind of cream puff
à la **provençale**   anything with a tomato, garlic, and herb sauce

une **sauce béarnaise**   a sauce made with egg yolks and butter

VERBES ET EXPRESSIONS VERBALES
empiler   to stack up
faire des reproches   to reproach
laisser tomber   to drop
réclamer   to ask for insistently
renverser   to spill
trébucher (**sur**)   to trip (over)
verser   to pour

DIVERS
à point   medium rare
à quatre pattes   on all fours
bien cuit   well done
cru   raw
cuit   cooked
distrait   distracted
gratiné   with grated, broiled cheese on top
grillé   grilled
inoubliable   unforgettable
insupportable   intolerable
patati et patata*   so on and so forth
patatras!   crash!
savoureux   tasty
saignant   rare

Application

A. Trouvez le mot qui manque.   Complétez logiquement les phrases suivantes en utilisant le vocabulaire qui précède.

1. On peut manger les légumes ===== avec du beurre ou ===== en salade.
2. ===== veut dire qu'un plat est préparé avec des tomates, de l'ail et des herbes.
3. L'être humain marche sur deux pieds, l'animal marche =====.
4. Si vous aimez votre viande à l'intérieur rose, il faut la commander =====.
5. Le ===== est la personne qui prépare un repas dans un grand restaurant.

6. Quand on ne regarde pas devant soi, on peut ===== sur quelque chose.
7. Il ne fait jamais attention à ce qu'il fait, il est toujours =====.

B. Est-ce vrai ou faux? Dites **vrai** ou **faux** pour chacune des phrases suivantes. Ensuite, corrigez les phrases qui sont fausses.

1. Si je fais cuire mon steak deux ou trois minutes, il sera bien cuit.
2. On mange les pâtes en brochette.
3. Comme dessert, on peut prendre une soupe.
4. Dans un grand restaurant, un châteaubriand est généralement bon marché.
5. On met de la sauce béarnaise sur les profiteroles.
6. Il y a de l'ail dans les tomates à la provençale.

C. Situations. Avec un(e) partenaire, choisissez une des situations et rédigez ensemble un dialogue. Vous pourrez ensuite jouer cette scène en classe.

1. Vous êtes le garçon ou la serveuse dans le restaurant où Peggy et Sally ont déjeuné. C'est la fin de la journée et le chef cuisinier vous demande comment s'est passé votre journée. Parlez-lui des clients et de ce qui s'est passé.
2. Vous avez décidé d'ouvrir un restaurant avec un ami. Discutez vos projets. Quel cadre° avez-vous choisi? Quels seront vos prix? Quelle sorte de cuisine allez-vous servir? Qui fera la cuisine? Qui sera chargé du service? Dans quel quartier allez-vous ouvrir votre restaurant?

  decor

Exploration

L'ordre des pronoms multiples

Quand les pronoms compléments précèdent le verbe, ils sont placés dans l'ordre suivant.

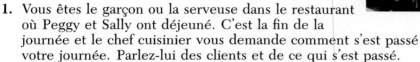

| me te se nous vous | le la les | lui leur | y | en | Verbe |

Luc va donner le plat à sa sœur.   Luc va **le lui** donner.
J'ai acheté du chocolat pour tes amis.   Je **leur en** ai acheté.
Veux-tu me donner cette pomme?   Veux-tu **me la** donner?
Y a-t-il beaucoup de pain?   **Y en** a-t-il beaucoup?

Application

A. Ce n'est pas possible!   Au restaurant, Sally tourne le dos à la salle. Donc, elle ne peut pas voir tout ce qui se passe. Pour satisfaire sa curiosité, Peggy lui dit ce qu'elle voit. Sally a parfois du mal à la croire. Aussi répète-t-elle les commentaires en utilisant les pronoms personnels direct, indirect, **y, en.**

> EXEMPLE   Un des enfants vient de donner <u>une gifle</u> <u>à sa sœur</u>.
> Il vient vraiment de **lui en** donner **une**?

1. Il y a <u>trois bébés</u> <u>à la table</u> près de la porte!
2. Le vieux monsieur n'arrête pas de demander <u>des profiteroles</u> <u>au garçon</u>.
3. La vieille dame vient de refuser de payer <u>l'addition</u> <u>à la caissière°</u>.   cashier
4. Le serveur a l'air de <u>se</u> moquer <u>de ces problèmes</u>.
5. Il n'a même pas encore apporté <u>le café</u> <u>aux amoureux</u>.
6. Mais il <u>t</u>'apporte <u>de la soupe bien chaude</u>.
7. Oh! Le garçon <u>m</u>'a fait <u>des yeux doux°</u>!!!   m'a... made eyes at me

B. Qu'ils sont exigeants!   Un couple exigeant n'arrête pas de réclamer des choses au garçon. Qu'est-ce que celui-ci leur répond? Utilisez deux pronoms objet dans vos réponses.

> EXEMPLE   Dites au chef que je veux mon steak bien cuit.
> **Oui Monsieur, je le lui dirai.**

1. Garçon! Apportez-nous encore du pain, s'il vous plaît.
2. Dites au chef de ne pas mettre trop de sauce béarnaise.
3. Garçon! Apportez-moi la carte, s'il vous plaît.
4. Garçon! Apportez-moi une autre fourchette. La mienne est tombée par terre°.   par... on the floor
5. Garçon! Dites au chef que je ne veux pas d'anchois dans la salade.
6. Rapportez-nous le plateau de fromage, s'il vous plaît.

Exploration

Les pronoms multiples dans les phrases impératives

A. Dans les phrases impératives affirmatives, les pronoms compléments suivent le verbe et sont placés dans l'ordre suivant. (Remarquez qu'ils sont reliés au verbe par un trait d'union°.)   hyphen

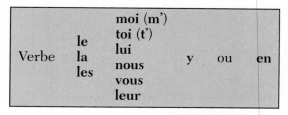

| Verbe | le
la
les | moi (m')
toi (t')
lui
nous
vous
leur | y | ou | en |

Montre-moi tes photos.
Donne les bonbons aux enfants.
Donne-lui une tasse de café.

Montre-**les-moi**.
Donne-**les-leur**.
Donne-**lui-en** une.

B. Dans les phrases impératives négatives, les pronoms compléments gardent le même ordre que dans les phrases déclaratives, devant le verbe, sans trait d'union.

Ne donne pas de gâteau à André.   Ne **lui en** donne pas.

Application

A. Au restaurant.   Vous êtes au restaurant avec des amis qui ne parlent pas français. Le garçon s'adresse à vous. Répondez à ses questions en employant l'impératif et deux pronoms.

EXEMPLE   Est-ce que je montre le menu à vos amis?
Oui, montrez-le-leur.

1. Est-ce que j'apporte de l'eau minérale à vos amis?
2. Est-ce que vous désirez beaucoup de fromage dans votre soupe à l'oignon?
3. Est-ce que je vous décris les desserts?
4. J'apporte de la crème au caramel à vos amis?
5. Je sers du café à vos amis? et à vous?
6. Je vous sers le café ici ou sur la terrasse?
7. Je vous apporte de la crème pour votre café?
8. Je vous donne l'addition ou je la donne à vos amis?

B. Oui, donne-m'en.   Est-ce que vous aimez les plats ci-dessous? Un ami vous a invité(e) à dîner et il veut savoir ce que vous voulez. Pour chaque plat présenté, utilisez une expression de quantité ou une expression négative pour dire combien vous en voulez.

EXEMPLE   du jambon
Donne-m'en deux tranches, s'il te plaît.
(Ne m'en donne pas trop.)

1. de la soupe
2. des crevettes
3. des épinards
4. de la quiche
5. du chou-fleur
6. du pâté
7. des pâtes
8. du thon
9. des mille-feuilles

Exploration

Le comparatif et le superlatif des adjectifs

A. Le comparatif sert à comparer les personnes ou les choses. Il y a trois degrés de comparaison: **supériorité**, **égalité** et **infériorité**.

le comparatif		
supériorité	**plus** + adjectif +	**que**
égalité	**aussi** + adjectif +	**que**
infériorité	**moins** + adjectif +	**que**

Les légumes bouillis sont **moins bons que** les légumes sautés.
*Boiled vegetables are **less tasty than** sauteed ones.*

Est-ce que ton père est **aussi bon** cuisinier **que** ta mère?
*Is your father **as good** a cook **as** your mother?*

Note: On peut renforcer **plus** et **moins** par **bien, beaucoup, encore** ou **tellement**.

Ce restaurant est **encore plus cher que** celui-là.
*This restaurant is **even more expensive than** that one.*

1. **Bon** et **mauvais** ont des comparatifs de supériorité irréguliers.

> bon → meilleur
> mauvais → pire ou plus mauvais

Ce restaurant est **meilleur que** l'autre.
*This restaurant is **better than** the other.*

La viande est encore **pire** (**plus mauvaise**) que le poisson.
*The meat is even **worse than** the fish.*

2. Quand le second terme de la comparaison est un pronom, il faut employer un pronom accentué.

Tu es plus grand que **moi**.   *You are taller than I am.*
Je suis aussi heureux qu'**eux**.   *I am as happy as they are.*

3. Pour indiquer une augmentation ou une diminution, on emploie **de plus en plus** (*more and more*), ou **de moins en moins** (*less and less*).

La viande devient de plus en plus chère.
Meat is becoming more and more expensive.

B. Le superlatif ne compare pas. Il dit quel est le supérieur (**le plus...**) ou l'inférieur (**le moins...**). On forme le superlatif d'un adjectif avec un article défini ou un adjectif possessif suivi de **plus** ou de **moins**.

C'est le plat **le moins bon**.	*It is the worst dish.*
C'est **leur meilleure** serveuse.	*She's their best waitress.*

1. Si l'adjectif suit le nom, on répète l'article avant l'adjectif.

   Utilise la recette **la plus simple**.　　*Use **the simplest** recipe.*

2. Pour indiquer le domaine d'un superlatif, on emploie toujours la préposition **de** en français.

   C'est la plus jolie maison **de la** ville.
   *That's the prettiest house **in** the city.*

   C'est le restaurant le plus célèbre **du** monde.
   *It's the most famous restaurant **in** the world.*

Application

A. Au marché. Mme Serain n'aime pas beaucoup les supermarchés, elle préfère les petits magasins. Que dit-elle? Suivez le modèle pour comparer chacun des magasins au supermarché.

> EXEMPLE　épicerie - légumes/frais
> **A l'épicerie, les légumes sont plus frais qu'au supermarché.**

1. boulangerie - pain/croustillant
2. boucherie - viande/grasse
3. poissonnerie - crevettes/grosses
4. laiterie - lait/frais
5. charcuterie - pâté/bon
6. pâtisserie - mille-feuilles/légers

B. Vous êtes critique. Choisissez le restaurant de votre ville ou de votre quartier que les adjectifs ci-dessous décrivent le mieux. Utilisez le superlatif.

> EXEMPLE　cher
> **Michael's Steak House est probablement le restaurant le plus cher de notre ville.**

1. cher	3. nouveau	5. bon
2. vieux	4. exotique	6. mauvais

C. La gastronomie. Gustave Gougeon travaille pour un guide touristique qui classe les restaurants d'une ville ou d'une région selon les critères indiqués ci-dessous. Suivez l'exemple pour comparer les restaurants.

> EXEMPLE   Chez Gérard/La Maison dorée (cadre)
> ***Chez Gérard*** **a un cadre moins agréable que *La Maison dorée.***

restaurant	cadre°	menu	prix	cuisine
La Maison dorée	agréable	varié	raisonnable	inégale°
Chez Gérard	sans prétention°	très varié	cher	bonne
Mon Auberge	agréable	limité	raisonnable	excellente
Le Mouton noir	très agréable	limité	pas cher	bonne

ambiance
inconsistent
unpretentious

1. Le Mouton noir/Chez Gérard (cadre)
2. La Maison dorée/Mon Auberge (cadre)
3. Mon Auberge/Chez Gérard (menu)
4. La Maison dorée/Le Mouton noir (menu)
5. La Maison dorée/Mon Auberge (prix)
6. Le Mouton noir/Chez Gérard (prix)
7. Mon Auberge/Chez Gérard (cuisine)
8. La Maison dorée/Le Mouton noir (cuisine)

D. Des tableaux presque identiques. Dans un cours de dessin, le professeur a demandé à ses élèves de dessiner une nature morte°. Ces deux dessins, qui ont été faits par deux jeunes artistes, sont presque identiques mais il y a quand même dix différences. Est-ce que vous pouvez les trouver? Utilisez le comparatif.

still life

> EXEMPLE   **Les bananes sont plus mûres sur le second tableau.**

_L_EÇON 15

A l'école hôtelière

Salade niçoise

Faire cuire les haricots verts à l'eau bouillante salée, les égoutter. Couper les tomates en quartiers et les œufs en quartiers ou en rondelles. Couper aussi le concombre, les poivrons verts et les petits oignons en tranches très fines. Ajouter les anchois et le thon. Mélanger le tout dans un grand saladier. Préparer la sauce vinaigrette et verser sur la salade. Laisser macérer environ 30 minutes avant de servir.

5 tomates moyennes . 250 g. de haricots verts . 1 concombre . 12 anchois . 1 boîte de thon . 100 g. d'olives noires . 3 œufs durs . 2 poivrons verts . 2 petits oignons. _Sauce vinaigrette:_ 2 cuillérées à soupe de vinaigre . 1 cuillérée à café de moutarde . 5 cuillérées à soupe d'huile d'olive . 1 gousse d'ail . Fines herbes . Sel . Poivre.

En contexte

Pour commencer

A. Leçons de cuisine. Observez le dessin qui précède et répondez aux questions suivantes.

1. Où sont Peggy et Sally? Avec qui parlent-elles?
2. Qu'est-ce qu'elles apprennent à faire?
3. Quels ustensiles voit-on sur le comptoir° à côté de la cuisinière?   counter
   A quoi sert chacun de ces ustensiles?

4. Qu'est-ce que Peggy et Sally ont mis pour protéger leurs vêtements?
5. Se servent-elles d'une cuisinière à gaz ou d'une cuisinière électrique?
6. Est-ce qu'il y a un four à micro-ondes dans la cuisine?

B. Qui a dit cela? Pour chaque phrase que vous entendez, écrivez **le chef** si c'est le chef qui le dit, et **les étudiantes** si c'est Sally ou Peggy.

EXEMPLE Et voilà! Aujourd'hui je vais vous montrer comment faire une salade niçoise.

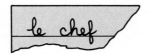

le chef

Les bons petits plats

Ma chère Ariane,

Nous voilà enfin à Lyon. Bien que nous soyons tristes d'avoir dû quitter tes parents, nous sommes contentes d'être arrivées à Lyon. L'école hôtelière est pour nous une nouvelle aventure. Nous sommes seulement au deuxième jour de notre stage et quel boulot*! Le premier jour, nous avons eu un mal fou à comprendre M. Bongoux. M. Bongoux est provençal, il est marseillais. Son français est très chantant°. C'est amusant, mais c'est aussi déroutant°. Il parle très vite et le premier jour, nous étions totalement perdues. Il a dû nous trouver bien bêtes par moment! Mais vers la fin de la journée, nous avons commencé à nous habituer un peu à son accent et nous l'avons mieux compris.

Hier, nous avons fait des petits plats bien simples pour nous roder°, des crêpes et une salade niçoise. J'ai raté mes premières crêpes. J'ai versé trop de pâte dans la poêle et elles étaient trop épaisses. Sally a eu plus de chance que moi mais elle a renversé un bol dans lequel elle avait battu des œufs. Il y en avait partout. M. Bongoux est très patient. Il nous a aimablement encouragées et j'ai eu moins peur de faire des bêtises. Mes dernières crêpes étaient délicieuses. Je crois que je préfère les crêpes au citron et au sucre. Malheureusement, j'en ai trop mangé. J'aurai bien du mal à garder ma ligne° ici! Il faudra certainement que je fasse un peu d'aérobique quand je rentrerai aux Etats-Unis. Heureusement, la salade niçoise n'a pas autant de calories. J'adore la salade niçoise. En France, c'est servi comme hors-d'œuvre bien sûr, mais aux

singsongy
unsettling

nous... break us in slowly

figure

Etats-Unis, on peut certainement servir une salade niçoise comme plat principal.

Dans quelques jours, nous aurons un autre instructeur —un pâtissier. Nous ferons des pâtisseries: des croissants, des brioches, des mille-feuilles, des éclairs au chocolat... Oh là là! Tant pis° pour mon régime!

tant...   too bad

Grosses bises et à la semaine prochaine,

Peggy

Questions sur la lecture

1. Quelles sont les premières difficultés de Peggy et de Sally à l'école hôtelière?
2. Qui est Monsieur Bongoux? Est-ce que son nom s'accorde à sa profession? Pourquoi?
3. D'où est-il originaire? Est-ce qu'il parle français avec un accent? Lequel?
4. Quels plats les élèves de l'école hôtelière ont-ils préparés hier?
5. Que feront-ils dans quelques jours?
6. Pourquoi est-ce que Peggy devra faire de la gymnastique une fois de retour aux Etats-Unis?

Et vous?

Posez les questions suivantes à un(e) de vos camarades de classe.

1. De quels plats parle Peggy dans sa lettre? En as-tu déjà mangé? As-tu trouvé ça bon?
2. Est-ce que tu es au régime? Que manges-tu au petit déjeuner quand tu es au régime? au déjeuner? au dîner? Et quand tu n'es pas au régime?
3. Qui fait généralement la cuisine chez toi? Et toi, est-ce que tu fais parfois la cuisine?
4. Quel est ton plat préféré? Explique-moi comment il se prépare.
5. Est-ce que ta famille a une cuisinière à gaz ou une cuisinière électrique? Est-ce que vous avez un four à micro-ondes?
6. Chez vous, est-ce que vous faites parfois des plats français ou des plats d'un autre pays? Lesquels?

Expansion du vocabulaire

NOMS
- un **anchois**   anchovy
- un **bol**   bowl
- une **casserole**   saucepan
- un **concombre**   cucumber
- une **crêpe**   thin pancake
- une **cuillère à café**   teaspoon
- une **cuillère à soupe**   tablespoon
- une **cuillerée**   spoonful
- une **cuisinière**   stove
- la **cuisson**   cooking time
- un **décapsuleur**   bottle opener
- une **école hôtelière**   catering school
- un **fouet**   whisk
- un **four (à micro-ondes)**
     (microwave) oven
- une **gousse d'ail**   clove of garlic
- un **œuf dur**   hard-boiled egg
- un **ouvre-boîte**   can opener
- une **passoire**   strainer
- la **pâte**   batter
- une **pincée (de)**   pinch (of)
- un **plat**   dish
- une **poêle**   frying pan, skillet
- une **recette**   recipe
- un **stage**   training course
- un **tablier**   apron
- un **tire-bouchon**   corkscrew

DIVERS
- en **quartiers**   in quarters
- en **rondelles**   in round slices
- en **tranches**   in slices
- **épais (épaisse)**   thick
- **épicé**   spicy
- **farci (à)**   stuffed (with)
- **fin**   fine
- **fondu**   melted
- **frais (fraîche)**   fresh

VERBES ET EXPRESSIONS VERBALES
- **ajouter**   to add
- **couler**   to flow, to run (down)
- **déguster**   to taste
- **dénoyauter**   to remove the pit
- **égoutter**   to strain
- **éplucher**   to peel
- **être au régime**   to be on a diet
- **faire bouillir**   to (bring to a) boil
- **faire cuire**   to cook
- **faire macérer**   to soak, to
     macerate
- **mélanger**   to mix
- **renverser**   to spill
- **tremper**   to dip
- **verser**   to pour

Application

A. Trouvez le mot qui manque. Complétez logiquement les phrases en utilisant le vocabulaire qui précède.

1. Une ≡≡≡ explique comment on prépare un plat.
2. Fais ≡≡≡ de l'eau, ajoute une pincée de sel. Quand l'eau bout°, ajoute les pâtes et cinq minutes plus tard ≡≡≡ -les dans une ≡≡≡. Sers-les avec du beurre et du fromage râpé°.   *is boiling*   *grated*
3. Il faut un ≡≡≡ pour ouvrir une bouteille d'eau, un ≡≡≡ pour ouvrir une bouteille de vin et un ≡≡≡ pour ouvrir une boîte de conserve.
4. Les crêpes sont moins ≡≡≡ que les *pancakes* américains. En fait, les crêpes sont très ≡≡≡.
5. Il est indispensable d'≡≡≡ les pommes de terre avant de les faire ≡≡≡ pour faire une purée de pommes de terre.

6. Pour la salade niçoise, on coupe les tomates ===== et les concombres ===== fines.

B. Quels ingrédients? Vous expliquez à un(e) ami(e) comment faire les plats suivants. De quels ustensiles aura-t-il (elle) besoin? Quels sont les ingrédients nécessaires?

1. une omelette
2. un hamburger
3. un gâteau au chocolat
4. un sandwich au thon

C. Situations. Avec un(e) partenaire, choisissez une des situations et rédigez ensemble un dialogue. Vous pourrez ensuite jouer cette scène en classe.

1. C'est votre premier jour dans une école hôtelière en France. Vous allez apprendre à faire une salade niçoise. Imaginez que vous êtes tout à fait débutant(e) et que vous ne savez rien. Le chef cuisinier essaie de vous expliquer ce qu'il faut faire et vous ne cessez pas de lui poser des questions.
2. Vous avez été invité(e) à un grand dîner chez quelqu'un de très célèbre. Tous les autres invités sont des gens très connus. Plus tard dans la soirée, vous téléphonez à un(e) ami(e) qui vous pose des tas de questions. Qui étaient les invités? Comment étaient-ils habillés? Qu'est-ce qu'on a servi à table? Quel dessert est-ce qu'on vous a servi? Est-ce que tout le monde a apprécié le repas?

Exploration

Le comparatif et le superlatif des adverbes

A. Vous avez déjà étudié comment on compare deux adjectifs. Le comparatif et le superlatif des adverbes se forment généralement de la même manière.

le comparatif			
supériorité	**plus** +	adverbe +	**que**
égalité	**aussi** +	adverbe +	**que**
infériorité	**moins** +	adverbe +	**que**

Le riz cuit **plus lentement que** les nouilles.
*Rice cooks **more slowly than** noodles.*

Stéphane lit **moins vite que** sa sœur.
*Stéphane reads **less quickly than** his sister.*

Les Dulac nous ont reçus **aussi gentiment que** possible.
*The Dulacs received us **as nicely as** possible.*

le superlatif		
supériorité	**le plus**	+ adverbe (+ de)
infériorité	**le moins**	+ adverbe (+ de)

C'est Christine qui court **le moins vite de** sa classe.
*It's Christine who runs **the least quickly** in her class.*

Nous avons été reçus **le plus aimablement du** monde.
*We were welcomed in **the most kindly** fashion.*

B. Quelques adverbes ont un comparatif ou un superlatif irrégulier.

	comparatif	superlatif
peu	moins	le moins
beaucoup	plus	le plus
bien	mieux	le mieux
mal	pire	le pis[1]

C. Pour indiquer que le degré de supériorité ou d'infériorité change, on emploie ces expressions.

de mieux en mieux	*better and better*
de moins en moins	*less and less*
de pire en pire	*worse and worse*
de plus en plus	*more and more*

La vie va de plus en plus vite.
Tu fais la cuisine de mieux en mieux!
Nous les voyons de moins en moins souvent.

Application

A. Un patron exigeant. Didier travaille dans un restaurant et son patron n'est jamais satisfait. Didier parle avec son patron. Voici ce que dit Didier. Que répond son patron? Suivez l'exemple.

> EXEMPLES Je note clairement les commandes des clients.
> **Oui, mais il faut les noter encore plus clairement.**
> Je n'oublie pas souvent qui a commandé quoi.
> **Oui, mais il faudra l'oublier encore moins souvent.**

1. Je sers courtoisement tous les clients.

---

[1]Pis ne s'emploie pratiquement plus en français parlé, sauf dans quelques expressions: **Tant pis!** *(Too bad.)* **aller de mal en pis** *(to go from bad to worse).*

2. Je n'oublie pas souvent de leur suggérer un dessert.
3. Je parle assez gentiment aux clients.
4. J'essaie d'arriver vite quand ils m'appellent.
5. Je me repose peu.
6. Je pense beaucoup aux besoins des clients.
7. Je réponds assez patiemment aux clients exigeants.
8. Je m'entends assez bien avec le chef.

B. Qui est-ce? Comparez ce qui se passe dans votre famille et parmi vos amis. Dans vos réponses, utilisez le superlatif.

   EXEMPLE   manger (peu)
   Dans ma famille, c'est moi qui mange le moins.
   (Parmi mes amis, c'est Kevin qui mange le moins.)

1. manger (beaucoup, lentement, rapidement)
2. parler pendant le dîner (beaucoup, peu)
3. faire la cuisine (bien, mal, volontiers°)   willingly
4. renverser quelque chose à table (souvent, rarement)
5. manger quelque chose entre les repas (fréquemment, rarement)

C. De plus en plus. Les habitudes des Français à table sont en train de changer. Complétez chaque phrase selon vos connaissances, avec **de plus en plus, de moins en moins** ou **de mieux en mieux.**[2]

   EXEMPLE   Les Français mangent **de plus en plus** de produits
             surgelés et de conserve.

1. Les Français ont ===== de temps libre mais ils en consacrent°   devote
   ===== à la gastronomie.
2. Les Français mangent ===== souvent hors de chez eux (35% en
   1986 comparé à 25% en 1970).
3. Ils essaient de préparer des plats ===== sains° et ils mangent   healthy
   ===== de sucre et de pain et ===== de poisson et de yaourt.
4. Les Français mangent ===== rapidement et ===== frugalement à
   midi.
5. Les femmes passent ===== volontiers leur temps dans la cuisine.
6. Les Français mangent ===== aux repas et ils grignotent° =====   nibble
   entre les repas.

[2]Source: *Francoscopie, Les Français: Qui sont-ils? Où vont-ils? 1987.* Gérard Mermet. Larousse 1986.

Exploration

Les verbes irréguliers **mettre** et **battre**

mettre°	
je mets	nous mettons
tu mets	vous mettez
il/elle/on met	ils/elles mettent
passé composé: j'ai mis	

battre°	
je bats	nous battons
tu bats	vous battez
il/elle/on bat	ils/elles battent
passé composé: j'ai battu	

to put/ to beat

Les verbes suivants sont conjugués comme

mettre:
admettre   *to admit*
commettre   *to commit*
se mettre à   *to start*
se mettre en colère   *to get angry*
omettre   *to omit*
permettre   *to permit*
promettre   *to promise*
remettre   *to put back, to put off*

battre:
abattre   *to knock down,*
                to slaughter
se battre   *to fight*
combattre   *to combat*

Je mets une belle nappe quand je reçois des invités.
Ils ont remis la réunion à une autre date.
Pourquoi est-ce que les enfants se battent?
J'ai battu les œufs pendant trois minutes.

Application

A. Chez vous.   Posez les questions suivantes à un(e) de vos camarades de classe pour apprendre à mieux le (la) connaître.

1. Est-ce que tu te bats souvent avec tes frères ou tes sœurs? Pourquoi? Est-ce que tu te battais souvent quand tu étais plus jeune? Quand est-ce que tu te mettais en colère?
2. A quels jeux est-ce que tu peux généralement battre tes copains? A quoi te battent-ils le plus souvent?
3. Chez toi, est-ce qu'on met une nappe ou des napperons° sur la table pour le dîner? Qui met la table en général? Qui la débarrasse° après le repas?
4. Est-ce que tes parents te permettent de manger quand tu veux ou est-ce qu'il faut que tout le monde dîne ensemble? Est-ce qu'ils te permettent de manger devant la télévision? dans ta chambre?
5. Chez toi, est-ce qu'on met le café, le pain et le fromage dans le réfrigérateur?

place mats

clears

B. On met la table?   Est-ce que vous savez mettre une table à la française? Expliquez comment on met la table.

EXEMPLE   **D'abord, on met la nappe et les assiettes. Sur les assiettes on...**

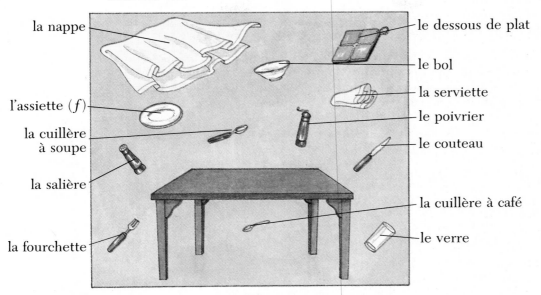

la nappe — le dessous de plat

l'assiette (*f*) — le bol

la cuillère à soupe — la serviette

la salière — le poivrier

— le couteau

la fourchette — la cuillère à café

— le verre

C. Le pari.   Mme Garcia joue au tennis avec son fils qui se croit champion. Elle décide de faire un pari avec lui. Insérez dans son récit la forme et le temps convenable du verbe entre parenthèses. Mettez les verbes au passé composé, à l'imparfait, au plus-que-parfait ou au futur.

L'autre jour, j'ai joué au tennis avec mon fils Paul qui se croit champion. Il m'___1___ (promettre) de préparer le dîner pendant une semaine si je le ___2___ (battre) à deux matchs de suite°. Eh bien, je l'___3___ (battre) deux fois! Donc le lendemain, comme il ___4___ (promettre), il est entré dans la cuisine à 5 h 30, il ___5___ (mettre) un tablier et il ___6___ (se mettre) à faire son chef-d'œuvre: des crêpes. Vers 6 heures, j'ai jeté un coup d'œil dans la cuisine. Quel désordre! Il y avait de la farine partout. Paul ___7___ (battre) la pâte avec une cuillère et sa pâte avait des grumeaux° peut-être parce qu'il ___8___ (omettre) la moitié° du lait. Quelques minutes plus tard, il est sorti de la cuisine en courant. Son cœur ___9___ (battre) si fort qu'il m'a semblé l'entendre. Dans la cuisine, tout était en désordre. Paul avait décidé de faire cuire les crêpes dans le four à micro-ondes et il ___10___ (mettre) la pâte dans ma meilleure poêle! Des crêpes dans un four à micro-ondes! Quelle idée! Quand il m'a dit que maintenant il allait me faire une fondue, je lui ai tout de suite répondu: «Je ne ___11___ (commettre) pas la même erreur deux fois de suite! Je ne te ___12___

de... in a row

lumps
half

(permettre) plus jamais de mettre les pieds dans la cuisine, sauf, bien sûr, si tu veux nettoyer toutes les saletés° que tu as faites!»   mess

Exploration

*Les pronoms relatifs **qui, que** et **dont***

Un pronom relatif sert à joindre deux propositions. Le pronom relatif remplace l'antécédent, le nom ou le pronom mentionné dans la proposition principale. La proposition qui commence par le pronom relatif s'appelle la proposition relative. Le pronom relatif employé dépend de sa fonction dans la proposition qu'il introduit.

> **qui** — sujet dans la proposition relative
> **que** — objet direct dans la proposition relative
> **dont** — objet de la préposition **de** dans la proposition relative

A. Le pronom **qui** est sujet dans la proposition relative. **Qui** peut représenter une personne ou une chose. Le verbe de la proposition relative s'accorde avec l'antécédent du pronom relatif.

Apporte-moi les verres. **Ils** sont sur la table.
Apporte-moi les verres **qui** sont sur la table.

B. **Que** est objet direct dans la proposition relative. Au passé composé, le participe passé des verbes conjugués avec **avoir** doit s'accorder avec l'antécédent de **que**.

Les légumes sont bien frais. J'ai acheté **ces légumes** hier.
Les légumes **que** j'ai achetés hier sont bien frais.

C. **Dont** s'emploie généralement pour remplacer un objet de la préposition **de** dans la préposition relative.

1. On emploie **dont** avec les expressions ou les verbes qui sont suivis de la préposition **de**.

avoir besoin de	être + **adjectif** + de
avoir envie de	parler de
avoir honte de	profiter de
avoir horreur de	rêver de
avoir peur de	se souvenir de

La recette est très facile. Je t'ai parlé **de cette recette**.
La recette **dont** je t'ai parlé est très facile.

2. On emploie aussi **dont** comme complément de nom pour indiquer la possession (*whose, of which*).

Voici la pâtisserie. **Ses mille-feuilles** sont délicieux.
Voici la pâtisserie **dont les mille-feuilles** sont délicieux.

3. Le pronom **dont** peut remplacer un nom précédé d'un nombre ou d'une expression de quantité.

J'allais offrir la tarte. Tu as mangé **un morceau de la tarte**.
J'allais offrir la tarte **dont** tu as mangé **un morceau**.

D. En anglais, le pronom relatif est souvent omis. En français il est toujours nécessaire.

Où sont les provisions **que** tu viens d'acheter?
*Where are the groceries (**that**) you just bought?*

E. La proposition relative se place juste après son antécédent.

La fondue **que tu as faite** est très bonne.

Application

A. **Chacun son goût.** Les goûts varient beaucoup d'une personne à l'autre. Complétez les phrases suivantes pour décrire vos goûts.

> EXEMPLE   Je n'aime pas les gâteaux que...
> **Je n'aime pas les gâteaux qu'on vend au supermarché.**

1. Je préfère les gâteaux que...
2. Les salades qui... sont les meilleures.
3. Les salades qui... sont moins bonnes.
4. Les plats que... sont difficiles à préparer.
5. J'aime les recettes qui...
6. J'évite° les desserts qui...   avoid
7. J'aime goûter aux plats que...
8. Je déteste les plats qui...

B. **A l'école hôtelière.** Peggy et Sally parlent en faisant la cuisine. Que disent-elles? Combinez chaque paire de phrases ci-dessous en employant **qui, que** ou **dont**.

> EXEMPLE   As-tu vu l'ouvre-boîte? Je m'<u>en</u> servais il y a un instant.
> **As-tu vu l'ouvre-boîte dont je me servais il y a un instant.**

1. Il faut que tu essaies <u>la recette</u>. Je t'<u>en</u> ai parlé hier.
2. As-tu goûté à <u>cette fondue</u>? Je viens de <u>la</u> faire.
3. Le Lion Rouge est <u>un restaurant excellent</u>. J'<u>en</u> ai beaucoup entendu parler.
4. Ah, voilà <u>l'ouvre-boîte</u>. Tu <u>le</u> voulais tout à l'heure.

5. Prends <u>les œufs</u>. <u>Ils</u> sont dans le réfrigérateur.
6. <u>Ce chef cuisinier</u> est bien sympathique. <u>Il</u> te montrait comment faire une salade niçoise.
7. Les mille-feuilles sont <u>des gâteaux délicieux</u>. <u>Leur pâte</u> est très légère.
8. Il m'a fallu quatre heures pour faire <u>ces gâteaux</u>. Vous venez de <u>les</u> manger en cinq minutes.

C. **C'est pour qui?** Didier vient d'être engagé comme garçon dans un restaurant. Pour se rappeler ce que chaque client a commandé, il prend des notes. Utilisez ces notes pour faire des phrases avec **dont**.

> EXEMPLE   la fondue/la femme (son mari a une barbe)
> **La fondue est pour la femme dont le mari a une barbe.**

1. les cuisses de grenouilles/l'homme (son fils a renversé la carafe d'eau)
2. la salade niçoise/le monsieur (sa femme porte une fourrure°)   fur coat
3. le steak cuit à point/l'homme (sa cravate trempe dans° la soupe)   **trempe...**   is lying in
4. la brochette/la dame (son mari est chauve)
5. le camembert/la dame (son amie rit tout le temps)
6. la crème au caramel/l'homme (ses enfants ressemblent à Tintin)

Exploration

Les pronoms relatifs ce qui, ce que *et* ce dont

A. Quand le pronom relatif n'a pas d'antécédent ou représente une idée plutôt qu'un nom, on emploie **ce qui, ce que** et **ce dont** (*what, that* ou *that which*).

1. **Ce qui** s'emploie comme sujet d'une proposition relative et son verbe est toujours au singulier.

   Dites-moi **ce qui** vous ferait plaisir.
   *Tell me **what** would please you.*

   Ce qui est agréable, c'est que l'on peut manger dehors.
   ***What**'s nice is that you can eat outside.*

2. On emploie **ce que** comme complément d'objet direct.

   Je refuse de croire tout **ce qu'**ils m'ont dit.
   *I refuse to believe all **that** they told me.*

   Ce que tu as préparé pour le pique-nique a l'air bon.
   ***What** you prepared for the picnic looks good.*

3. **Ce dont** s'emploie comme objet de la préposition **de**.

Je vais au marché. Dis-moi **ce dont** tu as besoin.
*I'm going to the market. Tell me **what** you need.*

Tout **ce dont** j'ai envie, c'est d'un bon petit dîner.
*All (**that**) I feel like having is a good dinner.*

Application

A. Est-ce que vous le savez? Suivez l'exemple pour répondre aux questions suivantes en employant **ce qui, ce que** ou **ce dont**.

> EXEMPLE Que disent les Français avant de commencer un repas?
> **Je ne sais pas ce qu'ils disent.**
> **(Moi, je sais ce qu'ils disent avant de manger. Il disent «Bon appétit!».)**

1. Qu'est-ce que les Français mangent traditionnellement à Noël?
2. Qu'est-ce qui est le plus typique de la cuisine de Provence?
3. Qu'est-ce que les Français mettent le plus souvent sur leurs crêpes?
4. De quoi se sert-on pour faire cuire des crêpes?
5. Qu'est-ce qu'il y a dans une quiche lorraine?
6. Qu'est-ce que c'est que la bouillabaisse?
7. Qu'est-ce qu'on met dans une tomate farcie?
8. De quoi avez-vous envie maintenant?

B. Vos goûts. Qu'est-ce que vous aimez manger? Répondez aux questions suivantes en employant **ce qui, ce que** ou **ce dont**.

> EXEMPLE Est-ce que vous aimez les choses sucrées°?   sweet
> **Oui, j'aime tout ce qui est sucré.**
> **(Non, j'évite tout ce qui est trop sucré.)**

1. Est-ce que vous aimez les plats épicés? salés? aigres-doux°?   bittersweet
2. Est-ce que vous aimez les choses qu'on sert à la cantine° de votre   cafeteria
   école? dans les restaurants fast-food?
3. Est-ce que vous préférez préparer des choses compliquées ou des choses simples?
4. Quand vous allez au supermarché, achetez-vous seulement les choses dont vous avez besoin? Est-ce que vous achetez les choses dont vous avez envie?
5. Quand vous faites la cuisine, est-ce que vous remettez à leur place toutes les choses que vous avez utilisées? Est-ce que vous lavez toutes les choses que vous avez salies°?   dirtied

CAS SPECIAUX

Comment choisir entre à et de dans le groupe nominal

A. Un nom précédé de la préposition **de** peut indiquer **la provenance,** **l'origine** ou **l'ingrédient unique d'un plat**.

une côtelette de porc	*pork chop*
du lait de chèvre	*goat's milk*
de l'huile d'olive	*olive oil*
des fruits de mer	*seafood*
de la purée de tomates	*tomato paste*

$$\boxed{\text{nom} + \textbf{de} + \text{nom}}$$

Vous avez déjà appris qu'on emploie **de** avec un nom sans article après un nom qui représente une quantité.

une tasse de thé	*cup of tea*
un verre de vin	*glass of wine*
un pot de moutarde	*jar of mustard*
une bouteille d'eau	*bottle of water*
une boîte de conserve	*can of food*

B. Un nom précédé de la préposition **à** peut indiquer **l'usage** ou **le but**.

une tasse à thé	*tea cup*
un verre à vin	*wine glass*
un moulin à poivre	*pepper mill*
un couteau à pain	*a bread knife*
une cuillère à café	*teaspoon*

$$\boxed{\text{nom} + \textbf{à} + \text{nom}}$$

C. Pour indiquer **le parfum°** ou **l'ingrédient principal d'une boisson ou d'un plat** on emploie généralement **à** suivi d'un nom avec un article.

flavor

> nom + **à** + article + nom

de la glace à la vanille — *vanilla ice cream*
du poulet au curry — *curried chicken*
de la mousse au chocolat — *chocolate mousse*
des haricots verts à la crème — *green beans with cream*
une omelette aux épinards — *spinach omelette*

Application

A. Un grand dîner. Sophie prépare un grand dîner pour ses cousins qui lui rendent visite. Ajoutez les prépositions **à** ou **de** et, quand il le faut, l'article défini.

Le dîner n'a pas très bien commencé et puis, hélas°, les choses sont allées de mal en pis. D'abord, j'avais oublié de mettre des cuillères __1__ soupe pour la soupe __2__ oignon. Ensuite, le moulin __3__ poivre ne marchait pas et j'avais trop salé° les côtelettes __4__ agneau __5__ crème. Le tire-bouchon s'est cassé et on a eu un mal fou° à ouvrir la bouteille __6__ vin. Puis, pendant le repas, mon oncle a renversé un verre __7__ vin rouge sur la nappe blanche et ma cousine a cassé un verre __8__ vin en cristal . Heureusement, le dessert était réussi. J'avais fait une tarte __9__ fraises et un soufflé __10__ chocolat. Après le repas, nous avons tous pris une tasse __11__ café sur la terrasse et tout le monde a admiré les jolies tasses __12__ café en porcelaine° que j'avais achetées à Limoges.

unfortunately

salted

un… a hard time

china

B. Qu'est-ce que c'est? Identifiez chacune des choses ci-dessous en employant **de** ou **à**.

EXEMPLE   C'est une cuisse de poulet.

1.

2.

3.

4.

5.

6.

7.

8.

LANGUE ET CULTURE

Voilà ce qu'on dit

A *table*

A. Si vous étiez invité(e) à dîner chez quelqu'un, quelles sont les expressions qu'il serait utile de connaître?

Ça a l'air délicieux!	*It looks delicious!*
Quel régal!	*What a treat!*
A ta (votre) santé!	*Cheers!*
Pourriez-vous me passer le sel?	*Could you pass the salt?*
C'est un vrai délice!	*It's delicious!*
Tous mes compliments au chef.	*My compliments to the chef.*

Puis-je en reprendre?	*May I have some more?*
Encore un petit peu?	*Have a bit more!*
En veux-tu encore?	*Would you like some more?*
Allez! Fais un petit effort.	*Come on! Have a bit more.*
Merci, mais je ne peux vraiment plus.	*Thank you, but I really can't have any more.*
Je me suis régalé(e).	*I had a real feast.*

B. Quelles sont les expressions que vous pourriez utiliser entre amis?

J'ai l'eau à la bouche.	*My mouth is watering.*
Je crève de faim!*	*I'm starved!*
J'ai une faim de loup.	*I could eat a horse.*
J'ai l'estomac dans les talons.	*I'm famished.*
Je suis rassasié(e).	*I'm full.*
J'ai eu les yeux plus gros que le ventre.	*My eyes were bigger than my stomach.*

C. Qu'est-ce qu'on peut dire d'un plat qui ne vous plaît pas.

C'est fade.	*It's tasteless (flat).*
Ça n'a pas de goût.	*It has no flavor.*
C'est trop salé (poivré, sucré, épicé, gras).	*It's too salty (peppery sweet, spicy, greasy).*
Ce n'est pas assez relevé.	*It's not seasoned enough.*
Ce n'est pas ce que j'ai commandé.	*It's not what I ordered.*
La viande est trop cuite (trop saignante).	*The meat is too cooked (too rare).*

D. Qu'est-ce que vous pouvez dire, entre jeunes, d'un repas qui ne vous plaît pas dans un self-service ou à la cantine.

Ça me coupe l'appétit.	*That takes away my appetite.*
Ça me pèse sur l'estomac.	*I find it hard to digest.*
Ça n'a rien d'alléchant.	*It's not too tempting.*
C'est dégoûtant.	*It's disgusting.*
C'est écœurant.	*It's sickening.*
C'est imbuvable.	*It's undrinkable.*
C'est immangeable.	*It's inedible.*
Ce n'est pas à recommander.	*I wouldn't recommend it.*
Cette viande est dure comme une semelle.	*This meat is tough as leather.*
Je n'en ai pas eu pour mon argent!	*I got gypped!*
Je refuse d'y toucher.	*I refuse to touch it.*
Le service est zéro (nul)!	*The service is rotten!*
Quelle cochonnerie!	*It's gross!*

Application

A. Satisfait ou mécontent? Dites si les personnes qui ont fait ces commentaires sont satisfaites ou mécontentes.

1. C'est fade.
2. C'est dégoûtant.
3. Je me suis régalé
4. C'est écœurant.
5. Je suis rassasié.
6. Tous mes compliments au chef.
7. Ça me coupe l'appétit.
8. J'en ai pour mon argent.
9. Ça me pèse sur l'estomac.
10. La viande est trop saignante.

B. Tu aimes ça? Que diriez-vous à un ami s'il vous offrait les plats suivants?

1. des escargots
2. du pâté de foie°
3. une dinde° aux marrons°
4. une salade niçoise
5. des rognons°
6. des pommes de terre dauphine
7. des cuisses de grenouilles
8. des champignons à la crème
9. un steak saignant
10. des tripes°

liver

turkey/chestnuts

kidney/tripe

C. Ça vous plaît? Complétez la phrase par une expression convenable.

1. Je ne peux pas couper cette viande. ▬▬▬.
2. Je n'ai plus faim. ▬▬▬.
3. Ça n'a pas de goût. ▬▬▬.
4. J'ai payé dix dollars pour ce steak minuscule! ▬▬▬.
5. Nous avons très bien mangé chez tante Colette. ▬▬▬.
6. On ne peut pas manger ça! ▬▬▬.
7. Je crève de faim. ▬▬▬.
8. Votre soufflé est délicieux. ▬▬▬.

D. Compréhension. Ecoutez le dialogue et dites qui a probablement dit les phrases suivantes: **Nicole** ou **Olivier**.

1. Ça me coupe l'appétit.
2. A moi, rien ne me coupe l'appétit!
3. C'est écœurant! Qu'est-ce que je vais manger d'autre?
4. Ces sandwichs ont l'air dégoûtant.
5. Tout a l'air délicieux.
6. Tout cela a l'air immangeable.
7. Je refuse d'y toucher.
8. Je me suis régalé.

Lecture

Colette

Née en 1873, Sidonie Gabrielle Colette est une des plus célèbres femmes-écrivains françaises. Ecrivain d'une créativité merveilleuse et diverse, Colette a le don de ressusciter l'atmosphère des lieux où elle est passée, comme ici un restaurant près de la mer. Elle crée des tableaux charmants de mœurs°; ici, c'est un couple qui déjeune et observe une autre femme. Elle capture l'individualité délicate des personnages qu'elle évoque, un homme fier, une femme blonde à l'apparence frêle° et sentimentale. Enfin, elle anime pour toujours leurs relations fragiles.

manners, habits

frail

Pour commencer

Lisez une première fois l'histoire de *L'Autre Femme* et répondez à la question suivante: *Pourquoi est-ce que Marc ne veut pas se mettre contre la baie?* Ensuite, relisez l'histoire plus attentivement et répondez aux questions qui suivent la lecture.

L'Autre Femme

— Deux couverts?° Par ici. Monsieur et Madame, il y a encore une
table contre la baie, si Madame et Monsieur veulent profiter de la
vue.

    Alice suivit le maître d'hôtel.

5 — Oh! oui, viens, Marc, on aura l'air de déjeuner sur la mer dans
un bateau…

    Son mari la retint d'un bras passé sous le sien.

    — Nous serons mieux là.

    — Là? Au milieu de tout ce monde? J'aime bien mieux…

10 — Je t'en prie. Alice.

    Il resserra son étreinte° d'une manière tellement significative qu'elle
se retourna:

    — Qu'est-ce que tu as?

    Il fit «ch…tt»° tout bas, en la regardant fixement, et l'entraîna vers
15 la table du milieu.

    — Qu'est-ce qu'il y a, Marc?

    — Je vais te dire, chérie. Laisse-moi commander le déjeuner. Veux-tu
des crevettes? ou des œufs en gelée?

    — Ce que tu voudras, tu sais bien.

20   Ils se sourirent, gaspillant les précieux moments d'un maître d'hôtel
surmené°, atteint d'une sorte de danse nerveuse°, qui transpirait°
près d'eux.

    — Les crevettes, commanda Marc. Et puis les œufs bacon. Et du
poulet froid avec une salade romaine. Fromage à la crème? Spécialité
25 de la maison? Va pour la spécialité. Deux très bons cafés. Qu'on fasse
déjeuner mon chauffeur, nous repartons à deux heures. Du cidre? Je
me méfie… Du champagne sec.

    Il soupira° comme s'il avait déménagé une armoire, contempla la
mer décolorée de midi, le ciel presque blanc, puis sa femme qu'il
30 trouva jolie sous un petit chapeau de Mercure à grand voile
pendant°.

    — Tu as bonne mine°, chérie. Et tout ce bleu de mer te fait les yeux
verts, figure-toi! Et puis tu engraisses°, en voyage… C'est agréable, à
un point, mais à un point!…

35   Elle tendit orgueilleusement° sa gorge ronde, en se penchant° au-
dessus de la table:

    — Pourquoi m'as-tu empêchée de prendre cette place contre la baie?

    Marc Séguy ne songea° pas à mentir.

    — Parce que tu allais t'asseoir à côté de quelqu'un que je connais.

40   — Et que je ne connais pas?

    — Mon ex-femme.

    Elle ne trouva pas un mot à dire et ouvrit plus grands ses yeux
bleus.

    — Quoi donc, chérie? Ça arrivera encore. C'est sans importance.

Deux… A table for
two?

resserra… tightened
his grip

hush

overworked/**atteint…**
taken by a sort of
nervous dance/
was perspiring·

sighed

voile… hanging veil
Tu… You look well
putting on weight

proudly/leaning

consider

45   Alice, retrouvant la parole, lança dans leur ordre logique les questions inévitables:

— Elle t'a vu? Elle a vu que tu l'avais vue? Montre-la-moi.

— Ne te retourne pas tout de suite, je t'en prie, elle doit nous surveiller... Une dame brune, tête nue, elle doit habiter cet hôtel...

50 Toute seule, derrière ces enfants en rouge...

— Oui. Je vois.

    Abritée° derrière des chapeaux de plage à grandes ailes°, Alice put   Hidden/rim
regarder celle qui était encore, quinze mois auparavant, la femme de
son mari. «Incompatibilité», lui racontait Marc. «Oh! mais, là... in-

55 compatibilité totale! Nous avons divorcé en gens bien élevés, presque
en amis, tranquillement, rapidement. Et je me suis mis à t'aimer, et
tu as bien voulu être heureuse avec moi. Quelle chance qu'il n'y ait,
dans notre bonheur, ni coupables°, ni victimes!»   culprits

    La femme en blanc, casquée de cheveux plats et lustrés où la lu-
mière de la mer miroitait° en plaques° d'azur, fumait une cigarette en   shimmered/patches

60 fermant à demi les yeux. Alice se retourna vers son mari, prit des
crevettes et du beurre, mangea posément°. Au bout d'un moment de   calmly
silence:

— Pourquoi ne m'avais-tu jamais dit qu'elle avait aussi les yeux
bleus?

65 — Mais je n'y ai pas pensé!

    Il baisa° la main qu'elle étendait vers la corbeille à pain° et elle   kissed/breadbasket
rougit de plaisir. Brune et grasse°, on l'eût trouvée un peu bestiale°,   plump/brutish
mais le bleu changeant de ses yeux, et ses cheveux d'or ondé°, la   waved
déguisaient en blonde frêle° et sentimentale. Elle vouait° à son mari   frail/vowed

70 une gratitude éclatante. Immodeste sans le savoir, elle portait sur
toute sa personne les marques trop visibles d'une extrême félicité.

    Ils mangèrent et burent de bon appétit, et chacun d'eux crut que
l'autre oubliait la femme en blanc. Pourtant, Alice riait parfois trop
haut, et Marc soignait sa silhouette, élargissant les épaules et redres-

75 sant° la nuque°. Ils attendirent le café assez longtemps, en silence.   straightening up/neck
Une rivière incandescente, reflet étiré° du soleil haut et invisible, se   **reflet...** wide reflec-
déplaçait lentement sur la mer, et brillait d'un feu insoutenable°.   tion/unbearable

— Elle est toujours là, tu sais, chuchota° brusquement Alice.   whispered

— Elle te gêne? Tu veux prendre le café ailleurs?

80 — Mais pas du tout! C'est plutôt elle qui devrait être gênée! D'ailleurs, elle n'a pas l'air de s'amuser follement, si tu la voyais...

— Pas besoin. Je lui connais cet air-là.   style

— Ah! oui, c'était son genre°?

    Il souffla de la fumée par les narines et fronça les sourcils°.   **fronça...** frowned

85 — Un genre... Non. A te parler franchement, elle n'était pas heureuse avec moi.

— Ça, par exemple!...

— Tu es d'une indulgence délicieuse, chérie, une indulgence folle...
Tu es un amour, toi... Tu m'aimes... Je suis si fier, quand je te vois

90 ces yeux... oui, ces yeux-là. Elle... Je n'ai sans doute pas su la rendre heureuse. Voilà, je n'ai pas su.

— Elle est difficile!

Alice s'éventait° avec irritation, et jetait de brefs regards sur la femme en blanc qui fumait, la tête appuyée au dossier de rotin°, et 95 fermait les yeux avec un air de lassitude satisfaite.

Marc haussa les épaules° modestement:

— C'est le mot, avoua-t-il. Que veux-tu? Il faut plaindre ceux qui ne sont jamais contents. Nous, nous sommes si contents... N'est-ce pas, chérie?

100 Elle ne répondit pas. Elle donnait une attention furtive au visage de son mari, coloré, régulier, à ses cheveux drus°, faufilés çà et là de soie blanche°, à ses mains courtes et soignées. Dubitative° pour la première fois, elle s'interrogea.

«Qu'est-ce qu'elle voulait donc de mieux, elle?»

105 Et jusqu'au départ, pendant que Marc payait l'addition, s'enquérait° du chauffeur, de la route, elle ne cessa plus de regarder avec une curiosité envieuse° la dame en blanc, cette mécontente, cette difficile, cette supérieure...

was fanning
appuyée... leaning on the cane chair back
haussa... shrugged his shoulders

thick
faufilés... with threads of white/here and there/doubtful

was inquiring
envious

Questions sur la lecture

1. Où se trouve ce restaurant? Est-ce qu'il y a beaucoup de monde dans ce restaurant? Où est-ce que le maître d'hôtel propose à Marc et Alice de s'asseoir?

2. Que commandent Marc et Alice? Pour qui d'autre Marc commande-t-il aussi un repas?

3. Comment est décrite Alice? Quel est son état d'esprit? Quels détails de son physique nous donne l'auteur?

4. Pourquoi est-ce que Marc se trouve un peu gêné? D'après vous, qui se trouve le plus mal à l'aise?

5. Quels sentiments ont Marc et Alice l'un envers l'autre?

6. Est-ce que Marc et Alice ont oublié l'autre femme pendant le déjeuner? Comment le savez-vous?

7. Quelles descriptions Marc donne-t-il de son ex-femme? D'après vous, est-ce que cette description correspond bien à la réalité?

8. Est-ce que les rapports entre Marc et Alice changent au cours du repas? Quels détails nous suggèrent qu'il y a un changement?

9. A la fin de l'histoire, quels sont les sentiments d'Alice envers l'ex-femme de Marc? Pourquoi pense-t-elle maintenant de cette façon?

Qu'en pensez-vous?

1. Etes-vous déjà allé manger en tête à tête° avec un(e) petit(e) ami(e) ou avec quelqu'un qui vous est très cher?

   en... alone together

2. Qu'est-ce qui vous attire le plus dans un restaurant? Quel cadre préférez-vous?

3. Avez-vous déjà été dans une situation gênante dans un restaurant, dans un magasin, à l'école ou chez vous?

4. L'amour est-il un sentiment qui nous permet d'oublier nos soucis et nos problèmes? Est-il important d'aimer quelqu'un très fort? Pourquoi?

5. Marc décrit Alice d'une manière idéale. Elle est pour lui sans défaut. Quelles sont les qualités que vous recherchez dans une autre personne?

6. Quels sont vos endroits favoris? Où aimez-vous aller pour vous reposer? pour réfléchir? pour être seul(e)?

Révision

Situations

1. Vous allez manger dans un restaurant et vous êtes mécontent(e) de ce qu'on vous a servi. Imaginez un dialogue entre le garçon (ou la serveuse) et vous.

2. Votre ami(e) et vous essayez d'écrire un menu pour le nouveau restaurant que vous pensez ouvrir. Votre partenaire critique tous les plats que vous proposez et vous n'arrivez pas à vous mettre d'accord.

3. Vous voulez aller manger dans un restaurant fast-food mais votre ami(e) préférerait aller dans un restaurant végétarien. Chacun de vous doit essayer de convaincre l'autre d'aller manger dans son restaurant favori.

Sujets de rédaction

1. Vivre pour manger ou manger pour vivre? Qu'en pensez-vous?

2. Imaginez une soirée. Qui inviteriez-vous? Où iriez-vous? Pourquoi avez-vous choisi cet endroit? Qu'attendriez vous de cette soirée?

3. Pensez-vous que vos repas sont meilleurs que ceux que mangeaient vos grands-parents quand ils avaient votre âge? Donnez des exemples, comparez et justifiez vos opinions.

4. Notre nourriture et nos boissons influencent-elles notre vie sociale? Comment et pourquoi? Expliquez en donnant des exemples précis.

CONTEXTE CULTUREL

Christelle écrit à Gail et lui parle des repas que font les Français.

Chère Gail,

Nous avons passé de bonnes fêtes de Noël et du jour de l'an. Maman avait invité toute la famille et nous avons eu un grand réveillon. Mais, sais-tu seulement ce que c'est qu'un réveillon? Avez-vous cette coutume aux Etats-Unis? Ici, en France, nous fêtons Noël en faisant un grand repas pendant la nuit de Noël, la veille du 25 décembre. C'est une fête familiale et religieuse et, pour la circonstance, rien n'est trop bon!

Traditionnellement, on mangeait une dinde aux marrons mais, au fil des ans, elle a été remplacée par des mets plus raffinés les uns que les autres: du boudin blanc, des huîtres, du foie gras, ou du saumon fumé comme hors-d'œuvre, puis une volaille ou du gibier comme plat principal. Et, comme dessert, de la bûche de Noël dont l'origine se perd dans la nuit des temps. En général, le dîner occupe une partie de la nuit... Tu vas me dire que c'est normal puisqu'on est en France et que l'art de la table n'est pas un mot vain dans ce pays.

Bien sûr, je te parle ici d'un repas tout à fait exceptionnel. Dans la vie courante, cela se passe plus simplement. Les Français, tout en conservant une grande tradition gastronomique, connaissent malgré tout des changements importants dans leurs habitudes alimentaires. En France, on mange des sandwiches, et le «très américain» hamburger, pris sur le pouce à midi, a beaucoup de succès. Les jeunes, surtout, apprécient cette nourriture. C'est rapide et bon marché.

Mais là s'arrête la comparaison avec les Etats-Unis car ici, malgré tout, le dîner reste un moment privilégié de la journée où tout le monde se retrouve autour de la table familiale. C'est un moment de détente et de conversation pendant lequel la télévision est souvent défendue. Et ce qui est peut-être aussi intéressant à savoir, c'est que la cuisine est restée très traditionnelle. J'entends par là que l'usage des produits surgelés et du four à micro-ondes n'est pas encore très répandu. Les Français restent convaincus que rien ne peut remplacer les produits frais et naturels.

Est-il nécessaire d'ajouter que chaque région de France a ses spécialités, spécialités dont les Français sont très fiers. Il est très chic de faire un tour de France «gastronomique», d'aller en Bourgogne pour manger des escargots, en Normandie pour manger des tripes à la mode de Caen, en Provence pour manger de la bouillabaisse, et en Alsace pour manger de la choucroute de Strasbourg. Je ne t'ai pas encore parlé des vins français, mais je crois que cela sera pour une autre fois, car sur ce sujet-là aussi, il y aurait de quoi écrire un livre!

Enfin, j'espère que lors de ton prochain séjour, j'aurai l'occasion de te faire goûter quelques-unes de mes recettes favorites.

A bientôt,

Christelle

Sujets de discussion

1. Pourquoi les repas des jours de fête sont-ils importants pour la vie de famille? Pensez-vous que ces repas sont aussi importants aux Etats-Unis qu'en France? A l'occasion de quelles fêtes prépare-t-on un repas spécial dans votre famille? Si vous invitiez un(e) ami(e) français(e) à un tel repas chez vous, qu'est-ce qui pourrait surprendre votre ami(e)? Est-ce qu'il y a des choses que vos parents ne permettent pas pendant un repas, par exemple la télévision?

2. Pourquoi est-ce que les produits alimentaires surgelés et les produits pour four à micro-ondes deviennent de plus en plus populaires aux Etats-Unis? Trouvez-vous ces produits aussi savoureux que les produits frais? Sont-ils aussi nutritifs que les produits frais? Pourquoi ces produits sont-ils moins appréciés en France? Mangez-vous parfois sur le pouce? A quel repas? Pourquoi? Pendant une semaine typique, combien de repas est-ce que vous prenez dans un restaurant de fast-food?

3. Est-ce qu'il y a des plats typiques dans votre région? Décrivez la cuisine régionale des Etats-Unis. Quelle sorte de cuisine préférez-vous? Pourquoi y a-t-il tellement de variété dans la cuisine régionale américaine? Que savez-vous de la cuisine régionale française?

Les Vacances

Dans cette unité vous allez

- parler d'un voyage en voiture
- décrire une gare en France
- imaginer l'arrivée dans un hôtel français
- apprendre ce qu'on dit pour demander et accorder la permission

Vous allez aussi étudier

- la voix passive
- les adjectifs et pronoms indéfinis
- la négation
- les expressions géographiques
- les pronoms possessifs et démonstratifs
- **quel** et **lequel**
- l'emploi du verbe **pouvoir**

LEÇON 16

En voiture

En contexte

Pour commencer

A. Que se passe-t-il? Répondez aux questions d'après ce que vous voyez sur le dessin qui précède.

1. Pourquoi est-ce que cette voiture s'est arrêtée à la station-service? Que fait M. Sassuffit?
2. En quelle saison sommes-nous? Où est-ce que la famille Sassuffit a l'intention de passer ses vacances? Comment le savez-vous?
3. Est-ce que le garagiste à l'air très doué en mécanique? Quelle est son attitude, selon vous?

4. Où vont la petite fille et sa maman? Que fait le garçon qui est sorti de la voiture? Que font les enfants qui sont restés dans la voiture?

5. Comment décririez-vous ce dessin à une personne qui ne peut pas le voir?

B. Qui a dit cela? Regardez le dessin et identifiez la personne qui a probablement dit chacune des phrases que vous entendez. Dites si c'est **un des enfants, un des parents** ou **le garagiste**.

EXEMPLE   Oh zut, alors! D'où vient toute cette fumée?

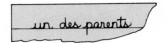

un des parents

Quelle journée!

Le premier août est la date où des millions de Français partent en vacances. Victor Sassuffit écrit à sa grand-mère pour lui raconter ses aventures.

Ma chère Mémé,

Quelle pagaille le matin du grand départ! On était tous dans la voiture prêts à partir dès six heures du matin—Maman, Papa, Laura, Christian, Sophie et moi! Ah, oui, et notre gros toutou° Camembert (OUF!). Seulement, six heures ce n'était pas assez tôt, on aurait dit qu'on partait en même temps que tous les autres vacanciers! La ville entière se vidait, il y avait des encombrements partout et nous, on était en plein milieu! On avançait tout doucement quand Papa s'est exclamé: «Zut alors! Le moteur chauffe!». Il y avait plein de vapeur qui sortait du capot. Papa a dit quelques gros mots et nous sommes tous sortis de la voiture en vitesse. Heureusement on était tombés en panne juste devant une station-service. Quelle chance, non? Le garagiste s'est approché pour nous demander si on voulait faire le plein! Quelle question! Il y avait de la vapeur et de la fumée partout! Pour te dire la vérité, il n'avait pas l'air d'être une lumière°, ce garagiste! Papa a donc pensé qu'il devrait réparer le tuyau du radiateur lui-même. Pour aider Papa, j'ai vérifié la pression des pneus pendant que le garagiste faisait le plein et essuyait le pare-brise comme si de rien n'était°. Laura et Christian ont commencé à se chamailler et Sophie s'est mise à crier «Pipi, maman, pipi!». Ils avaient vraiment choisi leur moment!

Finalement, une heure plus tard on est reparti! Papa, énervé par le retard, a démarré en trombe°, et a atteint les 150 à l'heure en 60 se-

doggie

d'être... to be very bright

comme... as if nothing were happening

en... like a whirlwind

condes! Mais pas pour longtemps! Un gendarme attendait derrière un arbre et VLAN! un P.-V.! Papa n'en revenait pas°. «Tu crois que toutes nos vacances vont se passer comme aujourd'hui?» a-t-il demandé à Maman. Mais Maman, toujours optimiste, a répondu, «Mais non, mon chéri, elles ne peuvent que s'améliorer!»

Moi, je ne sais pas...je te tiendrai au courant!

Je t'embrasse,

Victor

n'en... coudn't believe it

Questions sur la lecture

1. Pour quelle raison y avait-il tant de circulation le jour du départ en vacances de la famille Sassuffit?
2. Pourquoi est-ce que Victor a dit en parlant du départ «quelle pagaille?»
3. Qui était dans la voiture?
4. Pourquoi M. Sassuffit n'était-il pas content?
5. Pourquoi est-ce qu'il y avait de la fumée qui sortait du capot de la voiture?
6. Que faisaient les enfants et le garagiste pendant qu'on réparait la voiture?
7. Qui attendait derrière un arbre? Pourquoi?
8. Quelle était l'attitude de Mme Sassufit? S'est-elle laissée décourager par ces problèmes?

Et vous?

Posez les questions suivantes à un(e) de vos camarades de classe.

1. As-tu déjà fait un voyage en voiture avec tes parents?
2. Quel moyen de transport préfères-tu? Pourquoi?
3. Où rêves-tu d'aller en vacances? Quelles sont les choses que tu emporterais pour faire ce voyage?
4. Pour qu'une voiture reste en bon état et marche bien, que faut-il faire? Est-ce que tu sais vérifier la pression des pneus? le niveau d'huile? faire la vidange? changer un pneu?
5. Est-ce que tu sais conduire? Depuis quand? Es-tu jamais tombé(e) en panne? Où et quand la voiture que tu conduisais est-elle tombée en panne?
6. As-tu déjà reçu un P.-V.? Pourquoi as-tu reçu ce P.-V.? Quelle a été ta réaction? Qu'est-ce que tes parents ont dit?

Expansion du vocabulaire

LES VOITURES

un **autocollant**   bumper sticker
une **bagnole*   car, jalopy
un **capot**   hood
un **clignotant**   blinker
une **dépanneuse**   tow truck
un **encombrement**   traffic jam
    l'**essence** (*f*)   gasoline
un **excès de vitesse**   speeding
une **fuite**   leak
la **fumée**   smoke
un **garagiste**   mechanic
    l'**huile** (*f*)   oil
un **klaxon**   horn
le **moteur**   motor
le **niveau d'huile**   oil level
une **panne de moteur**   breakdown
un **pare-brise**   windshield
un **phare**   headlight
une **plaque d'immatriculation**
    license plate
un **pneu**   tire
une **pompe à essence**   gas pump
un(e) **pompiste**   service station
    attendant
la **pression des pneus**   tire
    pressure
un **P.-V. (un procès-verbal)**
    traffic ticket
un **rétroviseur**   rearview mirror
un **tuyau**   hose
la **vapeur**   steam
la **vitesse limite**   speed limit

AUTRES NOMS
un **départ**   departure

un(e) **estivant(e)**   summer
    vacationer
un **gendarme**   state trooper
un **gros mot**   bad word
une **pagaille***   mess
un **retard**   delay
une **station-service**   service station
les **toilettes** (*f*)   restrooms

VERBES
s'améliorer   to get better
atteindre   to attain
se chamailler   to fight
chauffer   to heat up
démarrer   to take off
***se distraire**   to enjoy oneself
énerver   to irritate, to annoy
essuyer   to wipe
faire la vidange   to change the oil
faire le plein   to fill up the car
fuir   to leak
remorquer   to tow away
tenir quelqu'un au courant   to
    keep someone informed
tomber en panne   to break down
tomber en panne d'essence   to
    run out of gas
vérifier   to check
se vider   to empty out

DIVERS
bourré   packed, crammed full
doué   talented, bright, gifted
en trombe   like a whirlwind
serré   squeezed together

Application

A. Trouvez le mot qui manque.   Complétez logiquement les phrases suivantes en utilisant le vocabulaire qui précède.

1. J'ai reçu ===== parce que ma voiture était stationnée devant une sortie de garage.
2. Je n'ai plus beaucoup d'essence. Alors, je vais à ===== et je =====.

3. Les fabriquants de voiture recommandent qu'on fasse ▭ tous les 5.000 kilomètres.

4. Dans les grandes villes, les gens reviennent tous de leur travail à la même heure et cela cause souvent de très grands ▭.

5. Mon petit frère et ma petite sœur ▭ tout le temps!

6. La voiture part très vite. Elle ▭.

7. Avant de prendre la route, il est bon de nettoyer le ▭, de vérifier la pression des ▭ et le niveau ▭.

B. A la station-service. La voiture des Sassuffit est tombée en panne. Dites le nom de chaque personne ou de chaque objet représenté sur ce dessin.

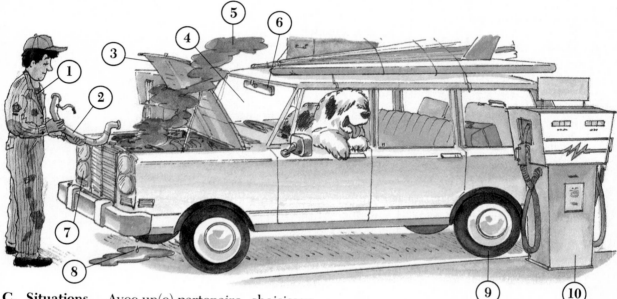

C. Situations. Avec un(e) partenaire, choisissez une des situations et rédigez ensemble un dialogue. Vous pourrez ensuite jouer cette scène en classe.

1. Toute la famille part en vacances: les parents, les enfants, les chiens, les chats. Il y a une panne de moteur. Imaginez une conversation entre les différentes personnes à la station-service.

2. Un gendarme vous arrête pour excès de vitesse. Vous rouliez° à 65 kilomètres à l'heure et la vitesse limite était de 50 kilomètres à l'heure. Que lui dites-vous pour essayer de vous excuser? Que vous répond-il?

were going

Exploration

La voix passive

A. A la voix active, le **sujet** fait l'action. A la voix passive, l'objet direct prend la place du sujet et le sujet devient **l'agent** (personne) ou **le moyen** (chose). Comparez les phrases suivantes:

Voix active
Le douanier ouvre toutes les valises.

Voix passive
Toutes les valises sont ouvertes par le douanier.

B. Le passif se forme à l'aide de l'auxiliaire **être** suivi du participe passé qui s'accorde en genre et en nombre avec le sujet.

> Sujet + **être** + participe passé (+ **par** + agent)

C. Tous les temps et tous les modes peuvent se mettre à la voix passive. L'auxiliaire **être** est au même temps et au même mode que le verbe dans la phrase active correspondante.

Voix active	Voix passive
Marc vérifie l'huile.	L'huile est vérifiée par Marc.
Marc a vérifié l'huile.	L'huile a été vérifiée par Marc.
Marc vérifiait l'huile.	L'huile était vérifiée par Marc.
Marc vérifiera l'huile.	L'huile sera vérifiée par Marc.
Marc vérifierait l'huile.	L'huile serait vérifiée par Marc.
Il faut que Marc vérifie l'huile.	Il faut que l'huile soit vérifiée par Marc.

D. Dans une phrase passive, l'agent (la personne ou la chose qui fait l'action) est précédé de la préposition **par** lorsque le verbe exprime une action.

La vidange a été faite **par** le garagiste.
*The oil was changed **by** the mechanic.*

La côte a été battue **par** l'ouragan.
*The coast was struck **by** the hurricane.*

E. Si le verbe exprime un état, un sentiment ou une émotion, on emploie **de** et le nom sans article.

La voiture était couverte **de** poussière. (état)
The car was covered with dust.

Les garagistes aimables sont appréciés **de** tous. (sentiment)
Friendly mechanics are appreciated by all.

La police de la route est crainte **de** tous les automobilistes. (émotion)
The highway patrol is feared by all drivers.

Application

A. Quelques photos de vacances. Jérôme montre les photos qu'il a prises en vacances. Utilisez la voix passive du verbe donné pour décrire ces photos.

> EXEMPLE   oublier/moi
> **Là, j'avais été oublié à la station-service.**

1. arrêter/mon père   **2.** casser/le pare-brise

3. recouvrir/moi   **4.** polluer/la plage   **5.** attraper/le poisson-scie

B. La dernière fois. Utilisez la voix passive des verbes suivants dans une phrase pour décrire les choses qui vous sont arrivées récemment.

> EXEMPLE   punir
> **J'ai été puni(e) le mois dernier quand j'ai conduit la voiture de ma mère sans permission.**
> **(Je n'ai pas été puni(e) récemment.)**

1. photographier   4. priver de sortie
2. insulter   5. inviter quelque part
3. surprendre   6. arrêter pour excès de vitesse

C. Au mois d'août. M. Garnier habite toute l'année sur la Côte d'Azur. Il parle des touristes qui viennent dans le midi au mois d'août. Les phrases suivantes sont à la voix passive. Mettez-les à la voix active.

EXEMPLE   Les chambres d'hôtel sont louées longtemps à l'avance par les touristes.
Les touristes louent les chambres d'hôtel longtemps à l'avance.

1. Les routes sont couvertes de voitures immatriculées à Paris.
2. Des milliers de châteaux de sable sont construits et détruits par les enfants.
3. La nuit, les derniers châteaux de sable sont effacés par les vagues°.   waves
4. La mer est couverte de planches à voile.
5. Sur la plage, les vacanciers imprudents sont brûlés par le soleil.
6. Une grande quantité d'huile solaire est vendue par les pharmaciens.

Exploration

Possibilités autres que la voix passive

En français, le passif ne s'emploie pas aussi souvent qu'en anglais. Le français préfère la voix active et emploie d'autres constructions pour éviter le passif.

A. On + la voix active remplace une personne (**agent**) indéterminée ou non identifiée.

On a lavé la voiture la semaine dernière.
(au lieu de: La voiture a été lavée la semaine dernière.)

On fera la vidange demain matin.
(au lieu de: La vidange sera faite demain matin.)

B. La forme pronominale peut remplacer une construction passive quand l'agent n'est pas exprimé ou quand le verbe exprime une action habituelle.

Cela ne se fait pas.	*That is not done.*
Le vin blanc se sert bien frais.	*White wine is served chilled.*
Le français se parle ici.	*French is spoken here.*

Application

A. La voiture est-elle prête? Vous allez partir en voyage et vous voulez vous assurer que la voiture est prête. Utilisez la voix passive pour demander si tous les préparatifs ont été faits, puis posez les questions avec le pronom **on**.

EXEMPLE   vérifier l'huile
Est-ce que l'huile a été vérifiée?
Est-ce qu'on a vérifié l'huile?

1. faire la vidange
2. nettoyer le pare-brise
3. changer le vieux pneu
4. remplir le radiateur
5. réparer la fuite d'huile
6. mettre tous les bagages dans le coffre
7. faire le plein

B. Les fruits de mer. Un jeune Américain pose des questions à un jeune Français sur la cuisine de sa région. Imaginez les réponses de son ami. Répondez en employant un verbe pronominal.

EXEMPLE   Comment dit-on «fruits de mer» en anglais?
Ça se dit *seafood*.

1. Comment est-ce qu'on traduit littéralement «fruits de mer»?
2. Est-ce qu'on vend des fruits de mer à la boucherie?
3. En France, est-ce qu'on mange des crevettes frites?
4. Est-ce qu'on mange les crevettes crues?
5. Avec quelle sorte de vin sert-on les fruits de mer?
6. Est-ce qu'on boit le vin blanc froid ou chambré°?   at room temperature
7. Dans quelle région de France est-ce qu'on trouve les meilleurs restaurants de fruits de mer?

C. Dans votre ville. Décrivez votre ville en répondant aux questions suivantes. Employez le pronom **on** dans vos réponses.

EXEMPLE   Est-ce que les agents de police sont respectés?
Oui, on respecte les agents de police sauf peut-être quand on reçoit un P.-V.

1. Est-ce que les agents de police sont bien payés?
2. Est-ce que la vitesse limite est toujours respectée?
3. Est-ce que de nouvelles autoroutes ont été construites récemment?
4. Est-ce que toutes les rues sont bien entretenues°?   maintained
5. Est-ce que de nouvelles stations-service ont été ouvertes cette année? Est-ce que certaines stations-services ont été fermées?
6. Est-ce que les transports en commun° sont beaucoup utilisés? Pourquoi?   transports... public transportation

Exploration

Adjectifs et pronoms indéfinis

Voici quelques adjectifs indéfinis et leurs pronoms correspondants.

adjectif		pronom	
autre	*other*	un(e) autre, d'autres	*another, others*
certain(e)	*certain, some*	certain(e)s	*certain ones, some*
chaque	*each, every*	chacun(e)	*each, every one*
la plupart de	*most*	la plupart	*most*
ne...aucun(e)	*no*	ne...aucun(e)	*none, not one*
plusieurs	*several*	plusieurs	*several*
quelques	*some, a few*	quelques-un(e)s	*a few*
tout, tous,		tout, tous	
toute, toutes	*all*	toute, toutes	*all*

A. L'adjectif indéfini ne prend pas d'article. Les exceptions sont les suivantes: **autre, certain** (au singulier), **tout** (suivi de l'article défini), **la plupart**.

Il y a plusieurs stations-service sur cette route.
Nous allons encore faire **quelques** kilomètres.
Aucune voiture **ne** s'est arrêtée pour nous aider.
Il y a **un certain** parking où je me gare° **tous les** jours.   me.. park
Certains jours, j'aime conduire mais **les autres** jours, je prends le train.
La plupart des garagistes sont honnêtes.

B. Comme sujets, les pronoms indéfinis peuvent s'employer seuls. Comme objet, **tout** (**toute, tous, toutes**) s'emploie généralement avec un pronom complément d'objet direct (**le, la, les**) et les autres pronoms sont accompagnés du pronom **en**.

Tous sont arrivés en retard.   Je **les** connais **tous**.
Certains sont venus très tard.   Il **en** connaît **certains**.
Quelques-uns n'étaient pas bons.   J'**en** ai acheté **quelques-uns**.

C. A l'exception de **tout**, les pronoms indéfinis peuvent être suivis de la préposition **de** + **un nom**. En ce cas, ils ne sont pas accompagnés du pronom **en**.

Aucune ne s'est arrêtée.   **Aucune des voitures ne** s'est arrêtée.
J'**en** ai trouvé **quelques-unes**.   J'ai trouvé **quelques-unes des fuites**.

Application

A. Dans la rue. Répondez aux questions suivantes en employant un pronom indéfini.

> EXEMPLE Combien de P.-V. est-ce que vous avez reçus?
> **J'en ai reçu quelques-uns.**

1. A votre avis, est-ce que les garagistes sont généralement honnêtes ou malhonnêtes?
2. Est-ce que tous vos amis ont leur permis de conduire?
3. Est-ce que vos amis conduisent généralement au-dessus de la vitesse limite?
4. Est-ce que vous voyez des voitures datant des° années cinquante de temps en temps?   datant... from
5. Est-ce que vous voyez souvent des voitures décapotables°?   voitures... convertibles
6. Est-ce qu'il y a des deux-chevaux dans votre ville?
7. Est-ce que les rues de votre ville ont besoin d'être réparées?

B. Les Français en vacances. Complétez logiquement les phrases suivantes en utilisant un adjectif ou un pronom indéfini.

> EXEMPLE La **plupart** des Français ont cinq semaines de vacances **chaque** année.

1. Presque ===== les Français prennent leurs vacances au mois d'août.
2. ===== année, en août, les routes sont couvertes de voitures qui vont vers le Midi.
3. La ===== des Français vont à la plage mais pas =====.
4. Certains font du camping et ===== prennent des vacances éducatives en visitant des endroits historiques.
5. ===== Français vont à l'étranger et ===== viennent aux Etats-Unis.
6. Les Français attendent les vacances ===== l'année et quand il faut retourner au travail, ===== n'en ont pas envie.

C. Les Américains en vacances. En prenant l'Exercice B comme modèle, décrivez les vacances des Américains. Utilisez au moins six adjectifs ou pronoms indéfinis.

> EXEMPLE
>
> *La plupart des Américains prennent leurs vacances...*

L EÇON 17

En train

En contexte

Pour commencer

A. Que se passe-t-il? Répondez aux questions d'après ce que vous voyez sur le dessin qui précède.

1. Où a lieu cette scène? Où est-ce que les passagers attendent le train?
2. A quelle heure est-ce que les trains partent? Quelle heure est-il maintenant?
   Qui a raté son train? Imaginez pourquoi cette personne est arrivée en retard.

4. Pourquoi est-ce que la mère du petit garçon a l'air paniquée?
5. Imaginez pourquoi la femme au mouchoir° pleure. A qui dit-elle au revoir? Pourquoi est-ce que cette autre personne part? — handkerchief
6. Est-ce que le train garé au quai 2 va faire un long trajet ou un court trajet? Comment le savez-vous?
7. Si on fait un voyage de nuit et qu'on veut dormir dans un train, que faut-il réserver?

B. Qui a dit cela? Vous êtes à la gare. Pour chaque phrase que vous entendez, dites si c'est **un employé de la gare** qui parle ou **un voyageur**.

EXEMPLE Pourriez-vous me dire où je peux trouver un taxi?

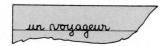

un voyageur

Si on avait pris le TGV

M. Sassuffit n'était pas content: il avait reçu un P.-V. juste quelques minutes après avoir quitté la station-service où sa voiture était en panne.

— Ça, c'est le comble°! La voiture tombe en panne et je reçois un P.-V. pour excès de vitesse! Je t'avais dit que nous aurions dû prendre le train! — c'est.. that does it

En effet, avant de partir en voyage, M. Sassufit avait pensé prendre le TGV pour descendre dans le Midi où sa famille allait passer l'été. Avec le TGV, ils auraient pu faire le trajet trois fois plus vite. Mais sa femme, elle, hésitait à prendre un train qui roulait à plus de 300 kilomètres à l'heure! Elle avait peur de tout ce qui allait très vite. Comme prétexte, elle avait dit que les enfants avaient facilement mal au cœur et qu'à une telle vitesse, ce train devait secouer terriblement les passagers.

— Mais pas du tout! avait répondu son mari. Il avait essayé de lui expliquer que le TGV utilisait la traction électrique et des roues caoutchoutées° et qu'on ne sentait rien du tout. — roues... rubber-coated wheels

— Par ailleurs, avait-il dit, les trains électriques ne polluent pas l'atmosphère comme les automobiles.

Mme Sassuffit était une écologiste qui se plaignait toujours de la circulation sur les routes. Mais elle avait encore très peu d'enthousiasme à l'idée d'employer pour voyager ce chef-d'œuvre de la technologie française qui roule à une vitesse prodigieuse. Mme Sassuffit avait continué à donner des prétextes.

— Et notre budget! avait-elle répliqué. Le TGV doit coûter au moins deux fois plus cher qu'un train express!

M. Sassuffit, qui adorait avoir le dernier mot, avait ri et répondu que le TGV n'était pas plus cher qu'un billet de première classe dans les autres trains. Il fallait seulement payer quelques francs de plus pour la réservation.

A ce moment-là, les enfants s'étaient écriés:

— Prenons le TGV! Allez, Maman, prenons le TGV!

Mme Sassuffit avait fini par céder° et avait promis d'aller à la gare le lendemain pour acheter les billets et faire des réservations. Mais le lendemain, Mme Sassuffit avait oublié de passer à la gare et quand elle y était finalement allée à la fin de la semaine, tout était complet. Ils avaient dû prendre leur voiture.

give in

Ayant payé une somme considérable au garagiste et tenant son P.-V. à la main, M. Sassuffit a regardé sa femme et, satisfait d'avoir le dernier mot, il a dit:

— Et notre budget!

Questions sur la lecture

1. Quel moyen de transport est-ce que M. Sassuffit a voulu employer pour descendre dans le Midi? Pourquoi?
2. Qu'est-ce que c'est qu'un TGV? A quelle vitesse roule-t-il? Que veut dire «TGV»?
3. Quelles excuses est-ce que Mme Sassuffit a données pour ne pas prendre le TGV? Comment M. Sassuffit lui a-t-il répondu?
4. Est-ce que les enfants voulaient prendre le TGV? Pourquoi?
5. Pourquoi, à votre avis les Sassufit ne l'ont-ils finalement pas pris?
6. Pour quelle raison M. Sassuffit se dit-il satisfait, malgré la panne de voiture et le P.-V.?

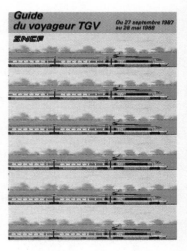

Et vous?

Posez les questions suivantes à un(e) de vos camarades de classe.

1. Est-ce que tu as déjà fait un voyage en train? Quand? Où es-tu allé(e)?
2. Quels sont les avantages et les inconvénients du voyage en train par rapport aux automobiles?
3. Comment est-ce qu'on peut passer son temps dans un train?
4. Est-ce que tu t'endors facilement en voiture? en train? en avion?
5. Est-ce que tu as facilement mal au cœur quand tu voyages?
6. Si on construisait un train comme le TGV aux Etats-Unis, penses-tu que beaucoup de gens le prendraient? Pourquoi?
7. Est-ce que tu t'es déjà perdu(e) au cours d'un voyage? Où est-ce que tu voulais aller? Où est-ce que tu es arrivé(e)?
8. Est-ce que tu as déjà voyagé seul(e)? Dans quelles circonstances?

Expansion du vocabulaire

A LA GARE
un **aller-retour**   round-trip ticket
un **aller simple**   one-way ticket
une **arrivée**   arrival
un **compartiment**   compartment
un **contrôleur**   ticket inspector
une **couchette**   berth, bunk bed in train
un **départ**   departure
une **destination**   destination
un **direct**   nonstop train
un **distributeur automatique (de billets)**   (ticket) vending machine
un **douanier (une douanière)**   customs officer
une **frontière**   border
un **guichet**   ticket window
un **horaire**   schedule
un **omnibus**   local train
un **quai**   platform
un **rapide, un express**   express train
un **tarif (réduit)**   (reduced) fare
le **TGV (le train à grande vitesse)**   French bullet train
un **trajet**   journey, distance

une **voie**   track
une **voiture**   railroad car

VERBES ET EXPRESSIONS VERBALES
attraper   to catch
avoir mal au cœur   to feel nauseated
composter un billet   to validate a ticket
descendre (de)   to get off
monter dans   to get on, to get in
payer un supplément   to pay a surcharge
rater un train   to miss a train
réserver une place   to reserve a place
rouler   to go, to roll
secouer   to shake

DIVERS
à l'heure   on time
en avance   early
en partance pour   leaving for
en provenance de   coming from
en retard   late
valable   valid

Application

A. **Trouvez le mot qui manque.**   Complétez logiquement le paragraphe suivant en utilisant le vocabulaire qui précède.

Ma famille habite dans un pays voisin, juste de l'autre côté de la __1__. Pour aller les voir et pour être de retour à la fin du week-end, je prendrai un billet __2__. Comme c'est un __3__ de nuit qui __4__ très vite et qui ne s'arrête pas dans toutes les villes, je paierai un supplément pour réserver une __5__ afin de pouvoir dormir. A un __6__ de la gare, j'achèterai un __7__ à __8__ parce que je suis jeune et étudiant. Je connais déjà l'__9__ des trains que je prends assez souvent, mais à la gare je ne manquerai pas, tout de même, de regarder les signes indiquant la destination des trains et le __10__ de départ. J'essaierai d'être __11__ pour ne pas __12__ mon train. Dans la voiture, je choisirai un __13__ non-fumeur pour ne pas avoir mal __14__. A l'__15__ dans mon pays, je présenterai mon passeport au

<u> 16 </u> et quand je serai sorti de la gare, je <u> 17 </u> dans un taxi pour aller chez mes parents.

B. Situations. Avec un(e) partenaire, choisissez une des situations et rédigez ensemble un dialogue. Vous pourrez ensuite jouer cette scène en classe.

1. Vous êtes à Paris et vous allez sur la Côte d'Azur pour les vacances. Imaginez votre conversation avec l'employé(e) au guichet à la gare quand vous allez réserver une place. Quelle sorte de billet prenez-vous? Quelles questions posez-vous à propos de l'horaire? Est-ce qu'il reste encore des places libres dans tous les trains? Allez-vous prendre une couchette? un train rapide? le TGV?

2. Vous voyagez avec un(e) ami(e) en France et vous voulez prendre le TGV. Votre ami(e) hésite. Essayez de persuader votre ami(e) que ce serait une très bonne idée de prendre le TGV.

Exploration

La négation

Voici quelques expressions négatives.

ne…aucun(e)	*no, not any, none*
ne…guère	*hardly*
ne…ni…ni	*neither, nor*
ne…nul(le)	*no, not any*
ne…nulle part	*nowhere, not anywhere*
ne…pas beaucoup	*not much*
ne…pas du tout	*not at all*
ne…pas encore	*not yet*
ne…pas grand-chose	*not very much, not much*
ne…pas un(e) seul(e)	*not a single*
ne…personne	*no one, not any one, nobody*
ne…plus	*no longer, not anymore*
ne…point	*not*
ne…presque pas	*hardly, not very much*
ne…que	*only*
ne…rien	*nothing, not anything*

A. Dans les phrases négatives aux temps simples, **ne** précède le verbe conjugué et le deuxième élément de la négation le suit.

Nous n'irons **nulle part** ce week-end.
Je n'aime **pas du tout** cette couleur.

B. Les deux éléments de la négation entourent généralement l'auxiliaire aux temps composés et le verbe conjugué quand il est suivi de l'infinitif.

Vous **n'**aurez **jamais** fini à temps.
Elles **ne** vont **plus** aller en vacances à Nice.

Note: Les expressions négatives dans les phrases suivantes ne suivent pas cette règle.

Je **n'**ai vu **personne**.
Nous **n'**avions entendu **aucun** bruit.
Elle **ne** va aller **nulle part** ce week-end.
On **n'**a **pas** dit **grand-chose**.

C. On peut combiner certains mots négatifs.

ne…plus jamais	**Ne** fais **plus jamais** ça!
ne…jamais rien	Elle **ne** sait **jamais rien**.
ne…plus rien	Je **ne** veux **plus rien**.

D. Quand un infinitif est à la forme négative, les deux éléments de la négation précèdent l'infinitif.

Ils regrettent de **ne pas** pouvoir venir.
Je préfère **ne rien** manger maintenant.
Ne jamais rien dire n'est pas une solution.

Note: Les expressions négatives dans les phrases ci-dessous ne suivent pas cette règle.

Je regrette de **ne** recevoir **personne** aujourd'hui.
Il vaut mieux **n'**aller **nulle part** cet après-midi.
Elle préfère **ne** suivre **aucune** recette.
On a décidé de **ne rien** dire **du tout**.
Il vaudrait mieux **ne pas** faire **grand-chose**.

E. **Rien** et **personne** sont souvent employés comme sujet.

Rien n'est arrivé.
Personne ne t'a écrit.

F. On peut utiliser **aucun(e)**, **jamais**, **personne**, **rien**, et **pas un seul** sans **ne** pour donner une réponse négative brève.

Qui est à la porte? **Personne.**
Qu'est-ce que tu as mangé? **Rien.**
As-tu vu des cerises au marché? **Pas une seule.**

Application

A. Employé(e) de gare. Vous travaillez dans une gare de la SNCF. Répondez aux voyageurs à la forme négative.

> EXEMPLE   Est-ce qu'il y a encore des couchettes libres dans le train de 22h15 pour Vintimille?
> **Non, Madame, il n'y a plus une seule couchette de libre dans ce train.**

1. Est-ce que le train qui s'arrête à Roubaix est déjà parti?
2. Est-ce que le train en provenance de Lille est souvent en retard?
3. Est-ce que le train pour Bruxelles s'arrête à Lille ou à Tourcoing?
4. Est-ce que ce billet de retour sera encore valable à cette date?
5. Où est-ce que ce train s'arrête entre Lille et Bruxelles?
6. Quand le TGV roule à 270 kilomètres à l'heure, est-ce que les passagers sont très secoués?

B. Quelle frayeur°! Vous êtes dans le train avec votre petit frère de cinq ans. C'est son premier voyage en train et il imagine toutes sortes de choses effrayantes°. Dites-lui qu'il n'a aucune raison d'avoir peur.

fear

frightening

> EXEMPLE   J'ai entendu une bombe dans le compartiment!
> **Tu n'as rien entendu du tout. Il n'y a aucune bombe dans le compartiment!**

1. J'ai vu quelqu'un derrière la porte!
2. J'ai entendu quelque chose sous ma couchette!
3. Il y a un monstre dans les W.-C.!
4. Quelqu'un a crié!
5. On a jeté quelqu'un par la fenêtre du compartiment d'à côté!
6. On a mis quelque chose sous mon oreiller!
7. Un fantôme° est apparu à la fenêtre!
8. Quelque chose a explosé dans la locomotive!

ghost

C. Il y a quelques années. En quoi vos goûts et vos habitudes ont-ils changé ces dernières années? Répondez en vous aidant des indications suivantes.

> EXEMPLE quelque chose que vous faisiez souvent mais que vous ne faites presque plus maintenant
> **Il y a quelques années, je regardais tous les jours les dessins animés à la télévision mais je ne les regarde presque plus maintenant.**

1. quelque chose que vous aimiez beaucoup mais que vous n'aimez plus du tout maintenant
2. un endroit où vous alliez souvent mais où vous n'allez presque plus du tout
3. quelque chose que vous faisiez souvent mais que vous ne faites presque plus maintenant
4. quelqu'un que vous voyiez souvent mais que vous ne voyez plus beaucoup maintenant
5. quelque chose que vous mangiez mais que vous ne mangez plus jamais maintenant
6. une personnalité de la télévision que vous adoriez mais que vous n'aimez plus autant maintenant

Exploration

Les expressions géographiques

A. Généralement les villes ne prennent pas d'article.[1] On emploie **à** pour dire *to* ou *in* et **de** pour dire *from*.

Notre voiture est tombée en panne **à** Marseille.
Ils arrivent **de** Londres ce soir.

B. Pour les pays, les continents, les états, les provinces et les régions, on emploie généralement les prépositions suivantes.

	to, in	*from*
avec un nom féminin singulier	en	de
avec un nom masculin singulier	au	du
avec un nom pluriel	aux	des

---

[1]Pour les noms de villes qui commencent avec l'article défini masculin (**Le Havre, Le Caire**), on dit: **Je vais <u>au</u> Havre. Je reviens <u>du</u> Caire.**

1. Les pays, les provinces et les états sont généralement féminins s'ils se terminent en **-e**, sinon ils sont masculins. Les cinq continents sont féminins.

   Exceptions: le Mexique, le Mozambique, le Zaïre, le Maine, le Nouveau Mexique, le New Hampshire, le Delaware et le Tennessee

2. Pour un nom masculin singulier qui commence par une voyelle, on emploie **en** et **d'**: en Israël, en Ohio, en Oklahoma, d'Arizona, d'Idaho, d'Iran

C. Avec les îles, on suit les règles suivantes.

1. En général, on utilise **en** pour les îles dont le nom est précédé de l'article féminin.[2] Pour les îles dont le nom n'a pas d'article, on utilise **à**.

la Sicile	→ en Sicile	Cuba	→	à Cuba
la Corse	→ en Corse	Porto-Rico	→	à Porto-Rico
la Sardaigne	→ en Sardaigne	Hawaï	→	à Hawaï

2. Au singulier, toutes les îles prennent **de** pour dire *from*.

de Sicile	de Corse	de Sardaigne
de Cuba	de Porto-Rico	de Hawaï

3. Pour les îles dont le nom est précédé de l'article pluriel **les**, on utilise **aux** et **des**.

aux Caraïbes	aux Antilles	aux Philippines
des Caraïbes	des Antilles	des Philippines

D. Pour les départements français, on emploie **dans le**, **dans la** et **dans les** pour dire *in* ou *to*. Pour dire *from*, on dit **du**, **de la** ou **des**. Généralement, les départements se terminant en **-e** sont féminins et les autres sont masculins.

Amiens est **dans la** Somme.
On skie **dans le** Val d'Isère.
Dans les Alpes Maritimes, il fait chaud en été.
Mon père vient **des** Alpes Maritimes.
Nous revenons **du** Val d'Isère.

ROUEN
normandie
france

---

[2]Avec la Martinique et la Guadeloupe, on utilise plus souvent **à la** et **de la**.

Application

A. Les plaques d'immatriculation.   En France, les deux derniers chiffres des plaques d'immatriculation indiquent le département où la voiture est immatriculée°. Vous êtes sur la route et vous voulez passer le temps. Vous essayez donc de deviner de quel département et de quelle ville possible vient la voiture qui vous dépasse. Consultez la carte ci-dessous.

registered

EXEMPLE   **901 JT 06**

Ces gens habitent dans les Alpes-Maritimes. Ils viennent peut-être de Nice ou de Cannes.

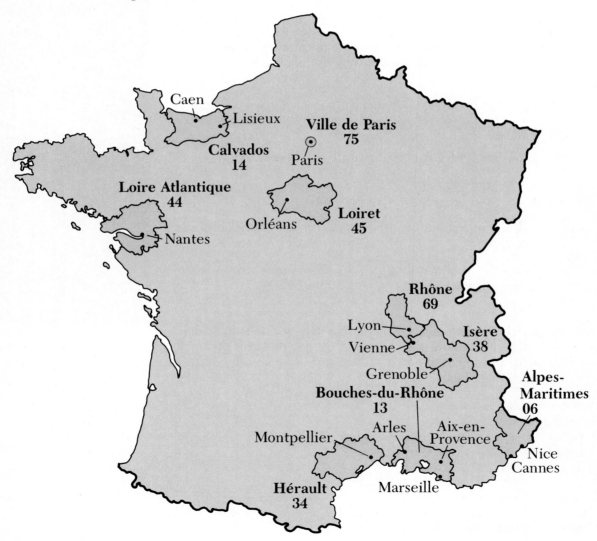

1.	**5812 SB 38**	5.	**9482 SL 34**	
2.	**6723 TT 75**	6.	**8473 CS 13**	
3.	**9384 DK 45**	7.	**4820 RN 44**	
4.	**3048 FD 69**	8.	**2982 GR 14**	

B. Une interview. Posez les questions suivantes à un(e) de vos camarades de classe.

1. Dans quels états des Etats-Unis est-ce que tu es déjà allé(e)? Dans lesquels de ces états voudrais-tu retourner? Pourquoi?
2. De tous les états que tu n'as pas encore visités, dans lequel est-ce que tu aimerais le plus aller?
3. Quel est l'état que tu as le moins envie de visiter? Pourquoi?
4. Est-ce que tu as habité dans un autre état? Lequel? De quel état viennent tes parents? tes grands-parents?
5. Si tu étais né(e) dans un autre pays, où aurais-tu préféré naître?
6. Est-ce que tu es déjà allé(e) dans un pays étranger?
7. Dans quels pays est-ce que tu n'as pas envie d'aller? Pourquoi?
8. A ton avis, quel est le plus beau pays du monde? Dans quel pays est-ce que les gens sont les plus aimables? les plus polis?

C. Une course autour du monde. Vous partez de Paris pour faire une course autour du monde. Vous préférez vous arrêter le moins possible mais selon les règles, vous devez aller aux endroits indiqués ci-dessous. Expliquez où vous allez et pourquoi. Trouvez la route qui a le moins d'arrêts possible.

EXEMPLE **D'abord, je vais à Bruxelles, en Belgique qui est en Europe. C'est une ville francophone mais on y parle néerlandais aussi...**

1. quatre pays européens
2. trois villes francophones
3. deux îles
4. deux états des Etats-Unis
5. deux pays dont le nom commence par la lettre A
6. trois villes où on parle deux langues
7. une ville où on parle espagnol
8. deux pays où on parle allemand
9. deux pays où on parle anglais
10. un pays où on parle italien
11. un pays où on parle néerlandais

Exploration

Les pronoms possessifs

Les pronoms possessifs remplacent un nom précédé d'un adjectif possessif.

singulier		pluriel	
masculin	**féminin**	**masculin**	**féminin**
le mien	la mienne	les miens	les miennes
le tien	la tienne	les tiens	les tiennes
le sien	la sienne	les siens	les siennes
le nôtre	la nôtre	les nôtres	
le vôtre	la vôtre	les vôtres	
le leur	la leur	les leurs	

A. Le pronom possessif s'accorde en genre et en nombre avec la personne ou la chose possédée.

C'est **ma fille**.　　　　C'est **la mienne**.

C'est **mon billet**.　　　C'est **le mien**.

Il a retenu **sa place**.　　Il a retenu **la sienne**.

Où sont **vos bagages**?　　Où sont **les vôtres**?

B. On emploie le pronom possessif de la 3ème personne quand le sujet est indéfini.

Chacun a ses idées.　　　　　*Each one has his own ideas.*
Chacun a **les siennes**.　　　*Each one has his own.*

Tout le monde a son billet.　　*Everyone has his ticket.*
Tout le monde a **le sien**.　　*Everyone has his.*

C. Le pronom possessif, étant précédé d'un article défini, doit suivre les règles de la contraction après les prépositions **à** et **de**.

Elle préfère son coiffeur à notre coiffeur.
Elle préfère le sien **au nôtre**.

Je lui ai parlé de mon voyage et elle m'a parlé de son voyage.
Je lui ai parlé **du mien** et elle m'a parlé **du sien**.

D. Après le verbe **être**, on n'emploie généralement pas le pronom possessif si le sujet est un nom ou un pronom personnel. Dans ce cas, on utilise **être à** + **un pronom disjonctif.**

Est-ce que ces valises sont à eux?
Non, elles sont à nous.

Application

A. **Qu'est-ce que c'est?** Comparez vos possessions avec celles de vos camarades de classe. Votre camarade essaiera de deviner l'objet dont vous parlez. Utilisez des pronoms possessifs dans vos comparaisons.

> EXEMPLE — **Les miennes sont bleues et les tiennes sont blanches.**
> — **Est-ce que tu parles de nos chaussures de tennis?**

B. **A la préfecture.** Vous êtes en voyage avec votre meilleur(e) ami(e), qui ne parle pas français. Vous allez tous les deux à la préfecture de Montpellier pour obtenir une carte d'identité. Comme votre ami(e) ne comprend pas le français, vous répondez à chaque question pour vous et pour lui (elle).

> EXEMPLE Quelle est votre adresse?
> **La mienne est...**
> **La sienne est...**

1. Quelle est votre date de naissance?
2. Quel est votre numéro de téléphone?
3. Comment s'appelle votre père?
4. Comment s'appelle votre mère?
5. De quelle couleur sont vos yeux?
6. De quelle couleur sont vos cheveux?

C. Lesquelles sont à vous?   En descendant du train, Georges et ses deux petites sœurs jumelles ont oublié leurs valises. Quand Georges retourne à la gare chercher les valises avec son grand-père, il voit tellement de valises qu'il ne sait plus du tout lesquelles appartiennent à ses sœurs et à lui. Ecoutez ce qu'il dit à son grand-père et devinez quelle valise est à lui et quelle est celle de ses sœurs. Sur une feuille de papier, faites une liste des valises que vous pouvez éliminer.

EXEMPLE   Les nôtres ne sont pas bleues.

Georges   *ses sœurs*
3, 9,   3, 9,

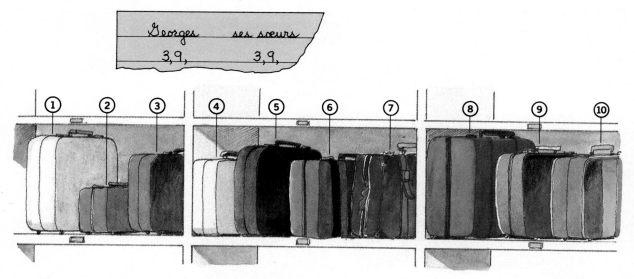

D. Un autre passager.   Vous voyagez par train en France et vous faites la connaissance d'un élève de votre âge. Comparez votre vie à la sienne. Utilisez un pronom possessif dans vos comparaisons.

EXEMPLE   Mon cours préféré, c'est le cours de physique.
Le tien, c'est le cours de physique? Le mien, c'est...

1. Il y a 500 élèves dans mon école.
2. Nos professeurs sont sévères.
3. Nos cours commencent généralement à la mi-septembre et finissent fin juin.
4. La plupart de mes camarades de classe vont aller à l'université.
5. Je vais faire mes études en langues étrangères.
6. Ma sœur va étudier la médecine.
7. Mon frère va faire ses études universitaires à l'Université de Montpellier.
8. Ma mère est médecin.
9. Notre maison est tout près de l'hôpital où travaille ma mère.

LEÇON 18

A l'hôtel

En contexte

Pour commencer

A. Que se passe-t-il? Examinez le dessin qui précède et répondez aux questions suivantes. Justifiez vos réponses.

1. Est-ce que cet hôtel est un hôtel très luxueux? Qu'est-ce qui indique le niveau de confort de cet hôtel?
2. Que se passe-t-il à la réception?
3. Pourquoi pensez-vous que le monsieur est mécontent?
4. Que fait le vieux monsieur assis dans un fauteuil dans le hall de l'hôtel? A-t-il l'air intéressé par ce qui se passe autour de lui?

5. Que fait, selon vous, la dame au grand chapeau? A qui parle-t-elle? Que dit-elle?

6. Quelles autres personnes sont dans le hall de l'hôtel? Que font-elles?

7. Est-ce que la famille qui arrive revient d'une promenade le long de la côte ou termine-t-elle un voyage fatigant? Comment le savez-vous?

B. Qui a dit cela? Vous êtes à l'hôtel. Pour chaque phrase que vous entendez dites si c'est **un employé** ou **un client** qui parle.

EXEMPLE **Vous avez la chambre 18, au premier étage. Le groom va vous accompagner et il prendra vos valises.**

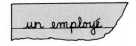

Enfin arrivés!

Voilà la famille Sassuffit enfin arrivée à Nice. Ils sont tous épuisés mais très heureux d'être enfin à l'hôtel. Ils font d'abord la queue à la réception parce que l'hôtel a égaré° les réservations du client qui est devant eux. Pour Laura, c'est la première fois qu'elle descend° dans un hôtel, et elle est toute surprise par le brouhaha° autour d'elle: Les cris du monsieur, les gens qui circulent dans le hall, les étrangers qui parlent une langue qu'elle ne comprend pas!

Pendant qu'elle attend, Laura qui a beaucoup d'imagination, crée une identité fictive° pour tous les gens qu'elle voit autour d'elle. Le vieux monsieur là-bas, la tête cachée par son journal: c'est sans doute un espion° du Deuxième Bureau°! Il est sur la piste d'un grand criminel. Laura l'aidera à l'arrêter. Elle entendra une conversation secrète et mènera l'agent 009 (le vieux monsieur) au rendez-vous secret où le criminel sera pris. Et son nom sera dans tous les journaux—*LAURA SASSUF-FIT!!*

Et ce couple qui sort de l'ascenseur: elle, c'est une chanteuse de rock très connue et lui, c'est son impressario°. En passant devant eux, Laura chantera un petit air et sera immédiatement «découverte». Sa carrière de vedette commencera dès ce jour-là et elle deviendra riche et célèbre... *LAURA SASSUFFIT A L'OLYMPIA!*

Et ces étrangers qui parlent là-bas: ils préparent un complot° pour l'enlever°, elle. Les kidnappeurs pensent que ses parents sont très riches et qu'ils accepteront de payer n'importe quelle rançon°. «Mais non, je ne veux pas aller avec vous! Je ne partirai pas. Au secours!° Au secours!»

misplaced
goes to
commotion

ficticious

spy/**Deuxième...**
    intelligence branch

agent

plot
kidnap
ransom
Help!

«Laura! Laura! Viens! On va dans notre chambre. Laura! On dirait que tu es complètement dans les nuages! Tu rêves, ma fille!» C'est sa mère, et Laura est tellement contente de la voir qu'elle lui fait un gros câlin. En croisant ces gens, elle leur tire° la langue, donnant sans-doute à ces gens-là l'impression que tous les petits Français sont les enfants les plus mal élevés du monde!

sticks out

Questions sur la lecture

1. Décrivez la scène que la famille Sassuffit découvre à son arrivée dans le hall de l'hôtel.
2. Pourquoi les Sassuffit sont-ils obligés de faire la queue?
3. Qu'est-ce que Laura imagine en regardant le vieux monsieur qui lit son journal?
4. Pourquoi Laura imagine-t-elle que son nom est dans tous les journaux?
5. Comment Laura fera-t-elle la connaissance du couple qui attend devant la porte de l'ascenseur?
6. Quel rôle important cet homme et cette femme vont-ils jouer dans l'imagination de Laura?
7. Laura devine que certains touristes ne sont pas français. Que pense-t-elle?
8. Comment se termine le rêve de Laura?
9. Pourquoi fait-elle un gros câlin à sa maman?
10. Pourquoi tire-t-elle la langue aux gens dans le hall de l'hôtel?

Et vous?

Posez les questions suivantes à un(e) de vos camarades de classe.

1. Es-tu déjà descendu(e) dans un grand hôtel? Comment était la dernière chambre d'hôtel où tu as passé la nuit?
2. Quelle différence est-ce qu'il y a entre un hôtel et un motel? Est-ce que tu préfères les hôtels ou les motels? Pourquoi?
3. Avant de partir en voyage, est-ce que tes parents réservent des chambres d'hôtel? Est-ce que tu emportes beaucoup de bagages quand tu vas en voyage?
4. Si tu allais en France, est-ce que tu choisirais un hôtel à une, deux, trois ou quatre étoiles? Pourquoi?
5. Si tu descendais dans un hôtel de luxe est-ce que tu demanderais qu'on porte tes bagages ou est-ce que tu les porterais toi-même? Pourquoi?
6. Que dirais-tu si l'hôtel avait perdu ta réservation et qu'on te disait qu'il n'y a plus de place?

Expansion du vocabulaire

A L'HOTEL
des bagages (*m*) luggage, baggage
une baignoire bathtub
la caisse cash register
une chambre avec douche room with a shower
une chambre avec lavabo room with a wash basin
une chambre avec salle de bains room with a bath
une étoile star
un étranger, une étrangère foreigner
une fiche registration form
un groom bellboy
un hall lobby
un horaire schedule
un lit double double bed
un lit simple twin bed
une malle trunk
un porteur porter
le premier étage second floor
la réception check-in desk
une réservation reservation

une valise suitcase
une vue view

VERBES ET EXPRESSIONS VERBALES
circuler to circulate, to move around
créer to create
croiser quelqu'un to run across someone
descendre dans un hôtel to go to a hotel
être en colère to be angry
faire la queue to stand in line
faire un câlin à to cuddle
régler la note to pay the bill
remplir to fill out
verser des arrhes to make a deposit

DIVERS
connu famous
épuisé exhausted
luxueux luxurious

Application

A. **Trouvez le mot qui manque.** Complétez logiquement les phrases suivantes en utilisant le vocabulaire qui précède.

Mais Monsieur, je proteste! Il y a presque un mois que nous avons fait nos ___1___ et nous avons versé des ___2___. Nous avons choisi cet hôtel parce qu'il est assez ___3___ parce qu'il a trois ___4___ dans le guide touristique. J'avais réservé une chambre au dernier étage pour avoir une ___5___ sur la mer, une chambre avec ___6___ parce que ma femme préfère prendre des bains. A la place, on nous donne une chambre qui n'a pas de baignoire, juste au-dessus du rez-de-chaussée. C'est bruyant! Je voulais un grand lit et on nous a donné deux ___7___! Nous n'avons toujours pas nos valises et elles ne sont plus pourtant dans le ___8___ de l'hôtel! J'avais appelé en vain un ___9___ pour nous les apporter! J'aimerais qu'on monte nos ___10___ dans notre nouvelle chambre. J'espère que je n'aurai pas à redescendre à la ___11___ pour me plaindre; apparamment, je ne suis pas le seul car j'ai dû ___12___ pendant dix minutes avant de pouvoir vous parler.

B. Situations. Avec un(e) partenaire, choisissez une des situations et rédigez ensemble un dialogue. Vous pourrez ensuite jouer cette scène en classe.

1. Vous êtes descendu à l'hôtel **Beau-Séjour** pour y passer vos vacances. Depuis trois jours vous n'avez eu que des problèmes. Expliquez vos problèmes au (à la) réceptioniste. Il (Elle) vous répond que ce n'est pas de la faute de l'hôtel. Quels sont vos points de vue respectifs?

2. Vous travaillez comme réceptioniste dans un hôtel à quatre étoiles. En fin de journée, alors qu'il n'y a personne dans le hall, vous chantez de vos airs favoris. Un chanteur (une chanteuse) célèbre qui vient vous demander la clef de sa chambre entend votre voix et découvre votre talent caché! Imaginez la conversation entre cette personne célèbre et vous.

Exploration

Quel et Lequel

A. L'adjectif **quel** s'accorde en genre et en nombre avec le nom qu'il accompagne. Il se traduit en anglais par *what* ou *which*.

	masculin	féminin
singulier	quel	quelle
pluriel	quels	quelles

1. L'adjectif **quel** peut s'employer à la forme interrogative.

Quelle chambre préférez-vous?   *What room do you prefer?*
Quel hôtel avez-vous choisi?   *Which hotel did you choose?*

2. L'adjectif **quel** peut aussi s'employer à la forme exclamative.

Quelles belles vacances!   *What a great vacation!*
Quel beau voyage j'ai fait!   *What a beautiful trip I took!*

B. Le pronom interrogatif **lequel** s'emploie pour indiquer un choix (*which one, which ones*).

| préposition | singulier | | pluriel | |
	masculin	féminin	masculin	féminin
	lequel	laquelle	lesquels	lesquelles
à	**au**quel	à laquelle	**aux**quels	**aux**quelles
de	**du**quel	de laquelle	**des**quels	**des**quelles

A. **Lequel** s'accorde en genre et nombre avec le nom qu'il représente.

Voici les **livres** que j'ai trouvés. Dis-moi **lesquels** sont à toi?
Il m'a donné une dizaine de **photos**. **Lesquelles** voulais-tu?

B. Quand le pronom **lequel** est précédé de la préposition **à** ou **de,** il y a contraction de l'article défini avec les prépositions.

J'ai apporté trois jeux. **Auquel** veux-tu jouer?
Ils ont deux gros chiens. **Duquel** as-tu le plus peur?

Application

A. **Quel train est-ce?** Vous allez faire votre premier voyage en train à Bordeaux mais vous vous êtes égaré(e)°. Posez des questions en employant le pronom interrogatif **lequel** à la forme convenable.

vous... you've gotten lost

> **EXEMPLE** Vous allez prendre le train dans une des gares de Paris mais il y a plusieurs gares à Paris.
> **De laquelle partent les trains pour Bordeaux?**

1. On vous a donné deux horaires différents et vous voulez l'horaire correct.
2. Il y a plusieurs trains qui vont à Bordeaux et vous voulez prendre l'express.
3. Il y a plusieurs quais et vous voulez savoir sur quel quai vous devez attendre le train pour Bordeaux.
4. Vous avez une couchette et il y six couchettes dans le compartiment.
5. Quelqu'un dans votre compartiment a une valise exactement comme la vôtre et vous voulez savoir quelle valise vous appartient.
6. Un autre passager connaît bien les restaurants de Bordeaux et vous voulez savoir dans quels restaurants il va manger le plus souvent.
7. Vous avez une liste d'hôtels et vous voulez savoir celui qui est le plus près de la gare.

B. **Une interview.** Pour chacune des catégories suivantes, donnez un choix à un(e) camarade de classe et demandez-lui sa préférence.

> **EXEMPLE** les groupes des années soixante
> **Entre les Beatles et les Rolling Stones, lesquels est-ce que tu préfères?**

1. les groupes populaires de cette année
2. les chansons populaires de cette année

3. les films classiques
4. les films qui passent au cinéma maintenant
5. les actrices
6. les émissions à la télévision
7. les reporters à la télévision
8. les dessins animés à la télévision
9. la publicité à la télévision

Exploration

Les pronoms démonstratifs

Les pronoms démonstratifs désignent des personnes ou des choses dont on a déjà parlé. Le pronom démonstratif s'accorde en genre et en nombre avec le nom qu'il remplace. On les traduit en anglais par *this one, that one, these* ou *those*.

	masculin	féminin
singulier	celui	celle
pluriel	ceux	celles

A. On utilise **le pronom démonstratif** + **de** pour exprimer le cas possessif anglais.

Ma chambre est au deuxième, **celle de Tania** est au troisième.
*My room is on the third floor. **Tania's** is on the fourth floor.*

Mon train part à six heures, **celui d'Alain** part à sept heures.
*My train leaves at six o'clock. **Alain's** leaves at seven.*

B. Le pronom démonstratif est souvent suivi d'un pronom relatif (**qui, que, dont,** etc.) pour traduire *the one(s) who, the one(s) that, the one(s) which* ou *the one(s) where*.

Ceux qui avaient des réservations ont eu les meilleures chambres.
***Those who** had reservations got the best rooms.*

Il m'a montré deux chambres; **celle que** je préfère a vue sur la mer.
*He showed me two rooms. **The one** I like best has a view of the sea.*

C. Quand la phrase indique un choix, un contraste ou une opposition, on utilise **-ci** ou **-là** avec le pronom.

Quelle chambre préférez-vous? **Celle-ci** ou **celle-là**?
Il y a deux trains pour Châtillon, **celui-ci** est un omnibus, **celui-là** est un rapide.

D. On emploie le pronom démonstratif pour traduire *the former* et *the latter* en anglais. En général, **-ci** indique ce qui est le plus proche dans la phrase (*the latter*) et **-là** indique ce qui est le plus éloigné (*the former*).

Le facteur et la concierge étaient très differents. Celle-ci (*the latter*) était très bavarde, celui-là (*the former*) parlait peu.

Pronoms invariables ou neutres

A. On emploie **ce** comme sujet du verbe **être**. **Ce** peut se traduire en anglais par *it*, *this*, *that*, *he*, *she* ou *they*.

Ce n'est pas vrai!	*That's not true!*
Ce sont des touristes.	*They are tourists.*

B. On emploie **ceci** (*this*) ou **cela** (*that*) comme sujet des autres verbes et comme objet de tous les verbes. **Ça** est une contraction de **cela**.

Ceci me déplaît enormément.	*This displeases me very much.*
Pourquoi as-tu fait cela?	*Why did you do that?*
J'adore ça. Et toi?	*I love that. And you?*

Application

A. Lequel est-ce? Anne et Jeanne, deux amies inséparables vont partir en voyage. Elles vont dans un magasin pour acheter des vêtements absolument identiques. Regardez les vêtements ci-dessous et dites où se trouve celui qu'elles n'achètent pas (à gauche, à droite ou au milieu). Expliquez aussi en quoi chaque vêtement diffère des autres.

> **EXEMPLE** **Elles n'achètent pas celui de droite parce qu'il est bleu.**

1. colliers de perles

2. chemisiers   **3.** jupes écossaises

4. chapeaux de paille

5. lunettes de soleil

6. maillots de bains

B. Celui-ci ou celui-là? La famille Sassuffit cherche un hôtel. Complétez les phrases suivantes en utilisant le pronom démonstratif convenable.

1. L'Hôtel Lion d'Or est bien plus petit que l'Hôtel Belle-Vue. ===== n'a que 20 chambres mais ===== en a 100.

2. Pourquoi est-ce que la chambre au premier étage coûte 40 francs de moins que la chambre au deuxième? ===== a une douche mais ===== n'a qu'un lavabo.

3. L'Hôtel du Midi et l'Hôtel Beau Séjour ont trois étoiles mais l'Hôtel Chantecler et l'Hôtel Bois-Joli n'en ont que deux. ===== sont probablement moins chers que =====.

4. L'Auberge du Pêcheur se trouve près d'une station de ski et l'Hôtel Bon Accueil est sur la Méditerranée. ===== est généralement complet au mois d'août, ===== est complète au mois de décembre.

5. Les chambres paires° donnent sur une rue bruyante et les   even
   chambres impaires° sur le jardin. ===== sont certainement plus   odd
   agréables que =====.

C. Qui est-ce? Votre professeur est malade et il y a un remplaçant qui ne connaît pas les élèves de votre classe. Il demande à l'élève assis à côté de son bureau de lui décrire chaque élève. Jouez le rôle du professeur et de l'élève.

EXEMPLE   LE PROFESSEUR   **Laquelle est Laurie?**
          L'ÉLÈVE   **Laurie, c'est celle qui a les cheveux bouclés et qui porte un jean délavé.**

D. Des identités secrètes? Laura Sassuffit est dans le hall d'un hôtel et elle invente des identités secrètes pour chaque personne qu'elle voit. Utilisez le pronom démonstratif pour donner une identité secrète à chaque personne dans le hall d'hôtel ci-dessous.

EXEMPLE

Celle qui passe l'aspirateur est une millionnaire qui souffre d'amnésie.

Exploration

Emploi du verbe pouvoir

A. Le verbe **pouvoir** traduit les verbes anglais *to be able to* ou *can*. Selon les temps, il peut aussi avoir les sens suivants en anglais.

   1. Imparfait: je pouvais   *I could, I was able to, I had the capacity to*

   Je pouvais sortir mais j'ai décidé de rester à la maison.
   I was able to go out, but I decided to stay home.

   Si je pouvais le faire, je le ferais dès demain.
   If I could do it, I would do it as of tomorrow.

2. **Passé composé:** j'ai pu   *I was able to, I managed to*

J'ai pu prendre ce vol quand ce passager a annulé.
I was able to take that flight when that passenger canceled.

3. **Conditionnel:** je pourrais   *I could, I might, I would be able to*

Elle pourrait partir demain si elle avait un billet.
She could leave tomorrow if she had a ticket.

Nous pourrions lui téléphoner si tu avais son numéro.
We would be able to call her if you had her number.

4. **Conditionnel passé:** j'aurais pu   *I could have*

Nous aurions pu venir te voir s'il n'avait pas fait mauvais.
We could have come to see you if the weather had not been bad.

5. **Plus-que-parfait:** j'avais pu   *I could have, I had been able to*

Si j'avais pu y aller, je serais déjà parti.
If I could have gone, I would have already left.

Application

A. **Quel hôtel choisir?**   Les enfants Sassuffit ne sont jamais contents de l'hôtel que leurs parents choisissent. Complétez les phrases suivantes en utilisant la forme convenable du verbe **pouvoir**.

EXEMPLE   Nous **aurions pu** avoir une meilleure chambre si Papa avait fait ses réservations plus tôt.

1. S'il y avait une piscine dans cet hôtel, nous ===== nous baigner.

2. Si nous avions choisi l'autre hôtel, nous ===== voir la plage de notre fenêtre.

3. Notre hôtel de l'année dernière était mieux parce qu'on ===== jouer dans l'ascenseur.

4. Si nous avions une salle de bains dans la chambre, nous ===== prendre un bain sans sortir dans le couloir.

5. Nous ===== avoir une chambre avec douche si vous aviez payé quelques francs de plus.

6. Tu ===== mieux dormir si Papa n'avait pas ronflé° toute la nuit.   snored

7. Papa, est-ce qu'on ===== changer d'hôtel demain?

B. A l'Hôtel-Club. Les Pivot font un voyage à la Guadeloupe. Ils passent deux semaines formidables à l'Hôtel Novotel Fleur d'Epée. Employez le verbe **pouvoir** au temps convenable pour compléter la carte postale que Monsieur Pivot envoie à son fils resté à la maison afin de préparer son bac.

Cher Daniel,

Ta mère et moi nous amusons comme des fous ici à la Guadeloupe; il y a tant de choses à faire! Hier, par exemple, j'ai réussi à convaincre ta mère d'aller à la pêche en haute mer. Maman a attrapé un si gros poisson qu'elle ne __1__ pas le ramener toute seule. Avant-hier, nous avons essayé de faire de la planche à voile mais je ne __2__ pas me tenir debout. Ce matin nous __3__ faire de la plongée sous-marine avec un moniteur si je n'avais pas oublié de faire des réservations. Mais à la place, nous __4__ faire le tour de l'île en hélicoptère. L'eau était si bleue et si claire qu'on __5__ voir les récifs de corail° sous l'eau. Si Maman __6__ avoir plus de vacances, nous __7__ rester une troisième semaine ici à l'hôtel gratuitement. Malheureusement, il faudra rentrer ce week-end. Est-ce que tu __8__ venir nous chercher à l'aéroport?

A dimanche,

Papa

recifs...   coral reefs

Hôtel NOVOTEL FLEUR D'EPEE***

Situation : à Bas-du-Fort, à 3 km de Pointe-à-Pitre. Dans un site verdoyant et fleuri ; au bord d'une jolie plage de sable fin.
Description : chambres avec salle de bains/douche, toilettes, téléphone direct, télévision, climatisation, balcon et la plupart vue mer.

Deux restaurants : « le Fleur d'épée » (spécialités antillaises, cartes, menus et soirées). « L'aquarium », pour le petit déjeuner avec buffet américain, déjeuner et dîner à la carte, décontracté, ouvert tous les jours avec animation musicale. « Alamanda » snack-bar sur la plage. Bar, salon de bridge, de jeux, boutique, salon de coiffure.

SPORTS ET LOISIRS

Compris : piscine, planche à voile, pédalos, petit voilier, tennis, ping-pong, volley-ball, pétanque, jeux de société, équipement de plongée libre. Initiation gratuite et collective de tennis et de plongée libre.
Payants : sports nautiques avec moniteur, ski nautique, plongée, voile, sorties en mer, tennis (éclairage), pêche en haute mer, location de voiture.
Animation : cocktail de bienvenue, cocktail de la direction, soirées dansantes avec orchestre, soirées antillaises avec folklore, soirées buffet avec steelband, barbecue, soirée à thème. Discothèques à proximité.

L'appréciation TOUROPA : bonne ambiance, confort, nombreux loisirs ; le meilleur des cocktails.

☎ (590) 90.81.49
Cartes de crédit acceptées : American Express, Diner's, Visa.

Offre Spéciale

 3ᵉ semaine gratuite en logement
(taxe séjour et repas à régler sur place)
(séjour du 30 avril au 16 juillet)

CAS SPECIAUX

Usages de certaines prépositions pour marquer le temps

A. Il faut faire la distinction suivante quand on traduit *in* avec un sens temporel.

dans   *in (so much time from now)*
en   *in (within so much time)*

Le train part **dans** cinq minutes!
Nous nous retrouverons sur le quai **dans** une heure.

Elle a écrit cette rédaction **en** dix minutes.
Le T.G.V. fait le trajet **en** une heure.

B. En français il y a trois prépositions qui traduisent *for* en parlant du temps.

pendant *for*   pour *for*   depuis *for*

1. On emploie **pendant** pour définir une période au passé, au présent ou au futur.

Nous avons fait la queue **pendant** une demi-heure.
Le train reste en gare **pendant** seulement trois minutes.
Nous serons dans le train **pendant** plus de dix heures.

2. Pour une action qui a commencé au passé et qui continue au présent, on emploie **depuis**. Pour une action qui commence au présent et qui continue au futur on emploie **pour**.

Ils voyagent **depuis** une semaine.
Ils seront encore partis **pour** trois jours.

Comparez les phrases suivantes.

En général, ils sont en vacances **pendant** deux semaines.
*They are generally on vacation **for** two weeks.*
(They have two weeks of vacation in general.)

Ils sont en vacances **pour** deux semaines.
*They are on vacation **for** two weeks.*
(They are away on vacation now and will be back in two weeks.)

Ils sont en vacances **depuis** deux semaines.
*They have been on vacation **for** two weeks.*

AOUT						
lundi	mardi	mercredi	jeudi	vendredi	samedi	dimanche
1	2	3 *à Fez au Maroc*	4	5	6 *à Rabat*	7
8 *au Maroc*	9	10 *à Dakar*	11 *au Sénégal*	12	13	14
15	16	17 *à Abidjan en Côte d'Ivoire*	18	19 *à Libreville au*	20	21
22 *Gabon*	23	24	25 *à Kinshasa au Zaïre*	26	27	28
29	30	31 *retour en Belgique*				

Application

A. Combien de temps? Antoine Bertin, un jeune Belge, fait un tour de l'Afrique francophone. En vous reportant à l'itinéraire ci-dessus, complétez les phrases qui suivent par une préposition marquant le temps. Aujourd'hui c'est le 14 août.

> EXEMPLE Aujourd'hui c'est le 14 août. Antoine voyage en Afrique **depuis** 11 jours.

1. Antoine est resté au Maroc ===== près d'une semaine.
2. Maintenant, Antoine est au Sénégal ===== quatre jours.
3. Il restera au Sénégal ===== deux jours.
4. ===== cinq jours, il arrivera à Libreville.
5. Il sera au Gabon ===== six jours.
6. Avant d'aller à Libreville, il aura été en Côte d'Ivoire =====
   quelques jours.
7. Antoine quittera l'Afrique ===== 16 jours pour retourner en Belgique.
8. ===== moins d'un mois, Antoine aura visité cinq pays différents
   et il aura parcouru° plusieurs milliers de kilomètres.   covered, gone over

B. Combien de temps? Vous travaillez pour la SNCF et donnez des
Wrenseignements aux voyageurs. Complétez les phrases suivantes
en répondant à la question: En, dans ou pendant combien de
temps?

EXEMPLE   Le train numéro 5091 peut aller à Lyon d'une gare à
           l'autre en 7 minutes.

Numéro du train	807	833	5636	5091	5051
Notes à consulter	1	1			
Paris-Gare-de-Lyon	07.40	08.29	08.32		09.37
Dijon-Ville	10.07	11.20	12.17	11.20	12.17
Macon-Ville	11.13	12.39	13.22	12.39	13.22
Lyon-Part-Dieu	10.35	12.02	13.25	13.25	14.06
Lyon-Perrache	13.32			13.32	
Valence	10.40	12.53	13.01		15.04
Avignon	11.41	13.55	14.02		16.07
Arles	15.20	18.25	18.25		16.27
Marseille-St-Charles	12.35	15.20	15.20		17.30
Cannes	15.02	17.23	17.23		19.39
Antibes	15.12	17.35	17.35		19.54
Cagnes-sur-Mer	17.46	17.46	20.04	20.04	
Nice-Ville	15.27	17.58	17.58		20.14

Notes: 1. TGV supplément certains jours

1. Si on prend le TGV numéro 807, on peut faire le trajet de Paris
   à Marseille...
2. Si on prend le train 5051 de Paris à Marseille, il faut rester dans
   le train...
3. Si vous arrivez à la Gare-de-Lyon à 9 h, le prochain train pour
   Lyon partira...
4. Généralement, on peut faire le trajet entre Valence et Avignon...
5. Si vous allez d'Avignon à Marseille et que vous manquez le train
   de 14 h 02, il faudra que vous attendiez à la gare...
6. Vous êtes à Nice et un ami vous téléphone à 18 h pour vous dire
   qu'il va prendre le prochain train venant de Cannes. Si vous
   allez le chercher à la gare, vous devrez être là...

*L*ANGUE ET CULTURE

Voilà ce qu'on dit

La demande, la permission, la défense

A. Que peut-on dire quand on veut demander la permission?

Soyez assez aimable pour…	*Be kind enough to…*
Cela vous déplairait-il si…?	*Would you mind if…?*
Cela vous incommode-t-il?	*Does this bother you?*
Est-ce que ça vous gêne si…?	*Does it disturb you if…?*
Puis-je…?, Est-ce que je peux…?	*May I…?*

B. Que peut-on dire quand on veut exprimer la défense ou l'indignation?

Il est interdit de…	*It is forbidden to…*
En aucun cas!	*No way!, Never!*
Cela me déplaît.	*It bothers me.*
Il n'en est pas question.	*It is out of the question.*
C'est insupportable!	*It is intolerable!*
C'est inadmissible!	*I won't accept it!*
Je ne le supporterai pas!	*I won't stand for it!*
Quel toupet!*, Quel culot!*	*What nerve!*

C. Que peut-on dire quand on veut accorder la permission ou faire preuve de courtoisie?

Je vous en prie.	*Please, go ahead.*
J'en suis ravi.	*I am delighted.*
Je n'ai rien contre.	*I don't have anything against it.*
Je n'y vois aucun inconvénient.	*I don't see any problem.*
Cela ne me dérange pas.	*It doesn't bother me.*
Après vous.	*After you.*
Rien ne presse.	*There is no hurry.*
Faites ce que vous voulez!	*Do as you please!*
Mais faites donc!	*Please do!*
Je n'en ferai rien.	*It is quite alright.*

D. Que disent les gens quand ils sont pressés et qu'ils veulent qu'on les laisse passer?

Laissez-moi passer, s'il vous plaît.	*Please let me by.*
Pourriez-vous vous reculer?	*Could you move back?*
Laissez le passage libre!*	*Clear the way!*
Déblayez la route!*	*Clear the road!*

Application

A. Au secours! Que diriez-vous dans les situations suivantes?

> EXEMPLE   Vous avez très chaud et vous voulez ouvrir la fenêtre du compartiment.
> **Puis-je ouvrir la fenêtre, s'il vous plaît?**

1. Vous cherchez une place dans le train.
2. Vous êtes dans le train et quelqu'un a mangé votre sandwich pendant que vous dormiez.
3. Un ami veut emprunter votre nouvelle voiture pendant trois jours.
4. Quelqu'un fume et vous ne fumez pas.
5. Votre train va partir dans quelques secondes et vous êtes derrière des gens que marchent très lentement.

B. Oh, là! là! Voici les réactions de certaines personnes. Imaginez la situation qui a précédé.

> EXEMPLE   C'est intolérable!
> **Vous êtes le seul non-fumeur dans ce café.**

1. Faites comme vous voulez.
2. Soyez gentil de ne pas le faire.
3. Quel toupet!
4. Laissez le passage libre!
5. Permettez-vous que je m'asseoie ici?

C. Non, pas moi!   Complétez les phrases suivantes.

1. Déblayez ====.
2. Je n'en ==== rien!
3. Est-ce que ça vous ====?
4. Je n'y vois aucun ====.
5. ==== presse.
6. Faites ce que ====!

D. A votre avis? Quelle est l'expression appropriée pour chacune des situations ci-dessous?

1. Quelqu'un fume à une table voisine pendant le dîner.
   a. Ça m'est égal.
   b. Ça me gêne.
   c. Allez-y!
2. Vous voyez une place libre dans votre bus qui est plein.
   a. Puis-je m'asseoir?
   b. Dégagez, je vais m'asseoir!
   c. Déblayez!
3. Quelqu'un parle fort dans une salle d'hôpital.
   a. Mais faites donc!
   b. Soyez assez aimable pour parler moins fort.
   c. Je n'y vois aucun inconvenient.
4. Une personne s'est évanouie° à côté de vous pendant un concert de rock.   jointed
   a. Déblayez le terrain!
   b. Ah! Enfin une place!
   c. Rien ne presse!

E. Chacun pour soi!   Ecoutez le dialogue entre le passager, Olivia et la dame. Ensuite, dites qui aurait pu dire les phrases ci-dessous—**le passager, Olivia** ou **la dame.**

1. Vivement qu'on arrive, j'ai très envie de fumer!
2. Cette fumée est intolérable, il n'a pas le droit!
3. Il a l'air très sympa et commode.
4. Je voudrais aller dîner dans de bons petits restaurants et danser toute la nuit.
5. Cette valise est lourde; heureusement, ce n'est pas la mienne.
6. Il faut suivre et respecter les règlements.
7. Elle m'énerve celle-là. Elle ferait mieux de se mêler de ses oignons!

Lecture

Emile Zola

Emile Zola, le père du naturalisme, écrit généralement des romans «expérimentaux» sérieux. Aussi, ce conte° est-il plaisant par le ton amusé de l'auteur et la complicité bénévole du lecteur; celui-ci se prend au jeu° et se réjouit° avec les jeunes gens de tromper une mère tyrannique et d'affirmer ainsi la liberté humaine dans un monde mécanique et amer.

Zola prouve ici que le naturalisme peut englober° la comédie en nous donnant une image à la fois exacte et hilarante° des petits commerçants de Paris.

story

se... gets involved/ **se...** rejoices

include
hilarious

Pour commencer

Lisez une première fois *Voyage circulaire* et répondez aux questions suivantes. *Est-ce que les jeunes amoureux sont satisfaits de leur voyage? Pourquoi?* Relisez ensuite cette histoire plus attentivement, et répondez aux questions qui suivent la lecture.

Voyage circulaire

Il y a huit jours que Lucien Bérard et Hortense Larivière sont mariés. Mme veuve Larivière, la mère, tient, depuis trente ans, un commerce de bimbeloterie°, rue de la Chaussée-d'Antin. C'est une femme sèche et pointue°, de caractère despotique, qui n'a pu refuser sa fille à
5 Lucien, le fils unique d'un quincaillier° du quartier, mais qui entend surveiller de près le jeune ménage. Dans le contrat, elle a cédé° la boutique de bimbeloterie à Hortense, tout en se réservant une chambre dans l'appartement; et, en réalité, c'est elle qui continue à diriger la maison, sous le prétexte de mettre les enfants au courant de la vente.
10 On est au mois d'août, la chaleur est intense, les affaires vont fort mal. Aussi Mme Larivière est-elle plus aigre° que jamais. Elle ne tolère point que Lucien s'oublie une seule minute près d'Hortense. Ne les a-t-elle pas surpris, un matin, en train de s'embrasser dans la boutique! Et cela, huit jours après la noce°! Voilà qui est propre et qui donne tout de
15 suite une bonne renommée° à une maison! Jamais elle n'a permis à M. Larivière de la toucher du bout des doigts dans la boutique. Il n'y pensait guère, d'ailleurs. Et c'était ainsi qu'ils avaient fondé leur établissement.
Lucien, n'osant° encore se révolter, envoie des baisers à sa femme,
20 quand sa belle-mère a le dos tourné. Un jour, pourtant, il se permet de rappeler que les familles, avant la noce, ont promis de leur payer un voyage, pour leur lune de miel. Mme Larivière pince ses lèvres minces.
— Eh bien! leur dit-elle, allez vous promener une après-midi au bois de Vincennes.
25 Les nouveaux mariés se regardent d'un air consterné°. Hortense commence à trouver sa mère vraiment ridicule. C'est à peine si, la nuit, elle est seule avec son mari. Au moindre bruit, Mme Larivière vient, pieds nus°, frapper à leur porte, pour leur demander s'ils ne sont pas malades. Et lorsqu'ils répondent qu'ils se portent très bien, elle leur crie:
30 — Vous feriez mieux de dormir, alors... Demain, vous dormirez encore dans le comptoir°.
Ce n'est plus tolérable. Lucien cite tous les boutiquiers du quartier qui se permettent de petits voyages, tandis que des parents ou des commis° fidèles tiennent les magasins. Il y a le marchand de gants du coin
35 de la rue La Fayette qui est à Dieppe, le coutelier° de la rue Saint-Nicolas qui vient de partir pour Luchon, le bijoutier° près du boulevard qui a emmené sa femme en Suisse. Maintenant, tous les gens à leur aise s'accordent un mois de villégiature°.
— C'est la mort du commerce, Monsieur, entendez-vous! crie Mme
40 Larivière. Du temps de M. Larivière, nous allions à Vincennes une fois par an, le lundi de Pâques, et nous ne nous en portions pas plus mal... Voulez-vous que je vous dise une chose? eh bien! vous perdrez la maison, avec ces goûts de courir le monde. Oui, la maison est perdue.
— Pourtant, il était bien convenu que nous ferions un voyage, ose

gift shop
sharp, peevish
hardware dealer
gave up

plus... sharper

the wedding
bonne... good reputation

daring

d'un... with a dismayed look

pieds... barefoot

counter

assistants
cutler
jeweler

vacation

45 dire Hortense. Souviens-toi, maman, tu avais consenti.

— Peut-être, mais c'était avant la noce. Avant la noce, on dit comme ça toutes sortes de bêtises... Hein? Soyons sérieux, maintenant!

Lucien est sorti pour éviter une querelle°. Il se sent une envie féroce d'étrangler sa belle-mère. Mais quand il rentre, au bout de deux heures, 50 il est tout changé, il parle d'une voix douce à Mme Larivière, avec un petit sourire au coin des lèvres.

Le soir, il demande à sa femme:

— Est-ce que tu connais la Normandie?

— Tu sais bien que non, répond Hortense. Je ne suis jamais allée 55 qu'au bois de Vincennes.

Le lendemain, un coup de tonnerre° éclate dans la boutique de bimbeloterie. Le père de Lucien, le père Bérard, comme on le nomme dans le quartier, où il est connu pour un bon vivant menant rondement les affaires°, vient s'inviter à déjeuner. Au café, il s'écrie: 60 — J'apporte un cadeau à nos enfants. Et il tire triomphalement deux tickets de chemin de fer.

— Qu'est-ce que c'est que ça? demande la belle-mère d'une voix étranglée°.

— Ça, ce sont deux places de première classe pour un voyage circu-65 laire en Normandie... Hein? mes petits, un mois au grand air! Vous allez revenir frais comme des roses.

Mme Larivière est atterrée°. Elle veut protester; mais, au fond, elle ne se soucie pas d'une querelle avec le père Bérard qui a toujours le dernier mot. Ce qui achève de l'ahurir°, c'est que le quincaillier parle 70 de mener tout de suite les voyageurs à la gare. Il ne les lâchera° que lorsqu'il les verra dans le wagon.

— C'est bien, déclare-t-elle avec une rage sourde, enlevez-moi ma fille. J'aime mieux ça, ils ne s'embrasseront plus dans la boutique, et je veillerai° à l'honneur de la maison!

75 Enfin, les mariés sont à la gare Saint-Lazare, accompagnés du beau-père, qui leur a laissé le temps tout juste de jeter un peu de linge et quelques vêtements au fond d'une malle. Il leur pose sur les joues des baisers sonores°, en leur recommandant de bien tout regarder, pour lui raconter ensuite ce qu'ils auront vu. Ça l'amusera!

80 Sur le quai du départ, Lucien et Hortense se hâtent le long du train, cherchant un compartiment vide. Ils ont l'heureuse chance d'en trouver un, ils s'y précipitent et s'arrangent déjà pour un tête-à-tête, lorsqu'ils ont la douleur de voir monter avec eux un monsieur à lunettes qui, aussitôt assis, les regarde d'un air sévère. Le train s'ébranle°: Hortense, 85 désolée, tourne la tête et affecte de regarder le paysage; des larmes lui montent aux yeux, elle ne voit pas seulement les arbres. Lucien cherche un moyen ingénieux de se débarrasser du vieux monsieur, et ne trouve que des expédients trop énergiques. Un moment, il espère que leur compagnon de route descendra à Mantes ou à Vernon. Vain espoir, le mon-90 sieur va jusqu'au Havre. Alors, Lucien, exaspéré, se décide à prendre la

argument

coup... bombshell

bon... jovial, happy guy dealing briskly with business

voix... choked voice

dismayed
ce... what really flabbergasted her
ne... will not let them go

will look after

loud

moves off

main de sa femme. Après tout, ils sont mariés, ils peuvent bien avouer leur tendresse. Mais les regards du vieux monsieur deviennent de plus en plus sévères, et il est si évident qu'il désapprouve absolument cette marque d'affection, que la jeune femme, rougissante, retire° sa main. Le
95 reste du voyage se fait dans un silence gêné. Heureusement, on arrive à Rouen.

    Lucien, en quittant Paris, a acheté un Guide. Ils descendent dans un hôtel recommandé, et ils sont aussitôt la proie° des garçons. A la table d'hôte, c'est à peine s'ils osent échanger une parole, devant tout ce
100 monde qui les regarde. Enfin, ils se couchent de bonne heure; mais les cloisons° sont si minces, que leurs voisins, à droite et à gauche, ne peuvent faire un mouvement sans qu'ils l'entendent. Alors, il n'osent plus remuer°, ni même tousser dans leur lit.

    — Visitons la ville, dit Lucien, le matin, en se levant, et partons vite
105 pour Le Havre.

    Toute la journée, ils restent sur pieds. Ils vont voir la cathédrale où on leur montre la tour de Beurre, une tour qui a été construite avec un impôt dont le clergé avait frappé les beurres de la contrée°. Ils visitent l'ancien palais des ducs de Normandie, les vieilles églises dont on a fait
110 des greniers à fourrage°, la place Jeanne-d'Arc, le Musée, jusqu'au cimetière monumental. C'est comme un devoir qu'ils remplissent, ils ne se font pas grâce d'une maison historique. Hortense surtout s'ennuie à mourir, et elle est tellement lasse°, qu'elle dort le lendemain en chemin de fer.

115   Au Havre, une autre contrariété° les attend. Les lits d'hôtel où ils descendent sont si étroits, qu'on les loge dans une chambre à deux lits. Hortense voit là une insulte et se met à pleurer. Il faut que Lucien la console, en lui jurant° qu'ils ne resteront au Havre que le temps de voir la ville. Et les courses folles recommencent.

120   Et ils quittent Le Havre, et ils s'arrêtent ainsi quelques jours dans chaque ville importante marquée sur l'itinéraire. Ils visitent Honfleur, Pont-l'Evêque, Caen, Bayeux, Cherbourg, la tête pleine d'une débandade° de rues et de monuments, confondant les églises, hébétés° par cette succession rapide d'horizons qui ne les intéressent pas du tout.
125 Nulle part, ils n'ont encore trouvé un coin de paix et de bonheur, où ils pourraient s'embrasser loin des oreilles indiscrètes. Ils en sont venus à ne plus rien regarder, continuant strictement leur voyage, ainsi qu'une corvée° dont ils ne savent comment se débarrasser°. Puisqu'ils sont partis, il faut bien qu'ils reviennent. Un soir, à Cherbourg, Lucien laisse
130 échapper cette parole grave: —«Je crois que je préfère ta mère.» Le lendemain, ils partent pour Granville. Mais Lucien reste sombre et jette des regards farouches° sur la campagne dont les champs se déploient en éventail°, aux deux côtés de la voie. Tout d'un coup, comme le train s'arrête à une petite station, dont le nom ne leur arrive même pas aux
135 oreilles, un trou adorable de verdure° perdu dans les arbres, Lucien s'écrie:

removes

prey

partitions

stir

region

fodder

tired

annoyance

swearing

jumble/numbed

chore/to get rid of

regards... fierce looks
se... fan out

greenery

— Descendons, ma chère, descendons vite!

— Mais cette station n'est pas sur le Guide, dit Hortense stupéfaite°.   dumfounded, stunned

140 — Le Guide! le Guide! reprend-il, tu vas voir ce que je vais en faire du Guide! Allons, vite, descends!

— Mais nos bagages?

— Je me moque bien de nos bagages!

Et Hortense descend, le train file et les laisse tous les deux dans le trou adorable de verdure. Ils se trouvent en pleine campagne, au sortir 145 de la petite gare. Pas un bruit. Des oiseaux chantent dans les arbres, un   stream/small valley/ clair ruisseau° coule au fond d'un vallon°. Le premier soin° de Lucien   concern est de lancer le Guide au milieu d'une mare°. Enfin, c'est fini, ils sont   pond libres!

A trois cents pas, il y a une auberge isolée, dont l'hôtesse leur donne 150 une grande chambre blanchie à la chaux°, d'une gaîté printanière°. Les   blanchie... white-washed/spring-like murs ont un mètre d'épaisseur. D'ailleurs, il n'y a pas un voyageur dans cette auberge, et, seules, les poules les regardent d'un air curieux.

— Nos billets sont encore valables pour huit jours, dit Lucien; eh bien! nous passerons nos huit jours ici.

155 Quelle délicieuse semaine! Ils s'en vont dès le matin par les sentiers perdus, ils s'enfoncent dans un bois, sur la pente d'une colline, et là, ils vivent leurs journées.... D'autres fois, ils suivent le ruisseau, Hortense   school girl/takes off/ court comme une écolière° échappée; puis, elle ôte° ses bottines° et   boots prend des bains de pieds, tandis que Lucien lui fait pousser de petits 160 cris, en lui posant sur la nuque° de brusques baisers.... Ils sont en-   nape of the neck chantés d'être ainsi abandonnés, dans un désert où personne ne les soupçonne°. Il a fallu qu'Hortense empruntât du gros linge à l'auber-   suspect giste, des chemises de toile° qui lui grattent° la peau et qui la font rire.   rough cotton/scratch Leur chambre est si gaie! Ils s'y enferment dès huit heures, lorsque la 165 campagne noire et silencieuse ne les tente° plus. Surtout, ils recomman-   tempt dent qu'on ne les réveille pas. Lucien descend parfois en pantoufles°,   slippers remonte lui-même le déjeuner, des œufs et des côtelettes, sans permettre à personne d'entrer dans la chambre. Et ce sont des déjeuners exquis°,   delicious mangés au bord du lit, et qui n'en finissent pas, grâce aux baisers plus 170 nombreux que les bouchées de pain.

Le septième jour, ils restent surpris et désolés° d'avoir vécu si vite. Et   sorry ils partent sans même vouloir connaître le nom du pays où ils se sont aimés. Au moins, ils auront eu un quartier de leur lune de miel. C'est à Paris seulement qu'ils rattrapent leurs bagages.

175 Quand le père Bérard les interroge, ils s'embrouillent°. Ils ont vu la   get mixed up mer à Caen, et ils placent la tour de Beurre au Havre.

— Mais que diable! s'écrie le quincaillier, vous ne me parlez pas de Cherbourg...et l'arsenal°?   naval dockyard

— Oh! un tout petit arsenal, répond tranquillement Lucien. Ça man-180 que d'arbres.

Alors, Mme Larivière, toujours sévère, hausse les épaules° en murmu-   hausse... shrugs her rant: shoulders

> — Si ça vaut la peine de voyager! Ils ne connaissent seulement pas les monuments... Allons, Hortense, assez de folies, mets-toi au comptoir.

Questions sur la lecture

1. Quelle est la situation des jeunes mariés? Où logent-ils? Que font-ils?
2. Qui est Mme Larivière? Quels sont ses défauts? Est-ce qu'elle aime sa fille et son beau-fils?
3. Que pensent les jeunes mariés de Mme Larivière? Pourquoi Lucien et Hortense veulent-ils partir faire un tour? Où veulent-ils aller?
4. Comment réagit Mme Larivière lorsque le père Bérard donne deux tickets de train aux amoureux?
5. Pourquoi les amoureux sont-ils plutôt déçus quand ils sont dans le train?
6. Comment se passe la visite du Havre? Que voient-ils? Que font-ils? Sont-ils satisfaits?
7. Pourquoi Lucien laisse-t-il échapper ces mots: «Je crois que je préfère ta mère»?
8. Où décident-ils d'aller finalement? Pourquoi?
9. Décrivez leur séjour. Comment est l'auberge? la nature? le mode de vie?
10. Quelle est la réaction du père Bérard à leur retour? Et celle de Mme Larivière?

Qu'en pensez-vous?

1. Est-il important de suivre un guide touristique quand on est en voyage? Quels sont les avantages et les inconvénients d'un guide?
2. Vous est-il arrivé d'apprécier un voyage qu'un(e) de vos ami(e)s ou qu'un de vos parents n'a pas du tout aimé(s)? Racontez votre voyage et expliquez ce contraste.
3. Où voudriez-vous aller pour votre lune de miel? Pourquoi? Donnez des raisons particulières pour ce choix.
4. Si vous alliez en France passer un mois, où iriez-vous? Quelles villes, quels monuments, quels musées, quels sites touristiques aimeriez-vous voir?
5. Vous est-il déjà arrivé d'avoir envie de tout laisser tomber et de partir à l'aventure ou dans un endroit aimé? Quand? Pourquoi?
6. Hortense et Lucien prennent le train pour aller en Normandie. Quel est le moyen de transport que vous préférez? Pourquoi?

Révision

Situations

1. Vous voulez ouvrir un hôtel avec un(e) ami(e). Parlez avec votre ami(e) du genre d'hôtel que vous voudriez. Où est-il situé? Est-ce qu'il est simple ou élégant?

2. Une vieille dame dans le train, assez vieux-jeu°, essaie de vous convaincre d'adopter sa façon de vivre. Imaginez le dialogue entre cette personne et vous.   *old-fashioned*

3. Un gendarme vous arrête sur l'autoroute pour excès de vitesse. Il va vous donner un P.-V. Vous essayez de le convaincre de ne pas le faire. Imaginez votre conversation.

Sujets de rédaction

1. Racontez le voyage le plus extraordinaire que vous aimeriez faire.

2. Pensez-vous que les jeunes du siècle prochain prendront plus de temps libre et sauront mieux voyager que ceux des années passées?

3. Hortense et Lucien n'ont vraiment pas le choix d'aller où ils veulent. Est-il plus important de décider vous-même de votre avenir ou est-il plus important d'être dirigé par des adultes qui ont de l'expérience?

4. Imaginez que demain, à cause d'une crise économique ou autre, les trains, les avions, les voitures et les bateaux ne puissent plus servir. A votre avis, que se passerait-il? Est-ce que notre vie sociale ou les échanges culturels changeraient?

CONTEXTE CULTUREL

Etienne écrit à son ami américain Bill avant de partir en vacances.

Mon vieux Bill,

Les vacances sont enfin arrivées ! Cette année, comme j'ai réussi à mon baccalauréat, mes parents m'ont permis de partir en vacances avec des copains... à la condition "sine qua non" que je paie mon voyage moi-même. J'ai donc trouvé un petit boulot* au mois de juillet : j'ai travaillé dans une pizzeria et je me suis constitué un petit pécule qui va me permettre de réaliser un vieux rêve : visiter la Grèce, berceau de notre civilisation (mes parents voulaient que mon voyage ait un côté culturel, voilà qui répond à leur exigence !)

Eux, de leur côté, vont aller avec le reste de la famille, ma sœur et mon petit frère, sur la Côte d'Azur où, comme chaque année, ils ont loué une villa. Ils quitteront Paris le premier août et auront à affronter des kilomètres d'embouteillage sur l'autoroute du sud... car des milliers de Français partent en vacances à la même époque et Paris tombe aux mains des touristes. En effet, il faut savoir qu'en France, le mois d'août est le mois sacré des congés payés et que tous les commerces, des petits magasins aux usines nationales, ferment leurs portes pendant cinq semaines. Cela doit te paraître ahurissant car je sais qu'aux Etats-Unis, il y a des chaînes de magasins qui ne ferment jamais.

En septembre, toute la famille se retrouvera à Paris pour la rentrée scolaire et tout le monde fera des projets pour les sports d'hiver !...

Bien à toi,
Etienne

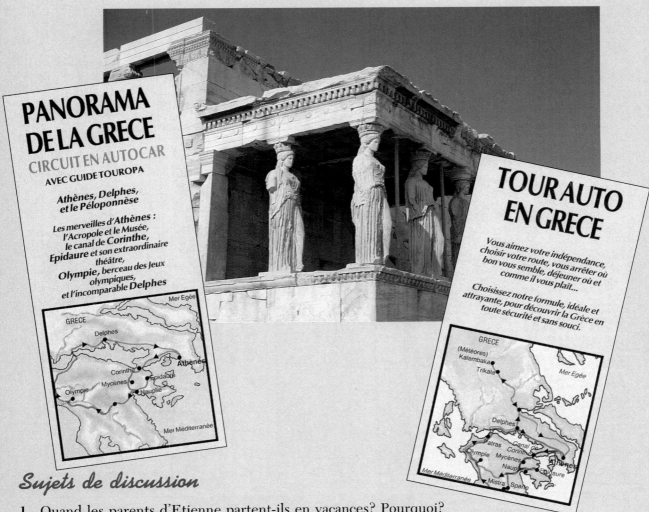

PANORAMA DE LA GRECE

CIRCUIT EN AUTOCAR

AVEC GUIDE TOUROPA

Athènes, Delphes, et le Péloponnèse

Les merveilles d'Athènes : l'Acropole et le Musée, le canal de Corinthe, Epidaure et son extraordinaire théâtre, Olympie, berceau des Jeux olympiques, et l'incomparable Delphes

TOUR AUTO EN GRECE

Vous aimez votre indépendance, choisir votre route, vous arrêter où bon vous semble, déjeuner où et comme il vous plaît...

Choisissez notre formule, idéale et attrayante, pour découvrir la Grèce en toute sécurité et sans souci.

Sujets de discussion

1. Quand les parents d'Etienne partent-ils en vacances? Pourquoi? Qu'est-ce qui arrive en France au mois d'août? Est-ce la même chose aux Etats-Unis? Combien de vacances ont les Français? et les Américains? Que font les Français quand ils vont en vacances? Et les Américains, aiment-ils louer une maison pendant un mois l'été?

2. L'été, allez-vous en vacances avec vos parents ou partez-vous en voiture pour aller à la plage avec des amis? Expliquez ce que fait un(e) jeune Américain(e) pendant les vacances.

3. Pensez-vous que les élèves dans les écoles secondaires américaines sont plus ou moins libres que les lycéens français? Expliquez.

GAZETTE

TROUVAILLES ET RETROUVAILLES
Pique-nique des mois
  d'été
Les pyramides au dessert
Les couverts de l'âge de
  pierre
Les livres des routes

COMMENT JOINDRE LE PLAISIR A L'AGREABLE:
Allez au Périgord, terre de
  la gastronomie, de la
  beauté et de l'histoire!

L'ETE DES CASCADEURS: VOUS ET MOI?
Les nouveaux engins de
  l'air et de l'eau. Audacieux ou casse-cou?

FLASH INFOS

Une routière sympa

Il fallait y penser! Toutes les cartes de France à feuilleter comme un magazine géant. Voici «le» guide simplissime qui liquide du même coup les errances géographiques et les horripilantes manipulations à 100 km/h et 37° à l'ombre! Indispensable. «Maxi-route», dans les librairies, grandes surfaces et stations d'essence, 69 F.

Desserts en pyramide

C'est en feuilletant un magazine qu'Henri Faugeron a eu l'idée de concevoir, en Plexiglas, de mini-pyramides du Louvre qui remplaceraient les traditionnelles cloches en argent de la restauration. Mais quel intérêt de soulever la pyramide si le client découvre son habituel suprême de volaille? Il fallait creuser l'idée et trouver au gadget une signification. Henri Faugeron, qui reste l'un de nos cuisiniers les plus discrets mais ne ménage pas sa peine pour renouveler son inspiration, a trouvé le moyen d'exploiter ses amusantes pyramides. Non seulement le Plexiglas laisse voir un nougat glacé en forme de pyramide, mais on retrouve sur les quatre côtés du monticule le dessin des losanges qui rappellent la nouvelle construction de la Cour carrée du Louvre. Les fruits rouges qui accompagnent le nougat glacé sont tout juste de saison et le dessert sera bientôt remplacé par une pyramide de feuilleté aux pommes caramélisées et une pyramide à la poire enrichie d'un parfait à la menthe et au chocolat. Pour ceux qui préfèrent le salé, Henri Faugeron réalise une pyramide de fromage de chèvre. Quatre parfums pour quatre faces: paprika, poivre, herbes et cumin.

COUVERTS À L'ÉTAT BRUT

Remontez à l'âge de pierre en vous offrant des couverts en granit. Ils résistent très bien aux agressions des produits de lavage en machine et ne subissent pas d'altération (taches d'huile), contrairement au marbre. Ils sont vendus par quatre (couteau, fourchette, cuillère normale et à café) et existent en trois teintes.

«Magma», de Barenthal. Aux Galeries Lafayette, 895 F le coffret de quatre pièces.

DÉPANNAGE

Voilà une station-service qui passe à la vitesse supérieure et change de régime pour proposer ses services à domicile, dans votre parking ou en bas de chez vous. Plus besoin de prendre rendez-vous avec le garage, de porter sa voiture tôt le matin pour la récupérer en milieu d'après-midi. Autant de contraintes qui sont une perte de temps lorsqu'il s'agit de petite mécanique et que l'on travaille. Christian Ferczyszyn, ex-technicien, assure, avec un véhicule équipé et sur simple appel téléphonique, vidange, changement de plaquettes de freins, changement de feux, d'essuie-glaces, dépannage de batterie, allumage, et nettoyage intérieur du véhicule, moyennant un tarif horaire de 150 F, très compétitif avec les stations-service. Installée d'abord à Paris et en région parisienne, la société Kip's compte plus de vingt concessionnaires sur la France.

Vous qui partez sur les plages bretonnes ou à Hawaï, emportez pour vous abriter, ce coupe-vent, para-soleil hyper-léger (1 kg) et très facile à monter. Un avantage appréciable: il est conçu pour ne pas se soulever, même par vent fort. Idéal pour empêcher les pulvérisations de sable sur votre corps huilé!

Le pique-nique se sophistique

Juillet-août, mois des déjeuners sur le pouce, improvisés ou en pleine nature, en randonnée comme au bord des vagues. Mois d'été où l'on aime croquer dans une tomate ou un fruit bien mûr sans pour autant se contenter de l'ordinaire... Faites des mélanges insolites et succulents, à tartiner en toute simplicité, pour le plaisir des yeux et du pique-nique aussi.

Toujours frais en pique-nique, le chou-fleur cru et la tomate «croque au sel» avec une poignée de raisins secs et noix...

ART DE VIVRE

Pays d'histoire et de pré-histoire, terre de gastro-nomie, le Périgord Noir est resté un pays secret, attachant, aux charmes et aux trésors souvent cachés. A vous de les découvrir...

Château de Belcayre

Au sein d'un Périgord qui abrite plus de mille châteaux et qui a révélé plus de deux cents sites préhistoriques, le Périgord noir reste la contrée la plus secrète, la plus évocatrice de mystères, la plus attachante.

Plus de la moitié des stations préhistoriques de Dordogne se situent dans la vallée de la Vézère. Et partout où porte le regard se distinguent châteaux, forteresses, manoirs ou clochers romans : sur un roc escarpé, par-dessus une forêt, dans un écrin de peupliers, au bord de l'eau.

«*Noir*», dit-on de ses forêts de chênes verts et de châtaigniers, de ses truffes, ce Périgord l'est aussi de ses grottes sombres où la mémoire de l'homme se perd dans la nuit des temps. Car la vallée de la Vézère reste avant tout le lieu où «*l'histoire commence à la préhistoire*».

Bien sûr, on cherche d'abord des yeux, sur son surplomb, l'homme de Cro-Magnon de Dardé qui fait plutôt figure d'anecdote que d'histoire. Les grottes à peintures et gravures frappent l'imagination. Si Font-de-Gaume constitue déjà un monument à la gloire de l'esprit humain, Lascaux II crée un choc. On y pénètre comme dans un sanctuaire.

L'abbé Breuil, dont le nom est indissociable de celui du site, avait surnommé Lascaux «*la chapelle Sixtine de la préhistoire*». C'est,

rappelons-le, une cavité de 150 mètres dans laquelle les parois sont couvertes de plus de 1 500 dessins et gravures polychromes. Découverte en 1940, fermée en 1963 pour cause de pollution humaine et atmosphérique, Lascaux a été fidèlement reconstituée pour ce qui concerne la salle des Taureaux, à 200 mètres du site originel. Cette prouesse technique, presque aussi admirable que Lascaux, a demandé dix ans de travail à vingt personnes.

Le peintre Monique Peytral a recopié les peintures murales, en utilisant les mêmes colorants et procédés naturels que les artistes préhistoriques. Aussi la visite de Lascaux II s'avère-t-elle doublement fascinante par la rencontre qu'elle constitue entre l'application des techniques les plus modernes mises au service de ce qu'il y a de plus ancien.

Mais qui veut admirer des châteaux ne devra point trop s'éloigner de l'eau - et rejoindre la Vézère, le château de Losse (XVIe siècle) s'accroche à un rocher qui lui fait terrasse ornée d'une balustrade. Un méandre plus bas, Belcayre, d'une

élégance féminine avec ses mâchicoulis fleuris, ressemble à un navire dont la falaise serait la proue.

La vallée de la Beune, petit affluent de la Vézère, recèle de grands châteaux : Puymartin et Le Roc, voisins, et plus au nord les imposantes ruines de Commarque enfouie dans la verdure d'un hameau: les cabanes — ou bories ou gariottes, constructions rondes en pierres sèches et toit de lauzes — du Breuil, qui n'ont pas révélé tous leurs mystères.

Le père Noël, raconte-t-on, a versé une nuit sa hotte de châteaux en Périgord, le long des cours d'eau qui miroitaient sous la lune. A raison d'un château par jour, trois ans de séjour ne suffiraient pas pour les voir tous. Mais ce serait pitié de ne pas suivre le cours de la Dordogne pendant quelques kilomètres pour aller visiter quelques-uns parmi les plus célèbres : Beynac, qui contrôle toute la vallée, face à son vieil ennemi, Castelnaud. Faurac, hérissé de tours, les Milandes où, il n'y a pas si longtemps, Joséphine Baker rêvait de faire le bonheur des enfants du monde...

VOS ETAPES GASTRONOMIQUES

LE CENTENAIRE
24620 Les Eyzies-de-Tayac.
Roland Mazère sert dans ce Relais Gourmand une cuisine inventive, légère mais goûteuse, où sont naturellement mis en valeur les produits du terroir : risotto au foie gras, truffes et langoustines (150 F), terrine chaude de cèpes et gyromitres (120 F), entremets au confit d'oie et ris de veau (140 F). Le vaste choix n'exclut pas les poissons et crustacés, un plateau de fromages très complet et des desserts-trouvailles auxquels on ne résiste guère. Compter environ 350 F par personne à la carte sans vin. Menus à 180, 280 F, menu dégustation à 400 F. Fermé le mardi midi et de novembre à Pâques.

LE VIEUX LOGIS
24510 Trémolat.
Sur les hauts du ravissant village de Trémolat qui domine le «cingle» du même nom, un «relais et châteaux» installé avec beaucoup de goût dans la maison de famille des Girardel-Destord, Périgourdins de vieille souche. La table mérite plus d'un détour: brouillade de truffes (99 F), «grosse» pomme de terre farcie de ris de veau à la truffe (175 F), confit de canard aux cèpes (145 F). Menus à 135, 165, et 240 F. Ouvert tous les jours, tout l'année.

Le «Centenaire» célèbre Relais Gourmand des Eyzies, dirigé par le chef Roland Mazère.

LABORDERIE
Tamniès-en-Périgord,
24620 Les Eyzies-de-Tayac.
Dans le petit village de Tamniès, au cœur de la campagne, un établissement charmant, avec piscine, et une bonne cuisine bourgeoise. Compter 400 F pour deux personnes à la carte avec un bon bergerac. Menus à 70, 90, 125 et 210 F.

LA VIEILLE CURE
24260 Saint-Chamassy.
Dans un village entre la Dordogne et la Vézère, une table sympathique où les produits locaux côtoient une cuisine classique. Menus à 49, 78, 98, 130 et 170 F.

CHATEAU DE PUY-ROBERT
Route de Valojoux D 65,
24290 Montignac.
A 10 mn du site de Lascaux, dans un petit château Napoléon III enfoui dans la verdure, un «relais et châteaux» élégamment décoré où Anne et Philippe Montcharmont proposent une carte qui vaut qu'on s'y attarde : salade aux trois confits (90 F), salade buissonnière aux légumes frais arrosés à l'eau de source! (73 F), truffes entières en chausson ou à la croque au pain (260 F), volailles aux truffes, langoustines aux pignes de pin (80 à 120 F), foie de canard poêlé aux jeunes poireaux (135 F). Menus à 130 F (déjeuner sauf dimanche et fêtes)

Comment se faire peur

La France en vacances joue cet été à se faire peur. Les estivants veulent des émotions fortes et des sensations inédites. Le tennis et le golf, c'est bien beau, mais ça leur paraît manquer de frisson. Les sports de glisse, et quelques autres, sont à la mode. En tête, raft, roller, surf, planche à voile, windspeed, parapente et deltaplane. Des plaisirs immédiats, brefs, mais intenses que l'on multiplie en passant de l'un à l'autre. Un mélange auquel il faut ajouter la musique et le ciné-vidéo qui souvent les accompagnent. Des sons et des images sans lesquels «la glisse» ne serait pas ce qu'elle est: une mise en scène de son propre corps face aux éléments. Déchaînés. Forcément.

Sur les plages comme en montagne, le VTT, le vélo tout terrain, fait des ravages. La bicyclette, c'est terminé depuis belle lurette. Mais le mountain bike marche très fort. Un gros guidon et des pneus larges: il y a du 4 x 4 dans ce deux-roues de choc. *«Nous avons voulu faire un vélo branché, contrairement à celui du Tour de France»*, explique l'organisateur du Trophée des Alpes, Stéphane Hauvette, qui a ramené des Etats-Unis cette idée de vélo passe-partout.

Debout sur les pédales (spéciales), mains posées sur les poignées (en mousse), deux doigts sur les freins (à tambour), la descente peut commencer. Car le VTT se pratique surtout en descente. Aux Arcs, certains télésièges ont même été équipés pour remonter les «mountain bikers» et leurs engins, une fois la balade terminée. Gros avantage par rapport à la moto trial: le silence. Pas de bruit, pas de fumée. Un vrai régal.

Heureux qui comme Icare... a eu l'audace de se dire : je veux voler, je vais voler, je vole !

Des Arcs ou de Méribel, les sentiers en pente conduisent tout naturellement vers la vallée et les torrents d'eau vive. Sur l'Isère ou le Doron, les kayaks sont maintenant moins nombreux que les rafts. Ces gros radeaux gonflables sont descendus tout droit des canyons du Colorado. *«Les rivières présentent peu de difficultés à bord d'un raft,* explique Jacques Calori, 29 ans, guide de rafting et champion du monde de canoë, *alors qu'il faut beaucoup d'expérience avant de pouvoir les descendre en canoë-kayac.»*

Rincé comme dans une lessiveuse à l'avant. Secoué comme sur un trampoline à l'arrière, le néophyte apprend vite. Quelques coups de pagaie pour se sortir des tourbillons, et les rapides se descendent en douceur. *«Le raft, c'est formidable et très sportif. On repart avec des images plein la tête.»* Habitué de la Côte d'Azur, Fred passe pour la première fois l'été à la montagne. Il est emballé.

L'hydrospeed: «La première difficulté, c'est l'habillage»

Le vélo tout terrain: «Il y a du 4 × 4 dans ce deux-roues de choc.»

«Ce n'est pas vraiment l'aventure», confie pourtant un Rambo en herbe, que les 22 kilomètres de rivière n'ont pas rassasié. A ceux-là on propose une descente en hydrospeed : un simple flotteur caréné, qui exige une combinaison de plongée et des palmes, en plus du gilet de sauvetage et du casque habituel. *La première difficulté, c'est l'habillage, et la seconde, le déshabillage,* affirme Moustache, le moniteur d'hydro, *le reste, c'est de la balade.»* Une balade au ras de l'eau, où l'on est certain de boire le bouillon et de se faire peur en toute sécurité.

Sports de glisse et de descente, le deltaplane et le parapente ont conquis leur place au soleil à côté du parachute qui garde, grâce aux vols libres et aux figures, de très nombreux adeptes. Les ailes multicolores fascinent. Heureux qui, comme Icare... a eu l'audace de se dire : je veux voler, je vais voler, je vole!

Très maniable en vol, le deltaplane devient encombrant au sol. Tout le contraire du parapente, qui tient dans un sac à dos. Les déçus du deltaplane font donc aujourd'hui le succès du parapente. Et quand il faut une semaine d'apprentissage en aile delta, un parapentiste décolle en un après-midi. Simple comme bonjour. Mais à la moindre turbulence : patatras! *«L'impression de facilité est la principale difficulté du parapente»,* souligne Gilles Salah, le directeur technique d'Air Montagne Evasion, à Val-d'Isère, une des meilleures écoles des Alpes du Nord.

«Les Français sont surprenants, car ils adhèrent très vite à la nouveauté,» remarque Daniel Cathiard, le PDG de Go Sport, une chaîne de magasins spécialisés. Les vacances sont maintenant morcelées et se doivent donc d'être plus intenses. A chaque fois, il faut faire le plein d'aventures vécues. Une tendance qui risque de durer, car elle a rapproché l'homme de la nature.

Les Courses

Dans cette unité vous allez

- décrire quelques magasins et dire ce qu'on y achète

- parler de l'argent et des banques

- apprendre les services qu'offre le bureau de poste

- apprendre comment demander votre chemin et donner des directions

Vous allez aussi étudier

- les prépositions composées

- les pronoms relatifs précédés d'une préposition

- les expressions impersonnelles et le subjonctif

- les pronoms compléments d'objet avec le causatif

- le participe présent

- l'emploi du verbe **devoir**

Une rue commerçante

En contexte

Pour commencer

A. **Que se passe-t-il?**   Observez le dessin qui précède et répondez aux questions suivantes.

   1. Dans quels magasins est-ce qu'on vend des produits de luxe?
      Dans quels magasins est-ce qu'on vend des produits nécessaires à la vie de tous les jours?

2. Parmi ces magasins, lesquels sentent bon? Et lequel ne sent peut-être pas très bon?
3. Pourquoi irait-on à chacun des magasins que vous voyez sur le dessin?
4. Selon vous, qu'est-ce qui pourrait se trouver dans les cartons qu'on livre à la papeterie-librairie? Parmi ces magasins, lequel reçoit les livraisons les plus fréquentes? Pourquoi?
5. A votre avis, par quels magasins sont passées les deux femmes qui portent des paniers? De quel magasin sort le monsieur qui a un vélomoteur?
6. Les jeunes gens qui entrent dans la bijouterie vont bientôt se marier. Que vont-ils acheter? Dans quels autres magasins devront-ils aller pour les préparatifs de leur mariage et pourquoi?

B. Dans quel magasin? Dans quel magasin pourrait-on entendre les phrases suivantes?

EXEMPLE   Est-ce qu'il faut amidonner vos chemises, Monsieur?

à la teinturerie

Deux paniers identiques

Mme Charlon est au café avec deux amies à qui elle raconte ce qui lui est arrivé pendant qu'elle faisait ses courses ce matin.

Désormais, il faudra que je fasse plus attention en faisant mes courses! Vous ne croirez jamais ce qui m'est arrivé ce matin!

J'étais dans la rue St Christophe quand j'ai rencontré M. Broyard qui sortait de la cordonnerie. C'est un brave homme et il me salue toujours quand on se croise. Comme on le fait souvent, on s'est arrêté pour bavarder un peu. Il était en train de m'annoncer que sa fille venait d'avoir des jumeaux quand il s'est interrompu pour me dire qu'il était surpris de voir que j'avais acheté des roses au lieu d'acheter des œillets comme je le fais d'habitude. C'était drôle, j'étais sûre d'avoir pris des œillets chez le fleuriste. Puis, il m'a demandé si je faisais du bricolage! Moi, faire du bricolage! Figurez-vous qu'il y avait un marteau dans mon panier! J'étais bien passé à la droguerie-quincaillerie prendre une bombe insecticide; alors j'ai pensé que le quincaillier M. Carpentier avait dû mettre par erreur ce marteau dans mon panier. Mais je me suis rendu compte alors que je m'étais trompée de panier; celui-ci n'était pas le mien! Ni les boucles d'oreilles, ni le nouveau portefeuille que j'avais achetés n'étaient dedans. A leur place, au fond du panier j'ai trouvé des clous et un tournevis. Je suis donc retournée demander au quincaillier s'il savait à qui appartenait ce panier.

En arrivant au coin de la rue, j'ai aperçu la femme du facteur avec mon panier. Elle regardait dans la vitrine de la papeterie avec sa fille et elle ne s'était pas encore aperçue qu'elle n'avait pas son panier. Quand elle a compris ce qui était arrivé, elle a été un peu gênée et elle a rougi. Je ne savais plus où nous nous étions trompées de panier, étant passées toutes les deux chez le fleuriste et chez le quincaillier. Nous nous sommes excusées plus d'une fois puis nous avons continué notre chemin, elle de son côté, moi du mien et chacune avec son propre panier.

Questions sur la lecture

1. Comment est-ce que Mme Charlon se rend compte qu'elle a le panier de quelqu'un d'autre?
2. Dans quels magasins est-elle allée ce matin?
3. Qu'est-ce qu'elle a pensé quand elle a trouvé un marteau dans son panier?
4. Qu'est-ce qui aurait dû être dans son panier et qui n'y était pas? Qu'est-ce qu'il y avait à la place?
5. A qui appartenait le panier qu'elle avait maintenant? Où se trouvait cette personne quand Mme Charlon l'a vue?
6. Selon vous, dans quel magasin se sont-elles probablement trompées de panier?
7. Quelle a été la réaction de la femme du facteur quand elle a compris son erreur?

Et vous?

Posez les questions suivantes à un(e) de vos camarades de classe.

1. Si tu devais travailler dans un petit magasin, où voudrais-tu travailler? Pourquoi? Dans quel magasin n'aimerais-tu pas travailler?
2. Dans quels magasins vas-tu le plus souvent? Pourquoi? Dans quels magasins est-ce que tu ne vas pas très souvent?
3. Quels vêtements fais-tu nettoyer à la teinturerie? Est-ce que tu as déjà apporté des chaussures à ressemeler chez un cordonnier?
4. Préfères-tu faire les courses dans une rue commerçante, dans un centre commercial ou dans un hypermarché? Pourquoi? Quels sont les avantages de chacun?
5. Est-ce que tu as déjà pris par erreur quelque chose qui appartenait à quelqu'un d'autre? Comment l'as-tu rendu à cette personne?

Expansion du vocabulaire

A LA BIJOUTERIE
une **alliance** wedding ring
une **chaîne en or** gold chain
un **diamant** diamond
une **médaille** medal
une **pierre précieuse** precious
  stone

A LA CORDONNERIE
le **cirage** shoe polish
des **lacets** (*m*) shoelaces
une **semelle** sole
un **talon** heel
un **trou** hole

**A LA DROGUERIE-
QUINCAILLERIE**
une **ampoule** light bulb
un **balai** broom
une **bombe insecticide** can of
  insecticide
un **clou** nail
l'**eau de javel** (*f*) household
  bleach
l'**engrais** (*m*) fertilizer
une **lampe de poche** flashlight
la **lessive** laundry detergent
un **marteau** hammer
le **papier-peint** wallpaper
la **peinture** paint
une **pile** battery
une **scie** saw
un **seau** pail
des **semences** (*f*) seeds
une **tapette à mouches** flyswatter
un **tournevis** screwdriver
une **vis** screw

CHEZ LE FLEURISTE
une **marguerite** daisy
un **œillet** carnation
une **pensée** pansy
une **plante en pot** potted plant
un **souci** marigold

AU MAGASIN DE JOUETS
un **animal en peluche** stuffed
  animal
un **jeu de société** board game
une **maquette d'avion** model
  airplane
un **pistolet à eau** water gun,
  squirt gun
une **planche à roulettes**
  skateboard

A LA PAPETERIE
une **agrafeuse** stapler
un **bloc** notepad
une **enveloppe** envelope
une **étiquette** sticker, label
le **papier à lettres** stationery
le **scotch** tape
un **trombone** paper clip

A LA TEINTURERIE
un **bouton** button
un **fer à repasser** iron
le **nettoyage à sec** dry
  cleaning
une **planche à repasser** ironing
  board
une **tache** spot

NOMS DIVERS
un **chariot** shopping cart
un(e) **commerçant(e)** shopkeeper
un **comptoir** counter
une **livraison** delivery
un **panier** basket
une **vitrine** display window

**VERBES ET EXPRESSIONS
VERBALES**
amidonner to starch
cirer (des chaussures) to polish
  (shoes)
livrer to deliver
se rendre compte to realize
réparer to repair
ressemeler to resole

Application

A. Trouvez le mot qui manque. Complétez logiquement le paragraphe suivant en utilisant le vocabulaire qui précède.

Aujourd'hui, il faut que je fasse quelques courses en ville. D'abord, je vais passer à la __1__ pour laisser ma robe à nettoyer. Ensuite, il faudra que je passe à la cordonnerie pour les chaussures que j'ai fait __2__. En ville, j'achèterai aussi des trombones et un stylo à la __3__. Je passerai ensuite à la droguerie-quincaillerie pour acheter ce qu'il me faut pour faire la nouvelle étagère: des planches°, une __4__, un __5__ et quelques __6__. Et pendant que j'y suis, il ne faut pas que j'oublie d'acheter de l'__7__ pour le jardin. Avant de rentrer, je m'arrêterai sans doute à la __8__ pour essayer ce beau collier de perles dont je rêve depuis si longtemps. Peut-être que je me laisserai tenter cette fois!

boards

B. Jeu de mémoire. Avez-vous bonne mémoire? Observez les détails de cette photo pendant 60 secondes. Ensuite, recouvrez la photo avec une feuille de papier et lisez les instructions en haut de la page suivante.

Jeu de mémoire (suite). Cette photo n'est pas exactement comme celle de la page précédente. Certains objets ont disparu et d'autres sont apparus. Sur une feuille de papier, faites deux listes: une liste de ce qui n'y est plus et une autre de ce qui est nouveau.

EXEMPLE

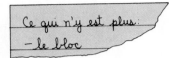

Ce qui n'y est plus:
— le bloc

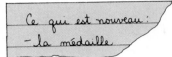

Ce qui est nouveau:
— la médaille

C. Situations. Avec un(e) partenaire, choisissez une des situations et rédigez ensemble un dialogue. Vous pourrez ensuite jouer cette scène en classe.

1. Vous venez d'emménager° avec un(e) ami(e) dans une vieille maison sale et délabrée°. Vous faites des projets de rénovation. Décidez avec votre ami(e) ce que chacun devra faire et parlez aussi de ce qu'il faudra acheter et où vous irez pour l'acheter.

Vous... You just moved
  in
délabrée delapidated

2. Vous apportez trois vêtements sales à la teinturerie pour les faire nettoyer. Expliquez au teinturier ou à la teinturière ce que vous désirez. Dites s'il y a des taches particulières qu'il faut enlever, s'il faut amidonner ou si vous voulez seulement qu'on vous lave certaines choses.

Exploration

Les prépositions composées

Certaines prépositions sont composées de plusieurs mots.

à côté de *next to*	au-dessus de *above*
à droite de *to the right of*	au milieu de *in the middle of*
à gauche de *to the left of*	autour de *around*
à l'extérieur de *outside*	en bas de *at the bottom of*
à l'intérieur de *inside*	en face de *facing*
au bout de *at the end of*	en haut de *at the top of*
au centre de *in the center of*	le long de *along*
au coin de *at the corner of*	loin de *far from*
au-dessous de *beneath*	près de *near*

Mon nouveau studio est près de la gare.
L'arrêt d'autobus est à gauche du supermarché.
Leur appartement est au-dessus du magasin.
Le métro n'est pas loin de l'hôtel.

Application

A. Des livraisons. Vous devez livrer des provisions à plusieurs magasins dans une rue commerçante. Pour vous aider, votre patron vous explique où se trouve chaque magasin dans cette rue. Sur une feuille de papier, dessinez sept cases° les unes à côté des autres, comme indiqué ci-dessous. Ecoutez les explications du patron et prenez des notes en écrivant les noms des magasins dans les cases appropriées.

boxes

EXEMPLE   Le fleuriste est au milieu de la rue.

			Fleuriste			

B. A la droguerie-quincaillerie. Vous avez ouvert une droguerie-quincaillerie et les clients vous demandent ce dont ils ont besoin. Regardez le dessin ci-dessous pour leur indiquer où ils pourront trouver ce qu'ils cherchent. Tâchez d'employer deux prépositions composées dans chacune de vos réponses.

EXEMPLE l'engrais
> **L'engrais est près de la porte, au-dessous de la table.**

1. les bombes insecticides
2. les seaux
3. les marteaux
4. la peinture
5. les semences
6. les scies
7. les balais
8. la lessive
9. les tournevis
10. les lampes de poche
11. l'eau de javel
12. les vis et les clous

C. Un jardin géométrique. Vous êtes un des jardiniers ou une des jardinières de votre ville et vous plantez des fleurs de différentes couleurs pour former des dessins dans les parterres°. Décrivez le parterre de fleurs que vous créez en employant des prépositions composées.

flowerbeds

> EXEMPLE   J'ai fait un parterre qui représente le drapeau américain. En haut, à gauche, j'ai planté des tulipes bleues. Au milieu des tulipes,...

Exploration

*Les pronoms relatifs **qui** et **lequel** précédés d'une préposition*

A. Vous savez déjà qu'un pronom relatif sert à joindre deux propositions. On emploie **qui** comme sujet de la proposition relative et **que** comme complément direct du verbe sans distinguer entre les personnes et les choses. Quand le pronom relatif est précédé d'une préposition, on fait, par contre, cette distinction. On emploie généralement **qui** si l'antécédent est une personne.

La cliente est en retard. J'ai rendez-vous avec elle.
La cliente **avec qui** j'ai rendez-vous est en retard.

B. Lorsque l'antécédent n'est pas une personne, on emploie le pronom relatif **lequel** avec une préposition. **Lequel** est variable et s'accorde en genre et en nombre avec l'antécédent. Comme l'article défini, **lequel** a des formes contractées après les prépositions **à** et **de**. Voici les formes de **lequel**.

		avec à	avec de
masculin singulier	lequel	auquel	duquel
féminin singulier	laquelle	à laquelle	de laquelle
masculin pluriel	lesquels	auxquels	desquels
féminin pluriel	lesquelles	auxquelles	desquelles

Où va ce train? Tous ces gens montent dans ce train.
Où va ce train **dans lequel** tous ces gens montent?

Comment s'appelle ce magasin? Tu es allé à ce magasin hier.
Comment s'appelle ce magasin **auquel** tu es allé hier?

C. Avec la préposition **de**, on emploie **dont** au lieu des formes contractées avec **lequel**. Après les prépositions composées, cependant, il faut employer **duquel, de laquelle, desquels** ou **desquelles**.

C'est une place **au milieu de laquelle** il y a une grande statue.

D. **Lequel, laquelle, lesquels** et **lesquelles** peuvent aussi être employés pour les personnes si on veut spécifier leur genre ou leur nombre. Après les prépositions **entre** (*between*) et **parmi** (*among*), il faut employer le pronom pluriel **lesquels** ou **lesquelles** au lieu de **qui**.

Comment s'appelle l'élève **avec laquelle** tu parlais?
Les passagers **parmi lesquels** nous étions assis parlaient russe.

E. Quand l'antécédent est un endroit ou un moment dans le temps, on remplace généralement une préposition suivie de **lequel** par **où**.

Comment s'appelle le café **auquel** tu voulais aller?
Comment s'appelle le café **où** tu voulais aller?

C'est le mois **pendant lequel** nous avons fait connaissance.
C'est le mois **où** nous avons fait connaissance.

Application

A. A l'âge de dix ans. Dites si vous faisiez souvent les choses indiquées ci-dessous quand vous étiez enfant. Suivez l'exemple.

EXEMPLE   jeu de cartes/jouer à (*Mille Bornes*™...)
        Milles Bornes™ est un jeu de cartes auquel je jouais souvent quand j'étais petit(e).

1. jouet/jouer avec
(la poupée, la planche à roulettes, le pistolet à eau...)
2. jeu de société/jouer à
(le jeu de dames°, le *Scrabble*™, le *Monopoly*™...)

jeu... checkers

3. jeu de cartes/gagner à
   (la réussite°, la bataille, la pêche...)
4. magasins/aller à
   (la papeterie et la librairie, le magasin de jouets et la boutique
   d'animaux, la droguerie et la quincaillerie...)

solitaire

B. Du flair pour les affaires. Est-ce que vous avez du flair pour les
affaires? Quelle sorte de commerce pourriez-vous ouvrir dans les
endroits suivants? Expliquez.

> EXEMPLE   dans une avenue / près de / plusieurs théâtres
> **Dans une avenue près de laquelle il y a plusieurs
> théâtres, j'ouvrirais une teinturerie parce que les
> artistes ont souvent besoin de faire nettoyer leurs
> costumes.**

1. dans un immeuble / en face de / un hôpital
2. sur une place / près de / beaucoup de vieilles maisons
3. sur un boulevard / le long de / une université
4. dans un village / autour de / plusieurs fermes
5. dans une rue / en bas de / une école primaire°

école...   grade school

C. Avez-vous vu mon panier? Mme Clousseau a perdu son panier à
provisions et elle est allée le chercher aux Objets Trouvés°.
Complétez les phrases suivantes par la préposition **à, chez, dans,
sans** ou **sur** suivie du pronom relatif **lequel, laquelle, lesquels,
lesquelles** ou **qui**.

aux...   at the "Lost and
Found"

> EXEMPLE   Avez-vous vu un panier **dans lequel** il y avait des
> provisions?

1. Mon fils, ===== j'avais donné le panier, l'a perdu.
2. J'ai déjà demandé à tous les commerçants ===== je suis allée ce
   matin.
3. Les commerçants ===== j'ai fait mes courses n'en savaient rien.
4. Mes clés, ===== je ne peux pas rentrer chez moi, étaient dans
   mon panier.
5. Le vendeur du magasin de jouets ===== j'ai trouvé mon fils m'a
   dit qu'il n'avait pas mon panier en entrant dans le magasin.
6. Dans mon panier, j'avais une jupe ===== il y avait une tache.
7. Il y avait aussi un bloc ===== j'avais écrit une liste de
   provisions que je devais acheter.
8. L'agent de police ===== j'ai demandé ce que je devais faire m'a
   dit de venir ici.
9. Voici le numéro de téléphone ===== vous pouvez me téléphoner
   si on vous l'apporte.
10. Je donnerai une récompense ===== l'aura trouvé.

Exploration

Les expressions impersonnelles et le subjonctif

Le subjonctif comme l'indicatif est un mode. C'est le mode de la subjectivité. Il exprime une attitude ou une opinion. Il s'oppose à l'indicatif qui est le mode de l'objectivité. Le subjonctif est toujours introduit par la conjonction **que**.

A. Pour former le présent du subjonctif des verbes réguliers (en **-er**, **-ir**, **-re**), on ajoute au radical de la 3e personne du pluriel du présent de l'indicatif les terminaisons indiquées ci-dessous.

	parler	**réfléchir**	**répondre**
…que je	parl**e**	réfléchiss**e**	répond**e**
…que tu	parl**es**	réfléchiss**es**	répond**es**
…qu'il/elle/on	parl**e**	réfléchiss**e**	répond**e**
…que nous	parl**ions**	réfléchiss**ions**	répond**ions**
…que vous	parl**iez**	réfléchiss**iez**	répond**iez**
…qu'ils/elles	parl**ent**	réfléchiss**ent**	répond**ent**

B. Il faut employer le subjonctif après certaines expressions qui indiquent la nécessité, le souhait ou le doute. Voici les plus importantes.

Il est bon/mauvais que	*It's good/bad that*
Il est dommage que	*It's a shame that*
Il est essentiel que	*It's very important that*
Il est important que	*It's important that*
Il est juste/injuste que	*It's fair/unfair that*
Il est obligatoire que	*It's obligatory that*
Il est peu probable que	*It's unlikely that*
Il est possible/impossible que	*It's possible/impossible that*
Il est préférable que	*It's preferable that*
Il est rare que	*It's uncommon that*
Il est regrettable que	*It's unfortunate that*
Il est temps que	*It's time that*
Il est utile/inutile que	*It's useful/useless that*
Il faut que	*It's necessary that*
Il suffit que	*It's enough that*
Il vaut mieux que	*It's better that*

Il est essentiel **que nous arrivions** à la gare en avance.
Il est inutile **que vous klaxonniez**, il y a un encombrement.
Il est temps **que tu finisses** tes devoirs.

Application

A. Un nouveau commerce. Vos amis viennent d'ouvrir une nouvelle bijouterie. Comme les affaires ne marchent pas très bien, ils vous demandent des conseils. Faites des suggestions en employant une expression impersonnelle suivie du subjonctif.

> EXEMPLE   perdre courage
> **Il n'est pas bon que vous perdiez courage.**

1. établir une clientèle
2. vendre plus de marchandise en solde
3. stocker une plus grande variété d'alliances
4. fermer le magasin le samedi après-midi
5. réparer la vitrine cassée
6. s'habiller en jeans et en T-shirt pour aller au travail
7. polir les bijoux tous les jours

B. Que faut-il faire? Vous faites les courses en ville et vous vous trouvez dans les situations suivantes. D'après les choix donnés, dites ce qu'il vaut mieux faire.

> EXEMPLE   Vous achetez un marteau et vous remarquez que le quincaillier vous rend trop de monnaie. (le signaler au quincaillier, ne rien dire)
> **Il vaut mieux que je le signale au quincaillier.**

1. Vous êtes dans le magasin de jouets où vous voyez le fils de votre voisin mettre un pistolet à eau dans son fourre-tout° sans payer. (lui demander de le remettre, attendre et téléphoner plus tard à ses parents, le signaler tout de suite au vendeur) — tote-bag

2. Vous êtes chez le fleuriste. Il ne reste qu'une seule douzaine de roses rouges; une autre personne et vous décidez en même temps de les acheter. (en choisir des jaunes, les arracher° de ses mains, chercher une douzaine de roses rouges ailleurs) — grab

3. Vous êtes dans un magasin de jouets avec votre neveu qui commence à pleurer parce que vous avez refusé de lui acheter un animal en peluche. (lui acheter l'animal en peluche, lui donner une fessée, le laisser pleurer sans faire attention à lui)

4. Vous êtes dans une quincaillerie où vous renversez une étagère sur laquelle il y a des clous et des vis. (aider le quincaillier à les ramasser°, vous excuser et finir vos achats, quitter le magasin tout de suite) — pick up

5. Vous faites vos courses avec votre gros chien lorsque vous remarquez qu'il a mangé un bouquet de fleurs chez le fleuriste. (partir rapidement sans rien dire, faire semblant° de ne rien avoir remarqué, offrir au fleuriste de lui payer les fleurs) — faire…to act as if

L EÇON 20

A la banque

En contexte

Pour commencer

A. Que se passe-t-il? Observez le dessin qui précède et répondez aux questions suivantes.

1. Pourquoi les jeunes voyageuses sont-elles à la banque?
2. Qu'est-ce que le petit garçon avec la tirelire° va faire de son argent?

piggy bank

3. La jeune fille au bureau de change va changer un chèque de voyage de $100. Combien de francs français lui donnera-t-on si le taux du dollar est de 6,50 FF?

4. Si on veut se servir de son argent, quelle sorte de compte en banque doit-on ouvrir? Quelle sorte de compte ouvre-t-on si on veut faire des économies?

5. Que faut-il faire pour toucher un chèque dans une banque? Où faut-il aller? Quelle pièce d'identité montre-t-on généralement pour toucher un chèque de voyage à l'étranger? Quand est-ce qu'il faut remplir une fiche?

B. Qui a dit cela? Est-ce que la personne qui parle est **le client** d'une banque ou **l'employé**?

EXEMPLE   Quel est le taux de change du dollar?

Le compte d'épargne

Jérôme va à la banque pour ouvrir son premier compte d'épargne.

Jérôme va à la banque avec son père ouvrir un compte d'épargne. Il garde ses économies depuis longtemps dans une tirelire. Mais maintenant il a décidé de les mettre à la banque. Il a gagné de l'argent en faisant du baby-sitting et des courses pour la famille. Il a aussi l'argent que son père lui donne chaque fois qu'il lave la voiture.

Enfin, le voilà à la banque. Il voit les gens faire la queue devant les différentes caisses. Il y en a qui endossent des chèques, d'autres qui remplissent des fiches pour faire un dépôt et d'autres qui retirent de l'argent de leurs comptes. Il y a un monsieur qui demande un prêt à court terme° pour faire des réparations dans sa maison de campagne. Jérôme ne savait pas qu'on pouvait emprunter de l'argent pour faire ce genre de choses. Le crédit est une chose toute nouvelle pour lui. Dans sa famille, on n'achète pas souvent à crédit; on attend d'avoir les fonds° pour payer comptant. Un groupe d'étrangers intéresse Jérôme tout particulièrement; ce sont probablement des étudiants qui passent leurs vacances en France.

Jérôme regarde le panneau qui indique le taux de change quotidien°. Il remarque les devises étrangères et les chèques de voyage que ces jeunes échangent pour des francs.

Enfin, il dépose son argent et reçoit un livret d'épargne. «Il faut que tu sois raisonnable maintenant. Ne dépense pas tous tes sous* pour des folies!» lui dit son père.

Mais Jérôme n'écoute pas parce qu'il rêve déjà à sa première folie!

prêt...   short-term loan

fonds°   funds

quotidien°   daily

Questions sur la lecture

1. Pourquoi Jérôme et son père sont-ils à la banque?
2. Jusqu'à présent comment Jérôme a-t-il gardé ses économies?
3. Comment Jérôme a-t-il gagné son argent?
4. Est-ce que la famille de Jérôme a beaucoup de cartes de crédit? Pourquoi?
5. Quel conseil son père lui donne-t-il?
6. A quoi rêve Jérôme? Que pourrait être cette folie?

Et vous?

Posez les questions suivantes à un(e) de vos camarades de classe.

1. Te souviens-tu de la première fois que tu es entré(e) dans une banque? Avec qui y es-tu allé(e)?
2. Comment fais-tu des économies?
3. Gardais-tu ton argent dans une tirelire quand tu étais plus jeune? Où gardes-tu ton argent maintenant? sous ton matelas°? dans un compte en banque? dans un coffre-fort?
4. As-tu un compte d'épargne? As-tu un chéquier? Où vas-tu pour toucher un chèque?
5. Pour quel achat important économises-tu ton argent?
6. As-tu déjà fait un emprunt?
7. Est-ce que tu aimerais avoir des cartes de crédit? Pourquoi?
8. Es-tu économe ou dépensier (dépensière)?

mattress

Expansion du vocabulaire

A LA BANQUE
- **un billet de banque** bill, banknote
- **un bureau de change** foreign currency exchange
- **un caissier (une caissière)** cashier, teller
- **une carte de crédit** credit card
- **un chèque de voyage** traveler's check
- **un chéquier** checkbook
- **un coffre-fort** safe, safety deposit box
- **un compte courant** checking account
- **un compte d'épargne** savings account
- **une devise étrangère** foreign currency
- **des économies** (*f*) savings
- **un emprunt** loan (that you borrow)
- **un investissement** investment
- **un livret d'épargne** savings booklet
- **la monnaie** change
- **un panneau** bulletin board, display board
- **une pièce** coin
- **un prêt** loan (that you lend)
- **une somme** sum
- **des sous*** (*m*) money

- **le taux de change** exchange rate
- **le taux d'intérêt** interest rate

VERBES ET EXPRESSIONS VERBALES
- **acheter à crédit** to buy on credit
- **dépenser** to spend
- **économiser de l'argent** to save money
- **emprunter** to borrow
- **endosser un chèque** to endorse a check
- **faire un chèque (en bois)** to write a (hot) check
- **faire un dépôt** to make a deposit
- **investir** to invest
- **ouvrir un compte en banque** to open a bank account
- **payer comptant** to pay cash or check
- **remplir une fiche de dépôt** to fill out a deposit slip
- **retirer de l'argent** to withdraw money
- **toucher un chèque** to cash a check

DIVERS
- **au verso** on the back
- **dépensier, dépensière** spendthrift
- **économe** thrifty
- **une folie** extravagance

Application

A. Trouvez le mot qui manque. Complétez logiquement les phrases suivantes en utilisant le vocabulaire qui précède.

1. Le yen, le rouble, le franc et le deutsche Mark sont des ======.
2. Pour faire un dépôt on doit remplir une ======.
3. Pour toucher mon chèque je dois l' ====== au verso.
4. Si on ne veut pas être dépensier, on fait des ======.
5. Je voudrais la ====== d'un dollar: quatre *quarters*.
6. Je n'ai pas assez d'argent pour m'acheter une nouvelle voiture. Je l'achète donc ======.

7. Mon frère a fait une grande ========= en achetant ce collier pour sa petite amie!

8. Le ========= du dollar en France est aujourd'hui d'environ 6,50 francs.

B. Qu'est-ce que c'est? Donnez le nom de chaque chose ci-dessous.

1.

2.

3.

4.

5.

6.

7.

8.

C. Situations. Avec un(e) partenaire, choisissez une des situations et rédigez ensemble un dialogue. Vous pourrez ensuite jouer cette scène en classe.

1. Vous venez d'inventer quelque chose et vous allez à la banque faire un emprunt. Décrivez votre invention au banquier et demandez-lui de vous faire un prêt. Parlez aussi de l'intérêt que vous devrez payer pour votre prêt.

2. Vous voulez toucher un chèque de voyage en France mais vous avez laissé votre passeport à l'hôtel. Vous essayez d'utiliser d'autres pièces d'identité que l'employé(e) de banque refuse. Imaginez votre conversation.

Exploration

Les expressions *il faut* et *il vaut mieux*

A. Les expressions **il faut** (*it is necessary, one needs to*) et **il vaut mieux** (*it is better*) peuvent s'employer avec l'infinitif ou avec le subjonctif.

Il faut prendre cette rue-là.
Il faut que nous achetions un plan.

...axi.

...artiez avant les heures de pointe.

... verbes sont **falloir** et **valoir**. Ces
... ployer à des temps différents.

	...alloir	valoir mieux
	faut	il vaut mieux
	a fallu	il a mieux valu
	fallait	il valait mieux
futur	il faudra	il vaudra mieux
conditionnel	il faudrait	il vaudrait mieux
conditionnel passé	il aurait fallu	il aurait mieux valu

Il aurait mieux valu trouver une autre banque.
Il vaudrait mieux que nous prenions des chèques de voyage.
Il a fallu attendre une heure pour sortir de cet encombrement.
Il fallait que tu viennes nous retrouver plus tôt.

C. Pour indiquer que quelqu'un a besoin de quelque chose, on peut
employer **il faut** avec un complément indirect. Remarquez qu'avec
cette construction, le complément indirect de la phrase française
correspond au sujet du verbe *to need* de la phrase anglaise.

En Belgique, il **te** faudra des francs belges.
You will need Belgian francs in Belgium.

Il **lui** faut l'argent tout de suite.
He needs the money right away.

Application

A. Quelle devise? Vous travaillez dans un bureau de change. Dites
aux clients ci-dessous de quelle devise étrangère ils auront besoin.

> EXEMPLE   Je vais faire un voyage en Italie.
> **Il vous faudra des lires.**

1. Mes fils vont passer un mois au Japon.
2. Je vais passer mes vacances au Mexique.
3. Ma femme va en Allemagne faire un voyage d'affaires.
4. Nous allons au Canada faire du ski.
5. Je vais en Suisse à une conférence scientifique.
6. Mes cousins vont en URSS.

B. Des problèmes d'argent. Vous avez des problèmes d'argent. Dites ce que vous auriez dû faire pour éviter ces problèmes et ce que vous devrez faire à cause de cela. Utilisez l'expression **il faut.**

EXEMPLE Vous êtes en vacances au Japon et on a volé° tout votre argent. (acheter des chèques de voyage, rentrer plus tôt) stole
Il aurait fallu acheter des chèques de voyage.
Maintenant, il faudra rentrer plus tôt.

1. Votre voiture est en panne et vous n'avez pas assez d'argent pour la faire réparer. (faire des économies, faire un emprunt)
2. Vous êtes allé(e) à la banque vendredi après-midi. Samedi, il n'y a déjà plus rien dans votre portefeuille. (retirer plus d'argent, faire un chèque)
3. Vous allez emprunter de l'argent pour acheter une nouvelle voiture et le taux d'intérêt vient d'augmenter. (faire l'emprunt la semaine dernière, payer plus d'intérêt)
4. Vous allez à la banque à l'heure de la fermeture et il y a beaucoup de monde°. (venir plus tôt, faire la queue) **beaucoup...** a big crowd
5. Vous prenez le train pour aller en Suisse et vous n'avez pas de francs suisses quand vous arrivez dans un petit village un dimanche soir. (changer de l'argent avant de partir, passer la nuit dans la gare jusqu'à l'ouverture des banques)
6. Dans la rue, un homme vous demande aimablement de changer son billet de cent francs pour dix billets de dix. Plus tard, vous découvrez que ce billet est faux°. (refuser à l'homme dans la rue, donner des explications à la police) counterfeit

C. Conseils budgétaires. Imaginez les conseils que vos parents vous donneront à propos de votre budget quand vous ne vivrez plus chez eux. Ecrivez au moins cinq phrases avec **il faut** ou **il vaut mieux**.

EXEMPLE

Il ne faut jamais acheter à crédit. Il vaut mieux...

Exploration

Les expressions impersonnelles avec **de** + infinitif

On emploie l'infinitif avec les expressions impersonnelles dans une phrase à sens général où le sujet n'est pas spécifé. La préposition **de** précède l'infinitif sauf après **il faut** et **il vaut mieux**. S'il y a un sujet spécifié, il faut employer le subjonctif.

Il est préférable **de changer** des devises avant de partir.
(Il est préférable **que vous changiez** des devises avant de partir.)

Il est temps **de rentrer** à l'hôtel.
(Il est temps **que nous rentrions** à l'hôtel.)

Il faut **attendre** plus longtemps.
(Il faut **que tu attendes** plus longtemps.)

Application

A. Comment choisir une banque. Qu'est-ce qui vous importe le plus dans le choix de votre banque? Votre banque veut le savoir et vous le demande. Indiquez l'importance de chacune des caractéristiques suivantes en employant une de ces expressions impersonnelles: **il est essentiel / important / préférable / bon / utile + infinitif**.

EXEMPLE   offrir de jolis chèques aux clients
Pour moi, il n'est pas important d'offrir de jolis chèques.

1. donner un bon taux d'intérêt pour les comptes d'épargne
2. avoir des distributeurs automatiques de billets°
3. vendre plusieurs devises étrangères
4. envoyer un relevé de compte° chaque mois aux clients
5. offrir des emprunts à un taux d'intérêt relativement bas
6. avoir un grand parking près de la banque
7. louer des coffres-forts à la banque
8. être ouvert le samedi matin

distributeurs...
   automatic tellers
relevé...   bank state-
   ment

B. Des panneaux. Vous faites des courses en ville et vous voyez de la publicité pour les produits ci-dessous. Complétez les slogans en employant un infinitif.

EXEMPLE **Il est important de protéger vos trésors.**
Achetez un coffre-fort *Lefranc*.

1.
2.
3.

4.
5.
6.

Exploration

Le subjonctif des verbes irréguliers

A. Le subjonctif des verbes irréguliers se forme généralement sur le radical de la 3ᵉ personne du pluriel du présent de l'indicatif, pour toutes les personnes sauf pour **nous** et **vous**. Pour **nous** et **vous** on utilise le radical de la 1ère personne du pluriel.

	venir	**payer**	**mettre**
…que je	vienn**e**	pai**e**	mett**e**
…que tu	vienn**es**	pai**es**	mett**es**
qu'il/elle/on	vienn**e**	pai**e**	mett**e**
…que nous	ven**ions**	pay**ions**	mett**ions**
…que vous	ven**iez**	pay**iez**	mett**iez**
…qu'ils/elles	vienn**ent**	pai**ent**	mett**ent**

Les verbes ci-dessous suivent la même règle.

acheter	que j'achète	que nous achetions
appeler	que j'appelle	que nous appelions
conduire	que je conduise	que nous conduisions
croire	que je croie	que nous croyions
devoir	que je doive	que nous devions
dire	que je dise	que nous disions
dormir	que je dorme	que nous dormions
écrire	que j'écrive	que nous écrivions
envoyer	que j'envoie	que nous envoyions
prendre	que je prenne	que nous prenions
recevoir	que je reçoive	que nous recevions
tenir	que je tienne	que nous tenions
voir	que je voie	que nous voyions

B. Les sept verbes suivants ont au subjonctif une conjugaison particulière.

	être	**avoir**	**aller**	**vouloir**
…que j(e)	sois	aie	aille	veuille
…que tu	sois	aies	ailles	veuilles
qu'il/elle/on	soit	ait	aille	veuille
…que nous	soyons	ayons	allions	voulions
…que vous	soyez	ayez	alliez	vouliez
…qu'ils/elles	soient	aient	aillent	veuillent

	faire	**pouvoir**	**savoir**
…que je	fasse	puisse	sache
…que tu	fasses	puisses	saches
qu'il/elle/on	fasse	puisse	sache
…que nous	fassions	puissions	sachions
…que vous	fassiez	puissiez	sachiez
…qu'ils/elles	fassent	puissent	sachent

Application

A. Des conseils.
Sophie et son petit frère vont prendre l'avion. Avant qu'ils partent, la mère de Sophie donne des conseils à sa fille. Donnez la forme correcte du verbe entre parenthèses.

votre chéquier
SOCIÉTÉ GÉNÉRALE

1. Il vaut mieux que nous ===== (acheter) des chèques de voyage.
2. Il est bon que ton frère et toi ===== (faire) un cadeau à Tante Emilie.
3. Il faut que nous ===== (appeler) l'agence de voyages pour confirmer vos réservations.
4. Il est essentiel que tu ===== (aller) à l'aéroport une heure à l'avance.
5. Il ne faut pas que vous ===== (avoir) peur dans l'avion.
6. Il est dommage que Tante Emilie ===== (ne pas pouvoir) venir vous chercher à l'aéroport.
7. Il est préférable que je ===== (savoir) la date de votre retour une semaine à l'avance.

B. Beaucoup à faire.
Est-ce que vous êtes très occupé(e)? Est-ce qu'il vous faudra faire les choses suivantes la semaine prochaine?

EXEMPLE   aller à la banque
Oui, il faudra que j'aille à la banque.
(Non, il ne faudra pas que j'aille à la banque.)

1. aller à la station-service
2. faire des courses en ville
3. vous faire couper les cheveux
4. faire un dépôt d'argent à la banque
5. acheter un bloc de papier
6. prendre l'autobus
7. emprunter de l'argent
8. aller à la quincaillerie

C. Une grève à la banque.
Les employés de la banque trouvent que leur patron° est injuste. M. Leclerc, le représentant du personnel, présente les revendications° des employés. La moitié de la classe jouera le rôle de M. Leclerc et donnera les revendications des employés. L'autre moitié sera le patron qui défend les règles établies par la banque. Le côté qui présentera le plus d'arguments avec **il faut + subjonctif** sera le vainqueur.

boss
demands

EXEMPLE

> employés
> Il faut que nous ayons plus de vacances.

> patron
> Il faut que les employés ne soient jamais en retard.

*L*ECON 21

A la poste

En contexte

Pour commencer

A. Que se passe-t-il? Répondez aux questions d'après ce que vous voyez sur le dessin qui précède.

1. Que veut dire P. T. T.?
2. Où met-on les lettres à envoyer?
3. Dans quelle ville se trouve ce bureau de poste? Comment le savez-vous?

4. Si on a un document très important à expédier, comment l'envoie-t-on?

5. Comment s'appelle la personne qui livre le courrier? Et celle qui travaille au bureau de poste? Décrivez le travail d'un postier.

6. Quels autres services offre-t-on dans un bureau de poste en France?

B. Qui a dit cela? Vous allez poster une lettre au bureau de poste et vous entendez les phrases suivantes. Dites si c'est **un postier** qui parle ou si c'est **un client**.

EXEMPLE   Pardon Monsieur, à quelle heure fait-on la dernière levée du courrier?

Poste restante

Après sa rupture° avec sa petite amie Nadine, Eric a quitté la Provence pour aller oublier son chagrin° à Paris. N'ayant pas de domicile fixe et ne sachant pas s'il pourrait trouver du travail à Paris, il a fait envoyer tout son courrier à la poste restante. Avec la poste restante, les personnes qui n'ont pas de domicile fixe vont au bureau de poste chercher eux-mêmes leur courrier.

Arrivé à Paris, Eric souffrait d'une mélancolie profonde qui grandissait chaque fois qu'il voyait des amoureux s'embrasser dans la rue. Il ne pouvait pas accepter que Nadine ne l'aime plus. Sa dépression était telle qu'il ne s'apercevait plus du passage du temps. Plusieurs semaines se sont écoulés° avant qu'il ne pense enfin à aller chercher son courrier. Finalement, un jour, il est allé au bureau de poste acheter une télécarte pour faire des appels téléphoniques dans les cabines publiques. C'est en entrant dans le bureau de poste qu'il s'est rendu compte qu'il n'avait jamais vérifié s'il avait du courrier.

Après avoir fait la queue pendant une bonne quinzaine de minutes, il est enfin arrivé au guichet de la poste restante. Quand il a dit son nom à la postière elle a souri d'une façon mystérieuse et elle a fait un signe au postier qui travaillait à côté d'elle. Pourquoi la postière a-t-elle réagi de cette manière quand il lui a dit son nom? Eric a commencé à se demander si le monde entier se moquait de lui.

Un instant après, l'autre postier est revenu avec un énorme sac dont il a vidé le contenu sur le comptoir. Il devait y avoir une centaine de lettres et elles lui étaient toutes adressées. C'était toujours la même enveloppe, les mêmes grands timbres avec des œuvres d'art et le même parfum. Eric a immédiatement reconnu l'écriture. C'était l'écriture de Nadine! Il a senti son cœur battre très fort. Il a vite ouvert la première

break-up
sorrow

went by

enveloppe, la deuxième, la troisième... Toutes contenaient le même message «Reviens, je me suis trompée, tu me manques°.»

tu... I miss you

Les postiers lui ont expliqué qu'une dixaine de ces lettres arrivaient chaque jour. Transporté de joie°, Eric s'est précipité° dans une cabine téléphonique pour appeler Nadine. Très ému°, il a eu du mal à composer le numéro. Les postiers auraient aimé entendre cette conversation. Ils pouvaient voir que le jeune homme était très heureux. En sortant de la cabine, Eric a consulté l'horaire des trains par Minitel et comme le prochain train partait le soir même, il a fait une réservation et il est sorti du bureau de poste en courant. Les postiers l'ont regardé partir, puis ils se sont regardés un peu perplexes. Que devaient-ils faire maintenant de tout le tas de lettres qu'Eric avait laissé sur le comptoir?

joy/rushed
excited

Questions sur la lecture

1. Pourquoi est-ce qu'Eric a quitté la Provence pour aller à Paris? Pourquoi est-ce qu'il fait envoyer son courrier à la poste restante?
2. Pourquoi décide-t-il d'acheter une télécarte? Pourquoi est-ce que les télécartes sont utiles?
3. Quand Eric demande son courrier à la poste restante, quelle est la réaction de la postière?
4. Décrivez les lettres qu'Eric a reçues. Combien en a-t-il reçu? Pourquoi est-il ému° quand il reconnaît l'écriture?
5. Où Eric se précipite-t-il ensuite? Pourquoi a-t-il du mal à composer le numéro?
6. Pourquoi est-ce que les deux postiers sont perplexes en voyant Eric sortir du bureau de poste?

excited

Et vous?

Posez les questions suivantes à un(e) de vos camarades de classe.

1. Reçois-tu beaucoup de courrier? Ecris-tu beaucoup de lettres?
2. As-tu un(e) correspondant(e) en France ou dans un autre pays?
3. Aimerais-tu être facteur (factrice)? Pourquoi?
4. Connais-tu ton facteur? Combien de fois par jour est-ce qu'il livre le courrier chez toi? A quelle heure est-ce que qu'il passe?
5. Où se trouve la boîte aux lettres la plus proche de chez toi? A quelle heure est-ce qu'on fait la levée du courrier? Où se trouve le bureau de poste le plus proche? Quelles sont les heures d'ouverture du bureau de poste?
6. Quand tu achètes des timbres, est-ce que tu demandes à voir les plus beaux ou est-ce que tu achètes n'importe lesquels? Est-ce que tu as déjà collectionné des timbres?

Expansion du vocabulaire

A LA POSTE

une **balance** scales
une **boîte aux lettres** mailbox
une **cabine téléphonique**
    telephone booth
un **code postal** zip code
un **colis** package
le **contenu** contents
un(e) **correspondant(e)** pen pal
le **courrier** mail
un(e) **destinataire** addressee
l' **écriture** (*f*) handwriting
un **expéditeur, une**
    expéditrice sender
un **facteur, une factrice** mail
    carrier
une **fente** slot
la **ficelle** string
un **guichet** counter window
un **mandat** money order
la **poste restante** general
    delivery mail
un **postier, une postière** postal
    worker
un **sac en cuir** leather pouch
un(e) **standardiste** telephone
    operator

**VERBES ET EXPRESSIONS
VERBALES**

s'adresser à to go and ask
calculer to calculate
contenir to contain
emballer to wrap
envoyer en recommandé to send
    registered
envoyer par exprès to send
    express
expédier to send
faire la levée du courrier to pick
    up the mail
faire suivre to forward
peser to weigh
poster une lettre to mail a letter
ramasser to pick up
trier to sort

DIVERS

à l'étranger abroad, out of the
    country
commode practical
lourd heavy
par avion by airmail
par courrier ordinaire by surface
    mail

Application

A. Trouvez le mot qui manque. Complétez logiquement les
phrases suivantes en utilisant le vocabulaire qui précède.

1. J'envoie un ===== à mon frère pour son anniversaire. Dedans il
   y a du chocolat et un livre de bandes dessinées.
2. Je fais ===== ce colis pour savoir combien de timbres je dois
   acheter avant de l'expédier.
3. Maintenant que tu as écrit l'adresse et que tu as collé le timbre,
   mets ta lettre dans la ===== là-bas.
4. On envoie une lettre en ===== quand elle est très importante.
5. Quand on envoie une lettre à l'étranger, elle arrive plus vite si on
   l'envoie =====.
6. Un ===== apporte le courrier à domicile et un ===== travaille
   dans un bureau de poste.

B. A la poste. Vous avez une correspondante française qui a travaillé dans un bureau de poste pendant plusieurs mois. Dans une lettre, elle vous parle de la poste en France. Comparez chacune de ses descriptions avec la poste américaine.

1. On vend des télécartes qui vous permettent de téléphoner d'une cabine publique sans pièces de monnaie.
2. On peut obtenir des mandats.
3. En France, on peut téléphoner d'un bureau de poste.
4. On peut acheter des timbres avec de jolies images.
5. On peut faire envoyer son courrier à la poste restante si on n'a pas de domicile fixe.
6. On peut chercher un numéro de téléphone sur un Minitel.
7. Le facteur porte le courrier dans un sac en cuir.
8. Le facteur se déplace souvent en vélo.
9. On peut envoyer une lettre par exprès si on veut qu'elle parvienne rapidement à son destinataire.
10. Le téléphone français est sous le contrôle de l'Etat.

C. Situations. Avec un(e) partenaire, choisissez une des situations et rédigez ensemble un dialogue. Vous pourrez ensuite jouer cette scène en classe.

1. Vous venez de poster une lettre ou un colis et vous décidez quelques minutes plus tard que vous n'auriez pas dû l'envoyer. Décrivez la lettre ou le colis au postier (à la postière) et expliquez-lui pourquoi il faut que la lettre ou le colis ne soit pas livré. On ne veut pas vous le rendre.
2. Vous allez au bureau de poste pour envoyer un colis très important. Imaginez votre conversation avec le postier (la postière). Est-ce que le colis doit arriver le lendemain? Qu'est-ce qu'il contient? Combien pèse-t-il?

Exploration

Les pronoms complément d'objet avec le causatif

A. Pour traduire en français l'expression anglaise *to have someone do something*, on emploie le verbe **faire** suivi d'un infinitif. Lorsque l'expression causative **faire** + **infinitif** a un complément direct ou indirect, le pronom se place devant le verbe **faire**.

Stéphane fait changer **son argent**.
Stéphane **le** fait changer.

B. Il est toujours possible de remplacer deux compléments du verbe par deux pronoms.

J'ai fait peser **le colis au postier**.
Je **le lui** ai fait peser.

Eric fait envoyer **son courrier à la poste restante**.
Eric **l'y** fait envoyer.

C. Avec les temps composés (passé composé, plus-que-parfait, etc.), on ne fait pas l'accord du participe passé avec le complément d'objet direct quand le verbe **faire** est suivi d'un infinitif.

Mme Talbot a fait faire **cette robe** pour le mariage.
Mme Talbot **l'**a fait faire pour le mariage.

D. A l'impératif affirmatif les pronoms suivent le verbe **faire**.

Faisons-**le** envoyer à la poste restante.
Fais-**lui** peser ce colis.

Application

A. Quelle est la solution? Vous avez des difficultés avec votre courrier. Donnez une solution aux problèmes ci-dessous en utilisant un pronom complément avec **faire** causatif.

> EXEMPLE Le facteur laisse une lettre dans votre boîte aux lettres pour un destinataire que vous ne connaissez pas.
> (retourner à l'expéditeur)
> **Je la fais retourner à l'expéditeur.**

1. Vous allez faire du camping à quelques kilomètres de Dijon et vous voulez recevoir votre courrier dans cette ville. (envoyer à la poste restante)
2. Vous voulez peser un colis et la seule balance du bureau poste est derrière le comptoir. (peser par l'employé)
3. Vous êtes avec des amis et vous recevez un télégramme que vous ne pouvez pas lire parce que vous n'avez pas vos lunettes. (lire par un ami)
4. Vous emménagez dans un nouvel appartement et vous continuez à recevoir les magazines et les journaux de l'ancien locataire. (faire suivre)
5. Vous ne voulez pas sortir mais vous avez des lettres à poster. Votre sœur va passer devant la poste en allant à la teinturerie. (poster par votre sœur)

6. Avant de partir pour l'Europe, vous vous arrêtez quelques jours dans un autre Etat. Votre vol international est le lendemain soir mais vous avez laissé votre passeport chez vos parents. (envoyer par courrier exprès)

B. **Des rénovations.**   Le ministère a fait rénover le bureau de poste du début de la leçon (p. 400). Voici le nouveau bureau après les rénovations. Vous demandez tout ce qu'on a fait faire. On vous répond en employant un pronom complément.

EXEMPLE   Qu'est-ce qu'on a fait des guichets en verre sur le comptoir?
On les a fait enlever.

1. Qu'est-ce qu'on a fait des étagères derrière le comptoir?
2. De quelle couleur a-t-on fait repeindre° les murs?   to paint
3. De quelle couleur a-t-on fait repeindre le comptoir?
4. Où a-t-on fait mettre les boîtes aux lettres?
5. Où a-t-on fait mettre les cabines téléphoniques?
6. Où a-t-on fait installer les Minitels?
7. Où a-t-on fait installer le nouveau distributeur automatique de timbres?

C. Votre école. On va rénover votre école et on vous demande ce qu'il faut faire faire. Donnez votre opinion en employant un pronom complément du verbe.

> EXEMPLE   Où est-ce qu'il faut faire planter des arbres?
> **Il faut en faire planter à côté de la salle des sports.**

1. De quelle couleur faut-il faire repeindre les murs des salles de classe?
2. De quelle couleur faut-il faire repeindre les murs des couloirs?
3. Dans quelles salles de classe est-ce qu'il faut faire remplacer les meubles?
4. Faut-il faire installer des étagères supplémentaires dans la bibliothèque?
5. Est-ce qu'on doit faire mettre une nouvelle moquette dans la bibliothèque et dans les salles de classe?
6. A-t-on besoin de faire construire des trottoirs quelque part?
7. Où est-ce qu'il faut faire construire les nouveaux W.-C.?
8. Faut-il faire faire cette rénovation pendant l'été ou pendant l'année scolaire?

Exploration

Le participe présent

A. Le participe présent est une forme verbale qui indique une action simultanée à l'action exprimée par le verbe principal. On forme le participe présent en remplaçant la terminaison **-ons** de la forme **nous** au présent de l'indicatif par la terminaison **-ant**. Cette terminaison correspond à la terminaison anglaise *-ing*.

parler → parl~~ons~~	→	parlant
finir → finiss~~ons~~	→	finissant
attendre → attend~~ons~~	→	attendant

Ne voulant pas écrire, il a téléphoné.
Not wanting to write, he telephoned.

B. Il existe trois participes présents irréguliers.

être → étant   avoir → ayant   savoir → sachant

Etant pressée, elle a oublié d'envoyer la lettre.
Being in a hurry, she forgot to mail the letter.

C. En anglais, le participe présent peut suivre plusieurs prépositions (*while, upon, on, by, in*). Toutes ces prépositions anglaises se traduisent par une seule préposition en français, **en**.

En entrant dans la poste, Stéphane a rencontré M. Frey.
Upon entering the post office, Stéphane ran into Mr. Frey.

Elle a envoyé le télégramme en rentrant du travail.
She sent the telegram while coming home from work.

Application

A. J'ai perdu mon portefeuille. M. Bonnard a perdu son portefeuille en faisant ses courses aujourd'hui. Vous l'aidez à rebrousser chemin°. Demandez-lui s'il l'avait encore à chacun des endroits suivants.

rebrousser... retrace his steps

> EXEMPLE   descendre de l'autobus
> **Est-ce que vous l'aviez en descendant de l'autobus?**

1. entrer dans la teinturerie
2. remplir des fiches au bureau de poste
3. faire la queue au guichet
4. retirer de l'argent à la banque
5. sortir de la boucherie
6. acheter du papier à lettres
7. passer chez le fleuriste
8. attendre à l'arrêt d'autobus

B. Que faites-vous? Dites comment vous faites les choses suivantes. Utilisez la préposition **en** suivie du participe présent.

> EXEMPLE   vous reposer
> **Je me repose en lisant un bon livre sous un arbre dans le parc.**

1. vous amuser
2. vous calmer quand vous êtes énervé(e)
3. gagner de l'argent
4. gaspiller de l'argent
5. gaspiller du temps
6. irriter un(e) de vos ami(e)s
7. faire un peu d'exercice
8. surprendre vos amis

C. La première chose. Quelle est la première chose que vous faites en vous levant le matin? Et que faites-vous en arrivant à l'école? Dites la première chose que vous faites dans les cas suivants.

> EXEMPLE   arriver à l'école
> **La première chose que je fais en arrivant à l'école, c'est d'aller chercher les livres pour mon premier cours.**

1. se lever le matin
2. entrer en classe
3. faire la connaissance d'une personne
4. rentrer à la maison
5. arriver à une boum
6. entrer au supermarché

Exploration

Emploi du verbe **devoir**

A. Le verbe **devoir** peut exprimer l'obligation, la nécessité, l'intention ou la probabilité. Il peut aussi signifier **avoir une dette**. Il y a plusieurs verbes anglais qui correspondent à **devoir:** *should, ought to, must, to be supposed to, to have to* et *to owe.*

Pour expédier une lettre, vous **devez** mettre un timbre.
*To send a letter, you **have to** put a stamp on it.*

Ils ne sont pas encore arrivés; le train **doit** avoir du retard.
*They have not arrived yet; the train **must** be late.*

Elles **doivent** nous envoyer un télégramme en arrivant.
*They **are supposed to** send us a telegram upon arriving.*

N'oublie pas que tu me **dois** vingt francs.
*Don't forget that you **owe** me twenty francs.*

B. Le verbe **devoir** change de sens selon le temps employé. Notez son usage aux temps suivants. Remarquez qu'au passé composé, **devoir** peut avoir deux sens distincts.

IMPARFAIT:	Ils devaient partir aujourd'hui. *They were supposed to leave today.*
PASSÉ COMPOSÉ:	Ils ont dû partir aujourd'hui. *They must have left today.* (supposition) *They had to leave today.* (nécessité)
CONDITIONNEL:	Ils devraient partir aujourd'hui. *They should leave today.*
CONDITIONNEL PASSÉ:	Ils auraient dû partir aujourd'hui. *They should have left today.*

C. **Devoir** suivi de l'infinitif peut remplacer les expressions impersonnelles d'obligation suivi du subjonctif.

Il faut que ça arrive aujourd'hui.
Ça doit arriver aujourd'hui.

Il aurait fallu que tu m'écrives plus tôt.
Tu aurais dû m'écrire plus tôt.

Application

A la poste. Vous travaillez aux P. T. T. où vous conseillez les clients. Refaites les phrases suivantes en employant **devoir** avec un infinitif au lieu de **falloir**. Attention au temps du verbe!

EXEMPLE   Il aurait fallu que vous postiez votre lettre plus tôt, car on vient de faire la levée du courrier.
                  Vous auriez dû poster votre lettre plus tôt, car on vient de faire la levée du courrier.

1. Il faut que vous écriviez le code postal.
2. Il aurait fallu que vous remplissiez ces fiches avant d'arriver au guichet.
3. Il faut que vous refassiez votre paquet selon les règles postales pour l'envoyer.
4. Si vous voulez être certain que cette lettre arrive à son destinataire, il faudra l'envoyer en recommandé.
5. Il faudrait que vous emballiez mieux ce colis.
6. Si vous recevez du courrier pour l'ancien locataire, il faut que vous le fassiez suivre.
7. Pour envoyer un mandat, il aurait fallu que vous alliez à l'autre guichet.
8. Si vous vouliez que ça arrive aujourd'hui, il aurait fallu que vous l'envoyiez par exprès.

B. Une lettre de réconciliation. Simone s'est disputée avec son petit ami Jean-Paul parce qu'il n'est pas allé à sa boum. Comme elle refuse de répondre au téléphone, il lui écrit une lettre. Complétez sa lettre avec la forme correcte du verbe **devoir**.

Ma chère Simone,

Tu __1__ penser que je me moque de toi et je sais que j(e) __2__ te téléphoner pour te dire que je ne viendrais pas à ta boum. La nuit de la boum, tu __3__ être furieuse contre moi étant donné que c'était moi qui __4__ apporter les boissons. Mais, tu __5__ me croire, ce n'était pas de ma faute! J'étais allé à Bruxelles. Mon avion __6__ partir à midi et je __7__ être à la maison cinq heures avant la boum. Malheureusement, il y avait du brouillard et ils __8__ retarder notre vol jusqu'au lendemain. J(e) __9__ passer la nuit à l'hôtel. Je te supplie Simone, il faut que tu me pardonnes!

A toi, désespérément
Jean-Paul

CAS SPECIAUX

Comment dit-on shopkeeper *ou* dealer *en français?*

Le mot français le plus général pour *shopkeeper* ou *dealer* est **commer-
çant(e)** ou **marchand(e)**. Quand on parle d'un magasin précis, on
emploie le plus souvent **marchand(e)**.

marchand(e) d'articles de sport	*sports equipment shopkeeper*
marchand(e) de jouets	*toy shopkeeper*
marchand(e) de légumes	*greengrocer*
marchand(e) de meubles	*furniture dealer*
marchand(e) de tableaux	*art dealer*
marchand(e) de vêtements	*clothes shopkeeper*
marchand(e) de voitures	*car dealer*

Pour les personnes qui ont un magasin dont le nom se termine par **-erie**,
on n'emploie pas généralement le mot **marchand**. Dans ce cas, l'idée de
shopkeeper se traduit par la terminaison **-ier/ière**.

bijouterie → bijoutier/bijoutière	*jeweler*
charcuterie → charcutier/charcutière	*pork butcher*
cordonnerie → cordonnier/cordonnière	*shoe repair shopkeeper*

maroquinerie → maroquinier/maroquinière *leather goods dealer*
papeterie → papetier/papetière *stationer*
pâtisserie → pâtissier/pâtissière *pastry baker*
quincaillerie → quincaillier/quincaillière *hardware dealer*
teinturerie → teinturier/teinturière *dry cleaner*

Notez que le **i** de la terminaison tombe après les lettres **ch** et **g**.

boucherie → boucher/bouchère *butcher*
boulangerie → boulanger/boulangère *baker*
horlogerie → horloger/horlogère *clock shopkeeper*

Exceptions:
droguerie → droguiste *hardware dealer*
parfumerie → parfumeur *perfume shopkeeper*

Comment traduire la préposition anglaise on *en donnant des directions?*

Notez l'usage des prépositions **dans** et **sur** dans les expressions suivantes.

dans une rue *on a street*
sur une avenue *on an avenue*
sur un boulevard *on a boulevard*
sur une place *on a square*
sur une autoroute *on a highway*
sur les Champs-Elysées *on the Champs-Elysées*

On emploie **dans** avec **une rue** parce que c'est un lieu plus renfermé° enclosed
La préposition **sur** s'emploie avec **une avenue, une place, une autoroute**
et **un boulevard** qui sont plus larges et ouverts.

Application

A. **Chez qui?** Vous faites les courses en ville. Dites chez qui vous allez
pour acheter les choses suivantes.

> EXEMPLE   des lacets
> **Je vais passer chez le cordonnier pour acheter des
>   lacets.**

1. une baguette
2. de l'eau de javel
3. un tournevis
4. du papier d'emballage
   et de la ficelle
5. une maquette d'avion
6. une table
7. des pommes de terre
8. une médaille

B. Les pages jaunes. Dans les pages jaunes de l'annuaire, vous avez vu la publicité suivante. Lisez cette publicité, donnez la profession de la personne et dites où se trouve son magasin.

> EXEMPLE   Charles Bouisset
> **Charles Bouisset est pâtissier. Sa pâtisserie se trouve sur la place Jeanne d'Arc.**

Bouisset
Pâtissier - Glacier

Pur Beurre
SALON DE THÉ
24, pl. Jeanne d'Arc
02000 SOISSONS
(23) 34.57.75

Guyot
JOUETS-CADEAUX
★ ★
15, r. Leclerc
80000 AMIENS
(22) 45.88.76

1. Marcel Guyot

MEUBLES BOYER
Ouvert le dimanche après-midi
56, av. Jean Moinot
02000 LAON
(23) 85.35.33

2. Margot Boyer

NORI PAPIERS
SACS PAPIERS
PAPIERS CADEAUX RUBANS - ETIQUETTES TOUS EMBALLAGES
6, pl. Gén. de Gaulle
02100 VERVINS
(23) 87.76.22

3. Georges Nori

SPORT PRIAL
TENNIS CAMPING SPORTS D'EQUIPE VETEMENTS DE LOISIRS SKIS VENTE ET LOCATION
27, r. Carnot
02310 SAINT QUENTIN
(23) 77.92.13

4. Roger Prial

BOUCHERIE DESMOULINS
OUVERT TOUS LES JOURS
8, bd. Saint-Bris
02003 LAON
(23) 69.21.05

5. Nadine Desmoulins

Voilà ce qu'on dit

Des directions

A. Que peut-on dire quand on est perdu?

Dans quel sens faut-il aller?	*Which direction do I need to go?*
Faut-il monter ou descendre?	*Should I go up or down?*
Je n'ai aucune idée où je suis.	*I have no idea where I am.*
Je n'ai aucun sens de l'orientation.	*I have no sense of direction.*
Je suis complètement paumé*.	*I am completely lost.*
Je tourne en rond depuis…	*I've been going in circles for…*
Où se trouve l'arrêt d'autobus le plus proche?	*Where's the nearest bus stop?*
Pourriez-vous m'aider à trouver mon chemin?	*Could you help me find my way?*

Pourriez-vous m'indiquer…?	*Could you show me…?*
Que dois-je faire pour aller…?	*What should I do to go…?*
Quel est le chemin le plus direct pour aller à…?	*What's the most direct way to…?*

B. Que peut-on dire pour indiquer le chemin à quelqu'un?

Allez dans le sens opposé.	*Go in the opposite direction.*
Allez jusqu'au coin et tournez à droite.	*Go to the corner and turn right.*
C'est à deux pas d'ici.	*It's a hop, skip, and a jump from here.*
C'est au deuxième feu rouge.	*It's at the second red light.*
C'est simple comme bonjour.	*It's as easy as pie.*
C'est très près d'ici.	*It's very near here.*
Il vous faut revenir sur vos pas.	*You must retrace your steps.*
Je n'en ai aucune idée.	*I have no idea.*
On ne peut pas se tromper.	*There's no way you can miss it.*
Passez la première et la deuxième intersection.	*Go past the first and the second intersection.*
Suivez ces panneaux bleus.	*Follow those blue signs.*
Tournez autour du pâté de maisons.	*Go around the block.*
Vous devez rebrousser chemin.	*Go back where you came from.*
Vous êtes loin d'y arriver.	*You've still got a long way to go.*
Vous n'êtes pas sur la bonne route.	*You're not going the right way.*
Vous l'avez passé.	*You've gone past it.*

Application

A. Trouvez le mot qui manque.   Complétez les expressions suivantes qui indiquent le chemin.

1. Tournez autour du ===== de maisons.
2. Suivez ces ===== bleus.
3. Pouvez-vous me dire le ===== le plus direct pour aller à la cathédrale?
4. Dans quel ===== faut-il aller?
5. Vous n'êtes pas sur la bonne =====.
6. C'est à deux ===== d'ici.

B. C'est près d'ici? Dites si les personnes sont **loin** ou **près** de l'endroit demandé.

> EXEMPLE   C'est très près d'ici.

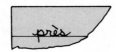

C. Connaissez-vous ce restaurant? Faites un dialogue en récrivant les phrases suivantes en ordre logique.

1. Que puis-je faire pour vous?
2. Revenez jusqu'au feu rouge et c'est au coin.
3. Je voudrais aller à une pizzeria. Savez-vous où il en a une près d'ici?
4. Merci beaucoup, je l'ai passée sans la voir.
5. Pardon, pourriez-vous m'aider?
6. C'est simple comme bonjour.

D. Devant le lycée. Vous parlez avec des amis devant votre lycée quand une famille française s'arrête pour vous demander où se trouvent les endroits suivants. Décrivez-leur le chemin le plus direct.

1. un restaurant fast-food
2. une station-service
3. un hôpital
4. un parc
5. un supermarché
6. une quincaillerie
7. une banque
8. un bureau de poste

E. Simple comme bonjour. Pierre demande son chemin à une passante dans la rue. Ecoutez le dialogue et répondez aux questions qui suivent.

> EXEMPLE   Est-ce que Pierre est perdu depuis longtemps?

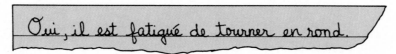

1. Qu'est-ce que Pierre cherche?
2. Est-ce que la femme lui indique le chemin le plus direct ou le plus simple?
3. Où est-ce que Pierre doit tourner à droite?
4. Si Pierre est sur la bonne route, que doit-il voir?
5. Que doit-il faire s'il ne la voit pas?
6. Pourquoi Pierre s'est-il perdu?

Lecture

Guy de Maupassant (1850-1893)

Après une enfance heureuse et dix ans d'une fertilité littéraire étonnante (300 contes et nouvelles!) Guy de Maupassant sombre° dans la folie et meurt sans avoir jamais recouvert sa lucidité.

sinks

Dans ses œuvres, l'auteur montre une vision froide et pessimiste de la vie, même si il s'émeut° parfois devant l'innocence tourmentée et l'injustice de la vie. Il observe tout et présente en un style clair et concis «l'humble vérité» que décrivent d'autres écrivains naturalistes de son temps. L'auteur nous présente ici l'histoire de Mathilde Loisel qui paie chèrement les plaisirs glorieux d'une soirée mondaine.

is stirred

Qui ne peut être touché par cette nouvelle qui relate les déboires° d'une femme charmante et délicate, mais qu'un sort° injuste a mal placée dans la vie et qu'il malmène° en se jouant d'elle sans pitié et sans grandeur!

heartbreaks/fate
mistreats

Pour commencer

Lisez une première fois la nouvelle intitulée *La Parure* et répondez à la question suivante: *Quels sont les événements principaux de l'histoire?* Ensuite, relisez plus attentivement le texte et répondez aux questions qui suivent la lecture.

La Parure

C'était une de ces jolies et charmantes filles, nées, comme par une erreur du destin, dans une famille d'employés. Elle n'avait pas de dot°, pas d'espérances°, aucun moyen d'être connue, comprise, aimée, épousée par un homme riche et distingué; et elle se laissa marier avec un
5 petit commis° du ministère de l'Instruction publique°.

Elle fut simple, ne pouvant être parée°, mais malheureuse comme déclassée; car les femmes n'ont point de caste ni de race, leur beauté, leur grâce et leur charme leur servant de naissance et de famille. Leur finesse native, leur instinct d'élégance, leur souplesse° d'esprit sont leur
10 seule hiérachie, et font des filles du peuple les égales des plus grandes dames.

Elle souffrait sans cesse, se sentant née pour toutes les délicatesses et tous les luxes. Elle souffrait de la pauvreté de son logement, de la misère des murs, de l'usure° des sièges°, de la laideur des étoffes°. Toutes
15 ces choses, dont une autre femme de sa caste ne se serait même pas aperçue, la torturaient et l'indignaient. La vue de la petite Bretonne qui faisait son humble ménage éveillait en elle des regrets désolés et des rêves éperdus°. Elle songeait aux antichambres muettes°, capitonnées° avec des tentures° orientales, éclairées par de hautes torchères° de
20 bronze, et aux deux grands valets en culotte courte qui dorment dans les larges fauteuils, assoupis° par la chaleur lourde du calorifère°. Elle songeait aux grands salons vêtus de soie ancienne, aux meubles fins portant des bibelots inestimables, et aux petits salons coquets°, parfumés, faits pour la causerie° de cinq heures avec les amis les plus intimes, les
25 hommes connus et recherchés dont toutes les femmes envient et désirent l'attention.

Quand elle s'asseyait, pour dîner, devant la table ronde couverte d'une nappe de trois jours, en face de son mari qui découvrait la soupière en déclarant d'un air enchanté: «Ah! le bon pot-au-feu°! je ne sais
30 rien de meilleur que cela...» elle songeait aux dîners fins, aux argenteries reluisantes°, aux tapisseries peuplant les murailles° de personnages anciens et d'oiseaux étranges au milieu d'une forêt de féerie; elle songeait aux plats exquis servis en des vaisselles merveilleuses, aux galanteries chuchotées° et écoutées avec un sourire de sphinx, tout en man-
35 geant la chair° rose d'une truite° ou des ailes° de gelinotte°.

Elle n'avait pas de toilettes, pas de bijoux, rien. Et elle n'aimait que cela; elle se sentait faite pour cela. Elle eût tant désiré plaire, être enviée, être séduisante et recherchée.

Elle avait une amie riche, une camarade de couvent° qu'elle ne voulait
40 plus aller voir, tant elle souffrait en revenant. Et elle pleurait pendant des jours entiers, de chagrin, de regret, de désespoir et de détresse.

dowry
inheritance
clerk/**ministère...** Department of Education
adorned

flexibility

wear and tear/chairs/ fabric

hopeless/quiet/padded drapes/candlelabra

dozing/stove

pretty
chat

beef stew

shiny/high walls

whispered
flesh/trout/wings/ grouse

camarade... friend from parochial school

Or°, un soir, son mari rentra, l'air glorieux, et tenant à la main une large enveloppe.

«Tiens, dit-il, voici quelque chose pour toi.»

45 Elle déchira vivement le papier et en tira une carte imprimée qui portait ces mots:

«Le ministre de l'Instruction publique et Mme Georges Ramponneau prient M. et Mme Loisel de leur faire l'honneur de venir passer la soirée à l'hôtel du ministère, le lundi 18 janvier.»

50 Au lieu d'être ravie, comme l'espérait son mari, elle jeta avec dépit° l'invitation sur la table, murmurant:

«Que veux-tu que je fasse de cela!

— Mais, ma chérie, je pensais que tu serais contente. Tu ne sors jamais, et c'est une occasion, cela, une belle! J'ai eu une peine infinie à
55 l'obtenir. Tout le monde en veut; c'est très recherché et on n'en donne pas beaucoup aux employés. Tu verras là tout le monde officiel.»

Elle le regardait d'un œil irrité, et elle déclara avec impatience:

«Que veux-tu que je me mette sur le dos pour aller là?»

Il n'y avait pas songé; il balbutia:
60 «Mais la robe avec laquelle tu vas au théâtre. Elle me semble très bien, à moi...»

Il se tut, stupéfait, éperdu, en voyant que sa femme pleurait. Deux grosses larmes descendaient lentement des coins des yeux vers les coins de la bouche; il bégaya°:
65 «Qu'as-tu? qu'as-tu?»

Mais, par un effort violent, elle avait dompté° sa peine et elle répondit d'une voix calme en essuyant ses joues humides:

«Rien. Seulement je n'ai pas de toilette et par conséquent je ne peux aller à cette fête. Donne ta carte à quelque collègue dont la femme sera
70 mieux nippée° que moi.»

Il était désolé. Il reprit:

«Voyons, Mathilde. Combien cela coûterait-il une toilette convenable°, qui pourrait te servir encore en d'autres occasions, quelque chose de très simple?»

75 Elle réfléchit quelques secondes, établissant ses comptes et songeant aussi à la somme qu'elle pouvait demander sans s'attirer° un refus immédiat et une exclamation effarée° du commis économe.

Enfin, elle répondit en hésitant:

«Je ne sais pas au juste, mais il me semble qu'avec quatre cents
80 francs, je pourrais arriver.»

Il avait un peu pâli°, car il réservait juste cette somme pour acheter un fusil et s'offrir des parties de chasse, l'été suivant, dans la plaine de Nanterre, avec quelques amis qui allaient tirer des alouettes°, par là, le dimanche.

Glosses (right margin):

and then

frustration

stammered

avait ... mastered

decked out

toilette... suitable attire

getting
aghast

turned pale

tirer... to shoot at larks

85   Il dit cependant:

«Soit. Je te donne quatre cents francs. Mais tâche° d'avoir une belle   try
robe.»

Le jour de la fête approchait, et Mme Loisel semblait triste, inquiète,
anxieuse. Sa toilette était prête cependant. Son mari lui dit un soir:

90   «Qu'as-tu? Voyons, tu es toute drôle depuis trois jours.» Et elle répondit:

«Cela m'ennuie de n'avoir pas un bijou, pas une pierre, rien à mettre
sur moi. J'aurai l'air misère° comme tout. J'aimerais presque mieux ne   impoverished
pas aller à cette soirée.»

95   Il reprit:

«Tu mettras des fleurs naturelles. C'est très chic en cette saison-ci.
Pour dix francs tu auras deux ou trois roses magnifiques.»

Elle n'était point convaincue°.   convinced

«Non... il n'y a rien de plus humiliant que d'avoir l'air pauvre au
100 milieu de femmes riches.»

Mais son mari s'écria:

«Que tu es bête! Va trouver ton amie Mme Forestier et demande-lui
de te prêter des bijoux. Tu es bien assez liée° avec elle pour faire cela.»   close friends
Elle poussa un cri de joie:

105 «C'est vrai. Je n'y avais point pensé.»

Le lendemain, elle se rendit chez son amie et lui conta sa détresse.

Mme Forestier alla vers son armoire à glace, prit un large coffret,
l'apporta, l'ouvrit, et dit à Mme Loisel:

«Choisis, ma chère.»

110 Elle vit d'abord des bracelets, puis un collier de perles, puis une croix
vénitienne, or et pierreries, d'un admirable travail. Elle essayait les pa-
rures devant la glace, hésitait, ne pouvait se décider à les quitter, à les
rendre. Elle demandait toujours:

«Tu n'as plus rien d'autre?

115 — Mais si. Cherche. Je ne sais pas ce qui peut te plaire.»

Tout à coup elle découvrit, dans une boîte de satin noir, une superbe
rivière de diamants°; et son cœur se mit à battre d'un désir immodéré.   **rivière...** diamond
Ses mains tremblaient en la prenant. Elle l'attacha autour de sa gorge,   necklace
sur sa robe montante°, et demeura en extase devant elle-même.   **robe...** high-collared
120 Puis, elle demanda, hésitante, pleine d'angoisse: dress

«Peux-tu me prêter cela, rien que cela?

— Mais oui, certainement.»

Elle sauta au cou de son amie, l'embrassa avec emportement, puis
s'enfuit° avec son trésor.   ran away

125 Le jour de la fête arriva. Mme Loisel eut un succès. Elle était plus
jolie que toutes, élégante, gracieuse, souriante et folle de joie. Tous les
hommes la regardaient, demandaient son nom, cherchaient à être présentés. Tous les attachés du cabinet voulaient valser avec elle. Le ministre la remarqua.

420

130　　Elle dansait avec ivresse°, avec emportement, grisée° par le plaisir, ne · exhilaration/intoxicated
pensant plus à rien, dans le triomphe de sa beauté, dans la gloire de
son succès, dans une sorte de nuage de bonheur fait de tous ces hom-
mages, de toutes ces admirations, de tous ces désirs éveillés, de cette
victoire si complète et si douce au cœur des femmes.

135　　Elle partit vers quatre heures du matin. Son mari, depuis minuit,
dormait dans un petit salon désert avec trois autres messieurs dont les
femmes s'amusaient beaucoup.

　　Il lui jeta sur les épaules les vêtements qu'il avait apportés pour la
sortie, modestes vêtements de la vie ordinaire, dont la pauvreté jurait
140　avec l'élégance de la toilette de bal. Elle le sentit et voulut s'enfuir, pour
ne pas être remarquée par les autres femmes qui s'enveloppaient de
riches fourrures°. · furs

　　Loisel la retenait:
　　«Attends donc. Tu vas attraper froid dehors. Je vais appeler un
145　fiacre°.» · coach

　　Mais elle ne l'écoutait point et descendait rapidement l'escalier. Lorsqu'ils furent dans la rue, ils ne trouvèrent pas de voiture; et ils se mi-
rent à chercher, criant après les cochers° qu'ils voyaient passer de loin. · coachmen

　　Ils descendaient vers la Seine, désespérés, grelottants°. Enfin ils trou- · shivering
150　vèrent sur le quai un de ces vieux coupés noctambules° qu'on ne voit · **coupés...** night
dans Paris que la nuit venue, comme s'ils eussent été honteux de leur · coaches
misère pendant le jour.

　　Il les ramena jusqu'à leur porte, rue des Martyrs, et ils remontèrent
tristement chez eux. C'était fini, pour elle. Et il songeait, lui, qu'il lui
155　faudrait être au ministère à dix heures.

　　Elle ôta° les vêtements dont elle s'était enveloppé les épaules, devant · took off
la glace, afin de se voir encore une fois dans sa gloire. Mais soudain elle
poussa un cri. Elle n'avait plus sa rivière autour du cou!

　　Son mari, à moitié dévêtu° déjà, demanda: · undressed
160　«Qu'est-ce que tu as?»
　　Elle se tourna vers lui, affolée°: · panic stricken
　　«J'ai... j'ai... je n'ai plus la rivière de Mme Forestier.»
　　Il se dressa, éperdu:
　　«Quoi!... comment... Ce n'est pas possible!»
165　　Et ils cherchèrent dans les plis° de la robe, dans les plis du manteau, · folds
dans les poches, partout. Ils ne la trouvèrent point.

　　Il demandait:
　　«Tu es sûre que tu l'avais encore en quittant le bal?
　　— Oui, je l'ai touchée dans le vestibule du ministère.
170　　— Mais, si tu l'avais perdue dans la rue, nous l'aurions entendue
tomber. Elle doit être dans le fiacre.
　　— Oui. C'est probable. As-tu pris le numéro?
　　— Non. Et toi, tu ne l'as pas regardé?
　　— Non.»

175 Ils se contemplaient atterrés°. Enfin Loisel se rhabilla.

«Je vais, dit-il, refaire tout le trajet que nous avons fait à pied, pour voir si je ne la retrouverai pas.»

Et il sortit. Elle demeura en toilette de soirée, sans force pour se coucher, abattue sur une chaise, sans feu, sans pensée.

180 Son mari rentra vers sept heures. Il n'avait rien trouvé.

Il se rendit à la préfecture de Police, aux journaux, pour faire promettre une récompense°, aux compagnies de petites voitures, partout enfin où un soupçon d'espoir° le poussait.

Elle attendit tout le jour, dans le même état d'effarement° devant cet
185 affreux désastre.

Loisel revint le soir, avec la figure creusée°, pâlie; il n'avait rien découvert.

«Il faut, dit-il, écrire à ton amie que tu as brisé la fermeture de sa rivière et que tu la fais réparer. Cela nous donnera le temps de nous
190 retourner.»

Elle écrivit sous sa dictée.

Au bout d'une semaine, ils avaient perdu toute espérance.

Et Loisel, vieilli de cinq ans, déclara:

«Il faut aviser° à remplacer ce bijou.»
195 Ils prirent, le lendemain, la boîte qui l'avait renfermé, et se rendirent chez le joaillier°, dont le nom se trouvait dedans. Il consulta ses livres:

«Ce n'est pas moi, madame, qui ai vendu cette rivière; j'ai dû seulement fournir l'écrin°.»

Alors ils allèrent de bijoutier en bijoutier, cherchant une parure° pa-
200 reille à l'autre, consultant leurs souvenirs, malades tous deux de chagrin et d'angoisse.

Ils trouvèrent, dans une boutique du Palais-Royal, un chapelet° de diamants qui leur parut entièrement semblable à celui qu'ils cherchaient. Il valait quarante mille francs. On le leur laisserait à trente-six
205 mille.

Ils prièrent° donc le joaillier de ne pas le vendre avant trois jours. Et ils firent condition qu'on le reprendrait, pour trente-quatre mille francs, si le premier était retrouvé avant la fin de février.

Loisel possédait dix-huit mille francs que lui avait laissés son père. Il
210 emprunterait le reste.

Il emprunta, demandant mille francs à l'un, cinq cents à l'autre, cinq louis par-ci, trois louis par-là. Il fit des billets°, prit des engagements ruineux, eut affaire aux usuriers°, à toutes les races de prêteurs. Il compromit toute la fin de son existence, risqua sa signature sans savoir
215 même s'il pourrait y faire honneur, et, épouvanté par les angoisses de l'avenir, par la misère noire qui allait s'abattre sur° lui, par la perspective de toutes les privations physiques et de toutes les tortures morales, il alla chercher la rivière nouvelle, en déposant sur le comptoir du marchand trente-six mille francs.

	dismayed
	reward
	soupçon... slightest hope/alarm
	gaunt
	think about
	bijoutier
	case
	ornament
	string
	begged
	fit... wrote letters of credit
	eut... dealt with lenders
	s'abattre... fall upon

220   Quand Mme Loisel reporta la parure à Mme Forestier, celle-ci lui dit, d'un air froissé°:   *offended*

    «Tu aurais dû me la rendre plus tôt, car je pouvais en avoir besoin.»

    Elle n'ouvrit pas l'écrin, ce que redoutait° son amie. Si elle s'était   *dreaded*
aperçue de la substitution, qu'aurait-elle pensé? Qu'aurait-elle dit? ne
225 l'aurait-elle pas prise pour une voleuse?

    Mme Loisel connut la vie horrible des nécessiteux°. Elle prit son   *needy*
parti°, d'ailleurs, tout d'un coup, héroïquement. Il fallait payer cette   **prit...** *accepted her*
dette effroyable°. Elle payerait. On renvoya la bonne; on changea de   *situation/horrifying*
logement; on loua sous les toits une mansarde°.   *attic apartment*

230   Elle connut les gros travaux du ménage, les odieuses besognes° de la   *manual tasks*
cuisine. Elle lava la vaisselle, usant° ses ongles roses sur les poteries   *wearing down*
grasses et le fond des casseroles. Elle savonna le linge sale°, les chemises   **savonna...** *scrubbed*
et les torchons°, qu'elle faisait sécher sur une corde; elle descendit à la   *dirty laundry/dish*
rue, chaque matin, les ordures, et monta l'eau, s'arrêtant à chaque   *towels*
235 étage pour souffler. Et, vêtue° comme une femme du peuple, elle alla   *dressed*
chez le fruitier, chez l'épicier, chez le boucher, le panier au bras, mar-
chandant°, injuriée, défendant sou à sou son misérable argent.   *bargaining*

    Il fallait chaque mois payer des billets, en renouveler d'autres, ob-
tenir du temps.

240   Le mari travaillait, le soir, à mettre au net les comptes d'un commerçant, et la nuit, souvent, il faisait de la copie à cinq sous la page.

    Et cette vie dura dix ans.

    Au bout de dix ans, ils avaient tout restitué, tout, avec le taux de
l'usure, et l'accumulation des intérêts superposés.

245   Mme Loisel semblait vieille, maintenant. Elle était devenue la femme
forte, et dure, et rude, des ménages pauvres. Mal peignée, avec les
jupes de travers° et les mains rouges elle parlait haut, lavait à grande   *twisted around*
eau les planchers°. Mais parfois, lorsque son mari était au bureau, elle   *floors*
s'asseyait auprès de la fenêtre, et elle songeait à cette soirée d'autrefois,
250 à ce bal, où elle avait été si belle et si fêtée.

    Que serait-il arrivé si elle n'avait point perdu cette parure? Qui sait?
qui sait? Comme la vie est singulière, changeante! Comme il faut peu de
chose pour vous perdre ou vous sauver!

    Or, un dimanche, comme elle était allée faire un tour aux Champs-
255 Elysées pour se délasser° des besognes° de la semaine, elle aperçut tout   *to relax/work*
à coup une femme qui promenait un enfant. C'était Mme Forestier, tou-
jours jeune, toujours belle, toujours séduisante.

    Mme Loisel se sentit émue. Allait-elle lui parler? Oui, certes.° Et   *of course*
maintenant qu'elle avait payé, elle lui dirait tout. Pourquoi pas?

260   Elle s'approcha.

    «Bonjour, Jeanne.»

    L'autre ne la reconnaissait point, s'étonnant d'être appelée ainsi fami-
lièrement par cette bourgeoise. Elle balbutia:

    «Mais... madame!... Je ne sais... Vous devez vous tromper.

265 — Non. Je suis Mathilde Loisel. »

Son amie poussa un cri:

«Oh!... ma pauvre Mathilde, comme tu es changée!...

— Oui, j'ai eu des jours bien durs, depuis que je ne t'ai vue; et bien des misères... et cela à cause de toi!...

270 — De moi... Comment ça?

— Tu te rappelles bien cette rivière de diamants que tu m'as prêtée pour aller à la fête du ministère.

— Oui. Eh bien?

— Eh bien, je l'ai perdue.

275 — Comment! puisque tu me l'as rapportée.

— Je t'en ai rapporté une autre toute pareille. Et voilà dix ans que nous la payons. Tu comprends que ça n'était pas aisé° pour nous, qui   easy
n'avions rien... Enfin, c'est fini, et je suis rudement contente. »

Mme Forestier s'était arrêtée.

280 «Tu dis que tu as acheté une rivière de diamants pour remplacer la mienne?

— Oui. Tu ne t'en étais pas aperçue, hein? Elles étaient bien pareilles. »

Et elle souriait d'une joie orgueilleuse° et naïve.   proud

285 Mme Forestier, fort émue, lui prit les deux mains.

«Oh! ma pauvre Mathilde! Mais la mienne était fausse. Elle valait au plus cinq cents francs!...»

Questions sur la lecture

1. Pourquoi Mathilde Loisel souffre-t-elle?
2. A quoi rêve-t-elle tout le temps?
3. Que lui rapporte un soir son mari?
4. Qu'est-ce qui doit «parer» sa nouvelle robe?
5. Comment se déroule la fête pour Mathilde Loisel?
6. Pourquoi Mathilde est-elle soudain affolée lorsqu'elle se regarde dans la glace?
7. Que font les époux Loisel pour retrouver le bijou?
8. Comment Mathilde et son mari paient-ils le nouveau bijou?
9. Décrivez Mathilde au bout de dix ans de travaux ménagers.
10. Qui rencontre-t-elle, un jour, aux Champs-Elysées?
11. Que lui révèle son amie?
12. Est-ce une histoire tragique? Si oui, pourquoi?

Qu'en pensez-vous?

1. Avez-vous déjà perdu quelque chose? Racontez.
2. Vaut-il mieux avouer une erreur ou la réparer sans rien dire?
3. Avez-vous déjà dépensé toutes vos économies pour réparer une erreur?

4. Aimez-vous les bijoux? Lesquels?
5. Portez-vous des bijoux? Pourquoi? Sont-ils vrais ou faux?
6. Pensez-vous avoir de la chance ou de la malchance? Justifiez votre réponse.
7. Vous est-il déjà arrivé de trouver le sort° injuste envers vous?   fate
Racontez votre mésaventure.
8. Pensez-vous que Mathilde Loisel aurait pu avoir une autre vie? Comment?

Révision

Situations

1. Vous êtes à la poste mais vous ne savez pas comment envoyer un colis par avion aux Etats-Unis. Imaginez le dialogue entre la postière et vous. Jouez ce dialogue avec un(e) camarade de classe.
2. Vous allez dans une ville inconnue pour aider une vieille tante malade. Un jour, vous sortez faire des courses et vous vous perdez. Imaginez un dialogue dans lequel vous demandez votre chemin à un(e) passant(e) dans la rue.
3. Vous êtes en vacances dans un camping en Bretagne. Quelqu'un vient de voler votre argent et vos chèques de voyage. Imaginez le dialogue que vous avez avec quelqu'un qui peut vous aider.

Sujets de rédaction

1. Maupassant avait appris à observer les gens et leur entourage parce que c'est un moyen de se connaître soi-même. Qu'en pensez-vous?
2. Le pessimisme de Maupassant se retrouve dans tous ses écrits:«Pourquoi cette souffrance de vivre?» Et vous, êtes-vous pessimiste ou optimiste? En quoi ce trait de caractère influence-t-il toute la vie? Donnez votre point de vue.
3. Vous est-il arrivé d'être perdu(e)? Dans quelles circonstances? Qu'avez-vous fait et quels ont été vos sentiments à ce moment-là? (Si vous ne vous êtes jamais perdu(e), imaginez une situation similaire.)
4. Vous est-il arrivé de perdre quelque chose qui ne vous appartenait pas? Racontez ce qui s'est passé.
5. Mme Forestier revient chez elle et raconte à son mari le drame qu'a vécu son amie. Ils décident de faire quelque chose pour aider Mathilde. Ecrivez un dialogue et dites ce qu'ils vont faire.

La petite sœur de John, Ashley, passe un mois chez son amie française, Jacqueline. Jacqueline écrit à John pour lui dire comment sa sœur s'habitue à la vie française.

Cher John,

Merci de ta lettre que j'ai bien reçue hier après-midi. Ashley va bien et elle va t'écrire; elle s'adapte bien à la vie française mais il y a beaucoup de choses qui l'étonnent et qui l'amusent. Par exemple, aujourd'hui, je l'ai emmenée faire des courses avec moi. Elle voulait tout voir et tout savoir et m'a fait remarquer des choses auxquelles je n'ai jamais pensé parce que je suis Française vivant en France.

Elle a observé qu'en France, faire les courses est une sorte d'art: on fait les courses presque tous les jours, surtout pour l'alimentation, et on y prend grand soin. C'est très personnel et on y passe beaucoup de temps. Bien sûr, il y a toujours les centres commerciaux, les supermarchés et les hypermarchés (comme Mammouth et Euromarché) où l'on vend tout, de l'alimentation aux postes de télévision, mais en général les Français choisissent de faire leurs courses dans la rue commerçante de leur quartier ou de leur village parce qu'ils connaissent bien les commerçants. On prend son filet ou son caddie et on y va! Chaque magasin a sa spécialité et chaque commerçant est expert en son domaine; le client, de son côté, aime connaître la personne qui lui vend quelque chose: c'est une garantie de qualité.

Nous avons eu nous-mêmes une journée occupée, rien qu'à faire quelques courses! Nous nous sommes arrêtées à la bijouterie pour chercher ma montre, que j'avais donnée à réparer et choisir un bracelet en argent pour ma cousine qui fait sa communion et puis à la maroquinerie pour acheter un sac et des gants en cuir pour ma mère; il a fallu que nous allions à la cordonnerie où j'avais laissé mes chaussures pour les faire ressemeler et que nous allions à la teinturerie prendre la veste que j'avais donné à nettoyer. Nous sommes passées prendre le journal et des cartes postales à la librairie-papeterie.

Ta sœur dit que faire les courses en France est un événement très important et elle a raison: nous avons rencontré notre voisine dans la rue. Elle faisait aussi ses courses. Nous sommes allées ensemble au bistro du coin pour prendre un café crème. C'est souvent là où on apprend tout ce qui se passe en ville, les commérages et les scandales, on parle de politique et on résout tous les problèmes des autres. Tout cela fait tourner notre planète, dit-on!

Je regrette beaucoup que tu ne sois pas venu avec Ashley. N'oublie pas de nous écrire.

Bien amicalement,
Jacqueline

Sujets de discussion

1. On peut dire que faire les courses est un événement très important dans la vie des Français. Pourquoi? Est-ce que c'est la même chose aux Etats-Unis? Qu'est-ce qui vous amuse et qu'est-ce qui vous ennuie en faisant les courses? Est-ce que vous connaissez personnellement les commerçants chez qui vous faites des courses? Pourquoi est-ce que c'est une sorte de garantie de qualité de bien connaître les commerçants?

2. Quels sont les avantages des centres commerciaux et des supermarchés? Qu'est-ce que c'est qu'un hypermarché? Est-ce qu'ils sont moins populaires en France qu'aux Etats-Unis? Est-ce qu'il y a des différences entre la façon de faire les courses dans une grande ville et dans un village? Est-ce que vous avez des courses à faire tous les jours?

3. Est-ce que la vie quotidienne est parfois trop fatiguante? Est-ce que vous rencontrez souvent des gens que vous connaissez en faisant les courses? Est-ce que vous vous arrêtez pour parler? Est-ce qu'il y a des gens que vous voyez tous les jours dans la rue mais dont vous n'avez jamais fait la connaissance? Pourquoi ne leur avez-vous jamais parlé?

La Forme et la Santé

Dans cette unité vous allez

- parler de votre santé
- apprendre ce qu'on vend dans une pharmacie
- dire ce que vous faites pour rester en forme
- décrire votre humeur et celle de vos amis

Vous allez aussi étudier

- le discours indirect
- le subjonctif avec les verbes de souhait, doute et émotion
- les verbes irréguliers **croire, voir, craindre** et **courir**
- le subjonctif après certaines conjonctions
- l'emploi de l'infinitif au lieu du subjonctif
- le subjonctif passé

LEÇON 22

A l'hôpital

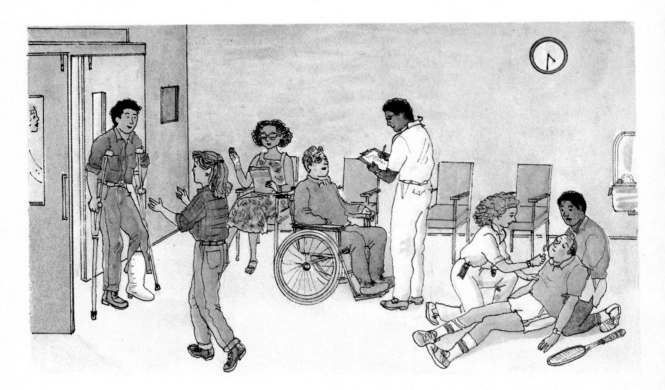

En contexte

Pour commencer

A. Dans la salle d'urgences. Observez le dessin qui précède et répondez aux questions suivantes.

1. Où se passe cette scène?
2. Pourquoi est-ce que cet homme est allongé° par terre? Qui essaie   lying down
   de l'aider?

3. Décrivez les autres patients qui attendent. Imaginez comment ils se sont blessés.
4. Quand on se casse la jambe, que met-on sur la jambe pour tenir l'os en place?
5. De quoi se sert-on pour marcher quand on s'est cassé la jambe? Comment se déplace-t-on quand on ne peut pas marcher?

B. Qui a dit cela? Vous entendez les phrases suivantes dans le cabinet de votre médecin. Est-ce que c'est **le médecin** qui parle ou est-ce que c'est **un patient**?

EXEMPLE   Aïe! Ça me fait mal quand vous me touchez là.

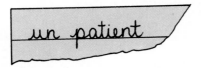

un patient

L'accident de Thierry

Cher Papa, chère Maman,

Maintenant que j'ai une minute, je vous écris pour vous donner quelques détails sur l'accident de Thierry. Je ne voudrais pas que vous vous inquiétiez: ce n'est pas aussi grave que grand-mère vous l'a dit au téléphone!

Comme vous le savez, le château médiéval que nous sommes en train de restaurer avec un groupe d'élèves, se trouve en pleine campagne. Le fossé° qui l'entoure° est à sec et il est rempli d'herbes sauvages. Il y a beaucoup d'orties°! Le château a une tour qui est ouverte à tous les vents. C'est cette tour dont nous essayons de consolider° les murs de pierre qui sont délabrés°. Il y a aussi des escaliers en colimaçon° et des grappes° d'élèves perchés sur chaque rebord° d'ouverture où ils déposent° marteaux, clous et autres outils nécessaires.

Voilà donc mon Thierry assis à califourchon sur le rebord de l'une de ces ouvertures et lançant du ciment avec joie sur les pierres extérieures. Mais sa truelle° est tombée et il s'est penché instinctivement pour la rattraper. Il est tombé dans les orties d'une hauteur de deux étages! A part les brûlures et les boursouflures occasionnées par les orties, il a eu la chance de tomber dans des plantes plutôt que dans la cour pavée°!

On l'a tout de suite emmené à l'infirmerie du camp. Quand l'infirmière a vu sa jambe enflée, elle a cru que Thierry s'était seulement foulé la cheville°. Mais on pouvait voir qu'il avait très mal, qu'il frisson-

moat / surrounds
nettles
strengthen
dilapidated / en... winding
clusters / edge / set down

trowel

paved

ankle

nait et qu'il avait déjà de la fièvre. On l'a emmené en salle d'urgences à l'hôpital. Il voulait qu'un docteur l'examine parce qu'il avait peur que ce soit quelque chose de grave. Il avait raison! Une radiographie nous a appris que ce n'était pas une foulure mais une fracture!

Un anesthésiste lui a fait une piqûre pour calmer la douleur, puis le médecin, qui en fait était un chirurgien, a pris son pouls et nous a dit que tout allait bien. Thierry n'a pas eu de points de suture parce que la fracture n'était pas ouverte. Alors, il n'aura pas de cicatrice cette fois-ci!

Maintenant, il a un beau plâtre qui va du genou au pied et on lui a donné des béquilles! Heureusement, il ne nous reste plus que deux jours à passer ici et Thierry, du haut de sa chaise, nous encourage à travailler plus dur!

Voilà donc des nouvelles de votre petit Thierry. Je vous assure qu'il ne faut pas s'inquiéter: il vous dira lui-même que tout le monde l'a dorloté!

Je vous embrasse. A bientôt!

Raphaëlle

Questions sur la lecture

1. Pourquoi Raphaëlle écrit-elle à ses parents?
2. Où travaillent Raphaëlle et son frère Thierry?
3. Comment est la tour du château? Que faisait Thierry sur le rebord de l'ouverture?
4. Où est tombé Thierry?
5. De quoi Thierry avait-il peur?
6. Est-ce que Thierry s'est foulé la cheville?
7. Pourquoi est-ce qu'on lui a fait une piqûre?
8. Comment sort-il de l'hôpital?
9. Est-ce que cet accident a eu lieu au début ou à la fin de son séjour à la campagne?
10. Que fait-il quand il ne peut plus travailler?

Et vous?

Posez les questions suivantes à un(e) de vos camarades de classe.

1. As-tu déjà eu un accident sérieux? T'es-tu cassé le poignet°? la cheville?   wrist
2. Que fais-tu quand tu as de la fièvre?
3. As-tu déjà eu des points de suture? Où et pourquoi?

4. Aimerais-tu être infirmier ou infirmière? anesthésiste? médecin? chirurgien? Pourquoi?
5. Est-ce que quelqu'un de ta famille a déjà porté un plâtre ou a utilisé des béquilles? Raconte.
6. Quand on te fait une piqûre, comment réagis-tu?
7. Pour quelles raisons doit-on se faire faire une radio?

Expansion du vocabulaire

A L'HOPITAL

une **ambulance** ambulance
une **ampoule** blister
   l'**appendicite** (*f*) appendicitis
des **assurances** (*f*) insurance
des **béquilles** (*f*) crutches
une **blessure** (**à la tête**) (head) wound
  un **bleu** bruise
une **boursouflure** puffiness
une **brûlure** burn
  un **cas d'urgence** emergency
une **chaise roulante** wheelchair
  un **chirurgien** surgeon
une **cicatrice** scar
une **coupure** cut
une **démangeaison** itch
  un **diagnostic** diagnosis
  la **douleur** pain
  la **fièvre** fever
une **fracture** fracture
  un **infirmier**, une **infirmière** nurse
  un **œil au beurre noir*** black eye
  un **os** bone
  un **pansement** bandage
  la **peau** skin
une **piqûre** shot, injection
une **piqûre de guêpe** bee sting
  un **plâtre** cast
des **points de suture** (*m*) stitches
  le **pouls** pulse, heartbeat
  les **premiers secours** (*m*) first aid
une **radio(graphie)** X ray
une **salle d'urgences** emergency room
  le **sang** blood
  la **santé** health

VERBES ET EXPRESSIONS VERBALES

avoir des sueurs froides to be in cold sweats
avoir mal to hurt, to suffer
se casser la jambe to break one's leg
dorloter to pamper
enfler to swell
s'évanouir to faint
examiner to examine
s'en faire to worry
faire (avoir) une piqûre to give (get) a shot
se fouler la cheville (le poignet) to sprain one's ankle (one's wrist)
frissonner to shiver
guérir to get well, to cure
se pencher to lean over
perdre connaissance to lose consciousness
prendre sa température to take one's temperature
saigner to bleed
sautiller to hop, to skip
soigner un(e) malade to treat a sick person

DIVERS

à califourchon astride
courbatu aching, stiff
douloureux painful
étourdi dizzy
grave serious
pâle pale
sain healthy

Application

A. Une chute. Gérard s'est fait mal en tombant. Décrivez son accident en utilisant le vocabulaire qui précède.

Il était assis __1__ sur le rebord d'une ouverture de la tour. Il est tombé et il s'est fait mal à la jambe. Il avait tellement mal qu'il s'est presque évanoui. Sa jambe était bleue et toute __2__. Après être allés à l'infirmerie du camp, nous sommes allés à la __3__ de l'hôpital où le médecin de garde a pris une __4__ de sa jambe pour voir si elle était cassée. En effet, il avait une fracture à la jambe. Le docteur a pris son __5__ et lui a fait une __6__ contre la douleur. Alors, on lui a mis un __7__ qui va du genou au pied et on lui a donné des __8__ pour qu'il puisse marcher. Il lui faudra attendre trois semaines avant qu'on enlève son plâtre.

B. Les pauvres malades. Décrivez ce qu'on fait aux malades sur les dessins suivants.

EXEMPLE   On prend sa température.

1.

2.

3.

4.

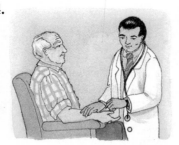

5.

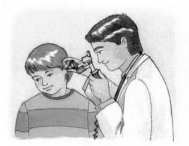

434

C. **Situations.** Avec un(e) partenaire, choisissez une des situations et rédigez ensemble un dialogue. Vous pourrez ensuite jouer cette scène en classe.

1. Vous habitez avec une personne qui a les deux jambes cassées. Cette personne se plaint tout le temps et vous essayez de lui remonter le moral°.

2. Un serpent a mordu° un ami qui se promenait dans la forêt. Vous courez à une cabine téléphonique sur la route et vous téléphonez au médecin pour savoir ce qu'il faut faire. Imaginez la conversation.

remonter... to cheer up

bit

Exploration

Le discours indirect

A. On utilise le discours indirect pour rapporter les paroles de quelqu'un. Les phrases au discours indirect sont généralement introduites par la conjonction **que**.

Discours direct:

Discours indirect:

Stéphane dit: « J'ai mal à la gorge.»

Stéphane dit **qu'il a mal à la gorge**.

Voici quelques verbes qui peuvent introduire le discours indirect.

affirmer	assurer	demander	indiquer
ajouter	crier	dire	répéter
annoncer	déclarer	expliquer	suggérer

B. Si <u>le verbe principal</u> est à un temps du passé, le verbe du discours direct change de temps au discours indirect.

> présent → imparfait

Le docteur lui a dit: «Je **vais** vous faire une piqûre.»
Le docteur lui a dit qu'il **allait** lui faire une piqûre.

> passé composé → plus-que-parfait

Stéphane a ajouté: «J'**ai eu** de la fièvre hier soir.»
Stéphane a ajouté qu'**il avait eu** de la fièvre hier soir.

> futur → conditionnel présent

Le docteur avait ajouté: «Vous **serez** guéri dans quelques jours.»
Le docteur avait ajouté que je **serais** guéri dans quelques jours.

> futur antérieur → conditionnel passé

Stéphane pensait: «Tout le monde **sera parti** en vacances dans quelques jours.»
Stéphane pensait que tout le monde **serait parti** en vacances quelques jours plus tard.

Note: Quand le verbe principal est au présent ou au futur, le temps ne change pas du style direct au style indirect.

Le médecin te **dira**: «Tu **dois** rester au lit.»
Le médecin te **dira** que tu **dois** rester au lit.

C. Si <u>le verbe du discours direct</u> est à l'imparfait, au plus-que-parfait, au conditionnel ou au conditionnel passé, il ne change pas de temps au discours indirect.

Stéphane a dit: «Je ne me **sentais** pas bien hier soir.»
Stéphane a dit qu'il ne se **sentait** pas bien hier soir.

Il a ajouté: «**J'aurais dû** prendre une aspirine.»
Il a ajouté qu'il **aurait dû** prendre une aspirine.

Le médecin a dit: «Tu **irais** mieux si tu te **reposais**.»
Le médecin a dit que tu **irais** mieux si tu te **reposais**.

D. Pour mettre une phrase impérative au discours indirect, on met le verbe à l'infinitif et la phrase est introduite par **de**.

Le docteur a dit à Stéphane: «**Restez** au moins deux jours au lit.»
Le docteur a dit à Stéphane **de rester** au moins deux jours au lit.

Stéphane dit à l'infirmière: «**Dépêchez-vous** de me faire la piqûre.»
Stéphane dit à l'infirmière **de se dépêcher** de lui faire la piqûre.

E. Les questions auxquelles on répond par **oui** ou **non** sont introduites par **si** au discours indirect.

Stéphane a demandé: «**Est-ce que** je serai guéri dans trois jours?»
Stéphane a demandé **s'il** serait guéri dans trois jours.

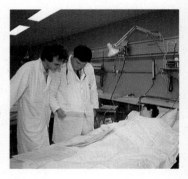

F. Les questions avec **qu'est-ce qui** sont introduites par **ce qui** au discours indirect. De même, les questions avec **qu'est-ce que** ou **que** sont introduites par **ce que**. Les autres expressions interrogatives ne changent pas mais l'ordre des mots reste affirmatif.

Stéphane se demandait: «**Qu'est-ce qui** m'a rendu malade?»
Stéphane se demandait **ce qui** l'avait rendu malade.

«**Qu'est-ce que** je dois faire?», demande Stéphane.
Stéphane demande **ce qu'**il doit faire.

«**Comment** te sens-tu?», a demandé le docteur.
Le docteur lui a demandé **comment** il se sentait.

«**Pourquoi** as-tu peur?», a demandé l'infirmière.
L'infirmière lui a demandé **pourquoi** il avait peur.

Application

A. Grand-mère exagère! Quand Thierry a eu son accident, sa grand-mère, qui habitait tout près, a téléphoné à ses parents et a beaucoup exagéré. Les parents rapportent à Raphaëlle ce que sa grand-mère leur a dit.

EXEMPLE Thierry est tombé d'une hauteur de plusieurs étages et il s'est cassé la jambe droite et le bras gauche.

Grand-mère nous a dit que Thierry était tombé d'une hauteur de plusieurs étages et qu'il s'était cassé la jambe droite et le bras gauche.

1. Un tas de pierres est tombé sur lui et il est resté dessous pendant plus d'une demi-heure.
2. Il saignait beaucoup et il a perdu connaissance.
3. On l'a emmené en ambulance à l'hôpital qui se trouvait à 80 kilomètres du lieu de l'accident.
4. Thierry avait très mal. Il pleurait et il criait.
5. Il frissonnait et il avait des sueurs froides.
6. Il ne peut plus marcher, il devra utiliser une chaise roulante pour se déplacer.
7. Il a dix points de suture et il aura une grosse cicatrice sur la jambe.
8. Il portera un plâtre pendant deux mois et après il devra encore marcher avec des béquilles pendant plusieurs semaines.

B. Comment éviter le stress. Est-ce que vous souffrez du stress avant les examens de fin d'année? Dans une revue française, vous avez lu les conseils anti-stress qu'on donne au lycéens qui vont passer le bac. Répétez ces conseils à votre classe. Ensuite, dites si vous êtes d'accord

EXEMPLE N'écoutez pas la musique trop forte.

On dit de ne pas écouter la musique trop forte quand on prépare ses examens. Je ne suis pas d'accord. J'aime danser pour prendre un peu d'exercice.

1. Sortez le week-end et faites quelque chose d'autre.
2. Mangez bien et régulièrement et n'oubliez pas de prendre un petit déjeuner.
3. Avant les examens, dormez au moins huit heures chaque nuit.
4. Ne passez pas plus de trois heures devant vos livres sans prendre un peu d'exercice.
5. Alternez les matières. Si on étudie la même matière trop longtemps, on commence à confondre les détails.
6. Organisez-vous avant de commencer. Fixez-vous un but.
7. Ne regardez pas trop la télévision pendant la semaine des examens.
8. Choisissez un endroit bien éclairé° mais évitez une lumière trop vive.   lit
9. Etudiez avec des amis plutôt que seul.

C. Qui a posé cette question? Vous êtes dans la salle d'attente chez le médecin. Vous entendez les questions suivantes dans la salle de consultation. Pour chaque question, dites si c'est le médecin ou si c'est le patient qui la pose.

EXEMPLE   Qu'est-ce qui ne va pas aujourd'hui?
C'est le médecin qui demande au patient ce qui ne va pas.

1. Comment vous sentez-vous aujourd'hui?
2. Qu'est-ce qui vous est arrivé?
3. Est-ce que je me suis cassé le poignet?
4. Où préférez-vous que je vous fasse cette piqûre?
5. Est-ce que les points de suture vont me faire mal?
6. Combien de points avez-vous faits?
7. Est-ce que vous vous êtes déjà cassé ce même bras?
8. Qu'est-ce que je dois faire si mon bras enfle?
9. Qu'est-ce qu'il faudrait que je prenne pour calmer cette douleur?
10. Est-ce que je devrais prendre du calcium pour guérir plus vite?

D. Un accident. Louise a eu un accident en faisant du jogging. Lisez le passage suivant et écrivez ensuite trois questions que le médecin lui a posées et les trois réponses de Louise. Commencez vos phrases par **Le médecin a demandé si...** ou **Louise a répondu que...**

EXEMPLE   **Le médecin lui a demandé si elle avait dû attendre longtemps dans la salle d'attente.**
Louise a répondu qu'elle avait attendu pendant un quart d'heure.

LE MÉDECIN	Est-ce que vous avez dû attendre longtemps dans la salle d'attente?
LOUISE	Pas trop longtemps, j'ai attendu environ un quart d'heure.
LE MÉDECIN	Comment est-ce que vous vous êtes fait mal à la jambe?
LOUISE	Je suis tombée en faisant du jogging ce matin dans le parc.
LE MÉDECIN	Où est-ce que c'est le plus douloureux?
LOUISE	Ça me fait un peu mal au genou mais j'ai surtout mal à la cheville.
LE MÉDECIN	Est-ce que vous pouvez marcher?
LOUISE	Non, il faut que je sautille sur l'autre pied.
LE MÉDECIN	Il semble que vous vous êtes fracturé la cheville. Je vais faire une radiographie. Est-ce que vous avez déjà utilisé des béquilles?
LOUISE	Une fois, quand j'étais jeune, je me suis foulé la cheville et j'ai marché avec des béquilles pendant quelques jours.

LE MÉDECIN	Est-ce que vous aimeriez mieux une chaise roulante?
LOUISE	Non, ça va avec des béquilles.
LE MÉDECIN	Je vais vous mettre un plâtre. Est-ce que vous pouvez revenir dans un mois pour une nouvelle radiographie?

Exploration

Le subjonctif avec les verbes de souhait, doute et émotion

Quand le sujet du verbe de la proposition principale exprime le souhait, l'émotion ou le doute, le verbe de la proposition subordonnée est au subjonctif.

Le docteur veut que Stéphane **prenne** sa température.
Stéphane a peur que l'infirmière lui **fasse** une piqûre.
Je doute qu'il **soit** guéri dans quarante-huit heures.

Voici quelques verbes qui expriment le souhait, l'émotion ou le doute:

souhait	émotion	doute
aimer mieux	avoir peur	douter
attendre	craindre	ne pas croire
défendre	s'étonner	ne pas être sûr
désirer	être content	ne pas penser
exiger	être désolé	
ordonner	être étonné	
permettre	être fâché	
préférer	être ravi	
souhaiter	être surpris	
vouloir	regretter	

Application

A. A l'hôpital. M. Bertin vient de se faire opérer et son humeur varie. Quelquefois, il est de bonne humeur mais d'autres fois il est déprimé. Ecoutez chaque phrase et dites s'il est content, désolé, triste, etc.

EXEMPLE   Personne ne vient me voir.

Il est triste que personne ne vienne le voir.

B. C'est bien dommage! Le docteur Linois approuve ou n'approuve pas ce que font certains de ses patients. Jouez le rôle du docteur. Utilisez **je suis content(e)** ou **je regrette** devant chacun des verbes suivants.

> EXEMPLE   se sentir mal
> **Je regrette que vous vous sentiez mal.**

1. être malade

2. prendre ses médicaments régulièrement

3. se reposer souvent

4. rester debout tard le soir

5. boire beaucoup de liquide

6. faire attention à son régime

7. ne pas assez dormir

8. venir le (la) voir la semaine prochaine

C. De nouvelles règles. On annonce les changements suivants dans votre école. Quelles sont vos réactions? Répondez en employant une expression indiquant le souhait ou l'émotion.

> EXEMPLE   A partir de la semaine prochaine, on ne servira que des repas végétariens au réfectoire.
> **Je préfère qu'on serve de la viande.**

1. Il faudra se faire faire cinq nouveaux vaccins avant la rentrée de l'année prochaine.

2. On construira une nouvelle piscine et de nouveaux courts de tennis pendant l'été.

3. Tous les élèves suivront un cours de premiers secours pendant un mois chaque année.

4. A partir de demain, il est interdit de venir à l'école avec sa propre voiture.

5. L'année prochaine, on permettra aux filles de jouer dans l'équipe de football.

6. A partir de l'année prochaine, tous les élèves devront suivre un cours d'arts ménagers°.   home economics

7. L'année prochaine, les cours commenceront quinze minutes plus tard.

8. L'année prochaine, on ne permettra aux professeurs de donner un A qu'à cinq pour cent des élèves de chaque classe.

Exploration

*Les verbes irréguliers **croire** et **voir***

croire°
je crois   nous croyons
tu crois   vous croyez
il / elle / on croit   ils / elles croient
passé composé: j'ai cru
futur: je croirai

voir°
je vois   nous voyons
tu vois   vous voyez
il / elle / on voit   ils / elles voient
passé composé: j'ai vu
futur: je verrai

to believe/to see

A la forme négative et interrogative, le verbe **croire** est suivi du subjonctif. A l'affirmatif, **croire** est toujours suivi de l'indicatif.

Je ne crois pas qu'elle **ait** une fracture.
Croyez-vous qu'elle **ait** une fracture?
Je crois que votre fille **a** une fracture.

Voici d'autres verbes et expressions qui suivent cette règle.

expressions personnelles	expressions impersonnelles
croire	il est certain que
être certain	il est évident que
être sûr	il est probable que
penser	il est sûr que

Application

A. **Est-ce bon pour la santé?**   On n'est pas toujours d'accord sur ce qui est bon pour la santé. Donnez votre avis. Commencez vos phrases par **je suis certain(e) que, il est probable que, je crois que, je ne crois pas que** ou **je ne suis pas certain(e) que.**

> **EXEMPLE**   Le jogging est bon pour le cœur.
> **Je ne suis pas certain(e) que le jogging soit bon pour le cœur.**
> **(Je crois que le jogging est bon pour le cœur.)**

1. Un végétarien vit plus longtemps qu'une personne qui mange de la viande.
2. La peau vieillit plus vite en été en plein soleil.

3. L'aspirine réduit les chances d'avoir une crise cardiaque°.   crise... heart attack
4. Le petit déjeuner est le repas le plus important de la journée.
5. On voit mieux la nuit quand on mange beaucoup de carottes.
6. Tout le monde doit passer un examen médical chaque année.
7. Il est important de boire beaucoup quand on a de la fièvre.
8. On fait des cauchemars° quand on mange une banane juste avant de   nightmares
se coucher.

B. Une photo mystérieuse.   Pendant que Thierry était dans sa chaise roulante, il a lu beaucoup de magazines. Dans l'un d'eux, il a vu cette photo. Il l'a trouvée intéressante et il a demandé à sa famille et à ses amis de deviner ce que c'était. Dites ce qu'ils ont répondu. Ensuite, dites si vous croyez qu'ils ont raison. L'un d'entre eux a bien deviné.

EXEMPLE   Maman / une sculpture moderne en ciment
Maman croit que c'est une sculpture moderne en ciment.
Moi, je ne crois pas que ce soit une sculpture moderne.

1. Maman / des fromages
2. nous / des aspirines
3. Raphaëlle / des boutons
4. les grands-parents / des os
5. Papa / des champignons
6. les voisins / des meubles modernes
7. vous / de la pâte de guimauve°   marshmallows
8. tu / un clavier°   keyboard

C. Questions personnelles.   Posez les questions suivantes à un(e) de vos camarades de classe.

1. Est-ce que tu vois bien le soir? Est-ce qu'il te faut des lunettes pour voir?
2. Est-ce qu'il faut croire aux bienfaits° de la science? de la   benefits
médecine? Crois-tu qu'il soit possible de trouver un remède pour toutes les maladies?
3. Si on te disait que tu allais vivre jusqu'à cent ans, le croirais-tu? Crois-tu qu'on continuera à vivre de plus en plus longtemps?
4. Que crois-tu que veut dire le proverbe «Qui vivra verra»?
5. As-tu déjà vu une radiographie d'une partie de ton corps? As-tu déjà vu une opération chirurgicale à la télé? Comment te sens-tu quand tu vois du sang?

LEÇON 23

A la pharmacie

En contexte

Pour commencer

A. A la pharmacie. Observez le dessin qui précède et répondez aux questions suivantes.

1. Où a lieu cette scène? Quel signe indique les pharmacies en France?
2. Qu'est-ce que la dame donne à la pharmacienne?

3. Pourquoi le jeune homme qui fait la queue ne se sent-il pas bien? Qu'est-ce qui l'indique? Que va-t-il probablement acheter?
4. A votre avis, pourquoi est-ce que l'homme qui porte un costume est venu à la pharmacie? De quoi a-t-il sans doute besoin?
5. Qu'est-ce que le jeune homme avec le bébé est venu acheter? Et la femme élégante de l'autre côté du comptoir?
6. Qu'est-ce qu'on peut acheter dans une pharmacie américaine et que vous ne voyez pas sur ce dessin?

B. **Vous êtes pharmacien(ne).** Que recommandez-vous à ces malades qui vous expliquent pourquoi ils se sentent mal: **du sirop, de l'aspirine, des gouttes?**

EXEMPLE   J'ai le nez bouché et je suis obligé d'ouvrir la bouche pour respirer.

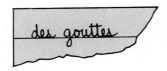

des gouttes

On est tous malades!

Ma chère petite grand-mère,

Comme tu me manques! Tu as vraiment de la chance de rester à la campagne où l'air est pur toute l'année!

Ici, nous avons un mois de juillet pourri°. Il ne fait pas chaud et il pleut tout le temps. Tout le monde tombe malade! Il y en a qui attrapent une bronchite, d'autres la grippe ou un rhume. Moi, c'est une angine! Thierry dit qu'il a encore mal à la jambe, ce qui n'est pas étonnant parce qu'il s'en sert comme d'une batte de baseball. Il se plaint parce que sa jambe dans le plâtre le démange terriblement et quelquefois il crie, tellement il a envie de se gratter! Il s'irrite facilement d'être immobilisé.

Quant à moi, comme je te l'ai déjà dit, je viens d'attraper une bonne angine. Je suis au lit depuis samedi. J'aurais préféré tomber malade lundi parce que j'avais un pique-nique dimanche avec mes copains! Je me sentais toute drôle vendredi; j'avais les joues brûlantes et les yeux brillants. Je souffrais de la gorge, j'avais mal à la tête, aux muscles, partout. J'étais tout étourdie, enfin ça n'allait pas du tout. J'ai commencé à grelotter tout en transpirant. Maman m'a emmenée chez le médecin de famille qui m'a fait ouvrir la bouche, a vu mes amygdales° enflées et des points blancs au fond de ma gorge. On m'a mis un thermomètre dans la bouche et ma température était, bien sûr, très élevée:

rotten

tonsils

42 degrés de fièvre, c'est beaucoup! Il a conseillé à Maman de me mettre au lit tout de suite et il m'a recommandé de boire beaucoup. Il m'a donné une ordonnance pour acheter des antibiotiques et du sirop pour la gorge. Nous avons des pilules° pour un peu tout°. Nous sommes dans les médicaments jusqu'au cou!

Et voilà que Maman vient de perdre la voix, sans doute une allergie due à l'humidité et au froid ici! Elle était enrouée° et elle a commencé à tousser beaucoup. Elle a pris des pastilles mais maintenant, elle ne peut plus parler, ce qui l'empêche heureusement d'avoir à répondre aux bêtises de Thierry. Le seul qui soit encore en bonne santé c'est Papa qui, pourtant, se plaint de son lumbago! Mais ça fait des années que ça dure, alors!...

Ma chère grand-mère, un mot de toi nous ferait plaisir, à nous, les pauvres malades!

Grosses bises,

Raphaëlle

pills / un... a little bit of everything

hoarse

Questions sur la lecture

1. De quelles maladies souffre-t-on chez Raphaëlle? Qui n'est pas malade chez elle?
2. Pourquoi dit-elle que sa grand-mère a de la chance?
3. Pourquoi est-ce que Thierry a souvent envie de crier?
4. Quels sont les symptômes de Raphaëlle? A-t-elle de la fièvre?
5. Qu'est-ce que le médecin lui dit de faire? Que lui prescrit-il?
6. Pourquoi est-ce que la mère de Raphaëlle a perdu la voix? Pourquoi Raphaëlle pense-t-elle que c'est peut-être pour le mieux?

Et vous?

Posez les questions suivantes à un(e) de vos camarades de classe.

1. Préférerais-tu avoir la jambe cassée comme Thierry ou souffrir d'une angine comme Raphaëlle? Pourquoi?
2. Quelles maladies est-ce que tu as eues? Est-ce que tu es allé(e) chez le médecin? Qu'est-ce qu'il t'a dit de faire?
3. A quelle pharmacie va ta famille? Quand a-t-il fallu y aller la dernière fois? Pourquoi?
4. A ton avis, qui comprend le mieux l'emploi des médicaments, le

médecin ou le pharmacien? Est-ce que tu préférerais être
pharmacien(ne) ou médecin? Pourquoi?

5. Préfères-tu prendre du sirop, des gouttes ou des capsules? As-tu du
mal à avaler les capsules?

Expansion du vocabulaire

A LA PHARMACIE

un **antihistaminique** antihistamine
un **cachet d'aspirine, un comprimé
       d'aspirine** aspirin tablet
une **capsule** capsule
une **couche** diaper
 la **crème hydratante**
       moisturizing cream
une **croix** cross
 un **flacon** medicine bottle
des **gouttes (pour le nez)** (*f*)
       (nose)drops
 un **médicament** medicine
une **ordonnance** prescription
une **pastille** throat lozenge
 un **produit de beauté** skin-care
       product
 un **remède** remedy, cure
une **ride** wrinkle
  le **sirop pour la toux** cough
       syrup
 un **thermomètre** thermometer

QUELQUES MALADIES

une **allergie** allergy
une **angine** tonsilitis
une **crise cardiaque** heart attack
 la **grippe** flu
une **indigestion** indigestion
 un **mal de tête** headache
les **oreillons** (*m*) mumps
 un **rhume** cold
 la **rougeole** measles
 la **tension** blood pressure
 la **toux** cough
  le **vertige** dizziness

VERBES

avaler to swallow
châtouiller to tickle
démanger to itch
gratter to scratch
grelotter to shiver
soulager to relieve
transpirer to perspire

Application

A. Trouvez le mot qui manque. Complétez logiquement les phrases
suivantes en utilisant le vocabulaire qui précède.

1. Quand j'ai la peau sèche, je me mets de la ▭▭▭.
2. J'ai mal à la tête. Je vais prendre un ▭▭▭ d'aspirine.
3. Quand on a de petites tâches rouges sur la peau, on a peut-être
   la ▭▭▭.
4. Mon médecin m'a donné une ▭▭▭. Je vais aller à la
   pharmacie.
5. Mais non mon petit! Quand on a les ▭▭▭ , on n'a pas de
   grosses oreilles!
6. Quand on a la ▭▭▭, on est très malade avec de la fièvre et des
   douleurs partout.

B. Qu'est-ce que c'est? Identifiez les choses suivantes.

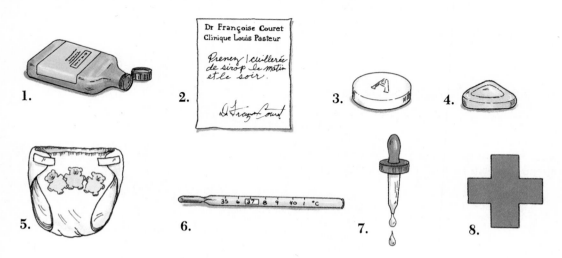

1. 2. 3. 4.

5. 6. 7. 8.

C. Situations. Avec un(e) partenaire, choisissez une des situations et rédigez ensemble un dialogue. Vous pourrez ensuite jouer cette scène en classe.

1. Vous allez à la pharmacie parce que vous ne vous sentez pas bien. Décrivez votre maladie et ses symptômes. Le (La) pharmacien(ne) vous posera des questions pour bien comprendre ce que vous avez et recommandera quelque chose pour vous guérir. Vous demandez le prix, vous payez et vous partez.

2. Vous n'avez pas envie d'aller en classe; alors, vous allez à l'infirmerie de l'école et vous essayez de convaincre l'infirmier ou l'infirmière que vous êtes trop malade pour aller en classe et vous inventez des tas de symptômes.

Exploration

Les verbes comme **craindre**

craindre°	
je crains	nous craignons
tu crains	vous craignez
il / elle / on craint	ils / elles craignent
passé composé: j'ai craint	

to fear

Les verbes suivants se conjuguent comme **craindre**.

atteindre   *to reach, to attain*
éteindre   *to put out, to extinguish,*
   to switch off
feindre   *to pretend*
joindre   *to connect*
se joindre (à)   *to join, to become*
   a member (of)

peindre   *to paint*
plaindre   *to pity, to feel sorry for*
se plaindre (de)   *to complain (about)*
rejoindre   *to meet, to join*
teindre   *to dye*

A. Remarquez qu'on emploie le subjonctif après le verbe **craindre**.

Je crains que ce soit grave.   *I'm afraid that it is serious.*

B. Dans la langue écrite, **craindre** est souvent suivi de **ne** + **le subjonctif**.

Je crains qu'ils **ne** viennent.   *I'm afraid they will come.*

Application

A. Questions personnelles.   Posez les questions suivantes à un(e) de vos camarades de classe.

1. Est-ce que tu t'es déjà peint les ongles° ou teint les cheveux?   fingernails
2. Est-ce que tu voudrais te joindre à un club de gymnastique? Quelle taille aimerais-tu atteindre?
3. Est-ce que tu t'endors tout de suite quand tu éteins la lumière°, le soir? Est-ce que tu crains l'obscurité°?   light darkness
4. Quel sport crains-tu d'essayer? Craindrais-tu de tomber si tu faisais du cheval? et du ski?
5. Est-ce que tu craignais les piqûres quand tu étais petit(e)? Et maintenant?
6. De quoi se plaignent le plus les gens en hiver? Et en été?
7. De quoi se plaignent le plus tes ami(e)s. Et toi? Pourquoi?

B. Que crains-tu? Karine veut que ses amis se joignent à son club de gymnastique mais ils ont tous une raison pour ne pas le faire. Dites ce que craint chacun de ses amis.

EXEMPLE   Je...
Je crains de paraître ridicule.

1. Annie et Denis...

2. Tu...

3. Stéphanie et Alexandra...

4. Xavier...

5. Nous...

C. Hervé, le pauvre malade. Hervé trouve que le week-end est trop court et le lundi il n'a pas souvent envie d'aller à l'école. Complétez la conversation suivante entre sa mère et lui en employant les verbes suivants. Attention au temps du verbe!

atteindre	feindre	se plaindre
craindre	peindre	rejoindre

SA MERE   Qu'est-ce qu'il y a, Hervé, de quoi __1__-tu?

HERVE   J'ai mal partout. Je ne me sens pas bien.

SA MERE   Encore! C'est tous les lundis la même chose! Tu essaies de me dire que tu ne veux pas __2__ tes camarades à l'école, aujourd'hui?

HERVE   Si j'y allais, je __3__ d'avoir à revenir à la maison tellement je me sens mal!

SA MERE   Tiens, qu'est-ce que ces tâches rouges sur ta figure et sur ton corps? Est-ce que tu les __4__ pour paraître malade? Je vais téléphoner au docteur. Il vaut mieux que tu ne __5__ pas la maladie pour ne pas aller à l'école. Tu as trop souvent fait la même chose! En attendant, voilà le thermomètre pour prendre ta température... Mais, ma parole, la température __6__ 42 degrés, c'est sérieux! Je __7__ que tu sois vraiment malade ou... as-tu mis le thermomètre au dessus de la lampe? ... Hervé? Regarde-moi dans les yeux!

Exploration

Le subjonctif après certaines conjonctions

On emploie le subjonctif après certaines conjonctions indiquant un but°, une condition, une restriction, une concession, le temps ou la peur.

goal

but	pour que, afin que *so that, for* de manière que *in such a way that*
condition	à condition que, pourvu que *provided that*
restriction	à moins que...ne *unless* sans que *without*
concession	bien que, quoique *although*
temps	avant que...ne *before* jusqu'à ce que *until* en attendant que *while waiting*
peur	de crainte que...ne, de peur que...ne *for fear that*

Jean-Luc se couche pour que l'infirmière lui fasse une piqûre.
Jean-Luc is lying down for the nurse to give him a shot.

Restez au lit jusqu'à ce que vous soyez complètement guéri.
Stay in bed until you are completely well.

Bien que cette maladie soit grave, il ne faudra pas aller à l'hôpital.
Although this illness is serious, it will not be necessary to go to the hospital.

Après les conjonctions **à moins que, avant que, de crainte que** et **de peur que,** le verbe de la proposition subordonnée est précédé de **ne.**

Mets ta veste **avant que** tu n'attrapes un rhume.
Put on your jacket before you catch a cold.

Application

A. Chez la pédiatre. Mme Charmette parle de son travail. Elle est infirmière dans le cabinet d'une pédiatre. Complétez le paragraphe suivant en mettant dans les blancs la conjonction qui convient.

Une infirmière doit toujours être gentille et de bonne humeur __1__ les enfants qui entrent dans le cabinet du médecin n'aient pas peur. Les enfants n'aiment pas aller chez le médecin __2__ on ne leur fasse une piqûre. Les pédiatres leur donnent souvent de petit jouets __3__ ils soient plus sages. Les enfants s'impatientent facilement __4__ le médecin les voie, alors nous avons mis un aquarium et un cheval de bois dans la salle d'attente __5__ ils restent calmes. Mon travail n'est pas toujours facile mais il n'est pas trop fatigant __6__ il n'y ait trop de cas d'urgences en une journée et __7__ le médecin ne soit pas de mauvaise humeur.

B. Les conseils du médecin. Qu'est-ce que le médecin dit a ses patients? Faites des phrases en reliant les phrases suivantes par une conjonction suivie du subjonctif.

> EXEMPLE   Venez me voir deux fois par mois.
> (Vous êtes complètement guéri.)
> Venez me voir deux fois par mois jusqu'à ce que vous soyez complètement guéri.

1. Continuez à prendre ces médicaments. (Vous avez une réaction allergique. / Il n'en reste plus. / Vous n'avez plus de symptômes.)
2. Je ne pourrai pas vous guérir. (Vous suivez mes conseils. / On fait cette opération. / Vous vous reposez plus.)
3. Vous n'aurez pas de cicatrice. (La coupure est profonde. / Vous ne grattez pas trop les points de sutures.)
4. Je vais vous faire rentrer à l'hôpital. (Votre maladie devient grave. / On peut faire des analyses. / Vous vous sentez mieux.)

C. A quelle condition? Ce que nous faisons aujourd'hui influence notre vie future. A quelle condition pourrez-vous faire les choses suivantes quand vous serez vieux?

> EXEMPLE   avoir encore de beaux cheveux
> **J'aurai encore de beaux cheveux pourvu que je les protège du soleil et que je ne me les teigne pas trop souvent.**

1. ne pas avoir trop de rides
2. éviter une crise cardiaque
3. vivre jusqu'à l'âge de cent ans
4. garder l'esprit jeune
5. avoir une vision parfaite
6. conserver toutes ses dents

Exploration

L'emploi de l'infinitif au lieu du subjonctif

A. Si le sujet de la proposition subordonnée est le même que celui de la proposition principale, on emploie l'infinitif plutôt que le subjonctif. Si les deux propositions ont des sujets différents, il faut employer le subjonctif dans la proposition subordonnée.

Un sujet: Je veux prendre ma température.
I want to take my temperature.

Maman préfère rester à la maison.
Mom prefers to stay home.

Deux sujets: Je veux que tu prennes ta température.
I want you to take your temperature.

Maman préfère que nous restions à la maison.
Mom prefers that we stay home.

Les verbes d'émotion sont généralement suivis de la préposition **de** devant un infinitif.

Il est content **de** quitter l'hôpital.	*He is happy to leave the hospital.*
Je crains **d**'avoir une fracture.	*I'm afraid I have a broken bone.*

B. Devant l'infinitif, la plupart des conjonctions suivies du subjonctif deviennent une préposition.

conjonction	préposition
à condition que →	à condition de
afin que →	afin de
à moins que →	à moins de
avant que →	avant de
de manière que →	de manière à
de peur que →	de peur de
en attendant que →	en attendant de
Mais:	
pour que →	pour
sans que →	sans

La malade a passé deux nuits **sans dormir**.
Roger a arrêté de parler juste **avant de s'évanouir**.

C. Les conjonctions **bien que, quoique, pourvu que** et **jusqu'à ce que**
sont toujours suivies du subjonctif, même si le sujet est
le même dans la proposition principale et la proposition
subordonnée.

Bien qu'elle soit malade, Angélique est de bonne humeur.
Joseph devra rester au lit jusqu'à ce qu'il aille mieux.

Application

A. **Sur le flacon.** Combinez les éléments des deux colonnes pour faire
six phrases qu'on pourrait lire sur un flacon de médicaments.

EXEMPLE **Ne prenez pas ce médicament avant de conduire.**

A	B	
Prenez deux capsules avant de	éviter une rechute°	relapse
N'en donnez pas aux enfants sans	soulager la toux	
Ne prenez pas ces médicaments avant de	conduire	
Prenez toutes les capsules afin de	manger	
Lisez toutes les indications avant de	consulter un médecin	
Prenez une cuillerée quatre fois	prendre ce	
par jour pour	médicament	

B. **Le fou du boulot.** Jules refuse de rester à la maison quand il est
malade. Un ami se fait du souci pour lui et parle à son patron.
Complétez le paragraphe suivant en employant le verbe entre
parenthèses à l'infinitif ou au présent du subjonctif.

    Je crains que Jules ne __1__ (être) malade parce qu'il se plaint que
ses muscles et sa tête lui font mal et à moins qu'il ne __2__ (se
reposer), les choses vont aller de mal en pis. Bien qu'il __3__ (ne pas
se sentir) bien, il travaille constamment afin de __4__ (gagner) de
l'argent pour sa famille et pour __5__ (envoyer) ses enfants dans de
bonnes écoles. C'est un cercle vicieux et je le plains beaucoup.
    A moins de __6__ (rester) quelques jours à la maison ou de __7__
(prendre) des vacances, il va certainement tomber malade! Mais
comme sa femme ne travaille pas, il ne voudra certainement pas
rester à la maison à moins qu'on ne le __8__ (payer). Offrez-lui donc
quelques jours de congé payé sans lui __9__ (dire) pourquoi. Il ne doit
pas travailler avant qu'il ne __10__ (aller) mieux. Je crois qu'ici tout le
monde est d'accord pour le __11__ (remplacer) quelques jours et pour
l'__12__ (aider) à se remettre.

C. Et vos parents, que pensent-ils? Imaginez la réaction de vos parents si vous leur disiez les choses suivantes. Utilisez un verbe ou une expression de souhait ou d'émotion.

> EXEMPLE   Je veux me teindre les cheveux turquoise.
> **Nous ne voulons pas que tu te teignes les cheveux.**
> **(Nous sommes ravis que tu te teignes les cheveux. Ça t'ira à merveille.)**

trapeze artist

1. J'aimerais peindre les murs de ma chambre en noir.
2. Je désire étudier la médecine à l'université.
3. Je suis ravi(e) de recevoir une bourse.
4. Je préfère me joindre à la troupe de cirque que d'aller à l'université.
5. Je voudrais devenir trapéziste°.
6. Je suis content(e) d'être en bonne santé.
7. Je suis triste d'avoir une angine le jour de mon anniversaire.
8. Je préfère ne pas prendre de petit déjeuner le matin quand je suis pressé(e).

D. C'est ça que je veux. Complétez les phrases suivantes d'une façon originale pour exprimer votre volonté et vos émotions.

> EXEMPLE   Je fais un régime pour…/Je fais un régime pour que…
> **Je fais un régime pour perdre du poids.**
> **Je fais un régime pour que mes vêtements ne soient pas trop serrés.**

1. Je serais ravi(e) de… / Je serais ravi(e) que…
2. Je ne me permets pas de… / Je ne permets pas que…
3. Je regrette de… / Je regrette que…
4. Je suis étonné(e) de… / Je suis étonné(e) que…
5. Je crains de… / Je crains que…

*L*EÇON 24

En forme

Salle 1

Salle 2

← Saunas
Cabines
de bronzage

Salle 3

En contexte

Pour commencer

A. Au gymnase-club. Décrivez l'image en répondant aux questions
suivantes.

1. Que font ces gens sur l'image? Où se trouvent-ils?
2. Quelles sortes d'exercices fait-on dans la **Salle 1**? dans la **Salle 2**?
   et dans la **Salle 3**?

3. De tous ces exercices, lesquels sont bons pour le cœur? Quels exercices fait-on si on veut développer ses muscles? Quand on souffre du stress, quels exercices doit-on faire?
4. Où peut-on aller si on veut se détendre et se calmer? Et si on veut se bronzer en hiver?
5. Si vous étiez membre de ce club de gymnastique, dans quelle salle passeriez-vous le plus de temps? Pourquoi?

B. Où sont-ils? Ecoutez ces personnes qui parlent au club de gymnastique et dites dans quelle salle elles se trouvent: **Salle 1, Salle 2** ou **Salle 3**.

EXEMPLE   C'est bien trop lourd pour moi! Je ne pourrai jamais soulever tout ce poids.

La récupération

Chère grand-mère,

Nous nous remettons lentement de nos maux° respectifs. Quel été, vraiment!

Le docteur a finalement enlevé son plâtre à Thierry. Il doit maintenant rééduquer° sa jambe, bien sûr. Il marche le matin en s'aidant d'une béquille coincée° sous le bras; et puis il fait de la bicyclette pour fortifier les muscles de ses jambes. Maman lui masse° aussi la jambe deux fois par jour; enfin on lui a conseillé de faire de la natation qui est un bon exercice pour le tonus° général.

Moi, je récupère doucement. Je suis encore fatiguée mais je n'ai plus de fièvre et ma gorge n'est plus enflée. Donc, comme tu vois, tout redevient normal.

Toute la famille part en août pour la Bretagne et il faut qu'on se remette en forme, Thierry et moi. A rester immobile pendant six semaines, Thierry qui s'ennuyait, a pris quelques kilos en mangeant tout ce qui lui passait sous le nez. Il suit donc un régime, du moins il le dit, et fait des haltères tous les matins. Comme il ne peut pas encore faire de footing à cause de sa jambe, il fait des mouvements de gymnastique et des abdominaux, à plat sur le sol°.

Moi, je vais maintenant retourner tous les jours au club de gymnastique avec mon amie Sylvie. C'est son père qui dirige ce centre. C'est formidable là! Nous faisons des exercices sur des machines super-modernes; moi,

	pluriel de mal
	rehabilitate
	wedged
	massages
	muscle tone
	à... flat on the ground

je fais de l'aérobique et Sylvie du yoga, puis nous allons dans le sauna. Enfin, nous plongeons° dans la piscine pour nous rafraîchir. Une fois par semaine, je me fais faire des massages et tous les jours, nous passons quelques minutes dans la cabine de bronzage. Je peux te dire que je vais me sentir en pleine forme en Bretagne, même après cette horrible angine!

J'espère que tu pourras venir passer quelques jours avec nous. Nous t'emmènerons à la pêche aux moules° et nous ferons de longues promenades dans les bruyères°, le long de la côte. C'est si beau et si sain pour l'esprit autant que pour le corps! Je voudrais y être déjà!

J'espère recevoir de tes nouvelles très bientôt!

Grosses, grosses bises!

Raphaëlle

dive

mussels
heather

Questions sur la lecture

1. Qu'est-ce que Thierry fait pour rééduquer sa jambe?
2. Pourquoi Thierry et Raphaëlle veulent-ils se mettre en forme? Où vont-il aller?
3. Que fait Raphaëlle pour se mettre en forme? Avec qui? Pourquoi?
4. Pourquoi dit-elle qu'elle va se sentir en forme en vacances?
5. Pourquoi dit-elle qu'elle voudrait déjà être sur la côte de Bretagne?

Et vous?

Posez les questions suivantes à un(e) de vos camarades de classe.

1. Que fais-tu pour être en forme? Appartiens-tu à un club de gymnastique? Quels vêtements mets-tu pour faire des exercices?
2. Est-ce que tu as des haltères chez toi? et un vélo d'appartement?
3. Te bronzes-tu quelquefois dans une cabine de bronzage? Est-ce que tu passes beaucoup de temps au soleil pendant l'été? Est-ce que tu te mets quelque chose sur la peau pour la protéger? Est-ce que tu attrapes facilement des coups de soleil?
4. Voudrais-tu être très musclé(e)? Que penses-tu de ceux et celles qui sont très musclés?
5. Si tu faisais cent abdominaux, aurais-tu des courbatures? Quand tu vas faire des exercices, est-ce que tu fais d'abord des exercices préliminaires pour t'échauffer°?
6. Est-ce qu'il faut avoir un corps sain pour avoir un esprit sain? On dit qu'il faut souffrir pour être beau ou pour être belle. Es-tu d'accord?

warm up

Expansion du vocabulaire

AU CLUB DE GYMNASTIQUE
des abdominaux (m) sit-ups
un bain de vapeur steam bath
une cabine de bronzage tanning booth
un club de gymnastique health club
un coup de soleil sunburn
des courbatures (f) aches and pains, soreness
l'entraînement (m) training, workout
l'esprit (m) mind
l'haltérophilie (f) weight lifting
la ligne figure
la natation swimming
une piste (dans un stade) track (in a stadium)
le poids weight
un sauna sauna
des tractions (f) push-ups, chin-ups
un vélo d'appartement exercise bicycle
le yoga yoga

VERBES ET EXPRESSIONS VERBALES
se bronzer to get a tan
se décontracter to loosen up
se dépenser to exert oneself
se détendre to relax
s'entraîner to train
s'épuiser to exhaust oneself
être en forme to be in good shape
faire de l'aérobique to do aerobics
faire de la natation to swim
faire de l'aviron to go rowing
grossir to get fat
maigrir to lose weight
se nourrir to eat
soulever des haltères to lift weights
transpirer to sweat

DIVERS
essoufflé out of breath
mouvementé very active, tiring
musclé muscular

Application

A. Un haltérophile convaincu. Vous avez un ami qui est toujours en train de faire des exercices. Complétez le paragraphe suivant en utilisant le vocabulaire qui précède.

J'ai beaucoup d'amis qui vont au __1__ pour soulever des __2__ et faire de l'__3__. Moi, je préfère rester chez moi. J'ai une piscine où je fais de la __4__ tous les matins, après quoi je peux __5__ au soleil; juste à côté de chez moi, il y a un stade et je cours sur la __6__ tous les soirs. Chez moi, devant la télé, il y a un __7__ sur lequel je pédale pendant les informations. Après cela, je m'allonge sur la moquette et je fais cent __8__, puis je me retourne pour faire quarante __9__ afin de développer les muscles des bras. Il faut dire que quelquefois je m'__10__ et j'ai envie de prendre une douche et de me reposer. Avec tous ces exercices, j'ai maintenant de beaux muscles et cela me fait du bien à l'__11__, comme au corps: je me sens très bien moralement et __12__ physiquement!

B. Que fait-on? Dites ce que fait chacune de ces personnes pour rester en forme

    EXEMPLE   Il fait des tractions.

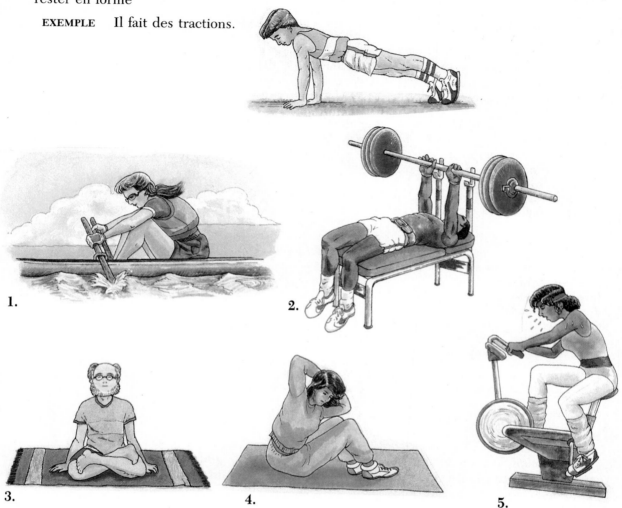

1.

2.

3.

4.

5.

C. Situations. Avec un(e) partenaire, choisissez une des situations et rédigez ensemble un dialogue. Vous pourrez ensuite jouer cette scène en classe.

1. Vous allez à un club de gymnastique pour la première fois et vous recontrez une personne à qui vous avez envie de parler. Commencez cette conversation en parlant des exercices que vous faites. Ensuite, demandez-lui des conseils.
2. Vous êtes l'entraîneur d'un(e) grand(e) athlète. Imaginez une conversation dans laquelle vous lui expliquez comment il (elle) devrait s'entraîner.

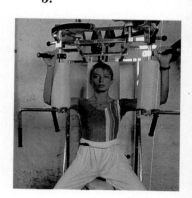

460

Exploration

Le verbe irrégulier **courir**

courir°	
je cours	nous courons
tu cours	vous courez
il / elle / on court	ils / elles courent
passé composé:	j'ai couru
futur:	je courrai

to run

Les verbes suivants sont conjugués comme **courir**.

parcourir   *to go through, to cover* (a distance)
secourir   *to help, to aid*

Application

A. Au cours d'éducation physique.   Complétez les phrases suivantes en employant le verbe **courir** avec l'une des expressions entre parenthèses. Vous pouvez aussi utiliser des expressions de votre choix.

> **EXEMPLE**   Je... (souvent, rarement, de temps en temps)
> **Je cours de temps en temps.**

1. Le prof d'éducation physique... (comme une gazelle, comme un pingouin)
2. En éducation physique, on... (tous les jours, deux ou trois fois par semaine)
3. Le plus souvent, je... (en short et tee-shirt, en sweat-shirt et collants)
4. Quand on commence l'école à six ans, les garçons... (moins vite que les filles, plus vite que les filles)
5. Quand on finit l'école à dix-huit ans, les garçons... (moins vite que les filles, après les filles)

B. Questions personnelles.   Posez les questions suivantes à un(e) de vos camarades de classe.

1. Est-ce que tu cours souvent? Où préfères-tu courir? Quels vêtements portes-tu pour courir?
2. Quelle distance peux-tu courir sans t'arrêter? Cours-tu plus vite pieds nus ou en chaussures de tennis? Est-ce que tu cours plus

vite quand il fait froid ou quand il fait chaud? Aimes-tu courir sur la plage?

3. Voudrais-tu courir un marathon? As-tu déjà couru cinq kilomètres? dix kilomètres?

4. Dans quels sports court-on le plus de risques de blessures? Dans quels sports est-ce qu'on ne court pratiquement aucun danger? Aimes-tu prendre des risques?

5. Qu'est-ce que tu fais quand une douleur te parcourt tout le corps pendant que tu cours? Est-ce que tu t'arrêtes?

6. Quelle distance peut-on parcourir à pied en une heure? à vélo? et en auto de course?

7. Est-ce que tu saurais secourir une personne qui viendrait de se casser le bras? qui viendrait de s'évanouir? qui viendrait d'avoir une crise cardiaque?

Exploration

Le subjonctif passé

On forme le subjonctif passé en mettant l'auxiliaire du passé composé au subjonctif. On emploie le subjonctif passé si l'action du verbe de la proposition subordonnée se passe avant celle de la proposition principale. Le temps du verbe de la proposition principale n'affecte pas le temps de la proposition subordonnée.

Didier sera très étonné que nous **ayons fait** de l'aviron sans lui.
Didier will be very surprised that we went rowing without him.

J'étais content que tu **sois venue** avec moi faire de l'aérobique.
I was glad that you had gone with me to do aerobics.

Il est dommage qu'Yves **se soit foulé** le poignet au club de gymnastique.
It's a shame that Yves sprained his wrist at the health club.

Note: Si la proposition subordonnée a le même sujet que la proposition principale, on emploie généralement l'infinitif passé.

Je regrette d'**avoir** autant **grossi** l'hiver dernier.
I'm sorry that I gained so much weight last winter.

Marc est content d'**être allée** au club de gymnastique avec nous.
Marc is glad that he went to the health club with us.

Application

A. Remets-toi vite! Marc et Christine ont une amie qui vient de rentrer de l'hôpital. Ils lui écrivent une carte pour lui souhaiter un prompt rétablissement. Complétez le paragraphe suivant en mettant les verbes entre parenthèses au présent ou au passé du subjonctif.

> Chère Suzanne,
>   Nous sommes tristes que tu __1__ (passer) les deux dernières semaines à l'hôpital et que tu __2__ (beaucoup souffrir) la semaine après l'opération. Nous regrettons aussi que tu __3__ (ne pas pouvoir) sortir de ton lit jusqu'à maintenant et qu'hier, tu __4__ (s'épuiser) à essayer de marcher! C'est trop tôt! Nous voulons que tu __5__ (se détendre) et que tu __6__ (aller) mieux. Nous sommes heureux que tu __7__ (recevoir) hier les fleurs que nous t'avons envoyées. Nous sommes contents également que tu nous __8__ (appeler) aussitôt pour nous remercier. Nous viendrons te voir bientôt.
>
>   Bon courage!
>
>   Marc et Christine

B. J'en doute. Est-ce que vous connaissez bien l'histoire du monde sportif? Dites si vous croyez ou non les choses suivantes. Commencez vos phrases par **Je doute que...**, **Il est possible que...** ou **Je suis certain(e) que...**

> EXEMPLE   Les Français ont inventé le jeu de tennis.
> **Il est possible que les Français l'aient inventé.**
> **Je suis certain(e) que les Français l'ont inventé.**

1. Les Américains n'ont jamais gagné de médaille d'or en aviron aux Jeux olympiques.
2. Les premiers Jeux olympiques d'hiver ont eu lieu en France.
3. Les femmes n'ont pas participé aux trois premiers Jeux olympiques modernes.
4. Les Jeux olympiques d'été ont déjà eu lieu quatre fois aux Etats-Unis.
5. On a inventé le jeu de basket-ball en Grèce antique.
6. La Ligue Nationale de base-ball a été fondée aux Etats-Unis avant la guerre civile.
7. Boston a battu Pittsburgh dans la première Série Mondiale de base-ball°.   **Série...** World Series
8. La France a gagné la dernière Coupe du monde.
9. Le premier rallye automobile Paris-Dakar a eu lieu en 1979.
10. En 1972, une jeune américaine a traversé la Manche à la nage° en moins de huit heures.   **à...** swimming

CAS SPECIAUX

Comment traduire to happen

A. En français, on emploie trois expressions pour traduire le verbe
anglais *to happen*. **Arriver** et **se passer** sont souvent employés avec
un sujet indéfini. L'expression **avoir lieu** s'emploie généralement
pour fixer l'heure, la date ou le lieu d'un événement.

se passer	*to happen, to be going on, to take place*
arriver (à)	*to happen (to), to come about, to occur*
avoir lieu	*to happen, to take place*

Qu'est-ce qui se passe? Quel est ce bruit?
What's happening? What's that noise?

Il y a quelque chose qui se passe entre eux.
There is something going on between them.

Il est arrivé une catastrophe.
A catastrophe has happened.

Cette compétition a lieu chaque année.
This competition takes place every year.

L'accident a eu lieu au club de gymnastique.
The accident happened at the health club.

B. Pour traduire *to happen to (someone)*, il faut employer **arriver à**. On n'emploie pas **avoir lieu** ou **se passer** dans ce contexte.

Qu'est-ce qui est arrivé à Marianne? Elle porte un plâtre.
What happened to Marianne? She's wearing a cast.

C'est ce qui pouvait t'arriver de mieux.
It's the best thing that could happen to you.

Application

A. Je veux en savoir plus. Vous avez un ami qui veut toujours savoir tous les derniers petits potins°. Imaginez une question avec **se passer**, **arriver (à)** ou **avoir lieu** qu'il vous poserait si vous lui disiez les choses suivantes.

gossip

> EXEMPLE   Monique à donné une gifle à son petit ami.
> **Qu'est-ce qui leur arrive?**

1. Hélène est à l'hôpital.
2. Regarde ces gens qui courent vers ce magasin!
3. Ma cousine et moi allons à un festival de musique ce week-end.
4. Pauvre Christophe! Il pleure!
5. Pascal est fâché et il refuse de nous parler.
6. Monique et son ami ont décidé de se marier.

B. De petits problèmes. Eric se préoccupe beaucoup des problèmes de **W** ses amis. Complétez les conversations ci-dessous en employant **se passer**, **arriver** et **avoir lieu** une fois chacun.

1. — Ah non, ce n'est pas vrai!
   — Qu'est-ce qui __a__?
   — J'ai perdu mes clés et je dois être à une réunion dans dix minutes. Ça m' __b__ toujours!
   — Où est-ce que cette réunion __c__? Je peux t'y amener si tu veux.

2. — Le mariage d'Olivier et Chantal ne va pas __a__ samedi comme prévu.
   — Pourquoi? Qu'est-ce qui __b__?
   — Olivier a eu une crise de nerfs°.
   — C'est la troisième fois qu'ils ont fixé une date et c'est la troisième fois que cela lui __c__.

   crise... attack of nerves

3. — Que __a__-t-il? Tu as l'air triste.
   — La compétition d'aviron __b__ cet après-midi et je ne peux pas y participer.
   — Pourquoi? Qu'est-ce qui t'__c__?
   — Je me suis foulé le poignet hier en soulevant des haltères.

*L*ANGUE ET CULTURE

Voilà ce qu'on dit

Le moral et la santé

A. Qu'est-ce qu'on peut dire à un(e) ami(e) triste, déprimé ou malade?

Après la pluie le beau temps!	Every cloud has a silver lining.
Ça n'a pas l'air d'aller très fort.	You don't seem very well.
Ce n'est pas grave.	It's no big deal.
Quelle gueule*!	What a face!
Qu'est-ce qui te chagrine?	What's got you depressed?
Qu'est-ce qui te tracasse?	What is bothering you?
Tu as mauvaise mine.	You don't look too good.
Tu fais une tête d'enterrement.	You look like you just lost your best friend.
Tu en fais une tête!	What a sad face!
Tu n'es pas marrant(e)!	You are no fun!

B. Qu'est-ce qu'on peut dire à un(e) ami(e) qui est en bonne forme?

Tu as bonne mine!	*You're looking well!*
Tu as repris du poil de la bête.	*You've got color back in your cheeks.*
Tu as retrouvé ta taille de guêpe.	*You've got an hourglass figure.*
Tu es en pleine forme!	*You're in great shape!*

C. Qu'est-ce qu'on peut dire quand on se sent malade ou quand on est déprimé?

J'ai le cafard.	*I'm feeling blue.*
J'ai le moral à zéro.	*I'm feeling down.*
J'ai mal partout.	*I hurt all over.*
Je me sens mal dans ma peau.	*I don't feel good about myself.*
Je me sens bon(ne) à rien.	*I am no good at anything.*
Je n'en peux plus.	*I've had it.*
Je ne suis pas dans mon assiette.	*I feel out of it.*
Je suis à plat.*	*I am dead tired.*
Je suis crevé(e)*	*I am dead tired.*
Je suis démoralisé(e).	*I am down.*
Je suis déprimé(e).	*I'm depressed.*
Je suis exténué(e).	*I am exhausted.*

D. Qu'est-ce qu'on peut dire quand on se sent en pleine forme?

J'ai une santé de cheval.	*I feel as strong as a horse.*
J'ai un moral d'acier.	*I am in a great mood.*
J'ai un moral du tonnerre.	*I feel great.*
Le moral est au beau fixe.	*I feel fine.*
Tout va comme sur des roulettes.	*Everything is going smoothly.*
Quelle pêche!*	*Everything's peachy-keen!*

Application

A. Heureux ou déprimé? Dites si la personne qui parle est **heureuse** ou **déprimée**.

EXEMPLE   J'ai le moral à zéro!

déprimée

B. Que dire? Que diriez-vous si les situations suivantes se présentaient.

> EXEMPLE Vous avez grossi de trois kilos depuis le mois dernier.
> **Je me sens mal dans ma peau.**

1. Votre meilleur(e) ami(e) déménage de l'autre côté des Etats-Unis.
2. Vous venez de vous couper le doigt en faisant la cuisine.
3. Vous venez de finir votre année de lycée. Les vacances sont là!
4. Vous venez de courir cinq kilomètres.
5. Votre père avait la grippe et maintenant vous l'avez.
6. Vous venez de gagner un million de francs dans un concours.

C. Que s'est-il passé? Imaginez dans quelle situation on dit les choses suivantes. Décrivez la situation qui a précédé.

> EXEMPLE Après la pluie le beau temps!
> **Un ami vient de perdre son travail.**

1. Tu en fais une tête!
2. Tu fais une tête d'enterrement.
3. Quelle pêche!
4. Elle a l'air démoralisée.
5. Je me sens bon à rien.

D. Trouvez la paire. Trouvez deux expressions se rapprochant le plus l'une de l'autre.

> EXEMPLE **1. J'ai un moral d'acier. 7. Le moral est au beau fixe.**

1. J'ai un moral d'acier.
2. Tu fais une tête d'enterrement.
3. Je suis à plat.
4. Tu as repris du poil de la bête.
5. Je me sens mal dans ma peau.

6. Tu as l'air en meilleure forme.
7. Le moral est au beau fixe.
8. Je suis exténué(e).
9. Tu en fais une tête!
10. Je ne suis pas dans mon assiette.

E. Pauvre Fabrice. Deux cousins, Fabrice et Nicolas, se rencontrent par hasard dans la rue. Après avoir écouté le dialogue, dites si les phrases suivantes son **vraies** ou **fausses**.

1. Fabrice ne se sent pas bien après avoir vu le docteur.
2. Fabrice est seulement fatigué.
3. Fabrice est un peu plus heureux depuis qu'il a trouvé du travail.
4. Fabrice a quitté sa petite amie.
5. Nicolas réconforte son cousin en l'invitant au restaurant.
6. Fabrice se sent toujours mieux à la fin de la conversation.

Molière

Jean-Baptiste Poquelin, dit Molière, est un des plus grands auteurs dramatiques français. Molière est né à Paris en 1622, le fils d'un valet de chambre du roi. Pendant quinze ans, il dirige une troupe de comédiens ambulants. Plus tard, il s'installe à Paris et devient le protégé du roi Louis XIV. Ses principales comédies sont *l'Ecole des femmes* (1662), *le Médecin malgré lui* (1666), *l'Avare* (1668), *le Bourgeois Gentilhomme* (1670) et *le Malade imaginaire* (1673).

Dans cette dernière comédie, Argan, malade imaginaire, est celui à qui personne ne veut ressembler mais que tout le monde a tendance à être de temps en temps. Argan, hypocondriaque, se terre° dans l'égoisme et le confort et rend malheureux tous ceux qui l'entourent, mais ceux-ci à leur tour se moquent de lui. Dans la scène qui suit Toinette, la servante se déguise en médecin. Elle veut s'amuser et prendre le malade à son propre jeu.

hides away

Pour commencer

Lisez une première fois le passage du *Malade imaginaire* et répondez à la question suivante. *Pourquoi est-ce que le nouveau médecin ressemble tellement à Toinette?* Ensuite, relisez le passage plus attentivement et répondez aux questions qui suivent la lecture.

Le Malade imaginaire

PERSONNAGES

ARGAN	malade imaginaire
BERALDE	frère d'Argan
MONSIEUR FLEURANT	apothicaire
MONSIEUR PURGON	médecin d'Argan
TOINETTE	servante

SCENE IV. — M. FLEURANT, une seringue à la main; ARGAN, BERALDE

ARGAN: Ah! mon frère, avec votre permisssion.

BERALDE: Comment? que voulez-vous faire?

ARGAN: Prendre ce petit lavement°-là; ce sera bientôt fait.   *enema*

BERALDE: Vous vous moquez. Est-ce que vous ne sauriez être
5   un moment sans lavement ou sans médecine?
Remettez cela à une autre fois, et demeurez un peu
en repos.

ARGAN: Monsieur Fleurant, à ce soir, ou à demain au matin.

M. FLEURANT: [*à Béralde*] De quoi vous mêlez-vous° de vous   *meddle*
10   opposer aux ordonnances de la médecine, et
d'empêcher Monsieur de prendre mon clystère°?   *lavement*
Vous êtes bien plaisant d'avoir cette hardiesse°-là!   *boldness*

BERALDE: Allez, Monsieur, on voit bien que vous n'avez pas   **n'avez pas …** *you are*
accoutumé° de parler à des visages.   *not used to*

15 M. FLEURANT: On ne doit point ainsi se jouer° des remèdes, et me   *to scoff at*
faire perdre mon temps. Je ne suis venu ici que sur
une bonne ordonnance, et je vais dire à Monsieur
Purgon comme° on m'a empêché d'exécuter ses   *comment*
ordres et de faire ma fonction. Vous verrez, vous
20   verrez…

ARGAN: Mon frère, vous serez cause ici de quelque malheur.

BERALDE: Le grand malheur de ne pas prendre un lavement
que Monsieur Purgon a ordonné! Encore un coup,
mon frère, est-il possible qu'il n'y ait pas moyen de
25   vous guérir de la maladie des médecins, et que vous
vouliez être, toute votre vie, enseveli° dans leurs   *buried*
remèdes?

ARGAN: Mon Dieu! mon frère, vous en parlez comme un
homme qui se porte bien; mais, si vous étiez à ma
30   place, vous changeriez bien de langage. Il est aisé de
parler contre la médecine quand on est en pleine santé.

BERALDE: Mais quel mal avez-vous?

ARGAN: Vous me feriez enrager. Je voudrais que vous
35   l'eussiez° mon mal, pour voir si vous jaseriez° tant.   *had / joke around*
Ah! voici Monsieur Purgon.

SCENE V. — MONSIEUR PURGON, ARGAN, BERALDE, TOINETTE

	M. PURGON:	Je viens d'apprendre là-bas, à la porte, de jolies nouvelles: qu'on se moque ici de mes ordonnances, et qu'on a fait refus° de prendre le remède que j'avais prescrit.
40	ARGAN:	Monsieur, ce n'est pas...
	M. PURGON:	Voilà une hardiesse bien grande, une étrange rébellion d'un malade contre son médecin.
	TOINETTE:	Cela est épouvantable.
45	M. PURGON:	Un clystère que j'avais pris plaisir à composer moi-même.
	ARGAN:	Ce n'est pas moi...
	M. PURGON:	Inventé et formé dans toutes les règles° de l'art.
	TOINETTE:	Il a tort.
50	M. PURGON:	Et qui devait faire dans des entrailles° un effet merveilleux.
	ARGAN:	Mon frère?
	M. PURGON:	Le renvoyer avec mépris°!
	ARGAN:	C'est lui...
55	M. PURGON:	C'est une action exorbitante.
	TOINETTE:	Cela est vrai.
	M. PURGON:	Un attentat° énorme contre la médecine.
	ARGAN:	Il est cause...
	M. PURGON:	Un crime de lèse-Faculté, qui ne se peut assez punir.
60	TOINETTE:	Vous avez raison.
	M. PURGON:	Je vous déclare que je romps° commerce avec vous.
	ARGAN:	C'est mon frère...
	M. PURGON:	Que je ne veux plus d'alliance avec vous.
	TOINETTE:	Vous ferez bien.
65	M. PURGON:	Et que, pour finir toute liaison avec vous, voilà la donation que je faisais à mon neveu, en faveur du mariage.
	ARGAN:	C'est mon frère qui a fait tout le mal.
	M. PURGON:	Mépriser mon clystère!
70	ARGAN:	Faites-le venir, je m'en vais le prendre.
	M. PURGON:	Je vous aurais tiré d'affaire° avant qu'il fût peu.
	TOINETTE:	Il ne le mérite pas.
	M. PURGON:	J'allais nettoyer votre corps et en évacuer entièrement les mauvaises humeurs.
75	ARGAN:	Ah, mon frère!
	M. PURGON:	Et je ne voulais plus qu'une douzaine de médecines, pour vider le fond du sac.
	TOINETTE:	Il est indigne de vos soins.
80	M. PURGON:	Mais puisque vous n'avez pas voulu guérir par mes mains...

Glosses:
a fait... refused
dans... according to the whole rulebook
guts
contempt
attack
break off
vous... helped you out

ARGAN:	Ce n'est pas ma faute.	
M. PURGON:	Puisque vous vous êtes soustrait° de l'obéissance que l'on doit à son médecin...	shirked
TOINETTE:	Cela crie vengeance.	
85 M. PURGON:	Puisque vous vous êtes déclaré rebelle aux remèdes que je vous ordonnais...	
ARGAN:	Hé! point du tout.	
M. PURGON:	J'ai à vous dire que je vous abandonne à votre mauvaise constitution, à l'intempérie de vos entrailles, à la corruption de votre sang, à l'âcreté° de votre bile et à la féculence° de vos humeurs.	pungency / viscosity
TOINETTE:	C'est fort° bien fait.	très
ARGAN:	Mon Dieu!	
M. PURGON:	Et je veux qu'avant qu'il soit quatre jours vous deveniez dans un état incurable.	
ARGAN:	Ah! miséricorde°!	have pity
M. PURGON:	Que vous tombiez dans la bradypepsie°.	slow digestion
ARGAN:	Monsieur Purgon!	
M. PURGON:	De la bradypepsie dans la dyspepsie°.	difficult digestion
100 ARGAN:	Monsieur Purgon!	
M. PURGON:	De la dyspepsie dans l'apepsie°.	absence of digestion
ARGAN:	Monsieur Purgon!	
M. PURGON:	De l'apepsie dans la lienterie°...	a type of diarrhea
ARGAN:	Monsieur Purgon!	
105 M. PURGON:	De la lienterie dans la dysenterie...	
ARGAN:	Monsieur Purgon!	
M. PURGON:	De la dysenterie dans l'hydropisie°...	illness characterized by too much water in body tissues
ARGAN:	Monsieur Purgon!	
M. PURGON:	Et de l'hydropisie dans la privation de la vie, où vous aura conduit votre folie.	

SCENE VI. —ARGAN, BERALDE

ARGAN:	Ah mon Dieu! je suis mort. Mon frère, vous m'avez perdu.	
BERALDE:	Quoi? qu'y a-t-il?	
ARGAN:	Je n'en puis plus. Je sens déjà que la médecine se venge.	
115		
BERALDE:	Ma foi! mon frère, vous êtes fou, et je ne voudrais pas, pour beaucoup de choses, qu'on vous vît faire ce que vous faites. Tâtez°-vous un peu, je vous prie, revenez à vous-même, et ne donnez point tant à votre imagination.	feel yourself
120		
ARGAN:	Vous voyez, mon frère, les étranges maladies dont il m'a menacé.	
BERALDE:	Le simple homme que vous êtes!	

125	ARGAN:	Il dit que je deviendrai incurable avant qu'il soit quatre jours.
	BERALDE:	Et ce qu'il dit, que fait-il à la chose? Est-ce un oracle qui a parlé? Il me semble, à vous entendre, que Monsieur Purgon tienne dans ses mains le filet de vos jours, et que, d'autorité suprême, il vous l'allonge et vous le raccourcisse° comme il lui plaît. Songez que les principes de votre vie sont en vous-même, et que le courroux° de Monsieur Purgon est aussi peu capable de vous faire mourir que ses remèdes de vous faire vivre. Voici une aventure, si vous voulez, à vous défaire° des médecins, ou, si vous êtes né à ne pouvoir vous en passer°, il est aisé d'en avoir un autre, avec lequel, mon frère, vous puissiez courir un peu moins de risque.
140	ARGAN:	Ah! mon frère, il sait tout mon tempérament et la manière dont il faut me gouverner°.
	BERALDE:	Il faut vous avouer que vous êtes un homme d'une grande prévention°, et que vous voyez les choses avec d'étranges yeux.

shortens

anger

to get rid of

vous... to do without them

to direct

bias

SCENE VII. —TOINETTE, ARGAN, BERALDE

145	TOINETTE:	Monsieur, voilà un médecin qui demande à vous voir.
	ARGAN:	Et quel médecin?
	TOINETTE:	Un médecin de la médecine.
	ARGAN:	Je te demande qui il est?
150	TOINETTE:	Je ne le connais pas; mais il me ressemble comme deux gouttes d'eau, et si je n'étais sûre que ma mère était honnête femme, je dirais que ce serait quelque petit frère qu'elle m'aurait donné depuis le trépas° de mon père.
	ARGAN:	Fais-le venir.
155	BERALDE:	Vous êtes servi à souhait: un médecin vous quitte, un autre se présente.
	ARGAN:	J'ai bien peur que vous ne soyez cause de quelque malheur.
	BERALDE:	Encore! vous en revenez toujours là?
160	ARGAN:	Voyez-vous? j'ai sur le cœur toutes ces maladies-là que je ne connais point, ces...

death

SCENE VIII. —TOINETTE, en médecin; ARGAN, BERALDE

TOINETTE:	Monsieur, agréez° que je vienne vous rendre visite et vous offrir mes petits services pour toutes les saignées° et les purgations° dont vous aurez besoin.

accept

blood letting / purges

165	ARGAN:	Monsieur, je vous suis fort obligé. Par ma foi°! voilà Toinette elle-même.	
	TOINETTE:	Monsieur, je vous prie de m'excuser, j'ai oublié de donner une commission° à mon valet; je reviens tout à l'heure.	errand
170	ARGAN:	Eh! ne diriez-vous pas que c'est effectivement Toinette?	
	BERALDE:	Il est vrai que la ressemblance est tout à fait grande. Mais ce n'est pas la première fois qu'on a vu de ces sortes de choses, et les histoires ne sont pleines que	
175		de ces jeux de la nature.	
	ARGAN:	Pour moi, j'en suis surpris, et...	

SCENE X. — TOINETTE, en médecin; ARGAN, BERALDE

	TOINETTE:	Monsieur, je vous demande pardon de tout mon cœur.	
	ARGAN:	Cela est admirable!	
180	TOINETTE:	Vous ne trouverez pas mauvais, s'il vous plaît, la curiosité que j'ai eue de voir un illustre malade comme vous êtes; et votre réputation, qui s'étend° partout, peut excuser la liberté que j'ai prise.	extends
	ARGAN:	Monsieur, je suis votre serviteur.	
185	TOINETTE:	Je vois, Monsieur, que vous me regardez fixement. Quel âge croyez-vous bien que j'aie?	
	ARGAN:	Je crois que tout au plus vous pouvez avoir vingt-six ou vingt-sept ans.	
	TOINETTE:	Ah, ah, ah, ah, ah! j'en ai quatre-vingt-dix.	
190	ARGAN:	Quatre-vingt-dix?	
	TOINETTE:	Oui. Vous voyez un effet des secrets de mon art, de me conserver ainsi frais et vigoureux.	
	ARGAN:	Par ma foi! voilà un beau jeune vieillard pour quatre-vingt-dix ans.	
195	TOINETTE:	Je suis médecin passager, qui vais de ville en ville, de province en province, de royaume en royaume, pour chercher d'illustres matières° à ma capacité, pour trouver des malades dignes de m'occuper, capables d'exercer les grands et beaux secrets que	subjects
200		j'ai trouvés dans la médecine. Je dédaigne° de m'amuser à ce menu° fatras° de maladies ordinaires, à ces bagatelles° de rhumatisme et défluxions, à ces fiévrottes°, à ces vapeurs, et à ces migraines. Je veux des maladies d'importance: de bonnes fièvres	disdain small / hotchpotch triffles fevers of no importance
205		continues avec des transports au cerveau°, de bonnes fièvres pourprées°, de bonnes pestes, de bonnes hydropisies formées, de bonnes pleurésies avec des	**transports...** seizures scarlet

| | | inflammations de poitrine: c'est là que je me plais, c'est là que je triomphe; et je voudrais, Monsieur, que vous eussiez° toutes les maladies que je viens de dire, que vous fussiez° abandonné de tous les médecins, désespéré, à l'agonie, pour vous montrer l'excellence de mes remèdes, et l'envie que j'aurais de vous rendre service. | had were |

210

215	ARGAN:	Je vous suis obligé, Monsieur, des bontés que vous avez pour moi.
	TOINETTE:	Donnez-moi votre pouls. Allons donc, que l'on batte comme il faut. Ahy, je vous ferai bien aller comme vous devez. Hoy, ce pouls-là fait l'impertinent: je vois bien que vous ne me connaissez pas encore. Qui est votre médecin?

220

	ARGAN:	Monsieur Purgon.
	TOINETTE:	Cet homme-là n'est point écrit sur mes tablettes entre les grands médecins. De quoi dit-il que vous êtes malade?

225

	ARGAN:	Il dit que c'est du foie°, et d'autres disent que c'est de la rate°.	liver spleen
	TOINETTE:	Ce sont tous des ignorants: c'est du poumon° que vous êtes malade.	lung
230	ARGAN:	Du poumon?
	TOINETTE:	Oui. Que sentez-vous?
	ARGAN:	Je sens de temps en temps des douleurs de tête.
	TOINETTE:	Justement, le poumon.
	ARGAN:	Il me semble parfois que j'ai un voile devant les yeux.
235		
	TOINETTE:	Le poumon.
	ARGAN:	J'ai quelquefois des maux de cœur.
	TOINETTE:	Le poumon.
	ARGAN:	Je sens parfois des lassitudes par tous les membres.
240	TOINETTE:	Le poumon.
	ARGAN:	Et quelquefois il me prend des douleurs dans le ventre, comme si c'était des coliques.
	TOINETTE:	Le poumon. Vous avez appétit à ce que vous mangez?
245	ARGAN:	Oui, Monsieur.
	TOINETTE:	Le poumon. Vous aimez à boire un peu de vin?
	ARGAN:	Oui, Monsieur.
	TOINETTE:	Le poumon. Il vous prend un petit sommeil après le repas et vous êtes bien aise de dormir?
250	ARGAN:	Oui, Monsieur.
	TOINETTE:	Le poumon, le poumon, vous dis-je. Que vous ordonne votre médecin pour votre nourriture?
	ARGAN:	Il m'ordonne du potage.

	TOINETTE:	Ignorant.
255	ARGAN:	De la volaille.
	TOINETTE:	Ignorant
	ARGAN:	Du veau.
	TOINETTE:	Ignorant.
	ARGAN:	Des bouillons.
260	TOINETTE:	Ignorant.
	ARGAN:	Des œufs frais.
	TOINETTE:	Ignorant.
	ARGAN:	Et le soir de petits pruneaux° pour lâcher° le ventre.
	TOINETTE:	Ignorant.
265	ARGAN:	Et surtout de boire mon vin fort trempé°.
	TOINETTE:	*Ignorantus, ignoranta, ignorantum.* Il faut boire votre vin pur; et pour épaissir votre sang qui est trop subtil°, il faut manger de bon gros bœuf, de bon gros porc, de bon fromage de Hollande, du gruau° et du riz, et des marrons et des oublies°, pour coller et conglutiner°. Votre médecin est une bête. Je veux vous en envoyer un de ma main, et je viendrai vous voir de temps en temps, tandis que je serai en cette ville.

prunes / loosen

diluted

thin

hulled grain / cakes
to stick together

Questions sur la lecture

1. Qui est Béralde? Pourquoi conseille-t-il à Argan de remettre à plus tard l'ordonnance du médecin?
2. Pourquoi Argan tient-il à prendre ses médicaments?
3. Pourquoi M. Purgon est-il en colère? Comment punit-il Argan?
4. Quelle est la réaction d'Argan devant les menaces de M. Purgon?
5. Qu'est-ce que Béralde suggère pour rassurer Argan?
6. A quels genres de maladies le nouveau médecin prétend-il s'intéresser?
7. De quelle maladie Argan pense-t-il souffrir?
8. Quels sont les symptômes de la maladie dont souffre Argan?
9. Quelle est l'ordonnance du nouveau médecin?

Qu'en pensez vous?

1. Connaissez-vous une personne qui se croit toujours malade? De quoi se plaint-elle? Pourquoi, d'après vous, est-ce que certaines personnes sont toujours malades?

2. Est-ce qu'il faut toujours faire confiance aux médecins?
3. Connaissez-vous quelqu'un qui refuse d'aller chez le médecin? Pourquoi est-ce que certaines personnes se méfient des médecins?
4. Croyez-vous qu'il soit nécessaire d'avoir un examen général chaque année?
5. Croyez-vous aux médicaments ou préférez-vous la médecine holistique? Quel régime de vie faut-il maintenir pour être toujours en bonne santé?

Révision

Situations

1. Vous êtes en train de skier dans les Alpes. Soudain, vous tombez sur une pierre et restez inconscient(e) dans la neige. Vous vous réveillez quelques temps plus tard et un médecin est près de vous. Imaginez la conversation que vous avez avec le médecin. Jouez ce dialogue avec un(e) camarade de classe. Dites ce que vous ressentez, où vous avez mal, si vous êtes allergique à certains médicaments, etc.
2. Vous projetez de faire un voyage dans la jungle. Vous allez chez votre docteur pour vous faire vacciner et pour lui demander quels médicaments vous devez emporter.
3. Etes-vous psychologue? Comparez votre santé physique et morale avec un(e) camarade de classe. Faites-vous les mêmes exercices? Mangez-vous différemment? Combattez-vous le stress de la même manière? Après avoir discuté avec votre ami(e), écrivez-lui les choses que vous lui conseillez (ou déconseillez) pour améliorer sa vie, sa santé et son moral.

Sujets de rédaction

1. La médecine de nos jours est-elle meilleure que celle du temps de nos arrière-grands-pères?
2. Est-ce que vous avez passé un moment pénible ou douloureux? Quels sont les souvenirs que vous en avez gardés? Est-ce qu'un moment difficile dans notre existence peut nous enrichir?
3. Faut-il avoir un esprit sain pour avoir un corps sain? Lequel est le plus important selon vous?
4. Est-il important de souffrir quelquefois? Pourquoi? Commentez vos opinions avec des exemples concrets d'expériences difficiles ou douloureuses qui vous sont arrivées personnellement.

CONTEXTE CULTUREL

André écrit à son ami américain John pour lui parler de la médecine en France.

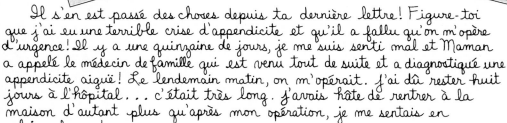

Cher John,

Il s'en est passé des choses depuis ta dernière lettre! Figure-toi que j'ai eu une terrible crise d'appendicite et qu'il a fallu qu'on m'opère d'urgence! Il y a une quinzaine de jours, je me suis senti mal et Maman a appelé le médecin de famille qui est venu tout de suite et a diagnostiqué une appendicite aiguë! Le lendemain matin, on m'opérait. J'ai dû rester huit jours à l'hôpital... c'était très long. J'avais hâte de rentrer à la maison d'autant plus qu'après mon opération, je me sentais en pleine forme!

J'ai entendu dire qu'aux États-Unis les patients ne restent pas aussi longtemps à l'hôpital. Ce n'est sans doute pas la seule différence qu'il y ait entre la médecine en France et la médecine aux États-Unis. Chez nous, le médecin généraliste se rend à domicile quand son patient est trop malade ou trop âgé pour se déplacer. Quand un long traitement est prescrit, par exemple une série de piqûres, une infirmière prend le relais. Cela coûte peut-être un peu plus cher aux malades mais tous ces frais médicaux sont en grande partie couverts par une assurance nationale. Est-ce qu'une telle assurance existe aux États-Unis? Ces visites à domicile contribuent à établir entre le médecin et son patient un rapport plus humain.

Il me semble aussi qu'aux États-Unis, les gens sont plus soucieux de leur santé qu'ici. Je pense, par exemple, à l'attention que certaines personnes portent à leur taux de cholestérol et à tous les régimes des centres de diététique américains! A mon avis, tout excès est mauvais et il vaut mieux pratiquer une médecine préventive. Le meilleur moyen d'être en bonne santé c'est de manger à des heures régulières une nourriture variée et bien équilibrée. Il est très important aussi de faire du sport régulièrement. Ce sont des règles qu'on devrait inculquer aux jeunes dans toutes les écoles. Et là, je pense que les sports occupent une plus grande place dans les écoles américaines que dans les écoles en France... Dans ce domaine, nous avons encore beaucoup de progrès à faire.

J'aimerais savoir quelque chose sur la médecine aux États-Unis et j'espère recevoir des nouvelles de toi.

Ton copain,
André

Équilibre = variété

Un vrai petit déjeuner

Après-midi : pause énergie

Un produit laitier à chaque repas

L'ENTRAINEMENT COMMENCE A TABLE

Sujets de discussion

1. Connaissez-vous bien votre médecin? D'après la lettre d'André, quels sont les rapports entre un médecin et ses patients en France? Pourquoi est-il important qu'un médecin connaisse bien ses patients? Pourquoi les médecins ne se rendent-ils plus à domicile aux Etats-Unis? Quelle qualité est la plus importante chez un médecin? Pourquoi?

2. Pourquoi est-ce que les frais médicaux augmentent si rapidement? En France, il y a un système de sécurité sociale qui paie les frais médicaux. Pensez-vous qu'on devrait avoir une telle assurance-maladie aux Etats-Unis? Quels en seraient les avantages et les inconvénients?

3. Quel facteur est le plus important dans la santé d'une personne, l'exercice ou la nourriture? Est-ce que l'exercice peut être quelquefois mauvais pour la santé? Est-ce que le sport est important dans les écoles françaises? Est-ce que le sport a trop peu ou trop d'importance dans les écoles américaines?

GAZETTE

GARDEZ LA FORME . . . OU RETROUVEZ - LA!

Vacances santé dans un manoir
Antibiotiques naturels
Adieu au venin de guêpes

VOS REVES VOUS REVELENT!

Comment on peut mieux dormir!
La nouvelle carte du rêve.

JEUNES ET GAGNANTES:

Les championnes fran-
çaises de l'hepthatlon

Retrouver la forme dans un manoir berrichon

HUIT CHAMBRES SEULEMENT ET UNE CUISINE LEGERE

On connaît Pierre Pallardy et son épouse, Florence, grâce au petit écran et à l'émission matinale *Gym bonheur*. Lui est aussi ostéopathe et diététicien. Ensemble, ils sont tombés amoureux, il y a quatorze ans, d'un petit château du XVᵉ siècle – le château de Coudray – situé à une vingtaine de kilomètres de Vierzon. Depuis l'été, Pierre et Florence ont transformé leur demeure aristocrate en une «ferme de santé».

Si l'initiative est originale, l'appellation n'est pas tout à fait juste. Il ne s'agit pas vraiment d'une ferme, bien que la cuisine du château de Coudray soit préparée avec les légumes du jardin, et la formule de séjour ne s'adresse pas qu'à un public mal portant.

Les Pallardy souhaitaient que leur maison de campagne devienne aussi celle de leurs hôtes. Cela supposait un type de para-hôtellerie qu'il était possible de mettre en place au château: pas plus de huit chambres (tissus Laura Ashley, mobilier berrichon ou anglais) et une grande table d'hôtes de vingt couverts. L'ambiance est familiale mais, en cuisine, on donne plutôt dans l'allégé: brochettes de dinde et haricots verts, saumon vapeur, couscous de légumes, tarte aux pêches. Pierre Pallardy assure que l'on perd deux à trois kilos par semaine sans mourir de faim. Et il doit dire vrai.

Aspirer dard-dard

Guêpes, frelons, araignées et autres moustiques nous guettent tous du bout de leur dard et risquent à tout moment de tomber en piqué douloureusement sur une partie de notre corps. Dans la plupart des cas, ces piqûres d'insectes sont bénignes, mais il arrive qu'elles entraînent des troubles plus ou moins graves dus à une réaction allergique.

Parmi les moyens d'intervention rapides et indolores, rappelons qu'il existe une minipompe qui permet l'aspiration du venin. Elle est munie de plusieurs ventouses pour mieux adhérer à la peau, selon le volume de la plaie. Elle peut être utilisée en cas de morsure de serpent, pour extraire une bonne partie du venin, évitant ainsi sa diffusion. Mais cela ne dispense surtout pas d'une consultation urgente chez le médecin. Elle donne juste le temps de se retourner. Aspivenin.

Le détail qui vous manque

Depuis trois générations, la même famille tient la quincaillerie «Au progrès», qui, comme son nom ne l'indique pas, est aussi désuète qu'indispensable. Plus de 12 000 références vous permettront de trouver l'ornement en bronze, la serrure ou la roulette qui manquent à votre meuble, qu'il soit haute époque, Louis XV ou chinois. Et si cette pièce n'est pas en magasin, on en moulera une sur le modèle que vous apporterez. Si vous avez perdu le modèle d'une clé, par exemple, apportez la serrure (en général, ça se démonte facilement). Une tête de clé Empire vaut 25 F. La même d'après votre modèle coûtera 48 F.

Les professionnels du Faubourg-Saint-Antoine et les particuliers du monde entier se fournissent ici en pièces introuvables parfois revendues quinze fois leur prix aux Etats-Unis! Un rayon ameublement-décoration vous permettra d'assortir poignées de porte, crémones... à vos meubles précieux. Certaines pièces sont si belles qu'on les achèterait comme objets, en oubliant leur fonction.

Puisque l'endroit est idéal pour se reposer tout en visitant l'abbaye de Noirlac et la cathédrale de Bourges, pourquoi ne pas se détendre et se soulager, par un peu d'exercice, des douleurs et autres petites gênes accumulées l'année durant? Pierre Pallardy établit pour chacun un programme selon ses manques et ses besoins: natation, bicyclette, tennis, tir à l'arc, soins du corps, gymnastique. Ni obligation, ni compétition, ni surpassement de soi. Le maître mot est l'endurance. Au rythme de chacun et dans un climat de vacances.

Réservations: à Paris au 45.01.26.93 ou au château de Coudray, Luçay-le-Libre, 36150 Vatan (tél.: 54.49.71.33). Tarifs en pension complète: de 5 500 F à 6 900 F par semaine, 2 900 F pour trois jours et 1 900 F pour le weekend.

INFECTIONS

Un antibiotique naturel, grâce aux grenouilles

Dans son laboratoire du N.i.h. (National Institute of Health), à Washington, le Dr. Zasloff ne cache pas sa joie: il vient d'isoler pour la première fois un antibiotique naturel à large spectre, à partir de... la peau d'une grenouille africaine.

A l'origine, un aquarium plein d'eau noirâtre, où évoluent des grenouilles de l'espèce Zenopus laevis. Michael Zasloff utilise les batraciens pour ses travaux sur le transport des molécules.

Un jour, il s'étonne: pourquoi ces petits animaux n'attrapent-ils pas d'infections sur leurs plaies, dans un milieu aussi pollué? Ce qui a stupéfié le chercheur c'était que les cicatrices n'étaient ni rouges ni chaudes, il a pensé qu'il devait y avoir, chez les grenouilles, un système de défense que nous ne connaissions pas encore. En quelques mois, il réussit à isoler, sur des fragments de peau mis au contact de bactéries, des protéines qui tuent une grande variété de microbes.

Un tel système immunitaire existerait-il aussi chez l'homme? L'extrême rareté des infections majeures de la bouche renforcerait cette hypothèse. «Il n'y a pas d'explication à ce phénomène, explique le chercheur. Et pourtant, notre langue est souvent blessée.» Michael Zasloff a déjà réussi à décrypter le code génétique des magainins, et un laboratoire en a effectué une synthèse chimique. Première application prévue : le traitement des brûlures, qui abîment la peau et détruisent les barrières contre l'infection.

Les clés d'une bonne nuit

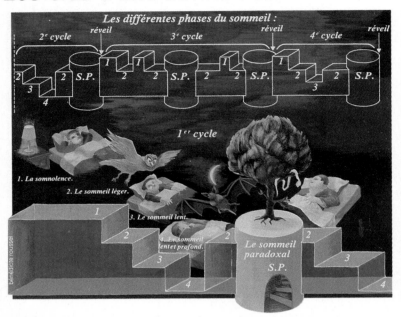

Les différentes phases du sommeil :

2ᵉ cycle — réveil — 3ᵉ cycle — réveil — 4ᵉ cycle — réveil

1ᵉʳ cycle

1. La somnolence.
2. Le sommeil léger.
3. Le sommeil lent.
4. Le sommeil lent et profond.

Le sommeil paradoxal S.P.

bénédicte roussel

Combien de temps faut-il dormir? «La nuit de huit heures est devenue une revendication quasi syndicale», s'insurge Lucile Garma, médecin à la Pitié-Salpêtrière. Beaucoup de gens s'estiment insomniaques parce qu'ils trouvent leurs nuits trop courtes. «C'est une hérésie, surenchérit Jean-Louis Valatx. En fait, chaque individu a son propre rythme, qui dépend de sa constitution, de son âge, de ses activités diurnes ou de facteurs génétiques.» Certains petits dormeurs (de 5 à 10 % de la population) se contentent parfaitement de quatre à six heures de sommeil, alors que d'autres (de 10 à 20 %) ont besoin de neuf à onze heures par nuit pour se sentir en forme. Les femmes dorment en moyenne une heure de plus que les hommes.

Un enfant de 10 ans a besoin de nuits de huit à treize heures, et le rythme d'adulte ne s'acquiert qu'entre 15 et 17 ans. A partir de 60 ans, le sommeil a naturelle-

ment tendance à se modifier : sa durée raccourcit et il est peu à peu entrecoupé de nombreux réveils au cours de la nuit. Le stade IV, ou sommeil lent profond, peut même disparaître complètement chez les vieillards.

Peut-on rattraper le sommeil perdu? «Les week-ends sont une vraie catastrophe biologique, estime Jacques Mouret. Certains croient pouvoir en profiter pour dormir vingt heures d'affilée afin de récupérer leur sommeil en retard. Mais ces pratiques aboutissent à l'effet inverse : la dépression du lundi matin!» Les psychiatres ont même constaté que l'excès de sommeil peut entraîner une véritable dépression.

La grasse matinée, elle, laisse le dormeur confus et atonique pendant toute la journée. «Ce syndrome apparaît dès que l'on dort deux heures de trop par rapport à ses besoins de récupération, explique Françoise Goldenberg, pharmacologue à l'hôpital Henri-Mondor. Une nuit trop pro-

longée provoque exactement les mêmes effets qu'un repos insuffisant.» Pour bien récupérer, il vaut mieux se coucher plus tôt pendant plusieurs jours de suite, et se réveiller régulièrement aux mêmes heures.

Comment améliorer son sommeil? Alimentation : il est recommandé de manger salé le matin et sucré le soir. C'est en effet pendant le sommeil que l'organisme (notamment le foie) synthétise le glucose, qui sert d'aliment énergétique aux cellules. La sagesse populaire selon laquelle le lait chaud ferait dormir semble en outre avoir quelques fondements scientifiques : il contient de la tyrosine, qui favorise la sécrétion des neurotransmetteurs (substances chimiques servant de messagers au système nerveux).

Bruit : pendant le sommeil lent profond, le cerveau semble totalement sourd. Pourtant, certains bruits, même très légers, peuvent provoquer un réveil immédiat s'ils ont une signification précise pour le dormeur. Ainsi, le gémissement d'un bébé pour sa mère. Mais, selon Alain Muzet, un chercheur stasbourgeois, à partir d'une certaine intensité, le bruit provoque chez tous les dormeurs une accélération brusque du rythme cardiaque et une légère hypertension. Si les perturbations sonores se prolongent toute la nuit, elles peuvent donc causer un véritable stress vasculaire.

Température : «La douche froide du matin est une aberration totale; il faut, au contraire, aider l'organisme qui se réveille à se réchauffer, et non l'inverse!» explique Jacques Mouret. On sait, en effet, qu'au coucher la température du corps baisse progressivement, pour atteindre son minimum au cours du sommeil lent profond. Au réveil, elle remonte pour préparer le corps aux activités de la journée. Une bonne nuit devrait donc commencer par une douche tiède et se terminer par un bain chaud. Les exercices physiques intenses sont aussi à proscrire en fin de journée, car ils contribuent à élever la température. Un petit jogging peut se révéler bénéfique le matin, mais éreintant en fin de journée pour l'organisme déjà fatigué. En outre, le dormeur avisé évite de surchauffer sa chambre—cela provoque des malaises et des suées pendant le sommeil lent—mais il fuit également les températures ambiantes trop froides—elles bloquent l'apparition du sommeil paradoxal.

Eveils nocturnes. Et, si l'on se réveille la nuit, mieux vaut ne pas s'obstiner. Tous les spécialistes sont formels : il est inutile de rester les yeux ouverts à ruminer dans l'obscurité lorsqu'on est victime d'insomnie. Mieux vaut se lever et trouver une occupation calme. Le sommeil perdu reviendra de lui-même au bout d'une heure ou deux...

Peut-on agir sur ses rêves? Il est possible de repousser définitivement les cauchermars à répétition pour peu qu'on sache les saisir par le bon bout. La psychologue américaine Patricia Garfield conseille ainsi aux parents d'apprendre aux enfants comment dominer leurs terreurs nocturnes (fréquentes entre 5 et 12 ans). Il s'agit de les persuader qu'ils peuvent appeler à la rescousse, si nécessaire, des «amis de rêve» et de favoriser les fins d'histoires heureuses. Ainsi, un paysan américain qui avait un jour failli être écrasé par un tracteur revivait toutes les nuits le même cauchemar. La scène de l'accident le hantait. Le psychiatre qui le suivait lui conseilla alors de modifier un détail dans son rêve. Et le cauchemar cessa quand il imagina que le hangar d'où le tracteur sortait était bleu, et non plus gris.

La nouvelle carte du rêve

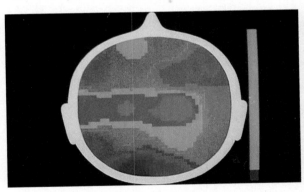

Sur ce schéma de l'électroencéphalogramme, le cerveau est en phase d'éveil, la patiente ne dort pas. Le rouge représente les zones les plus stimulées.

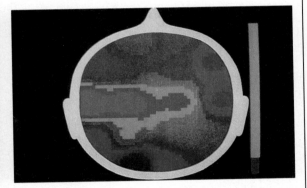

La patiente est en sommeil paradoxal, le cerveau est aussi actif que dans la phase d'éveil. La zone rouge correspond à sa main droite.

Ces schémas colorés montrent ce qui se passe dans la tête d'un homme en train de rêver! Le nec plus ultra en matière d'électroencéphalogramme: les courants électriques recueillis par des électrodes placées sur le crâne du dormeur sont enregistrés, puis analysés par un ordinateur. Celui-ci dessine des «cartes» qui indiquent l'activité du cerveau à un moment donné: les couleurs varient ainsi du rouge—représentent les zones les plus stimulées—au bleu—là où les neurones sont en sommeil. La succession des cartes, enregistrées à quelques secondes d'intervalle, permet de suivre les différentes phases que connaît le dormeur au cours de la nuit. En observant une jeune femme pendant son sommeil paradoxal, Pierre Etevenon, chercheur de l'Inserm à Caen et pionnier en France de la cartographie E.e.g., a vu apparaître sur l'écran une région de son cerveau particulièrement active, correspondant au contrôle de la main droite.

Au réveil, la jeune femme raconta son rêve: elle errait dans une gare, avec, justement, une lourde valise dans cette main! «Tout se passait comme si son cerveau vivait cette aventure à l'état d'éveil!» commente Etevenon, qui vient d'ailleurs de publier un livre sur ses recherches («Du rêve à l'éveil», aux éditions Albin Michel).

MUSCLÉES

Grandes, belles, musclées… non, il ne s'agit pas de top models californiennes: Valérie et Odile sont championnes de France d'heptathlon, un cocktail de sept disciplines réservé aux femmes. Nous les avons rencontrées à l'entraînement, studieuses et soucieuses de se qualifier pour les championnats du monde.

«A 15 ans je détestais l'athlétisme, aujourd'hui je veux être la plus forte.» Du haut de son mètre 84, Valérie Tasiemski, 21 ans, est une fonceuse, bien décidée à tout gagner depuis le jour où elle s'est retrouvée en haut du podium avec le titre de championne de France de quadrathlon… «C'est la prof de gymnastique du lycée qui m'a forcée à faire des compétitions d'athlétisme en me menaçant de ne pas noter mon bulletin scolaire! Drôle de souvenir : je m'entraînais en grelottant sous la pluie, courbatue chaque matin, je serrais les dents en rêvant aux pays que je pourrais découvrir si j'étais sélectionnée pour les grandes compétitions».

De courses de haies en lancés de javelots, Valérie se classe au top niveau et commence à prendre goût aux victoires. Elle intègre l'Equipe de France il y a un peu plus d'un an, en même temps qu'Odile. «C'est drôle mais l'entraînement intensif m'a fait grandir de quatre centimètres et je n'ai pas grossi malgré ma dose quotidienne de pâtisserie : trois en moyenne!»

SOUPLE, RAPIDE, FORTE ET CONCENTREE

Valérie est aussi dynamique sur un stade que studieuse devant un polycopié. Pour mener de front entraînement et BTS d'action

commerciale, elle a choisi de suivre ses cours à mi-temps à l'Institut national des sports et d'éducation physique. Tous les matins, elle planche sur ses bouquins d'économie avant de rejoindre Odile au stade de Clamart. Sous l'œil attentif de l'entraîneur de l'Equipe de France, le challenge continue et pendant trois ou quatre heures, c'est la course à la performance. Elle s'échauffe, jogge pour améliorer son souffle, soulève des haltères et travaille sur des appareils de musculation pour se sculpter un corps d'acier, répète inlassablement les mêmes mouvements pour parfaire sa technique. «Bien sûr, avec ma taille je suis avantagée en saut en hauteur, mais pour devenir incollable partout, il faut être à la fois souple, rapide, forte et surtout concentrée. Pour l'heptathlon, le plus difficile c'est d'obtenir une performance dans les sept disciplines : 100 mètres haies, saut en hauteur et en longueur, lancé de poids et de javelot, 200 et 800 mètres course. En compétition, on n'a que trente minutes pour souffler entre deux épreuves!»

Chaque jour Valérie doit donner le meilleur d'elle-même. Entraînement tout au long de la semaine, compétition le week-end et stage pendant les vacances, sa vie est une course contre le chrono.

UNE DOUBLE AMBITION

«C'est le sport qui me donne envie de travailler au lycée». Cette année, Odile Lesage, doit faire face à un double challenge: réussir le bac et préparer les championnats du monde. En compétition depuis l'âge de 9 ans, elle a pris l'habitude de passer sans s'essouffler de la version anglaise au 100 mètres haies!

Petit génie spécialisé dans la course à pieds, à 15 ans elle change de parcours et décide de se consacrer totalement à l'heptathlon, s'entraîne, se classe et entre dans l'Equipe de France il y a un peu plus d'un an. «Je me suis décidée sur un coup de tête, le jour où je n'ai obtenu que la 13e place au Cross du Figaro : ça m'a complètement découragée de la course. J'ai voulu voir autre chose». Odile a choisi l'heptathlon pour sa diversité et son équilibre. En effet les sept disciplines font appel à tous les muscles du corps, sans oublier la concentration. Résultat : après quelques années d'efforts intensifs, elle a obtenu un harmonieux corps d'athlète, une superbe silhouette élancée sans gros mollets ni biceps saillants!

«On n'est pas des bêtes de concours ni des espèces de mecs, la preuve, mon jules ne m'a jamais traitée de boule de muscles... Même si on ne peut pas se maquiller, sur le stade on est coquettes : Valérie se parfume, moi j'étudie mon look avec une préférence pour le blanc et les joggings de couleurs vives. Et puis c'est bon pour le moral. Le seul vrai problème, ce sera la prise de poids quand on cessera la compétition, mais on sait déjà qu'on n'arrêtera jamais l'entraînement». L'année prochaine, Odile compte intégrer l'UREPS et obtenir le diplôme de professeur d'éducation physique pendant que Valérie apprendra les secrets de la gestion, pour monter un business en duo. Une salle de sports par exemple...

Appendice A Tableaux des verbes

Verbes réguliers

Infinitif Participes	Présent	Imparfait	Passé composé	Passé simple	Plus-que-parfait
parler parlant parlé	parle parles parle parlons parlez parlent	parlais parlais parlait parlions parliez parlaient	ai parlé as parlé a parlé avons parlé avez parlé ont parlé	parlai parlas parla parlâmes parlâtes parlèrent	avais parlé avais parlé avait parlé avions parlé aviez parlé avaient parlé
finir finissant fini	finis finis finit finissons finissez finissent	finissais finissais finissait finissions finissiez finissaient	ai fini as fini a fini avons fini avez fini ont fini	finis finis finit finîmes finîtes finirent	avais fini avais fini avait fini avions fini aviez fini avaient fini
rendre rendant rendu	rends rends rend rendons rendez rendent	rendais rendais rendait rendions rendiez rendaient	ai rendu as rendu a rendu avons rendu avez rendu ont rendu	rendis rendis rendit rendîmes rendîtes rendirent	avais rendu avais rendu avait rendu avions rendu aviez rendu avaient rendu

Verbes à changement orthographique

Infinitif Participes		Présent	Imparfait	Passé composé	Passé simple	Plus-que-parfait
acheter achetant acheté	je	achète	achetais	ai acheté	achetai	avais acheté
	nous	achetons	achetions	avons acheté	achetâmes	avions acheté
appeler appelant appelé	je	appelle	appelais	ai appelé	appelai	avais appelé
	nous	appelons	appelions	avons appelé	appelâmes	avions appelé
commencer commençant commencé	je	commence	commençais	ai commencé	commençai	avais commencé
	nous	commençons	commencions	avons commencé	commençâmes	avions commencé
manger mangeant mangé	je	mange	mangeais	ai mangé	mangeai	avais mangé
	nous	mangeons	mangions	avons mangé	mangeâmes	avions mangé
payer payant payé	je	paie	payais	ai payé	payai	avais payé
	nous	payons	payions	avons payé	payâmes	avions payé
préférer préférant préféré	je	préfère	préférais	ai préféré	préférai	avais préféré
	nous	préférons	préférions	avons préféré	préférâmes	avions préféré

Futur	Futur antérieur	Conditionnel	Conditionnel passé	Impératif	Présent du subjonctif	Passé composé du subjonctif
parlerai	aurai parlé	parlerais	aurais parlé		parle	aie parlé
parleras	auras parlé	parlerais	aurais parlé	parle	parles	aies parlé
parlera	aura parlé	parlerait	aurait parlé		parle	ait parlé
parlerons	aurons parlé	parlerions	aurions parlé	parlons	parlions	ayons parlé
parlerez	aurez parlé	parleriez	auriez parlé	parlez	parliez	ayez parlé
parleront	auront parlé	parleraient	auraient parlé		parlent	aient parlé
finirai	aurai fini	finirais	aurais fini		finisse	aie fini
finiras	auras fini	finirais	aurais fini	finis	finisses	aies fini
finira	aura fini	finirait	aurait fini		finisse	ait fini
finirons	aurons fini	finirions	aurions fini	finissons	finissions	ayons fini
finirez	aurez fini	finiriez	auriez fini	finissez	finissiez	ayez fini
finiront	auront fini	finiraient	auraient fini		finissent	aient fini
rendrai	aurai rendu	rendrais	aurais rendu		rende	aie rendu
rendras	auras rendu	rendrais	aurais rendu	rends	rendes	aies rendu
rendra	aura rendu	rendrait	aurait rendu		rende	ait rendu
rendrons	aurons rendu	rendrions	aurions rendu	rendons	rendions	ayons rendu
rendrez	aurez rendu	rendriez	auriez rendu	rendez	rendiez	ayez rendu
rendront	auront rendu	rendraient	auraient rendu		rendent	aient rendu

Futur	Futur antérieur	Conditionnel	Conditionnel passé	Impératif	Présent du subjonctif	Passé composé du subjonctif
achèterai	aurai acheté	achèterais	aurais acheté	achète	achète	aie acheté
achèterons	aurons acheté	achèterions	aurions acheté	achetons	achetions	ayons acheté
appellerai	aurai appelé	appellerais	aurais appelé	appelle	appelle	aie appelé
appellerons	aurons appelé	appellerions	aurions appelé	appelons	appelions	ayons appelé
commencerai	aurai commencé	commencerais	aurais commencé	commence	commence	aie commencé
commencerons	aurons commencé	commencerions	aurions commencé	commençons	commencions	ayons commencé
mangerai	aurai mangé	mangerais	aurais mangé	mange	mange	aie mangé
mangerons	aurons mangé	mangerions	aurions mangé	mangeons	mangions	ayons mangé
paierai	aurai payé	paierais	aurais payé	paie	paie	aie payé
paierons	aurons payé	paierions	aurions payé	payons	payions	ayons payé
préférerai	aurai préféré	préférerais	aurais préféré	préfère	préfère	aie préféré
préférerons	aurons préféré	préférerions	aurions préféré	préférons	préférions	ayons préféré

Verbes irréguliers

Infinitif Participes	Présent	Imparfait	Passé composé	Passé simple	Plus-que-parfait
aller allant allé	vais vas va allons allez vont	allais allais allait allions alliez allaient	suis allé(e) es allé(e) est allé(e) sommes allé(e)s êtes allé(e)(s) sont allé(e)s	allai allas alla allâmes allâtes allèrent	étais allé(e) étais allé(e) était allé(e) étions allé(e)s étiez allé(e)(s) étaient allé(e)s
avoir ayant eu	ai as a avons avez ont	avais avais avait avions aviez avaient	ai eu as eu a eu avons eu avez eu ont eu	eus eus eut eûmes eûtes eurent	avais eu avais eu avait eu avions eu aviez eu avaient eu
boire buvant bu	bois bois boit buvons buvez boivent	buvais buvais buvait buvions buviez buvaient	ai bu as bu a bu avons bu avez bu ont bu	bus bus but bûmes bûtes burent	avais bu avais bu avait bu avions bu aviez bu avaient bu
conduire conduisant conduit	conduis conduis conduit conduisons conduisez conduisent	conduisais conduisais conduisait conduisions conduisiez conduisaient	ai conduit as conduit a conduit avons conduit avez conduit ont conduit	conduisis conduisis conduisit conduisîmes conduisîtes conduisirent	avais conduit avais conduit avait conduit avions conduit aviez conduit avaient conduit
connaître connaissant connu	connais connais connaît connaissons connaissez connaissent	connaissais connaissais connaissait connaissions connaissiez connaissaient	ai connu as connu a connu avons connu avez connu ont connu	connus connus connut connûmes connûtes connurent	avais connu avais connu avait connu avions connu aviez connu avaient connu
croire croyant cru	crois crois croit croyons croyez croient	croyais croyais croyait croyions croyiez croyaient	ai cru as cru a cru avons cru avez cru ont cru	crus crus crut crûmes crûtes crurent	avais cru avais cru avait cru avions cru aviez cru avaient cru
devoir devant dû	dois dois doit devons devez doivent	devais devais devait devions deviez devaient	ai dû as dû a dû avons dû avez dû ont dû	dus dus dut dûmes dûtes durent	avais dû avais dû avait dû avions dû aviez dû avaient dû
dire disant dit	dis dis dit disons dites disent	disais disais disait disions disiez disaient	ai dit as dit a dit avons dit avez dit ont dit	dis dis dit dîmes dîtes dirent	avais dit avais dit avait dit avions dit aviez dit avaient dit

Futur	Futur antérieur	Conditionnel	Conditionnel passé	Impératif	Présent du subjonctif	Passé composé du subjonctif
irai	serai allé(e)	irais	serais allé(e)		aille	sois allé(e)
iras	seras allé(e)	irais	serais allé(e)	va	ailles	sois allé(e)
ira	sera allé(e)	irait	serait allé(e)		aille	soit allé(e)
irons	serons allé(e)s	irions	serions allé(e)s	allons	allions	soyons allé(e)s
irez	serez allé(e)(s)	iriez	seriez allé(e)(s)	allez	alliez	soyez allé(e)(s)
iront	seront allé(e)s	iraient	seraient allé(e)s		aillent	soient allé(e)s
aurai	aurai eu	aurais	aurais eu		aie	aie eu
auras	auras eu	aurais	aurais eu	aie	aies	aies eu
aura	aura eu	aurait	aurait eu		ait	ait eu
aurons	aurons eu	aurions	aurions eu	ayons	ayons	ayons eu
aurez	aurez eu	auriez	auriez eu	ayez	ayez	ayez eu
auront	auront eu	auraient	auraient eu		aient	aient eu
boirai	aurai bu	boirais	aurais bu		boive	aie bu
boiras	auras bu	boirais	aurais bu	bois	boives	aies bu
boira	aura bu	boirait	aurait bu		boive	ait bu
boirons	aurons bu	boirions	aurions bu	buvons	buvions	ayons bu
boirez	aurez bu	boiriez	auriez bu	buvez	buviez	ayez bu
boiront	auront bu	boiraient	auraient bu		boivent	aient bu
conduirai	aurai conduit	conduirais	aurais conduit		conduise	aie conduit
conduiras	auras conduit	conduirais	aurais conduit	conduis	conduises	aies conduit
conduira	aura conduit	conduirait	aurait conduit		conduise	ait conduit
conduirons	aurons conduit	conduirions	aurions conduit	conduisons	conduisions	ayons conduit
conduirez	aurez conduit	conduiriez	auriez conduit	conduisez	conduisiez	ayez conduit
conduiront	auront conduit	conduiraient	auraient conduit		conduisent	aient conduit
connaîtrai	aurai connu	connaîtrais	aurais connu		connaisse	aie connu
connaîtras	auras connu	connaîtrais	aurais connu	connais	connaisses	aies connu
connaîtra	aura connu	connaîtrait	aurait connu		connaisse	ait connu
connaîtrons	aurons connu	connaîtrions	aurions connu	connaissons	connaissions	ayons connu
connaîtrez	aurez connu	connaîtriez	auriez connu	connaissez	connaissiez	ayez connu
connaîtront	auront connu	connaîtraient	auraient connu		connaissent	aient connu
croirai	aurai cru	croirais	aurais cru		croie	aie cru
croiras	auras cru	croirais	aurais cru	crois	croies	aies cru
croira	aura cru	croirait	aurait cru		croie	ait cru
croirons	aurons cru	croirions	aurions cru	croyons	croyions	ayons cru
croirez	aurez cru	croiriez	auriez cru	croyez	croyiez	ayez cru
croiront	auront cru	croiraient	auraient cru		croient	aient cru
devrai	aurai dû	devrais	aurais dû		doive	aie dû
devras	auras dû	devrais	aurais dû	dois	doives	aies dû
devra	aura dû	devrait	aurait dû		doive	ait dû
devrons	aurons dû	devrions	aurions dû	devons	devions	ayons dû
devrez	aurez dû	devriez	auriez dû	devez	deviez	ayez dû
devront	auront dû	devraient	auraient dû		doivent	aient dû
dirai	aurai dit	dirais	aurais dit		dise	aie dit
diras	auras dit	dirais	aurais dit	dis	dises	aies dit
dira	aura dit	dirait	aurait dit		dise	ait dit
dirons	aurons dit	dirions	aurions dit	disons	disions	ayons dit
direz	aurez dit	diriez	auriez dit	dites	disiez	ayez dit
diront	auront dit	diraient	auraient dit		disent	aient dit

Verbes irréguliers (suite)

Infinitif Participes	Présent	Imparfait	Passé composé	Passé simple	Plus-que-parfait
écrire écrivant écrit	écris écris écrit écrivons écrivez écrivent	écrivais écrivais écrivait écrivions écriviez écrivaient	ai écrit as écrit a écrit avons écrit avez écrit ont écrit	écrivis écrivis écrivit écrivîmes écrivîtes écrivirent	avais écrit avais écrit avait écrit avions écrit aviez écrit avaient écrit
être étant été	suis es est sommes êtes sont	étais étais était étions étiez étaient	ai été as été a été avons été avez été ont été	fus fus fut fûmes fûtes furent	avais été avais été avait été avions été aviez été avaient été
faire faisant fait	fais fais fait faisons faites font	faisais faisais faisait faisions faisiez faisaient	ai fait as fait a fait avons fait avez fait ont fait	fis fis fit fîmes fîtes firent	avais fait avais fait avait fait avions fait aviez fait avaient fait
lire lisant lu	lis lis lit lisons lisez lisent	lisais lisais lisait lisions lisiez lisaient	ai lu as lu a lu avons lu avez lu ont lu	lus lus lut lûmes lûtes lurent	avais lu avais lu avait lu avions lu aviez lu avaient lu
mettre mettant mis	mets mets met mettons mettez mettent	mettais mettais mettait mettions mettiez mettaient	ai mis as mis a mis avons mis avez mis ont mis	mis mis mit mîmes mîtes mirent	avais mis avais mis avait mis avions mis aviez mis avaient mis
mourir mourant mort	meurs meurs meurt mourons mourez meurent	mourais mourais mourait mourions mouriez mouraient	suis mort(e) es mort(e) est mort(e) sommes mort(e)s êtes mort(e)(s) sont mort(e)s	mourus mourus mourut mourûmes mourûtes moururent	étais mort(e) étais mort(e) était mort(e) étions mort(e)s étiez mort(e)(s) étaient mort(e)s
naître naissant né	nais nais naît naissons naissez naissent	naissais naissais naissait naissions naissiez naissaient	suit né(e) es né(e) est né(e) sommes né(e)s êtes né(e)(s) sont né(e)s	naquis naquis naquit naquîmes naquîtes naquirent	étais né(e) étais né(e) était né(e) étions né(e)s étiez né(e)(s) étaient né(e)s
ouvrir ouvrant ouvert	ouvre ouvres ouvre ouvrons ouvrez ouvrent	ouvrais ouvrais ouvrait ouvrions ouvriez ouvraient	ai ouvert as ouvert a ouvert avons ouvert avez ouvert ont ouvert	ouvris ouvris ouvrit ouvrîmes ouvrîtes ouvrirent	avais ouvert avais ouvert avait ouvert avions ouvert aviez ouvert avaient ouvert

Futur	Futur antérieur	Conditionnel	Conditionnel passé	Impératif	Présent du subjonctif	Passé composé du subjonctif
écrirai	aurai écrit	écrirais	aurais écrit		écrive	aie écrit
écriras	auras écrit	écrirais	aurais écrit	écris	écrives	aies écrit
écrira	aura écrit	écrirait	aurait écrit		écrive	ait écrit
écrirons	aurons écrit	écririons	aurions écrit	écrivons	écrivions	ayons écrit
écrirez	aurez écrit	écririez	auriez écrit	écrivez	écriviez	ayez écrit
écriront	auront écrit	écriraient	auraient écrit		écrivent	aient écrit
serai	aurai été	serais	aurais été		sois	aie été
seras	auras été	serais	aurais été	sois	sois	aies été
sera	aura été	serait	aurait été		soit	ait été
serons	aurons été	serions	aurions été	soyons	soyons	ayons été
serez	aurez été	seriez	auriez été	soyez	soyez	ayez été
seront	auront été	seraient	auraient été		soient	aient été
ferai	aurai fait	ferais	aurais fait		fasse	aie fait
feras	auras fait	ferais	aurais fait	fais	fasses	aies fait
fera	aura fait	ferait	aurait fait		fasse	ait fait
ferons	aurons fait	ferions	aurions fait	faisons	fassions	ayons fait
ferez	aurez fait	feriez	auriez fait	faites	fassiez	ayez fait
feront	auront fait	feraient	auraient fait		fassent	aient fait
lirai	aurai lu	lirais	aurais lu		lise	aie lu
liras	auras lu	lirais	aurais lu	lis	lises	aies lu
lira	aura lu	lirait	aurait lu		lise	ait lu
lirons	aurons lu	lirions	aurions lu	lisons	lisions	ayons lu
lirez	aurez lu	liriez	auriez lu	lisez	lisiez	ayez lu
liront	auront lu	liraient	auraient lu		lisent	aient lu
mettrai	aurai mis	mettrais	aurais mis		mette	aie mis
mettras	auras mis	mettrais	aurais mis	mets	mettes	aies mis
mettra	aura mis	mettrait	aurait mis		mette	ait mis
mettrons	aurons mis	mettrions	aurions mis	mettons	mettions	ayons mis
mettrez	aurez mis	mettriez	auriez mis	mettez	mettiez	ayez mis
mettront	auront mis	mettraient	auraient mis		mettent	aient mis
mourrai	serai mort(e)	mourrais	serais mort(e)		meure	sois mort(e)
mourras	seras mort(e)	mourrais	serais mort(e)	meurs	meures	sois mort(e)
mourra	sera mort(e)	mourrait	serait mort(e)		meure	soit mort(e)
mourrons	serons mort(e)s	mourrions	serions mort(e)s	mourons	mourions	soyons mort(e)s
mourrez	serez mort(e)(s)	mourriez	seriez mort(e)(s)	mourez	mouriez	soyez mort(e)(s)
mourront	seront mort(e)s	mourraient	seraient mort(e)s		meurent	soient mort(e)s
naîtrai	serai né(e)	naîtrais	serais né(e)		naisse	sois né(e)
naîtras	seras né(e)	naîtrais	serais né(e)	nais	naisses	sois né(e)
naîtra	sera né(e)	naîtrait	serait né(e)		naisse	soit né(e)
naîtrons	serons né(e)s	naîtrions	serions né(e)s	naissons	naissions	soyons né(e)s
naîtrez	serez né(e)(s)	naîtriez	seriez né(e)(s)	naissez	naissiez	soyez né(e)(s)
naîtront	seront né(e)s	naîtraient	seraient né(e)s		naissent	soient né(e)s
ouvrirai	aurai ouvert	ouvrirais	aurais ouvert		ouvre	aie ouvert
ouvriras	auras ouvert	ouvrirais	aurais ouvert	ouvre	ouvres	aies ouvert
ouvrira	aura ouvert	ouvrirait	aurait ouvert		ouvre	ait ouvert
ouvrirons	aurons ouvert	ouvririons	aurions ouvert	ouvrons	ouvrions	ayons ouvert
ouvrirez	aurez ouvert	ouvririez	auriez ouvert	ouvrez	ouvriez	ayez ouvert
ouvriront	auront ouvert	ouvriraient	auraient ouvert		ouvrent	aient ouvert

Verbes irréguliers (suite)

Infinitif Participes	Présent	Imparfait	Passé composé	Passé simple	Plus-que-parfait
partir partant parti	pars pars part partons partez partent	partais partais partait partions partiez partaient	suis parti(e) es parti(e) est parti(e) sommes parti(e)s êtes parti(e)(s) sont parti(e)s	partis partis partit partîmes partîtes partirent	étais parti(e) étais parti(e) était parti(e) étions parti(e)s étiez parti(e)(s) étaient parti(e)s
pouvoir pouvant pu	peux peux peut pouvons pouvez peuvent	pouvais pouvais pouvait pouvions pouviez pouvaient	ai pu as pu a pu avons pu avez pu ont pu	pus pus put pûmes pûtes purent	avais pu avais pu avait pu avions pu aviez pu avaient pu
prendre prenant pris	prends prends prend prenons prenez prennent	prenais prenais prenait prenions preniez prenaient	ai pris as pris a pris avons pris avez pris ont pris	pris pris prit prîmes prîtes prirent	avais pris avais pris avait pris avions pris aviez pris avaient pris
recevoir recevant reçu	reçois reçois reçoit recevons recevez reçoivent	recevais recevais recevait recevions receviez recevaient	ai reçu as reçu a reçu avons reçu avez reçu ont reçu	reçus reçus reçut reçûmes reçûtes reçurent	avais reçu avais reçu avait reçu avions reçu aviez reçu avaient reçu
savoir sachant su	sais sais sait savons savez savent	savais savais savait savions saviez savaient	ai su as su a su avons su avez su ont su	sus sus sut sûmes sûtes surent	avais su avais su avait su avions su aviez su avaient su
suivre suivant suivi	suis suis suit suivons suivez suivent	suivais suivais suivait suivions suiviez suivaient	ai suivi as suivi a suivi avons suivi avez suivi ont suivi	suivis suivis suivit suivîmes suivîtes suivirent	avais suivi avais suivi avait suivi avions suivi aviez suivi avaient suivi
venir venant venu	viens viens vient venons venez viennent	venais venais venait venions veniez venaient	suis venu(e) es venu(e) est venu(e) sommes venu(e)s êtes venu(e)(s) sont venu(e)s	vins vins vint vînmes vîntes vinrent	étais venu(e) étais venu(e) était venu(e) étions venu(e)s étiez venu(e)(s) étaient venu(e)s
vivre vivant vécu	vis vis vit vivons vivez vivent	vivais vivais vivait vivions viviez vivaient	ai vécu as vécu a vécu avons vécu avez vécu ont vécu	vécus vécus vécut vécûmes vécûtes vécurent	avais vécu avais vécu avait vécu avions vécu aviez vécu avaient vécu

Futur	Futur antérieur	Conditionnel	Conditionnel passé	Impératif	Présent du subjonctif	Passé composé du subjonctif
partirai	serai parti(e)	partirais	serais parti(e)		parte	sois parti(e)
partiras	seras parti(e)	partirais	serais parti(e)	pars	partes	sois parti(e)
partira	sera parti(e)	partirait	serait parti(e)		parte	soit parti(e)
partirons	serons parti(e)s	partirions	serions parti(e)s	partons	partions	soyons parti(e)s
partirez	serez parti(e)(s)	partiriez	seriez parti(e)(s)	partez	partiez	soyez parti(e)(s)
partiront	seront parti(e)s	partiraient	seraient parti(e)s		partent	soient parti(e)s
pourrai	aurai pu	pourrais	aurais pu		puisse	aie pu
pourras	auras pu	pourrais	aurais pu	(pas	puisses	aies pu
pourra	aura pu	pourrait	aurait pu	d'impératif)	puisse	ait pu
pourrons	aurons pu	pourrions	aurions pu		puissions	ayons pu
pourrez	aurez pu	pourriez	auriez pu		puissiez	ayez pu
pourront	auront pu	pourraient	auraient pu		puissent	aient pu
prendrai	aurai pris	prendrais	aurais pris		prenne	aie pris
prendras	auras pris	prendrais	aurais pris	prends	prennes	aies pris
prendra	aura pris	prendrait	aurait pris		prenne	ait pris
prendrons	aurons pris	prendrions	aurions pris	prenons	prenions	ayons pris
prendrez	aurez pris	prendriez	auriez pris	prenez	preniez	ayez pris
prendront	auront pris	prendraient	auraient pris		prennent	aient pris
recevrai	aurai reçu	recevrais	aurais reçu		reçoive	aie reçu
recevras	auras reçu	recevrais	aurais reçu	reçois	reçoives	aies reçu
recevra	aura reçu	recevrait	aurait reçu		reçoive	ait reçu
recevrons	aurons reçu	recevrions	aurions reçu	recevons	recevions	ayons reçu
recevrez	aurez reçu	recevriez	auriez reçu	recevez	receviez	ayez reçu
recevront	auront reçu	recevraient	auraient reçu		reçoivent	aient reçu
saurai	aurai su	saurais	aurais su		sache	aie su
sauras	auras su	saurais	aurais su	sache	saches	aies su
saura	aura su	saurait	aurait su		sache	ait su
saurons	aurons su	saurions	aurions su	sachons	sachions	ayons su
saurez	aurez su	sauriez	auriez su	sachez	sachiez	ayez su
sauront	auront su	sauraient	auraient su		sachent	aient su
suivrai	aurai suivi	suivrais	aurais suivi		suive	aie suivi
suivras	auras suivi	suivrais	aurais suivi	suis	suives	aies suivi
suivra	aura suivi	suivrait	aurait suivi		suive	ait suivi
suivrons	aurons suivi	suivrions	aurions suivi	suivons	suivions	ayons suivi
suivrez	aurez suivi	suivriez	auriez suivi	suivez	suiviez	ayez suivi
suivront	auront suivi	suivraient	auraient suivi		suivent	aient suivi
viendrai	serai venu(e)	viendrais	serais venu(e)		vienne	sois venu(e)
viendras	seras venu(e)	viendrais	serais venu(e)	viens	viennes	sois venu(e)
viendra	sera venu(e)	viendrait	serait venu(e)		vienne	soit venu(e)
viendrons	serons venu(e)s	viendrions	serions venu(e)s	venons	venions	soyons venu(e)s
viendrez	serez venu(e)(s)	viendriez	seriez venu(e)(s)	venez	veniez	soyez venu(e)(s)
viendront	seront venu(e)s	viendraient	seraient venu(e)s		viennent	soient venu(e)s
vivrai	aurai vécu	vivrais	aurais vécu		vive	aie vécu
vivras	auras vécu	vivrais	aurais vécu	vis	vives	aies vécu
vivra	aura vécu	vivrait	aurait vécu		vive	ait vécu
vivrons	aurons vécu	vivrions	aurions vécu	vivons	vivions	ayons vécu
vivrez	aurez vécu	vivriez	auriez vécu	vivez	viviez	ayez vécu
vivront	auront vécu	vivraient	auraient vécu		vivent	aient vécu

Appendice B

Alphabet phonétique

Voyelles
[i] il, riz, cycle
[e] clé, bouquet, chez, aller
[ɛ] mère, fête, seize, maître, mer
[a] rat, mal, papa
[ɑ] bas, pâte
[ɔ] dors, robe
[o] chose, autre, chapeau, nôtre
[u] vous, tout, roue
[y] tu, rue
[œ] sœur, veulent, docteur
[ø] le, deux, eux

Voyelles nasales
[ɛ̃] fin, important, pain, faim
[ɑ̃] dans, enfant, membre
[ɔ̃] mon, sombre

Semi-consonnes
[j] voyage, fille, tiède
[w] oui
[ɥ] huile, lui

Consonnes
[p] Paris, apéritif
[t] terre, patate
[k] cabane, qui, avec, kilo
[b] banane, robe
[d] dent, dorade, ballade
[g] gant, gare, fatigant
[f] fée, veuf
[s] si, leçon, poisson, rester, option
[z] zoologique, poison, coiffeuse
[v] votre, trouve
[ʃ] cheveu, moustache
[ʒ] je, girafe, géographie
[l] lune, sel, appelle
[R] robe, alors, parle
[m] maman, madame
[n] notre, bonne, animé
[ɲ] magnifique, montagne

Appendice C

Termes grammaticaux

accentuer to stress
s'accorder to agree
adjectif qualificatif qualifying adjective
adjonction addition
ajouter to add
auxiliaire auxiliary, helping verb
comparaison comparison
complément de nom noun complement
complément d'objet direct direct object
complément d'objet indirect indirect object
conjonction conjunction
conjugaison conjugation
conjuguer to conjugate
se conjuguer to be conjugated
défini definite
discours indirect indirect discourse
exprimer to express
fonction function
futur antérieur future perfect
futur immédiat immediate future
genre gender
h muet mute h

imparfait imperfect
indéfini indefinite
irrégulier irregular
langue parlée spoken language
mode mood
neutre neuter
nom (propre) (proper) noun
nombre number
objet object
orthographe spelling
participe participle
passé past
passé composé present perfect
passé récent immediate past
passé simple literary past
phrase sentence
plus-que-parfait pluperfect
pronom pronoun
pronom accentué stressed pronoun
prononciation pronunciation
proposition principale main clause
proposition relative relative clause

proposition subordonnée
  subordinate clause
radical stem
réfléchi reflexive
règle rule
régulier regular
sujet subject
syllabe syllable
temps tense
terminaison ending
se terminer to end
trait d'union hyphen
voix active active voice
voix passive passive voice
voyelle vowel

Vocabulaire français-anglais

The **Vocabulaire français-anglais** lists vocabulary in the **Expansion du vocabulaire** and the readings from **Unité préliminaire** through **Unité 8** as well as the four **Gazettes**. Recognizable cognates have been deleted. The numbers and letters following each entry indicate the **Unité (P-8)** or **Gazette (G1-G4)** where the word first appears.

Nouns are listed in the singular unless they are followed by *pl*, which indicates that they are normally used only in the plural. Gender is given by *m* or *f*. An *m/f* after a noun means that it can be either gender. Nouns with different masculine and feminine forms that refer to people are listed under the masculine form followed by the feminine in parentheses. Gender is not indicated in italics for these nouns. Invariable nouns are followed by *inv*. Adjectives are given in the masculine only, unless the feminine form cannot be derived by agreement rules.

A

abattre   to knock down **G1**; to slaughter **5**
abattu   worn out **7**
abbaye *f*   abbey **G4**
abbé *m*   priest **G3**
abdominal *m*   sit-up **8**
abîmer   to damage **G4**
abondant   abundant **4**
abord: d'≈   first of all **G1**
aboutir   to end up **G4**
abricot *m*   apricot **1**
abriter   to shelter **G1**; to protect **G3**
absolument   absolutely **1**
accessoire *m*   accessory **1**; prop **3**
accord: d'≈   OK **G1**
s'accorder   to suit **G1**; to give oneself **6**
accrocher   to hang **G2**; **s'≈**   to hang on **G3**
s'accroître   to increase **G2**
accueillir   to greet **3**
acharnement: avec ≈   relentlessly **4**
acheter   to buy **P**
achever   to finish **6**
acier *m*   steel **G2**
acquérir   to acquire **G1**; **s'≈**   to be acquired **G4**
actuel   present day **1**
actuellement   at present **G1**
addition *f*   check, bill **5**
additionner   to add **G2**
adepte *m/f*   follower **G3**
adhérer   to join in **G3**; to adhere **G4**
admettre   to admit **5**
adresser   to address **G2**; **s'≈ à**   to address **4**; to go and ask **7**; to be intended for **G2**
affaire *f*   matter **G1**; business **6**; **avoir ≈ à**   to deal with **7**
affecter   to pretend **6**
affilée: d'≈   in a stretch **G4**
affluent   tributary **G3**
affreux   ugly, horrible, awful **1**
affronter   to confront, to deal with **2**
afin que   so that **G2**
agacer   to get on someone's nerves **1**
âgé   old **G1**
agir   to act **G4**; **s'≈ de**   to be a matter of, to be a question of **2**
s'agiter   to become agitated **3**
agrafeuse *f*   stapler **7**
ahurissant   astounding **G1**
aide: à l'≈ de   with the help of **G1**
aider   to help **1**; **s'≈ de**   to use **8**
aigle *m*   eagle **4**
aigu (aiguë)   acute **8**
ail *m*   garlic **5**

aile *f*   wing **G3**
ailleurs   elsewhere **3**; **d'≈**   besides, moreover **1**; **par ≈**   besides **6**
aimable   nice, likeable **2**; kind **3**
aimer   to like, to love **P**; **≈ mieux**   to prefer **3**
aîné(e)   oldest child, eldest **2**
ainsi   so, thus **G1**
air *m*   air **1**; tune **6**; **avoir l'≈ (de)**   to seem **1**
aise *f*   ease, affluence **6**; **être ≈ de**   to be pleased **8**
aisé   easy **8**
ajouter   to add **G1**
ajusté   tapered, fitted **1**
alimentaire   dietary **5**; eating **8**
alléchant   tempting **5**
alléger   to lighten, to reduce (calories) **G4**
aller   to go **1**; **≈-retour** *m*   round-trip ticket **6**; **≈ simple** *m*   one-way ticket **6**; **s'en ≈**   to leave **1**
alliage *m*   alloy **G3**
alliance *f*   wedding ring **7**; bond **8**
allonger   to lay out **8**; **s'≈**   to lie (down) **1**
allumage *m*   timing **G3**
s'allumer   to light, to come on **G1**
allure *f*   look, appearance **1**
alors   so, then **P**; **≈ que**   whereas **3**
ambiant   surrounding **G4**
ambulant   traveling **8**
améliorer   to improve **4**; **s'≈**   to get better **6**
aménager   to plan, to lay out **G2**
amener   to bring (*somebody*) **1**
s'amenuiser   to diminish, to dwindle **G2**
amer   bitter **6**
ameublement *m*   furnishings **G4**
ami(e)   friend **P**; **petit ≈**   boyfriend **3**; **petite ≈e**   girlfriend **7**
amidonner   to starch **7**
amour *m*   love **5**
amoureux   in love **G1**
ample   loose-fitting **1**
ampoule *f*   light bulb **7**; blister **8**
amusant   amusing, funny, fun **1**
amuse-gueule *m inv*   appetizer **5**
amuser   to amuse **G1**; **s'≈**   to have fun **P**
an   year **P**; **jour de l'≈** *m*   New Year's Day **5**
ananas *m*   pineapple **5**
anchois *m*   anchovy **5**
ancien   old, former **1**
angine *f*   tonsilitis **8**
angoisse *f*   anguish, dread, fear **7**
animer   to animate, to direct **G1**
année *f*   year **P**; **≈ durant**   throughout the year **G4**
anniversaire *m*   birthday **P**
apercevoir   to see **1**; **s'≈**   to see each other **1**; to notice, to become aware, to realize **3**

apparaître   to appear **3**; to come up **G4**
appareil *m*   machine **G4**; **≈ de musculation**   weight-lifting machine **G4**
appartenir   to belong **1**
appel *m*   call **G3**; **faire ≈ à**   to resort to **4**; to call on, to appeal to **G4**
appeler   to call **P**; **s'≈**   to be named
appellation *f*   name, label **G4**
apporter   to bring (*something*) **3**
apprendre   to learn **P**
apprentissage *m*   learning, apprenticeship **G3**
apprivoiser   to tame **3**
appuyé   leaning **5**
après   after **P**; **≈-demain**   day after tomorrow **1**; **≈-guerre**   postwar **G1**; **≈-midi** *m*   afternoon **1**; **d'≈**   modeled on **G4**
aqueduc *m*   aqueduct **4**
araignée *f*   spider **G4**
arbre *m*   tree **2**
arc *m*   bow **4**; **≈ de triomphe**   triumphal arch **2**
argent *m*   money **G1**; silver **G3**
argenterie *f*   silverware **7**
armement: course à l'≈ *f*   arms race **4**
armoire *f*   wardrobe **5**
arracher   to tear off **G2**
arrêt d'autobus   bus stop **1**
arrêter   to stop **2**; to arrest **6**; **s'≈**   to stop **3**
arrhes: verser des ≈   to make a deposit **6**
arrière   behind, back **G1**; **≈-grands-parents** *mpl*   great-grandparents **2**
arrivée *f*   arrival **1**
arriver (à)   to arrive **P**; to happen **1**; to manage **3**
arrondi   rounded **G1**
arroser   to sprinkle **G3**
artichaut *m*   artichoke **5**
ascenseur *m*   elevator **2**
asperge *f*   asparagus **5**
aspirateur *m*   vacuum cleaner **2**
aspirer   to suck up **4**
s'asseoir   to sit (down) **1**
assez   rather **1**; enough **2**; **en avoir ≈ (de)**   to be fed up (with) **3**
assis   seated **1**
assistant(e) social(e)   social worker **4**
assister à   to attend **4**
assourdissant   deafening **3**
assurances *fpl*   insurance **8**
astuce *f*   trick, way **G2**
astucieux   shrewd **G1**
atelier *m*   workshop, studio, loft **2**
athlétisme *m*   track **4**
atonique   lifeless **G4**
attachant   captivating **G3**
s'attarder   to linger over **G3**
atteindre   to reach, to attain **G2**

attendre   to wait for, to await **1**; to expect **8**;
en attendant que   while waiting for **8**
attirer   to attract **2**
attraper   to catch **2**
aube *f*   dawn **G2**
auberge *f*   inn **6**; ≈ de jeunesse   youth hostel **3**
aubergiste *m/f*   innkeeper **6**
aucun: ne . . . ≈(e)   no, not any, none **1**
audace: avoir l'≈   to dare **G3**
au-delà (de)   beyond **G2**
au-dessous (de)   below, beneath **G1**
au-dessus (de)   above, over **4**
aumônerie *f*   parish house **G1**
auparavant   before(hand) **3**
auprès de   near **3**
aussi   also, too, so **P**; ≈ bien   as well **G1**
aussitôt   immediately **6**; ≈ que   as soon as **4**
autant   as **3**; ≈ (de)   as much, as many **G1**; ≈
que   as well as **8**; pour ≈   for all that **G1**
auteur *m*   author **4**
autocar *m*   touring bus **2**
autochtone *m/f*   native **G2**
autocollant *m*   bumper sticker **6**; sticker **G2**
autoroute *f*   highway **3**
autour (de)   around **1**
autre   other **P**
autrefois   in the past **2**; long ago **3**
autrement   in another way, otherwise **4**
avaler   to swallow **8**
avance: en avance   early **6**
avant   before **1**; à l'≈   in the front **G3**;
≈-hier   the day before yesterday **2**;
≈ que . . . ne   before **8**; ≈ tout   above all **G1**
avare *m/f*   miser **8**
avenir *m*   future **4**
s'avérer   to turn out **G3**
avide   eager **G2**
avion *m*   airplane **2**; aller en ≈   to fly **4**;
par ≈   by airmail **7**
aviron *m*   rowing **8**
avis *m*   opinion **4**; à mon ≈   in my opinion **4**
avisé   wise, sensible **G4**
avocat(e)   lawyer **23**
avoir   to have **P**; ≈ à   to have to **6**; en ≈
assez (de)   to be fed up (with) **3**; il y a
there is **P**; ago **1**
avouer   to admit **G1**; avow **6**
azur   azure, sky blue **5**

--------------------- *B* ---------------------

se bagarrer   to fight **2**
bagnole* *f*   car, jalopy **6**
bague *f*   ring **1**
baguette magique *f*   magic wand **G2**
baie *f*   bay window **G1**; bay **5**
baigner,   to bathe, to be surrounded **G1**;
se ≈   to bathe, to take a bath **1**
baigneur, (baigneuse)   swimmer, bather **3**
baignoire *f*   bathtub **2**
bain *m*   bath **3**; salle de ≈s   bathroom **6**
baiser *m*   kiss **G2**
baisser   to lower, to diminish **G1**
bal *m*   ball, dance **2**
balade: être de la ≈   to go along, to participate **G3**
se balader   to go for a stroll **3**
balai *m*   broom **7**
balance *f*   scales **2**
balbutier   to stammer **G1**
baleine *f*   whale **4**
baliser   to mark out with signs or beacons **G2**

ballerine *f*   flat shoe **G2**
ballon *m*   ball **2**; balloon **G2**
banir   to ban **G2**
banlieue *f*   suburbs **2**
banquette *f*   bench, car seat **G1**
banquier *m*   banker **4**
baptême *m*   baptism, christening **2**
baratin* *m*   smooth talk **4**
barbu   bearded **G2**
barre *f*   bar, level **G1**; stick **G2**
bas, (basse)   low **G3**; ≈ *m*   bottom **G1**; en ≈
de   at the bottom of **7**; table ≈se   coffee
table **2**; tout ≈   quietly, inside **G2**
basket *m*   basketball **4**; *f* hightop **G1**
bataille *f*   battle **4**; ≈ d'oreillers   pillow fight **2**
bateau *m*   boat **5**; ≈ à voiles   sailboat **3**
battre   to beat **5**; ≈ son plein   to be going full
swing **G2**; ≈ un record   to break a record **4**;
se ≈   to fight **2**
bavard   talkative **G1**
bavarder   to chat **3**
b.d. (bande dessinée) *f*   comic strip **G2**
beau, (belle)   beautiful, handsome, nice **2**;
≈-frère *m*   brother-in-law **2**; ≈-père *m*
stepfather, father-in-law **2**; belle-mère *f*
stepmother, mother-in-law **2**; belle-sœur *f*
sister-in-law **2**; être bien≈   to be all very well **G3**
beaucoup   a lot, much, many **P**
bébé *m*   baby **2**
bénéfique   beneficial **G4**
bénévole   voluntary, willing **6**
bénin, (bénigne)   minor, harmless **G4**
béquille *f*   crutch **8**
berceau *m*   cradle **6**
besogne *f*   work **7**
besoin *m*   need **1**; avoir ≈   to need **P**
bête   dumb, silly, stupid **2**; ≈ *f*   animal **G4**
bêtise *f*   silly act, silly trick, stupidity **2**
beurre *m*   butter **5**
bibelot *m*   knickknack **2**
bibliothèque *f*   library **1**
bien   well **1**; ≈ des   many **G1**; ≈ que
although **5**; ≈ sûr   of course **1**
bientôt   soon **3**
bienvenu   welcome **2**
bijou *m*   piece of jewelry, jewel **1**
bijouterie *f*   jewelry store **7**
bijoutier, (bijoutière)   jeweler **7**
billet *m* ticket **3**; ≈ de banque   bill, banknote **7**
bimbeloterie *f*   knickknacks **6**
bise *f*   kiss **1**
bistro *m*   café **7**
blague *f*   joke **1**
blanc, (blanche)   white **1**; page ≈he   blank
page **G1**
blé *m*   wheat **3**
blesser   to wound **G4**
blessure *f*   wound **8**
bleu   blue **2**; ≈ *m*   bruise **8**
bloc *m*   notepad **7**
blouson *m*   jacket, windbreaker **1**
boire   to drink **3**
bois *m*   wood **3**; woods **6**; chèque en ≈   hot check **7**
boisson *f*   beverage **2**
boîte *f*   box **P**; can **5**; ≈ aux lettres   mailbox
7; ≈ noire   black light **G2**
bol *m*   bowl **3**
bolduc frisé *m*   curly ribbon **G2**
bombe *f*   bomb **4**; ≈ fluo   can of fluorescent
spray **G2**; ≈ insecticide   can of insecticide **7**;
≈-surprise   surprise ball or box **G2**

bon(ne)   good **P**; ≈ marché   cheap **5**; ≈ vivant
jovial fellow **6**; de ≈ne heure   early **6**
bonheur *m*   happiness **G1**; faire le ≈ de   to
bring happiness to **G3**
bonne *f*   live-in maid **2**
bonté *f*   kindness **8**
bord *m*   edge **G3**; à ≈ (de)   on board **2**
bordé   lined, bordered **4**
bordure *f*   edge **G2**; en ≈   along the edge **G2**
borie *f*   hut (*in the Périgord dialect*) **G3**
borne *f*   limit **P**; terminal **G2**
botte *f*   bundle **5**
bouche *f*   mouth **5**
bouchée *f*   mouthful **6**
boucher, (bouchère)   butcher **7**
boucherie *f*   butcher's shop **5**
bouclé   curly **1**
boucle d'oreille *f*   earring **1**
boudin blanc *m*   white sausage **5**
bouger   to move **1**
bouillir: faire ≈   to (bring to a) boil **5**
bouillon *m*   broth **8**; boire le ≈   to get a
mouthful, to swallow water **G3**
boulanger, (boulangère)   baker **7**
boule *f*   ball **G4**; ≈-miroir *f*   mirror ball **G2**;
se mettre en ≈   to fly off the handle **2**
bouleverser   to upset **4**
boulimie *f*   craving **G2**
boulot* *m*   work, job **4**
boum *f*   party **2**
bouquin* *m*   book **3**
bourg *m*   small town **3**
bourré   packed, crammed full **6**
bourse *f*   scholarship **4**
boursouflure *f*   puffiness **8**
bout *m*   end, tip **G1**
bouteille *f*   bottle **2**
boutiquier, (boutiquière)   shopkeeper **6**
bouton *m*   button **1**; knob **G1**
branche *f*   temple (*of glasses*) **G1**
branché*   "hip," "in" **1**
bras *m*   arm **7**
brave   good, decent, brave **1**
bref   brief **5**; in short, to sum up **4**
bretelles *fpl*   suspenders **1**
breton   from Brittany **G3**
brevet *m*   certificate **G4**
bricolage *m*   doing odd jobs **7**
bricoler   to tinker around **G1**
briller   to shine **G1**
briser   to break **7**
brochette *f*   shish kebab **5**; skewer **G4**
se bronzer   to get a tan **8**
brouillade *f*   mixture **G3**
broussaille *f*   brushwood **G2**
bruit *m*   noise **2**
brûler   to burn **G2**
brûlure *f*   burn **8**
brun   brunette **5**
brut   rough; unfinished **G3**
brutal   rough **2**
buanderie *f*   laundry room **G2**
bûche *f*   log **5**
bûcher*   to study hard, to cram **G1**
bûcheron *m*   woodcutter **G2**
buissonnière: salade ≈   country salad **G3**
bulle *m*   bubble **G2**
bulletin scolaire *m*   report card **P**
bureau *m*   office **G2**; ≈ de change   foreign
currency exchange **7**
but *m*   goal **8**

ça that **P**; ≈ **et là** here and there **5**
cabane *f* hut **G3**
cabine *f* booth **7**
cabinet *m* office **G1**
cacahuète *f* peanut **G2**
cacher to hide **4**
cachet *m* tablet **8**
caddie *m* shopping cart **7**
cadeau *m* present **6**
cadet, (cadette) youngest child **2**
cadre *m* executive **4**
cafard: avoir le ≈ to feel blue **8**
cahier *m* notebook **G1**
caisse *m* cash register **6**; cashier's counter **7**
caissier, (caissière) cashier, teller **7**
califourchon: à ≈ astride **8**
câlin cuddly **4**; ≈ *m* hug **6**; **faire un** ≈ **à** to cuddle **6**
camarade de classe *m/f* classmate **3**
camion *m* truck **G2**
campagne *f* countryside **G1**
canapé *m* sofa **G1**
canard *m* duck **G3**
cancérigène carcinogenic **4**
canne à pêche *f* fishing rod **3**
canot *m* rowboat **3**; **faire du** ≈ to go rowing **3**
cantatrice *f* opera singer **1**
cantine *f* cafeteria **G1**; canteen **G2**
caoutchouc *m* rubber **G1**
capot *m* hood **6**
car because, for **2**; since **G3**
caréner to streamline **G3**
carre *f* ski edge **G2**
carré *m* square **G1**
carrosserie *f* car body **G2**
carte *f* card **3**; map **G3**; ≈ **postale** postcard **7**
carton d'invitation *m* invitation card **G2**
cas *m* case **6**; ≈ **d'urgence** emergency **8**
caser to put up, to fit **G2**
casque *m* helmet **G3**
casqué helmeted **5**
casquette *f* cap **1**
casse-pieds: Tu es vraiment ≈! You're really a pain! **2**
casser to break **2**; **se** ≈ to break **2**
casserole *f* pan **5**
cassette: lecteur de ≈ *m* cassette player **G1**
cauchemar *m* nightmare **G2**
cause *f* cause, question **8**; **à** ≈ **de** because of, due to **1**; **pour** ≈ **de** because of **G3**
causer to talk, to chat **2**
cave *f* cellar, wine cellar **2**
caverne: homme des ≈**s** *m* caveman **4**
céder to relinquish **G2**; to give in **6**
ceinture *f* belt **1**
cela that **1**
célèbre famous **G1**
célibataire *m/f* unmarried person, bachelor **2**
cellule *f* cell **G4**
cendre *f* ash **4**
centaine *f* about one hundred **3**
centenaire one hundred years old **2**
centrale nucléaire *f* nuclear power plant **4**
cèpe *m* cepe (*a kind of mushroom*) **G3**
cependant nevertheless, however **1**
cercle *m* circle **G2**
cerf-volant *m* kite **3**
cerné: avoir les yeux ≈**s** to have bags under one's eyes **3**

certain certain, sure, some, unspecified **P**
certes certainly **7**; indeed **G1**
cerveau *m* brain **G4**
cesse: sans ≈ constantly **7**
cesser to stop, to cease **3**
chacun each (one) **G1**
chagrin *m* sorrow, grief **7**
chagriner to depress, to grieve **8**
chaise *f* chair **7**; ≈ **roulante** wheelchair **8**
chaleur *f* heat **6**
chaleureux friendly, warm **G1**
chaloupé swaying **G2**
se chamailler* to squabble, to quarrel **2**
chambre (à coucher) *f* bedroom **1**
champignon *m* mushroom **G2**
championnat *m* championship **G4**
champs *m* field **3**
chance *f* luck **3**; **avoir de la** ≈ to be lucky **4**
change *m* exchange **7**; **bureau de** ≈ foreign currency exchange **7**
changement *m* change **4**
chant *m* song, chirping **2**
chantant singsong **1**
chanter to sing **G1**
chanteur, (chanteuse) singer **4**
chapeau *m* hat **5**
chaque each, every **P**
char *m* chariot **4**
charcuterie *f* pork butcher's shop **5**
charcutier, (charcutière) pork butcher **7**
chargé de loaded with **2**; in charge of **4**
chargement *m* load **G2**
chariot *m* shopping cart **7**
charpentier *m* carpenter **4**
chasse *f* hunting **G2**
chasser to hunt **3**; to chase **5**
chasseur *m* hunter **3**
chat *m* cat **4**
châtaignier *m* chestnut tree **G3**
châtain brown **1**
château *m* castle **3**; ≈**-fort** *m* fortress **4**
châteaubriand *m* beef tenderloin **5**
châtouiller to tickle **8**
chaud hot **G1**; warm **G2**; **faire** ≈ to be warm **8**
chauffer to heat up **8**
chausser to wear a shoe **G1**
chausson *m* turnover **G3**
chaussure *f* shoe **G1**
chauve bald **1**
chef-d'œuvre *m* masterpiece **6**
chemin *m* path, road, way **2**
cheminée *f* fireplace **2**
chemise *f* shirt **1**
chemisier *m* blouse **1**
chêne *m* oak tree **G3**
chèque *m* check **7**
chéquier *m* checkbook **7**
cher dear, expensive **P**; **payer** ≈ to pay a lot for **3**
chercher to look for **G2**; to search **4**; **aller** ≈ to go get **2**
chercheur *m/f* researcher **G4**
chéri(e) dear, honey **5**
cheval *m* horse, horseback riding **2**; **en queue de** ≈ in a ponytail **1**
chevalier *m* knight **4**
cheveux *mpl* hair **1**
cheville *f* ankle **8**
chèvre *f* goat **G1**
chez at the home of **P**; ≈ **moi** to my house **P**
chien *m* dog **4**

chiffrer to number, to assess **G2**
chignon bun (*hair*) **2**
chimie *f* chemistry **G2**
chinois Chinese **G4**
chirurgien *m* surgeon **8**
choisir to choose **G1**
choix *m* choice **G2**
chômâge *m* unemployment **4**; **au** ≈ unemployed **4**
chorale *f* choir **G1**
chose *f* thing **P**; matter **4**; **autre** ≈ something else **G4**; **quelque** ≈ something **2**
chou *m* cabbage **5**; ≈ **de Bruxelles** *mpl* brussels sprout **5**
choucroute *f* sauerkraut **5**
chouette "neat" **1**; ≈**, alors!** Great! **3**
chou-fleur *m* cauliflower **5**
chrono *m* chronometer, stopwatch **G4**
chute de moquette *f* carpet scrap **G2**
cicatrice *f* scar **8**
ciel *m* sky **G2**
ciment *m* cement **4**
cimetière *m* cemetary **6**
cingle *m* bend in the river **G3**
cinquantaine *f* around fifty **3**
cirage *m* shoe polish **7**
circonstance *f* occasion **5**
circulaire circular, round-trip **6**
circulation *f* traffic **6**
cirer to polish (*shoes*) **7**
ciseaux *mpl* scissors **1**
citadin(e) city dweller **G1**
citron *m* lemon **5**
clair light (colored) **1**; clear **4**
claque *f* smack **2**
classement *m* classification **G2**
se classer to be among, to come in (*in a race*) **G4**
clé *f* key **G2**
client(e) customer **1**
clignotant *m* blinker **6**
clin d'œil *m* wink **G1**
cloche *f* bell **P**
clocher *m* steeple **G3**
clos enclosed **4**
clou *m* nail **7**
clystère *m* enema **8**
cœur *m* heart **3**; **avoir mal au** ≈ to be nauseated **6**
coffre-fort *m* safe, safety deposit box **7**
coffret *m* box **G3**; chest **7**
se coiffer to do one's hair, to wear one's hair **2**
coiffeur, (coiffeuse) hairdresser **1**
coiffure *f* hairstyle **1**
coin *m* corner **3**
colère *f* anger **4**; **être en** ≈ to be angry **6**
colis *m* package **7**
collant *m* sticker **G2**; ≈ **double-face** double-sided sticker **G2**
collants *mpl* pantyhose, tights **1**
collecte: faire une ≈ to take up a collection **G2**
coller to glue **G2**; to stick together **8**
collier *m* necklace **1**
colline *f* hill **6**
colon *m* colonist, pioneer **4**
colonne *f* column **G1**; ≈ **Morris** pillar shaped billboard **G2**
coloris *m* color, shade **1**
col roulé *m* turtleneck sweater **1**
combinaison de plongée *f* skin-diving suit **G3**
comble: C'est le ≈! That's the last straw! **6**

comique *m* comedian **4**
commande: sur ≈ on demand **G1**
commander to order **5**
commencer to begin, to start **2**
comment how **1**; ≈? What? **7**
commerçant: rue ≈e *f* street with shops **5**; ≈(e) shopkeeper, retail merchant **G1**
commerce *m* trade **4**; business **6**
commercial: centre ≈ *m* shopping mall **7**
comme as, like **P**; how **1**; since **3**; ≈ ci, ≈ ça. So-so. **P**
commérage *m* gossip **7**
commettre to commit **5**
commis *m* clerk **7**
commode practical **7**
commun common **G2**; hors du ≈ out of the ordinary **G1**
complet, (complète) full, complete **G1**; sold out **3**
complice *m/f* accomplice **4**
complicité *f* involvement **6**
comportement *m* behavior **G1**
comporter: se ≈ to behave **2**
composer to dial **7**; to put together **8**
compositeur *m* composer **G1**
composter to validate **6**
compréhensif understanding **1**
comprendre to understand **1**; to realize **4**
comprimé *m* tablet **8**
compromettre to compromise **7**
comptant: payer ≈ to pay cash or check **7**
compte *m* account **7**; ≈ courant checking account **7**; ≈ d'épargne savings account **7**; faire le ≈ to count up **G2**; se rendre ≈ to realize **G1**
compter (sur) to count (on) **1**; to include **G3**
comptoir *m* counter **6**
concentré focused **G4**
concessionnaire *m/f* dealer, franchise **G3**
concevoir to conceive, to devise **G3**
concierge *m/f* building caretaker **2**
concilier to reconcile, to conciliate **G1**
concombre *m* cucumber **5**
concours *m* contest, competition **G1**
concrétiser to materialize **G1**
condition *f* condition **6**; à ≈ que provided that **8**
conduire to drive **4**; to lead **G3**
confiance *f* confidence **3**
confier to confide, to admit **G3**
confiserie *f* confectioner's shop, candy store **5**
confit: ≈ de canard *m* duck conserve **G3**; ≈ d'oie *m* goose conserve **G3**; fruit ≈ *m* candied fruit **G2**
confiture *f* jam, jelly **5**
conflit *m* conflict **4**
confondre to confuse **6**
conforme typical **G2**
confus confused **G4**
congé payé *m* paid vacation **6**
connaissance *f* acquaintance **1**; consciousness **8**
connaître to know **2**
connu famous, well-known **G2**
conquérir to conquer **4**
conquête *f* conquest **G1**
se consacrer to dedicate oneself **G4**
conscience: prendre ≈ to become aware of **G2**; prise de ≈ *f* conscious awakening **G2**
conseil municipal *m* city council **4**
conseiller to advise **8**
conseiller (conseillère) municipal(e) city council member **4**
conséquent: par ≈ consequently **7**

conservateur, (conservatrice) conservative **4**
conserve: boîte de ≈s *f* canned good **5**
consommation *f* consumption **G2**
consommer to consume **G2**
constater to notice **1**
constituer to constitute, to make up **4**
construire to build, to construct **2**
conte *m* story, tale **4**
contenir to contain **1**
content glad, happy **P**
se contenter de to be satisfied with **G1**
contenu *m* contents **7**
conter to tell **7**
continu continual **8**
contrairement à unlike **G3**
contrat *m* contract **6**
contre against **3**; facing **5**
contrée *f* land, region **G3**
contrôleur *m* ticket inspector **6**
convaincu convinced **5**
convenu agreed **9**
coordonner to coordinate **G2**
copain, (copine) pal, friend **P**
coquet stylish, appearance conscious **G4**
coquin(e) rascal **2**
corail *m* coral **G2**
corde *f* cord **7**; string **G1**
cordonnerie *f* shoe repair shop **7**
cordonnier, (cordonnière) shoe repair shopkeeper **7**
corps *m* body **G2**
correspondant(e) pen pal **2**
corriger to correct **1**
corruption *f* contamination **8**
costume *m* suit **1**; costume **3**
côte *f* coast **1**
côté *m* side **1**; à ≈ de next to **3**
côtelette *f* cutlet **6**; ≈ de porc pork chop **5**
cotillon *m* party novelty **G2**
côtoyer to be alongside **G3**
cou *m* neck **7**
couche *f* diaper **8**
coucher *m* bedtime **G4**; se ≈ to go to bed, to lie down **6**; couche-tôt *m/f inv.* early sleeper **G2**
couchette *f* berth, bunk bed in train **6**
couler to flow, to run (down) **5**
coup *m* stroke, blow **1**; trick **2**; ≈ de botte kick with the boot **G2**; ≈ de foudre love at first sight **1**; ≈ de soleil sunburn **8**; ≈ de tête impulse, sudden urge **G4**; tout d'un ≈ all of a sudden **G2**
coupe de cheveux *f* haircut **1**
couper to cut **G2**
coupe-vent *m* windbreaker **G3**
coupure *f* cut **8**
cour *f* courtyard **4**
courant ordinary **5**; current **G4**; compte ≈ checking account **7**; ≈ *m* current **G4**; mettre au ≈ to inform **6**; tenir au ≈ to keep informed **6**
courbatu aching, stiff **8**
courbatures *fpl* aches and pains, soreness **8**
courgette *f* squash **5**
courir to run **2**; ≈ après to chase **5**
couronner to crown **2**
courrier *m* mail **7**
cours *m* course, class **P**; au ≈ de in the course of **2**; ≈ d'eau waterway **G3**; ≈ préparatoire first grade **G1**
course *f* race **6**; ≈ à pieds running (race)

G4; ≈ de haies hurdling **G4**; faire les ≈ to go shopping **G2**
court short **1**
coussin *m* pillow **G2**
couteau *m* knife **5**
coûter to cost **6**
coutume *f* custom **5**
couvert *m* place setting, table setting **G3**
couvrir to cover **1**
crack *m* ace, top student **G1**
craindre to fear **8**
crainte *f* fear **G1**
crâne *m* skull **G4**
cravaté wearing a tie **G2**
créer to create **G2**
crème *f* cream **1**; ≈ au caramel caramel custard **5**; ≈ hydratante moisturizing cream **8**
crémone *f* bolt **G4**
crêper: se ≈ le chignon to tear each other's hair out **G1**
creuser to dig **G3**
crevé* worn out, exhausted **5**
crevette *f* shrimp **5**
cri *m* shout **4**; pousser un ≈ to let out a shriek **6**
crier to scream, to shout, to yell **2**
crise *f* crisis **4**; attack **8**
cristallisé: sucre ≈ *m* granulated sugar **G2**
croire (à) to believe (in) **1**
croiser to pass by, to run across **G2**
croisière en bateau *f* cruise **2**
croix *f* cross **7**
croque: à la ≈ raw **G3**
croquer to bite **G2**
cross *m* cross country running **G4**
croustillant crusty, crispy **5**
cru raw **5**
crustacé *m* shellfish **G3**
cueillir to gather, to pick **3**
cuillère *f* spoon **G3**; ≈ à café teaspoon **5**; ≈ à soupe tablespoon **5**
cuillerée *f* spoonful **5**
cuir *m* leather **1**
cuire to cook **4**; bien cuit well done **5**
cuisine *f* kitchen **G1**; food, cooking **G2**
cuisinier, (cuisinière) chef **5**
cuisinière *f* stove **2**
cuisse de grenouille *f* frog's leg **5**
cuisson *f* cooking time **5**
cuivre *m* copper **1**
culbuteur *m* rocker arm (*motor*) **G2**
culotte courte *f* shorts **7**
cure *f* parish house **G3**
curé *m* priest **2**
curieux strange, curious, funny **1**

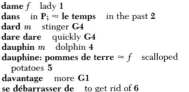

dame *f* lady **1**
dans in **P**; ≈ le temps in the past **2**
dard *m* stinger **G4**
dare dare quickly **G4**
dauphin *m* dolphin **4**
dauphine: pommes de terre ≈ *f* scalloped potatoes **5**
davantage more **G1**
se débarrasser de to get rid of **6**
déblayer to clear the way **6**
débarder to overflow **2**
debout standing **3**
se débrouiller to manage, to get along **1**
débroussailler to clear **G2**

début *m* beginning **P**
décapsuleur *m* bottle opener **5**
décennie *f* decade **G2**
décevoir to disappoint, to let down **3**
déchaîner to unleash **G3**
déchet *m* waste **4**
déchirer to tear, to rip **7**
décoiffé uncombed **1**
décoller to take off **G3**
décoloré faded **5**
se décontracter to loosen up **8**; **décontracté** relaxed **1**
décor *m* décor **G1**; scenery **3**
décourager to discourage **1**; **se ≈** to get discouraged **1**
découverte *f* discovery **4**
découvrir to discover **P**; to uncover **7**; **à découvert** in the open **G2**
décrire to describe **1**
décrypter to decipher **G4**
dédaigner to disdain, to not care for **G1**
dedans inside **3**
dédicace *f* dedication **3**
dédier to dedicate **3**
déduire to deduce **4**
défendre to defend **4**; to forbid **8**
défi *m* challenge **G2**
défini defined, decided **1**
dégât *m* damage **G2**
se déglinguer to fall apart **G1**
dégoûtant disgusting **5**
dégustation *f* sampling, tasting **G3**
déguster to taste **5**
dehors outside **2**
déjà already **1**
déjeuner to have lunch **5**; **≈** *m* lunch **G1**; **petit ≈** *m* breakfast **4**
délavé stone-washed, faded **1**
délicatesse *f* delicacy, finery **7**
délice *m* delight **5**
deltaplane *m* hang gliding **G3**
demain tomorrow **1**; **après-≈** the day after tomorrow **1**
demander to ask (for) **P**; **se ≈** to wonder **4**
démangeaison *f* itch **8**
démanger to itch **8**
démarrer to take off **6**
déménager to move **1**
demeure *f* residence **G4**
demeurer to reside **1**; to remain **7**
demi half **1**; **à ≈** halfway **4**; **≈-frère** half brother, stepbrother **2**; **≈-sœur** half sister, stepsister **2**
démographique: explosion ≈ *f* population explosion **G2**
demoiselle d'honneur *f* maid of honor **3**
démonter to take apart **G4**
dénoyauter to pit **5**
dent *f* tooth **G4**
dépannage *m* fixing, repairing **G3**
dépanneuse *f* tow truck **6**
départ *m* departure **3**
dépasser to pass **G1**
se dépêcher to hurry **1**
dépense *f* expense **G2**
dépenser to spend **4**; **se ≈** to exert oneself **8**
dépensier spendthrift **7**
déplacer to move **1**
déplaire to displease **6**
se déployer to unfurl, to spread out **6**
déposer to lay down **7**

dépôt *m* deposit **7**
dépouiller to strip **G2**
déprimé depressed **8**
depuis since **1**; for **2**; **≈ que** since **1**
déranger to bother **1**; to disturb **G2**
dernier last **1**
derrière in the back **1**; behind **4**
dès starting from **G1**; **≈ que** as soon as **4**
désagréablement unpleasantly **G2**
descendre to come down, to go down, to bring down **2**; **≈ dans un hôtel** to go to a hotel **6**; **≈ de** to get off **6**; **faire ≈** to lower **G1**
descente *f* descent, downhill race **G3**
désert deserted **4**
désespéré hopeless **7**
désespoir *m* dispair **7**
déshabillage *m* undressing **G3**
se déshabiller to get undressed **1**
désobéir à to disobey **1**
désolé sorry, regretful **3**; distressed **7**
désormais from now on **3**
dessin *m* drawing, design **1**; illustration **G3**
dessinateur, (dessinatrice) drawer, cartoonist **2**; **≈ de publicité** commercial artist **4**
dessiner to draw **G1**
dessous: au ≈ de underneath **4**
dessus on top **1**; on **4**; **≈** *m* top **1**; **au-≈ de** above **4**
destin *m* destiny **3**
destinataire *m/f* addressee **7**
désuet outdated, outmoded **G4**
se détendre to relax **1**
détente *f* relaxation **5**
détruire to destroy **4**
dette *f* debt **7**
deux: **à ≈** as a couple **3**; **≈-pièces** *m inv.* two-room apartment **2**; **≈-roues** *m inv.* two wheeler **G3**
devant in front of **2**
devenir to become **1**
deviner to guess **4**
devise *f* currency **7**
dévoiler to unveil, to reveal **G1**
devoir must, should, ought to, to have to **P**; **≈** *m* duty **6**; **≈s** *mpl* homework **P**
diable: Que ≈! What the dickens! **6**
diagnostic *m* diagnosis **8**
diagnostiquer to diagnose **8**
diamant *m* diamond **7**
dictée *f* dictation **7**
diététique: centre de ≈ *m* diet center **8**
dieu *m* god **1**
difficile difficult **2**
digne worthy, deserving **G2**
diminutif *m* nickname **P**
dinde *f* turkey **5**
dîner to have dinner **2**
dire to say, to tell **P**
diriger to run, to direct **4**; **se ≈** to head **1**
discours *m* speech **5**
discret unassuming **G3**
discuter (de) to discuss **2**
disparaître to disappear **3**
disparition: animal menacé de ≈ *m* endangered animal **4**
disponible available **4**
disposer to arrange, to put, to dispose **G2**
se disputer to argue, to fight **2**
distingué distinguished **2**
se distinguer to stand out, to be seen **G3**
se distraire to amuse oneself **G2**
distrait distracted **5**

distributeur, (distributrice) distributor **4**; **≈ automatique (de billets)** *m* (ticket) vending machine **6**
diurne daytime **G4**
diviser to divide **G2**
doigt *m* finger **G1**
domicile *m* residence **P**; **service à ≈** house call **G3**
dominer to overlook **G3**; to dominate **G4**
dommage *m* pity, shame **3**
don *m* gift **G1**; talent **5**
donc therefore, then **2**
donner to give **1**; **≈ dans** to tend to be **G4**; **≈ envie (de)** to make one want **G4**; **≈ le ton** to set the tone **G2**; **≈ sur** to open onto **2**
dorloter to pamper **8**
dormeur, (dormeuse) sleeper **G4**
dormir to sleep **1**
dos *m* back **7**
dossier *m* back (*of a chair*) **5**
douane *f* customs **2**
douanier, (douanière) customs officer **6**
doublé dubbed **3**
doucement gently, slowly **1**
douceur: en douceur smoothly, gently **G3**
douche *f* shower **3**
se doucher to take a shower **1**
doué talented, gifted **1**; clever **6**
douleur *f* pain **6**
douloureux painful **8**
doute *m* doubt **1**
douter to doubt **G1**
doux, (douce) soft, gentle **4**
douzaine *f* dozen **5**
drap *m* sheet **G2**
drapeau *m* flag **4**
dresser to set up **G2**; **≈ une liste** to write out a list **G2**; **se ≈** to rise up, to stand up **3**; to staighten oneself **7**
droguerie *f* hardware store **7**
droguiste *m/f* hardware dealer **7**
droit straight **2**; **≈** *m* right **G4**; **≈ d'entrée** entrance fee **G2**
droite *f* right **3**
drôle funny, strange **1**
dur harsh, strict **P**; **œuf ≈** hard-boiled egg **5**
durant during **G2**; **année ≈** throughout the year **G4**
durée *f* duration **G4**
durer to last **P**

──────────── *E* ────────────

eau *f* water **2**; **≈ de javel** household bleach **7**
ébahir to astound **4**
échange *m* exchange **4**
échanger to exchange **1**
échapper to escape **2**
échauffer: ≈ les oreilles to get on one's nerves **G1**; **s'≈** to warm up **G4**
échouer to fail **P**
éclair *m* lightning **G2**
éclairage *m* lighting **3**
éclairé lit **7**
éclatant loud, manifest **5**
éclater to explode **6**
écœurant sickening **5**
école *f* school **P**
économe thrifty **7**
économie *f* economy **G2**; economics **G4**; **≈s** *fpl* savings **7**
économiser to save **7**

écouter   to listen (to) **P**
écran *m*   screen **4**; petit ≈   television **G4**
écraser   to crush, to run over **G4**
s'écrier   to exclaim, to shout **6**
écrin *m*   case **7**; dans un ≈   nestled in **G3**
écrire   to write **1**
écriture *f*   handwriting **G1**
écrivain *m*   writer **2**
écume *f*   foam **3**
édredon *m*   down blanket **1**
éducatif   educational **2**
effacer   to erase **1**
effectivement   in fact, actually **8**
effectuer   to carry out, to perform **G2**
effet *m*   effect **8**; en ≈   actually, in fact **6**
effrayant   frightening, dreadful **4**
s'effrayer   to get scared **1**
égal   equal **7**
église *f*   church **3**
égoutter   to strain **5**
élancé   slender **G4**
élargir   to broaden **5**
élastique *f*   rubber band **2**; elastic **G1**
élevage d'escargots *m*   snail farm **G1**
élève *m*/*f*   student **P**
élever   to raise, to rear **1**; élevé   high **P**;
   bien élevé   well-mannered **2**; mal élevé
   bad-mannered **2**
élimé   used up **G2**
s'éloigner   to distance oneself **G3**; éloigné
   far away **2**
emballer   to wrap **7**; emballé   worked up **G3**
embêter   to bother **3**; s'≈   to be bored **3**
emblée: d'≈   right away **G1**
emboîter: ≈ le pas   to follow in one's footsteps **G1**
embouteillage *m*   traffic jam, bottleneck **6**
embrasser   to hug **G2**; s'≈   to kiss, to embrace **1**
émeraude *f*   emerald **1**
émettrice: antenne ≈ *f*   transmitter antenna **2**
émission *f*   emission, broadcast **G4**
emmener   to take (*somebody*) **2**
empêcher   to prevent, to keep from **5**
empiler   to stack up, to pile up **G2**
emploi *m*   employment **4**; ≈ du temps   schedule **P**
employer   to use, to employ **1**
emportement: avec ≈   wildly **7**
emporter   to take (*something*) **1**
emprunt *m*   loan (*that you borrow*) **7**
emprunter   to borrow **G2**
ému   emotional, moved **7**
émule: susceptible de faire des ≈s   to be able
   to be imitated **G1**
encombrant   burdensome **G3**
encombrement *m*   traffic jam **6**
encore   again, still **1**; ne ... pas ≈   not yet **6**
endommager   to damage **2**
endormir   to put to sleep **4**; s'≈ to fall asleep **1**
endosser   to endorse **7**
endroit *m*   place **4**
énergique   energetic **6**
énerver   to irritate **2**; s'≈   to get irritated **1**
enfance *f*   childhood **2**
enfant *m*/*f*   child **2**; ≈ terrible   brat **2**;
   ≈ unique   only child **2**
enfermer   to shut in **4**
enfin   finally **3**
enfler   to swell **8**
s'enfoncer   to go deep, to disappear **6**
enfouir   to tuck away in **G3**
enfuir   to flee **7**
engagement *m*   promissory note **7**

engager   to hire **4**
engin *m*   contraption, machine **G3**
engrais *m*   fertilizer **7**
enjamber   to step over **G2**
enlever   to remove, to take off, to take away **6**
enneiger   to cover with snow **G2**
ennuyer   to bore **1**; to bother **2**; s'≈   to be
   bored, to get bored **1**
énorme   enormous, huge **2**
enregistrer   to record **G4**
enrichir   to enrich **G3**; s'≈   to get rich **1**
enseignant(e)   teacher **G1**
enseignement *m*   teaching, education **P**
ensemble   together **P**
ensoleillement *m*   sunny weather **G2**
ensuite   next, then **1**
entasser   to pile up **G2**
entendre   to hear **1**; to intend **6**; ≈ dire   to
   hear it said **1**; ≈ par   to mean by **5**; s'≈   to
   get along **P**
enterrement *m*   funeral **8**
s'enthousiasmer   to get excited **1**
entier   entire, whole **6**
entourer   to surround **G1**
entrailles *fpl*   guts **8**
entraînement *m*   training, workout **8**
entraîner   to drag along **G1**; to lead to, to
   bring about **G4**; s'≈   to train **8**
entraîneur *m*   coach, trainer **3**
entre   between, among **1**; ≈ huit yeux
   between four people **G2**
entrecouper   to interrupt **G4**
entrée *f*   entrance **P**
entremets *m*   dish served before dessert **G3**
envahir   to invade **4**
s'envelopper   to wrap oneself **7**
envers: à l'≈   upside down, backwards **3**
envie *f*   desire **8**; avoir ≈ de   to feel like, to want **3**
environ   approximately, about, more or less **1**
envisager   to contemplate, to consider **G1**
envoyer   to send **1**
épais, (épaisse)   thick **4**
épaisseur *f*   thickness **6**
épaissir   to thicken **8**
épargne *f*   savings **7**
épatant   amazing **G2**
épaule *f*   shoulder **1**
épée *f*   sword **4**
éperdu   distraught **7**
épicé   spicy **5**
épicerie *f*   grocery store **5**
épicier, (épicière)   grocer **7**
épinard *m*   spinach **7**
éplucher   to peel **5**
époque *f*   time **2**
épouser   to marry **4**
épouvantable   dreadful **8**
épouvanté   horrified **7**
époux, (épouse)   husband, spouse **1**
épreuve *f*   event **G4**
épuisement *m*   exhaustion **4**
épuiser   to exhaust **G2**
équilibre *m*   balance, stability, equilibrium **G2**
équilibré   balanced **8**
équipe *f*   team **3**
équitation *f*   horseback riding **3**
ère *f*   era **4**
éreintant   exhausting **G4**
errance *f*   wandering, roaming **G3**
errer   to wander, to roam **3**
escalade *f*   climbing **3**

escalader   to climb, to scale **3**
escalier *m*   stairs, stairway **G1**
escargot *m*   snail **G1**
escarpé   steep **G3**
espace *m*   space **G1**
espèce *f*   species **4**; kind, sort **G4**
espérance *f*   hope **7**
espérer   to hope **P**
espion(ne)   spy **4**
espoir *m*   hope **6**
esprit *m*   mind **G1**; spirit **G3**
essayage: cabine d'≈ *f*   fitting room **1**
essayer   to try, to try on **1**
essence *f*   gas **G1**
s'essouffler   to get out of breath **8**
essuie-glace *m inv.*   windshield wiper **G3**
essuyer   to wipe **1**
est *m*   east **3**
estimer   to deem, to consider **G4**
estivant(e)   summer vacationer **G3**
estomac *m*   stomach **5**
estrade *f*   ramp **G1**
établir   to establish **G2**; to arrange **G4**
établissement *m*   establishment **1**
étage *m*   floor, story **1**
étagère *f*   shelves **2**
étal *m*   stall, stand **5**
étape *f*   stop, stopping point **G3**
état *m*   state **P**; condition **4**
été *m*   summer **1**
éteindre   to put out, to switch off **8**
étendre   to stretch out, to reach out **5**; s'≈
   to stretch out, to extend **3**
éternuer   to sneeze **2**
étiquette *f*   sticker, label **7**
étoile *f*   star **3**; ≈ de mer   starfish **G2**
étonner   to astonish **4**; s'≈   to be surprised **7**
étourdi   dizzy **8**
étrange   strange **1**
étranger   foreign **P**; à l'≈   abroad **7** ≈,
   (étrangère)   foreigner **6**
étrangler   to strangle **6**
être *m*   being **4**
être   to be **P**; ≈ collé*   to flunk **P**; ≈ reçu (à
   un examen)   to pass (an exam) **P**
étroit   tight **1**; narrow **G1**
études *fpl*   studies, schooling **P**
étudiant(e)   student **G1**
étudier   to study **G4**
euphoriser   to exhilarate **G2**
évacuer   to clear **8**
s'évanouir   to faint, to disappear **G2**
éveil *m*   awakening **G4**
éveiller   to awaken **7**
événement *m*   event **2**
évidemment   of course **2**
éviter   to avoid **4**
évocateur   evocative, suggestive **G3**
évoluer   to evolve **G4**
évoquer   to recall **5**
exact   precise **3**; correct **4**; accurate **6**
examen *m*   exam **P**
s'exclamer   to exclaim, to cry out **6**
exclure   to exclude **1**
excuser   to forgive **8**; s'≈   to apologize **3**
exercer   to exercise, to practice **8**
exigence *f*   demand **6**
exiger   to demand **1**
expédient *m*   measure **6**
expédier   to send **7**
expéditeur, (expéditrice)   sender **7**

expert(e) specialist 7; ≈-**comptable** *m* certified public accountant 4
explication *f* explanation **G4**
expliquer to explain 1
explorateur, (exploratrice) explorer 4
exposer to exhibit, to show **G1**
exprès on purpose 2
exquis exquisite 7
extase *f* ecstasy 7
exténué exhausted 8
extra* fantastic, terrific, great **P**
extraire to extract **G4**
extrait *m* excerpt 3
extrascolaire extracurricular **G1**

fabriquer to make **G1**; se ≈ to be made **G1**
face *f* side **G3**; en ≈ de facing 4; ≈ à facing **G2**; faire ≈ à to face **G4**
fâcher: fâché mad 8; se ≈ to get mad 1
facile easy 1
facilement easily 2
facilité *f* ease **G3**
façon *f* way 2; de toutes ≈s anyway 3
facteur *m* mail carrier 7; factor **G4**
facture *f* bill 5
fade tasteless, flat 5
faible weak 4
faillir: avoir failli to have almost **G4**
faillite: en ≈ bankrupt **G2**
faim *f* hunger 4; avoir ≈ to be hungry 1
faire to make, to do **P**; ≈ **attention** to pay attention 5; ≈-**part** *m inv.* announcement card 2; se ≈ to be done 1; to create for oneself **G1**; to be carried out 6; se ≈ **du souci** to worry 4; se ≈ **grâce de** to spare oneself 6; s'en ≈ to worry 8; **tout à fait** altogether **G20**
fait *m* fact **G1**; en ≈ in fact **G1**
falaise *f* cliff 3
falloir to be necessary 1
familial family 2; domestic, homelike **G4**
familièrement informally 7
famille *f* family 2; en ≈ with the family 2
fana *m/f* fan 2
fanfaronnade *f* boasting **G1**
farci (à) stuffed (with) 5
se fatiguer to get tired 1
faubourg *m* suburb **G4**
faufilé threaded 5
faute *f* fault 3
fauteuil *m* armchair 1
faux, (fausse) false, wrong **G2**; fake 1
faveur: en ≈ de on account of 8
favoriser to favor, to further **G4**
féerie *f* fairytale world 7
feindre to pretend 8
félicité *f* happiness 5
femme *f* woman, wife **G1**; ≈ **de ménage** cleaning lady 2
fenêtre *f* window 1
fente *f* slit, slot **G1**
fer: chemin de ≈ *m* railroad 6; ≈ **à repasser** *m* iron 7
ferme *f* farm **G4**
fermement firmly 4
fermer to close **P**
fermeture *f* clasp 7; ≈ **à glissière** zipper **G1**; ≈ **éclair** zipper 1
féroce ferocious 2

fessée *f* spanking 2
festin *m* feast 2
fêtard(e)* partier **G1**
fête *f* celebration, holiday, feast 2; party 7
fêter to celebrate 3
feu *m* fire, light **G1**; ≈ **de bois** open fire 3
feuille *f* leaf 4
feuilleté *m* puff pastry **G3**
feuilleter to leaf through 1
fiacre *m* carriage 7
ficelle *f* string 7
fiche *f* registration form 6; slip of paper 7
se ficher: ≈ **de** to care less about 2
fidèle faithful 6
fier proud 4
fièvre *f* fever 8
figure *f* face 2; figure **G3**; faire ≈ de to be thought of as **G3**
se figurer to imagine 5
fil: au ≈ des ans in the course of the years 5
filer to take off 6
filet *m* net 1; net shopping bag, filet 5; thread 8
fille *f* girl, daughter **P**
filleule *f* goddaughter 7
fils *m* son **G1**
fin *f* end **P**
fin fine 3; ≈**es herbes** mixed herbes 5
financier financial 4
finir to finish 1; ≈ **par** to end up 6
fixe fixed 7
fixement: regarder ≈ to stare 5
fixer to determine **G1**; to fasten **G2**
flacon *m* medicine bottle 8
flèche *f* arrow 4
fleur *f* flower 2; **J'ai les nerfs à ≈ de peau.** My nerves are on edge! 4
fleuri flowered **G3**
flotter to float **G2**
flotteur *m* float **G3**
fluo fluorescent **G2**
foi: Ma ≈! Well! 8
foie *m* liver **G3**; ≈ **gras** goose liver pâté 5
fois *f* time **P**; à la ≈ at the same time 6
folie *f* foolishness 6; extravagance, insanity 7
follement: s'amuser ≈ to have great time 5
foncé dark 1
fonceur, (fonceuse) someone who has tremendous drive **G4**
fonction *f* function **G2**; en ≈ de according to **G1**; faire sa ≈ to do one's job 8
fonctionnaire *m/f* civil service employee 4
fonctionnel practical **G1**
fonctionner to work, to function **G1**
fond *m* bottom 7; au ≈ at the end 1; in the bottom of, deep in one's heart 6; **ski de ≈** *m* cross-country skiing
fondement *m* foundation **G4**
fonder to found 6
fondu *m* melted 5
foot *m* soccer 3
footing: faire du ≈ to go jogging 8
force *f* strength 7; ≈ **armée** armed force 4
forcément inevitably **G3**
forestier forestry 2
forêt *f* forest 4; ≈ **pluviale** rain forest **G2**
formation *f* training **G1**
forme *f* shape, form 2
formel definite **G1**
former to train **G1**; to form, to make up 8
formidable great 3
formule *f* formula, program **G4**

fort strong, hard, loud 1; tight 5; quite 6; **aller ≈** to be going really well **G2**
fossé *m* ditch, gap **G1**
fou, (folle) crazy, mad **G1**; lunatic 5; ≈ **rire** *m* giggles **G2**; **s'amuser comme un petit ≈** to have a great time 2
fouet *m* whisk 5
fouiller to rummage through 2
foulard *m* scarf 1
se fouler to sprain 8
foulure *f* sprain 8
four *m* oven **G2**
fourchette *f* fork **G3**
fournir to furnish **G1**; se ≈ to get supplies **G4**
fourrure *f* fur 4
foyer de jeunes *m* youth club **G1**
se fracasser to smash, to shatter 3
frais *m* expense **G2**; fee **P**
frais, (fraîche) fresh 4
fraise *f* strawberry 5
framboise *f* raspberry 1
franchement frankly 5
franchir to go beyond **G2**
frapper to knock 6; to strike **G3**; ≈ **d'un impôt** to put a tax on 6
frein: ≈ **à tambours** *m* drum brake **G3**
frêle thin, delicate **G1**
frelon *m* hornet **G4**
frère *m* brother 2
frisé very curly, frizzy 1
frisson *m* shiver **G3**
frissonner to shiver 8
froid cold 1; avoir ≈ to be cold 1
fromage *m* cheese 5
froncer to frown 5
frontière *f* border 6
fruit *m* fruit **G2**; ≈**s de mer** seafood **G2**
fruitier, (fruitière) greengrocer 7
fuir to leak 6; to stay away from **G4**
fuite *f* flight **G2**; leak 6; en ≈ on the run **G2**
fumée *f* smoke 5
fumer to smoke 1
fur: au ≈ et à mesure as one goes along **G2**
fureter to pry about **G2**
furibard* furious 5
fusil *m* shotgun 4; rifle 7

gagner to gain **G1**; to win, to earn 3
gai cheerful **G1**
gaîté *f* lightheartedness 6
galet *m* flat stone 2
gant *m* glove 1
garagiste *m/f* mechanic 6
garçon *m* boy 1; waiter 4; ≈ **d'honneur** best man 3
garder to guard, to keep 4
gare *f* train station 6
gariotte *f* hut (*in Périgord dialect*) **G3**
gaspillage *m* waste 4
gaspiller to waste 4
gâté spoiled 2
gâteau *m* cake 2
gauche *f* left 3
géant giant **G2**
gelée *f* aspic 5
gémissement *m* moaning **G4**
gendarme *m* highway patrolman 6
gêne *m* discomfort **G4**
gêner to make uncomfortable 5; to disturb 6
généraliste *m/f* general practitioner 8

génial   great 1
génie *m*   genius 3
genou *m*   knee 8
genre *m*   type, style, kind, sort **P**
gens *mpl*   people **P**
gentil, (gentille)   nice 2
gentilhomme *m*   gentleman 8
gérer   to manage **G2**
germe *m*   seed **G2**
gestion *f*   administration **G4**
gibier *m*   wild game 5
gifle *f*   slap 2
gilet de sauvetage *m*   life jacket **G3**
glace *f*   mirror 1; ice, ice cream 5

glacé   iced **G3**
glaçon *m*   ice cube **G2**
glissant   slippery **G2**
glisser   to slip, to slide, to glide **G1**
gloire *f*   glory 4
gonflable   inflatable **G3**
gorge *f*   throat 5
gosse* *m/f*   kid, child 2
gourmand(e)   someone who likes to eat **G2**
gousse *f*   clove 5
goût *m*   taste 2
goûter   to taste 5; ≈ *m*   snack 2
goûteux   tasty **G3**
goutte *f*   drop 8
grâce *f*   grace 7; ≈ à   thanks to **P**; se faire ≈ de   to spare oneself 6
gracieux   graceful 7
graine *f*   seed **G2**
grand   tall, big, great 1; ≈e école *f*   establishment of higher education **G2**; ≈-mère *f*   grandmother 2; ≈-parents *mpl*   grandparents 2; ≈-père *m*   grandfather 2; ne...pas ≈-chose   not much 6
grandeur *f*   greatness 3
grandir   to grow, to increase 7
gras   oily 1; greasy, fatty 5; foie ≈ *m*   goose liver pâté 5
grasse matinée *f*   sleeping late **G4**
gratiné   with grated, broiled cheese on top 5
gratter   to scratch 8
gratuit   free **P**
grave   serious, grave 2
gravure *f*   engraving **G3**
grelotter   to shiver 8
grenier *m*   attic 2
grenouille *f*   frog **G4**
grimacer   to make a face **G2**
grippe *f*   flu 8
gris   gray 1; ≈-mouillé   wet-gray **G2**
gronder   to scold 2
groom *m*   bellboy 6
gros   big, fat 1; heavy 6; ≈ mot *m*   bad word 6; ≈ œuvre *m*   frame **G1**
grossir   to gain weight 4
grotte *f*   cavern, cave, grotto 3
grouiller   to swarm, to be alive with 4
guêpe *f*   wasp 8; piqûre de ≈ *f*   bee sting 8
guère: ne...≈   hardly 4
guérir   to get well, to cure 8
guerre *f*   war 4
guetter   to be on the lookout for **G4**
guichet *m*   ticket window, counter window 6
guidon *m*   handlebar **G3**
gymnastique (gym) *f*   exercises 8; gymnastics, aerobics **G4**; club de ≈ *m*   health club 4
gyromitre *m*   a kind of mushroom **G3**

habillage *m*   dressing **G3**
habiller   to dress 2; s'≈   to get dressed 1; to get ready 3
habitant(e)   inhabitant 4
habiter   to live (in) **P**
habitude *f*   habit **G1**; d'≈   usually 2
habitué(e) *m/f*   regular visitor **G3**
habituel   usual **G1**
s'habituer à   to get used to 1
haché: viande ≈e *f*   ground meat 5
haie *f*   hedge, hurdle **G4**; course de ≈s *f*   hurdling **G4**
hall *m*   lobby 6
haltère *m*   weights 8; faire des poids et ≈s   to lift weights 4
haltérophile *m/f*   weight lifter **G2**
haltérophilie *f*   weight lifting 8
hameau *m*   hamlet **G3**
hangar *m*   barn **G4**
hanter   to haunt **G4**
hardi   bold, daring **G1**
hardiesse *f*   boldness 8
haricot *m*   bean **G4**; ≈ vert   green bean 5
hâte: avoir ≈   to be in a hurry 8
se hâter   to hurry 6
haut   high 2; loud 5; aloud 7; ≈ *m*   top **G1**; ≈s-talons *mpl*   high-heeled shoes 1; tout ≈   aloud **G2**
haute-époque *f*   turn of the century **G4**
hauteur *f*   height **G1**
hectare *m*   hectare (2.47 acres) **G2**
hélas   alas, unfortunately **G1**
herbe *f*   grass 3; herb **G3**; ≈ sauvage   weed 8
hérissé   crowned **G3**
heure *f*   hour, time **P**; à l'≈   on time 6; de bonne ≈   early 6; tout à l'≈   in a little while 8
heureux   happy **P**; fortunate 6
hier   yesterday 1; ≈ soir   last night 2
histoire *f*   story 2; history 4
hiver *m*   winter **G1**
H.L.M. *m*   government subsidized housing 2
homme *m*   man 1; ≈ des cavernes   caveman 4
honnête   honest, decent 8
honneur *f*   honor 3; faire ≈ à   to honor 7
honte: avoir ≈ de   to be ashamed of 3
honteux   ashamed 7
hoquet *m*   hiccup, bump **G1**
horaire   hourly **G3**; ≈ *m*   schedule 6
horreur: avoir ≈ de   to not be able to stand 5
horripilant   exasperating **G3**
hors (de)   out (of) **G2**; ≈ pair   outstanding **G1**
hors-bord *m*   speedboat, motorboat 3
hors-d'œuvre *m*   appetizer 5
hôte *m*   guest **G4**; table d'≈ *f*   guest table 6
hôtel *m*   hotel **G2**; maître d'≈ *m*   headwaiter 5
hôtelier: école hôtelière *f*   catering school 5
hôtesse *f*   hostess 6
hotte *f*   sack, bag **G3**
huile *f*   oil 5
huître *f*   oyster 5
humeur *f*   mood **G1**; humor 3
hurler   to scream, to shout 5
hydratant: crème ≈e *f*   moisturizing cream 8
hydropisie *f*   dropsy 8
hyper-léger   superlight **G3**
hypermarché *m*   superstore 7

ici   here 1
idée *f*   idea **P**
igname *f*   yam **G2**
ignorer   to ignore **G2**; to be unaware of 4
illustre   famous, illustrious **G2**
image *f*   picture 2
imbuvable   undrinkable 5
immangeable   inedible 5
immatriculation: plaque d'≈ *f*   license plate 6
immeuble *m*   building, apartment building 2
immondice *f*   trash **G2**
s'impatienter   to become impatient 1
imperméable *m*   raincoat 1; waterproof 1
impitoyable   merciless 4
importer   to be important, to matter 1; n'importe quand   anytime 3; n'importe quel   any 6
imposant   impressive **G3**
imprégner   to fill, to permeate 4
imprenable   impregnable 4
impressionnant   impressing **G1**
impressionner   to impress **G1**
imprimante *f*   printer **G2**
imprimé   printed 7
incendier   to set fire to **G2**
incliner   to bend over 4
incollable   unbeatable **G4**
incommoder   to bother 6
inconnu   unknown 4; ≈(e) *m/f*   stranger 4
inconvénient *m*   disadvantage 6
incrédule   unbelieving 4
inculquer à   to instil in 8
indéchiffrable   indecipherable **G1**
indécis   indecisive **G2**
indigne   unworthy 8
indigner   to make indignant 7
indiquer   to indicate, to show **G2**
indiscret   indiscreet **G1**; curious 6
indissociable   unseparable **G3**
individu *m*   individual, person **G4**
indolore   painless **G4**
inédit   novel, new, original **G3**
inépuisable   inexhaustible 4
inestimable   priceless 7
infidèle   unfaithful 4
infini   infinite 7
infirmier, (infirmière)   nurse 4
informatique *f*   computer science **P**
ingénieur *m*   engineer 2
inhabituel   unusual **G1**
injure *f*   insult 5
injurié   insulted 7
injuste   unfair, unjust 7
inlassablement   tirelessly **G4**
inoffensif   harmless 4
inoubliable   unforgettable 2
inouï   unheard of 4
inquiet   worried 7
s'inquiéter (de)   to worry (about) **P**
inscription *f*   registration
inscrire   to write into **G1**; s'≈ (à)   to register (for) 1
insolite   unusual, strange **G3**
installer   to install, to establish 2; to set up **G3**; s'≈   to establish oneself **G1**; to sit 5
instantanément   instantly 1
instituteur, (institutrice)   elementary school teacher 4
instruire   to instruct 4
insuffisant   insufficient **G4**

insupportable intolerable **2**
s'insurger to rise up, to revolt **G4**
intégrer: ≈ une équipe to make the team **G4;** **s'≈** to be integrated **G1**
intempérie *f* irregularity **8**
intention: avoir l'≈ de to intend to **2**
interdit forbidden **4**
intéresser to interest **2; s'≈ (à)** to be interested (in) **1**
intérêt *m* interest **2; avoir ≈** to have in the best interest **G2**
interpénétrer to interweave **G1**
interprète *m/f* interpreter **4**
interrogation écrite (interro) *f* quiz **P**
interroger to question **4; s'≈** to ask oneself **5**
interrompre to interrupt **5**
intervenir to intervene **1;** to take place **4**
intime close, intimate **2**
introduire to introduce **4; s'≈** to admit oneself **4**
introuvable which cannot be found **G4**
inutile useless **3**
inverse reverse **G4; à l'≈** on the contrary **P**
investir to invest **7**
investissement *m* investment **G1**
investisseur *m* investor **G1**
invité(e) guest **2**
irrégulier uneven **4**
irriter to irritate **7; s'≈** to get mad **8**

J

jaillir to spurt out **G2**
jaloux jealous **3**
jamais ever **2; ne . . . ≈** never **1**
jambe *f* leg **8**
jambon *m* ham **5**
jardin *m* yard, garden **2**
jaune yellow **1**
jaunir to turn yellow **4**
javel: eau de ≈ *f* household bleach **7**
javelot *m* javelin **G4; lancé de ≈s** throwing the javelin **G4**
jeter to throw **1; ≈ un regard** to glance **5**
jeu *m* game **2; ≈ de société** board game **7; ≈x de lumière** *mpl* light effects **3**
jeune young; **≈** *m/f* young person **1; ≈s mariés** *mpl* newlyweds **2**
jeunesse: auberge de ≈ *f* youth hostel **3**
joaillier, (joaillière) jeweler **7**
joie *f* joy **4**
joindre to connect **8; se ≈ (à)** to join **5**
joli pretty **P**
joue *f* cheek **7**
jouer to play, to act **1; ≈ de** to scoff at **7**
jouet *m* toy **2**
joueur, (joueuse) player **3**
jour *m* day **P; de nos ≈s** nowadays **4**
journal *m* newspaper **G1**
journée *f* day **G1; à la ≈** day to day **G2**
juge *m* judge **4**
juguler to halt **G2**
jules* *m* boyfriend **G4**
jumeaux, (jumelles) twins **2**
jupe *f* skirt **2**
jurer to clash **7**
jus *m* juice **G2**
jusque until **2; jusqu'à ce que** until **G1**
juste fair, just **2; right G4; au ≈** exactly **7; ≈ à côté de** right next to **5**
justement in fact **P;** precisely **G4**

K

klaxon *m* horn **6**

L

là there **1; par ≈** that way **2**
là-bas over there **2**
labeur *m* work **G1**
lac *m* lake **3; au bord du ≈** on the lakeshore **3**
lacet *m* shoelace **7**
lâcher to let go of **2**
laideur *f* ugliness **7**
laine *f* wool **1**
laisse *f* leash **5**
laisser to leave **1;** to let, to allow **2;** to let have **7; ≈ tomber** to drop **5**
lait *m* milk **G1**
laitue *f* lettuce **5**
lame *f* blade **G1**
lampe *f* lamp **7; ≈ de poche** flashlight **7**
lancé: ≈ de javelots *m* throwing the javelin **G4; ≈ de poids** *m* shot put **G4**
lancer to throw **1**
langoustine *f* scampi **G3**
langue *f* language **4;** tongue **4; ≈ de belle-mère** long plastic tongue **G2**
lapin *m* rabbit **4**
large wide, broad **2**
larme *f* tear **6**
se lasser to grow tired, to tire **3**
lassitude *f* weariness **5**
lauze *f* rock roof tile **G3**
lavabo *m* wash basin **6**
lavage *m* washing **G3**
lavement *m* enema **8**
laver to wash **7**
lèche-vitrines *m* window-shopping **1**
lecteur, (lectrice) reader **6; ≈ de carte bancaire** *m* bank teller machine **G2; ≈ de cassette** *m* cassette player **G1**
lecture *f* reading **G1**
léger light **4**
légume *m* vegetable **5**
lendemain *m* next day **1**
lent slow **4**
lessive *f* laundry **2;** laundry detergent **7**
lessiveuse *f* washing machine **3**
lettre *f* letter **1; boîte aux ≈s** *f* mailbox **7; ≈s** humanities **P; ≈s classiques** classics **G1**
levée: faire la ≈ du courrier to pick up the mail **7**
lever to raise, to lift **1; se ≈** to get up **1**
lèvre *f* lip **4**
liaison *f* connection **8**
librairie *f* bookstore **P**
libre free **2**
lien *m* bond, link, tie **3**
lieu *m* location, place **G1; au ≈ de** instead of **7; avoir ≈** to happen, to take place **3**
ligne *f* line **G1;** figure **8**
linge *m* underwear **6;** laundry **7**
lino *m* linoleum **G2**
liquider to liquidate, to get rid of **G3**
lire to read **2**
lisse straight **1**
lit *m* bed **1**
littoral coastal, littoral **G2**
livraison *f* delivery **7**
livre *m* book **2; ≈** *f* pound, half a kilo **5**
livrer to deliver **7**

livret d'épargne *m* savings booklet **7**
locataire *m/f* renter **2**
location *f* rental **3**
loge de concierge *f* caretaker's quarters **2**
logement *m* housing **7**
loger to lodge **3; se ≈** to lodge, to live **G2**
logis *m* abode, dwelling **G3**
loi *f* law **G1**
loin (de) far (from) **G1**
lointain distant **4**
loisir *m* leisure **G1**
long long **1; le long (de)** along **6**
longtemps a long time **2**
longuement for a long time, at length **1**
lors de at the time of **4**
lorsque when **2**
losange *m* diamond shape **G3**
louer to rent **2**
louis *m* twenty franc gold piece **7**
loup *m* wolf **4; ≈-garou** *m* werewolf **4**
lourd heavy **2**
loutre de mer *f* sea otter **4**
loyer *m* rent **2**
lueur *f* light, glimmer **G2**
lumière *f* light **G1**
lumineux lighted, full of light **G1**
lune *f* moon **G3; ≈ de miel** honeymoon **6**
lunettes *fpl* glasses **G1**
lurette: depuis belle ≈ ages ago **G3**
lustré shiny **5**
luthier *m* lute player **G1**
lutter to struggle **3**
luxe *m* luxury **G1**
luxueux luxurious **6**
lycée *m* French secondary school **P**
lycéen, (lycéenne) French secondary school student **G1**

M

macérer: faire ≈ to soak **5**
mâchicoulis *m* machicolation **G3**
machinalement mechanically **4**
magainin *m* a type of frog **G4**
magasin *m* shop, store **G2; grand ≈** *m* department store **1**
magnifique beautiful, magnificent **G2**
maigrir to lose weight **4**
main *f* hand **1**
maintenant now **2**
maintenir to maintain, to insist **1**
mairie *f* city hall **3**
mais but **P; ≈ alors!** Well then! **1**
maïs *m* corn **G2**
maison *f* house **1;** shop **6; ≈ de jeunes** youth center **3**
maître *m* master **G4; ≈ d'hôtel** headwaiter **5; ≈-mot** *m* motto **G4**
mal badly **2; avoir du ≈ (à)** to have a hard time **4; avoir ≈** to hurt **8; avoir ≈ au cœur** to be nauseated **6; faire ≈** to hurt **1; ≈** *m* bad, evil, illness **3; ≈ de tête** *m* headache **3; ≈ portant** sickly **G4; pas ≈ de** quite a few, quite a bit of **G1**
malade sick, ill **G1; ≈** *m/f* sick person, invalid **8**
maladie *f* illness **8**
malgré in spite of **1**
malheur *m* misfortune **4**
malheureux unhappy **7**

malle *f* trunk, chest 2
mammifères *mpl* mammal 4
manche *f* sleeve 1
mandat *m* money order 7
manger to eat **G1**; to eat away 4
mangeur, (mangeuse) eater **G2**
maniable easy to handle **G3**
manière *f* way **G1**; manner 7; **de ≈ que** in such a way that 8; **de toute ≈** in any case **P**
manifestement obviously **G1**
manifester to demonstrate 4; **se ≈** to appear **G1**
manioc *m* cassava, tapioca **G2**
manoir *m* manor, country house **G3**
manque *m* lack, want of **G4**
manquer (de) to lack, to be missing **G3**; **Tu me manques.** I miss you. 7
manteau *m* coat 1
maquette *f* model 7
se maquiller to put on makeup 1
marbre *m* marble **G3**
marchand(e) merchant, dealer, storekeeper 3
marche *f* stairway step **G1**; **≈ à pied** walking, hiking 3
marché *m* market 5; **bon ≈** cheap 5
marcher to work 2; to walk **G1**; **≈ fort** to be on the road to success **G3**
marguerite *f* daisy 7
mari *m* husband 2
marié married 2; **≈ m** groom 2; **≈e f** bride 2; **nouveaux ≈s** *mpl* newlyweds 6
marier (avec) to marry (to) 7; **se ≈ (avec)** to marry, to get married (to) 1
marmite *f* large cooking pot 2
maroquinerie *f* leather goods store 7
marraine *f* godmother 2
marrant* funny 3; **≈ (e)*** funny person 8
marron brown 1; **≈ m** chestnut 5
marteau *m* hammer 7
mas traditional style farmhouse in Provence
matheux math-minded **G1**
matière *f* matter, product **G2**; **en ≈ de** regarding **G4**; **≈ première** raw material **G2**
matin *m* morning **P**
matinal morning **G4**
mauvais bad 1
mazout *m* heating oil **G2**
mec* *m* guy **G4**
mécanicien(ne) mechanic 4
mèche *f* strand 1
mécontent unhappy 5
médaille *f* medal 7
médecin *m* doctor **G1**
médicament *m* medecine **G2**
se méfier (de) to beware (of) 1
meilleur better, best **G1**
mélange *m* mixture **G3**
mélanger to mix **G2**
membre *m* member 2; limb 8
même same **P**; even 1; **quand ≈** all the same 1
menacer to threaten 8
ménage *m* housework 2; household 4; married couple 6
ménager to use sparingly **G3**
mener to lead, to take 2; **≈ de front** to manage **G4**
menotte *f* handcuff **G1**
menteur, (menteuse) liar 2
menthe *f* mint **G2**
mentir to lie 3
mépriser to mistrust 8
mer *f* sea 3; **fruits de ≈** *mpl* seafood 5

merveille *f* marvel, wonder 2
merveilleux marvellous, wonderful 2
messager, (messagère) messenger **G4**
mesure: à ≈ que as 4
métier *m* occupation, profession **G1**
métro *m* subway 3
mets *m* dish 5
metteur en scène director 3
mettre to put (on), to place 1; **≈ au courant** to inform 6; **≈ au net** to copy out 7; **≈ du temps** to take some time 2; **≈ en valeur** to highlight **G3**; **≈ sur pied** to set up **G1**; **se ≈** to put oneself, to stand, to sit 1; **se ≈ à** to begin, to start 1; **se ≈ en boule*** to fly off the handle* 2; **se ≈ en colère** to get angry 5
meuble *m* piece of furniture **G1**
mi: à ≈-temps halftime 2; **≈-long** shoulder-length 1
micro-ondes: four à ≈ *m* microwave oven 5
midi *m* noon **G1**; south 6
miel: lune de ≈ *f* honeymoon 6
mieux better 2; **aimer ≈** to prefer 3
mignon, (mignonne) cute 3
milieu *m* middle 5; environment **G1**; **au ≈ de** in the middle of 3; **en plein ≈** right in the middle 6
mille-feuille *m* napoleon 5
millier thousand 4
mince thin 6
mine: avoir bonne/mauvaise ≈ to look well/sick 8
minuit *m* midnight 7
minutieusement in detail, meticulously 4
miroir *m* mirror **G2**
miroiter to shimmer, to sparkle **G3**
mise en scène *f* production 3
mobilier *m* furniture **G1**
mobylette *f* moped **G2**
moche* ugly 1
modifier to modify 4; **se ≈** to change **G4**
modulable able to be shaped **G1**
mœurs *fpl* customs **G1**
moindre: le ≈ the least **G1**
moins (de) less, fewer **P**; **à ≈ que...ne** unless 8
mois *m* month 1
moitié *f* half **G1**
mollet *m* calf (*leg*) **G4**
mondain fashionable 7
monde *m* world 3; crowd 5; **du ≈** people 2; **tiers ≈ m** third world 4; **tout le ≈** everyone, everybody 2
mondial worldwide 4
moniteur, (monitrice) supervisor, instructor 3; trainer **G3**
monnaie *f* change 7
montagne *f* mountain **G3**
montant *m* total amount **G2**
monter to go up, to bring up 2; to set up **G3**; **≈ à cheval** to ride horseback 2; **≈ dans** to get on, to get in 6; **≈ une pièce** to put on a play 3
monticule *m* mound **G3**
montre *f* watch 1
montrer to show 1
monture *f* frame **G1**
se moquer de to care less about 2; to make fun of 7
moquette *f* wall-to-wall carpet 2
moral *m* moral, mental 7; **≈ m** morale, spirit **G4**; **avoir le ≈ à zéro** to feel down 8; **J'ai un ≈ d'acier.** I am in a great mood. 8; **Le ≈ est au beau fixe.** I feel fine. 8

morceau *m* piece **G2**
morceler to divide up **G3**
mordiller to nibble at **G1**
mordre to bite 4
morphologie *f* shape **G1**
Morris: colonne ≈ f pillar shaped billboard **G2**
morsure *f* bite **G4**
mort dead 4; **≈ f** death 2
mot *m* word **G1**; **gros ≈** bad word 6; **maître-≈ m** motto **G4**
moto trial *f* trail bike **G3**
mou, (molle) soft, limp **G1**
moucharder* to tattle 2
mouche *m* fly 7; **tapette à ≈s f** flyswatter 7
mouiller to wet 3; **se ≈** to get wet 1
moule *m* mold **G2**
mouler to mold **G4**
moulin *m* mill 5
mourir to die 2; **≈ de faim** to starve **G4**
mousse *f* foam **G1**
moustique *m* mosquito **G4**
moutarde *f* mustard 1
mouvementé very active, tiring 8
moyen *m* way, means 4; medium 5; **≈ âge m** Middle Ages 4
moyennant charging **G3**
moyenne *f* average **G1**; **en ≈** on average **G2**
munir (de) to equip (with) **G4**
mur *m* wall **G1**
mûr ripe 5
musclé muscular 8
musée *m* museum 2

———————— *N* ————————

nager to swim 1
naissance *f* birth **P**
naître to be born 4
nappe *f* tablecloth 7
narine *f* nostril 5
natation *f* swimming **G1**
natte *f* braid 2
nautique: faire du ski ≈ to water-ski 3
navire *m* ship **G3**
navré sorry 3
nécessiter to make necessary 4
nec plus ultra the latest, the ultimate **G4**
neige *f* snow **G1**
nerf *m* nerve 2
net: mettre au ≈ to clean up, to copy out 7
nettement markedly, clearly **P**
nettoyage *m* cleaning **G3**
nettoyer to clean 1
neuf: Alors, quoi de ≈? Hey, what's new? **P**
neutre neutral **G1**
neveu nephew 1
nez *m* nose 2
ni nor 2; **ne...≈...≈** neither...nor 6
niveau *m* level **P**
noce *f* wedding 6
nœud papillon *m* bow tie 1
noir black 1
noirâtre blackish **G4**
noix *f* nut **G3**
nom *m* name **P**
nombre *m* number **G1**
nombreux numerous **P**; large 2
nommer to name 6
nord *m* north 3; **≈-ouest** northwest 3
notamment in particular **G1**
note *f* note **P**; **régler la ≈** to pay the bill 6

noter to grade **G4**
nounours *m* teddy bear **G1**
nourrir to feed, to nourish 4
nourriture *f* food **G2**
nouveau, (nouvel, nouvelle) new **P**
nouveauté *f* novelty, new things **G3**
nouvelle *f* short story 4; ≈s news 3
nu bare 5
nuage *m* cloud 6
nuit *f* night 1; **dans la ≈ des temps** in the mists of time 5
nul(le) rotten, very bad 5; **ne . . . ≈** no, not any 6; **ne . . . nulle part** not anywhere 3
nullement in no way 1
numéro *m* number 7
numéroté numbered **G1**

O

obéir (à) to obey 1
obéissance *f* obedience 8
objet *m* object **G4**
obliger to force **G2**
obscurité *f* darkness **G4**
s'obstiner to insist, to persist **G4**
obtenir to get, to obtain 1
occasion *f* occasion 1; chance 7; **livre d'≈** *m* used book **P**
occasionné (par) caused (by) 8
occuper to occupy **G1**; **s'≈ de** to take care of 1
œil *m* eye 1; **clin d'≈** *m* wink **G1**; **≈ au beurre noir*** black eye 8
œillet *m* carnation 7
œuf *m* egg 5
œuvre *f* work, art **G1**
offrir to offer 1; **s'≈** to volunteer 3; to treat oneself 7
oignon *m* onion 5
oiseau *m* bird 2
ombre *f* shade **G3**
omettre to omit 5
omnibus *m* local-stopping train 6
ondulé wavy 1
ongle *m* fingernail 7
opérer to operate on 8
opposé opposite 7
or *m* gold 5
orchestre *m* band **G1**
ordinateur *m* computer 4
ordonnance *f* prescription 8
ordonner to put in order **G1**; to prescribe 8
ordure *f* trash 7
oreille *f* ear 4; **boucle d'≈** *f* earring 7
oreiller *m* pillow **G2**
oreillons *mpl* mumps 8
orfèvre *m* goldsmith **G1**
organisme *m* organization **G2**
orientation: sens de l'≈ sense of direction 7
originaire *m/f* native 1
original original **G1**; **en version ≈e** not dubbed 3
originel original, primeval **G3**
orner to decorate **G3**
ortie *f* nettle 8
os *m* bone 8
oser to dare 2
oublier to forget **P**
ouest *m* west 3
ours *m* bear 2
outil *m* tool 8
outre: en ≈ moreover **G4**

ouverture *f* opening 8
ouvre-boîte *m* can opener 5
ouvrier, (ouvrière) worker 4
ouvrir to open 3; **ouvert** open 2

P

pagaie *f* paddle **G3**
pagaille *f* mess, chaos 6
paillette *f* sequin **G2**
pain *m* bread 3
paix *f* peace 4
palais *m* palace 6; **≈ des congrès** convention center **G2**
pâlir to turn pale 7
palme *f* flipper **G3**
panier *m* basket 7
panne *f* breakdown 6; **en ≈** broken **G2**; **tomber en ≈** to break down 6; **tomber en ≈ d'essence** to run out of gas 6
panneau *m* sign, bulletin 7
pansement *m* bandage 8
pantalon *m* pair of pants 1
papeterie *f* paper goods store, stationer's **G2**
papetier, (papetière) stationer 7
papier *m* paper 7; **≈ à lettres** stationery 7; **≈-peint** wallpaper 7
Pâques Easter 2
paquet *m* package 5
par by 1; through 2; per **P**; **≈ ailleurs** besides 6; **≈-ci, ≈-là** here and there 7; **≈ contre** on the contrary 1; **≈-dessus** above **G3**; **≈ exemple** for example 3; **≈ hasard** by any chance 1; **≈ ici** this way 1; **≈ là** that way 2; **≈ la suite** afterwards 4; **≈ moment** at times 5; **≈ terre** on the floor **G1**
para-hôtellerie *f* semi-hotel **G4**
paraître to appear, to seem 2
parallèlement at the same time 4
parapente *m* directional parachute **G3**
parapentiste *m/f* directional parachutist **G3**
parapluie *m* umbrella 1
para-soleil *m* sun shield **G3**
parce que because **P**
parcourir to go through, to cover (*a distance*) 8
parcours *m* distance, route **G2**
pare-brise *m* windshield 6
pareil (à) the same (as) 7
parent *m* parent, relative 2
parfaire to bring to perfection **G4**
parfait perfect **P**
parfois sometimes 1
parfum *m* flavor **G3**; perfume 7
parfumerie *f* perfume shop 7
parler (de) to talk (about), to speak (about) 1
parmi among, amongst 1
paroi *f* wall, surface, side **G3**
parole *f* word, speech 5
parrain *m* godfather 2
part: à ≈ ça besides that 4; **nulle ≈** nowhere 3; **quelque ≈** somewhere 3
partager to share 1
partance: en ≈ pour leaving for 6
partie *f* part 2; **≈ de chasse** hunting expedition 7; **≈-repas** lunch area **G1**
partir to leave, to go away 3; **à ≈ de** starting from 2
partout everywhere 2
parure *f* jewels, adornment 7
parvenir to achieve 1

pas not 1; ≈ *m* pace **G1**; step 6; **≈ mal de** a fair amount of, quite a few **G1**
passage *m* passing 2; way 6
passager: médecin ≈ *m* traveling doctor 8; **≈, (passagère)** passenger 6
passant(e) passerby 4
passer (par) to spend **P**; to pass (through / by) 2; **passe-partout** *m* all-purpose **G3**; **≈ l'aspirateur** to vacuum 2; **≈ un examen** to take a test **P**; **se ≈** to happen, to be going on, to take place 1
passionnant fascinating, exciting 4
passoire *f* strainer 5
pastèque *f* watermelon 5
pastille *f* throat lozenge 8; **≈ autocollante** round sticker **G2**
patati et patata* so on and so forth 5
pâte *f* batter 5; **≈s** noodles, pasta **G1**
pâté *m* pâté 5; **≈ de maisons** city block 7
pâtisserie *f* pastry, pastry shop 5
pâtissier, (pâtissière) pastry baker 5
patin à roulettes *m* roller skate 2
patte *f* leg **G1**; **à quatre ≈s** on all fours 5
paumé* lost 7
paupière *f* eyelid 2
pauvre poor 1
pauvreté *f* poverty 4; poorness 7
pays *m* country 1
paysage *m* countryside 6
paysan, (paysanne) peasant, farmer 4
PDG (président directeur général) *m* chairman of the board 7
peau *f* skin 6; **être bien / mal dans sa ≈** to feel good / bad about oneself **G1**
pêche *f* peach 5
pêche *f* fishing 8; **canne à ≈** *f* fishing rod 3
pêcheur, (pêcheuse) fisherman 4
pécule *m* savings, nest egg 6
pédalo *m* pedal boat 3
peigner to comb 7
peindre to paint **G1**
peine *f* pain, trouble, effort 7; **à ≈** hardly 6; **C'est pas la ≈!** It's not worth it! 4; **valoir la ≈** to be worth the effort 6
peintre *m* painter 4
peinture *f* paint 4; painting **G3**
peler to peel **G2**
pelouse *f* lawn 4
peluche *f* plush **G1**; **animal en ≈** *m* stuffed animal 7
se pencher to lean over, to bend over 8
pendant during, for 1; **≈ que** while 5
pendule *f* pendulum 1
pensée *f* pansy 7; thought 7
penser (à) to think (about) **P**
pension *f* boarding house **G2**; **≈ complète** room and board **G4**
pente *f* slope, downhill **G2**
pénurie du pétrole *f* oil shortage 4
percer to pierce, to make a hole **G2**
perdre to lose, to ruin 2; **se ≈** to get lost 1
père *m* father 2; **≈ Noël** Santa Claus **G3**
perfectionné perfected 4
perle *f* pearl 4
permettre to allow, to permit 1; **se ≈** to allow oneself 6
permis: ≈ de conduire *m* driver's license 3
perroquet *m* parrot 4
perruque *f* wig 1
personnage *m* character, individual 2
personne: ne . . . ≈ nobody, no one 1

perte *f* loss G2; ≈ **de temps** waste of time G3
peser to weigh G2
peste *f* plague 8
petit little, small 1; ≈ **ami** *m* boyfriend 3; ≈ **déjeuner** *m* breakfast G1; ≈**e amie** *f* girlfriend G1
pétrole *m* oil 4; **pénurie du** ≈ *f* oil shortage 4
pétrolier *m* oil tanker G2
peu (**de**) little, few P; **à** ≈ **près** about G1; ≈ **m'importe!** I couldn't care less! 1; **quelque** ≈ somewhat 3
peupler to fill 7
peuplier *m* poplar tree G3
peur *f* fear 4; **avoir** ≈ (**de**) to be afraid (of) 3; **faire** ≈ **à** to frighten 2
peut-être perhaps, maybe P
phare *m* headlight 6
photocopieuse *f* photocopying machine G2
pièce *f* room G1; play 3; coin 7; piece G3
pied *m* foot 4; **aller à** ≈ to walk 4; **de plain-** ≈ at the same level G1; **mettre sur** ≈ to set up G1; **promenade à** ≈ *f* walk 4;
pierre *f* stone G3
pierrerie *f* gem 7
piéton(ne) pedestrian 3
pigne de pin *f* pine nut G3
pile *f* battery 7
piller to pillage, to plunder G2
piloter to fly, to drive 3
pin *m* pine G3
pince *f* claw, clip G1
pincée *f* pinch 5
pincer to pinch 6
piocher to dig up, to pick on G2
piqué: **tomber en** ≈ to dive towards G4
piqûre *f* shot, injection, sting 8; bite G4
pire worse 4; **de** ≈ **en** ≈ worse and worse 5
piscine *f* swimming pool 3
pistache *f* pistachio 1
piste *f* slope, trail 2; track 8; ≈ **de danse** dance floor G2
pistolet à eau *m* water gun, squirt gun 7
pitié *f* pity G1
placard *m* closet 2
place *f* place, seat 1; space, room 2; city square 6; **à la** ≈ instead 6; **mettre en** ≈ to establish G4
plafond *m* ceiling G1
plage *f* beach 2; **surveillant(e) de** ≈ lifeguard 4
plaie *f* wound G4
plaindre to pity, to feel sorry for 5; **se** ≈ (**de**) to complain (about) 2
plain-pied: **de** ≈ at the same level G1
plaire to please P; **Ça me plaît!** I like it! P; **s'il te** (**vous**) **plaît** please 1; **se** ≈ **à** to take pleasure in 8
plaisant pleasant 6
plaisanterie *f* joke 2
plaisir pleasure 2; **faire** ≈ to give pleasure 8
planche: ≈ **à repasser** ironing board 7; ≈ **à roulettes** skateboard 7; ≈ **à voile** wind surfing G3
plancher sur ses bouquins* to hit the books G4
planétaire worldwide G2
plante *f* plant G2; ≈ **du pied** sole of the foot G2
plaque d'immatriculation *f* license plate 6
plaquette de freins *f* brake shoe G3
plat flat 5; ≈ *m* dish G1

plateau *m* tray, platter 5
plâtre *m* cast G4
plein full 2; **en** ≈**e forme** in good shape 8; **en** ≈ **milieu** right in the middle 6; **faire le** ≈ to fill up the car 6; ≈ **de** lots of 4
pleurer to cry 2
pleurnicheur, (**pleurnicheuse**) crybaby 2
pleuvoir to rain 1
pli *m* fold, pleat 7
plombier *m* plumber 4
plongée *f* skin diving 3; **faire de la** ≈ to scuba dive 3
plonger to dip in, to immerse G2
plongeur (**plongeuse**) **sous-marin(e)** *m* scuba diver G2
pluie *f* rain 1
plumeau *m* feather duster 2
plupart: **la** ≈ (**des**) most (of), the majority (of) G1
plus (**de**) more P; **ne** . . . ≈ no longer 3; **non** ≈ neither 1; ≈ **avant** further G1; ≈ . . . ≈ the more . . . the more 3
plusieurs several P
plutôt rather 1
pluvial: **forêt** ≈**e** *f* rain forest G2
pneu *m* tire 6
poche *f* pocket 7; **lampe de** ≈ *f* flashlight 7
poêle *f* frying pan, skillet 5
poêler to panfry G3
poids *m* weight G2; **faire des** ≈ **et haltères** to lift weights 4; **lancé de** ≈ *m* shot put G4
poignée *f* handle G3; handful G3; ≈ **de porte** *f* doorknob G4
poignet *m* wrist 8
poilu hairy 4
point *m* point 4; dot 8; **à** ≈ medium rare 5; **ne** . . . ≈ not, no 3; ≈ **de vue** perspective 2; ≈ **minitel** minitel terminal G2; ≈**s de suture** *mpl* stitches 8
poire *f* pear G3
poireau *m* leek 5
poisson *m* fish 4
poitrine *f* chest 8
poivre *m* pepper 5
poivré peppery 5
poivron vert *m* bell pepper 5
polar* *m* egghead G1
poliment politely 3
polisson mischievous 2
polycopié *m* set of lecture notes G4
pomme *f* apple G3
pomme de terre *f* potato G3
pommier *m* apple tree 3
pompe *f* pump 6
pompiste *m/f* service station attendant 6
pont-levis *m* drawbridge 4
porte *f* door 4
portefeuille *m* wallet 7
portemanteau *m* clothes hanger 7
porter to bring, to carry G1; to take G3; to wear 1; ≈ **attention** to give attention 8; **mal portant** sickly G4; **se** ≈ **bien / plus mal** to be well / worse off 6
poser to put, to place G1; ≈ **une question** to ask a question P
posséder to own 2
postal postal 7; **carte** ≈**e** *f* postcard 7; **code** ≈ *m* zip code 7
poste *m* receiver, set, post 4; **bureau de** ≈ *m* post office 7; ≈ **restante** *f* general delivery mail 7

poster to mail 7
postier, (**postière**) postal worker 7
pot *m* jar, pot 5; **plante en** ≈ *f* potted plant 7
potage *m* soup 8
poubelle *f* garbage can 2
pouce: **sur le** ≈ on the run 5
poudre *f* powder G2
poule *f* hen 3
poulet *m* chicken 5
pouls *m* pulse 8
poumon *m* lung 8
poupée *f* doll 2
pour for 3; in order to P; ≈ **autant** for all that G1; ≈ **que** so that, for 8
poursuivre to pursue G1; to chase 4
pourtant however G1; nevertheless 1; yet 2
pourvu que provided that 4
pousser to grow 4; to push 7; ≈ **un cri** to let out a shriek 6
poussière *f* dust 2; **enlever la** ≈ to dust 2
poussin *m* chick 2
pouvoir can, may, to be able P; **Il se peut.** It is possible. 8
pratique practical G1; ≈ *f* practice G4
pratiquer practice 1; **se** ≈ to be done G3
précipitamment hastily 2
se précipiter to rush 6
préfecture de police *f* police headquarters 7
premier first P; main G1
prendre to take, to get 1; ≈ **au sérieux** to take seriously G1; ≈ **conscience** (**de**) to become aware of G2; ≈ **goût à** to acquire a taste for G4; ≈ **le thé** to have tea 2; ≈ **l'habitude de** to make a habit of G4; ≈ **rendez-vous** to make an appointment 1; ≈ **sa retraite** to retire G1; ≈ **une décision** to make a decision
prénom *m* first name P
préoccuper to worry 4; **se** ≈ (**de**) to worry (about) 1
préparatifs *mpl* preparations 3
préretraite *f* preretirement G1
près (**de**) close, near 1; **de** ≈ closely 6
prescrire to prescribe 8
presque nearly, almost 2
presqu'île *f* peninsula 3
presser to be pressing 6; **pressé** in a hurry 4; **se** ≈ to hurry 1
pression *f* pressure G1
prêt ready P; ≈ *m* loan (*that you lend*) 7
prêter to lend 7; ≈ **attention** to pay attention 3
prêteur, (**prêteuse**) lender 7
preuve *f* proof, sign 4; **faire** ≈ **de** to show G1; **faire ses** ≈ to be tried and tested G2
prévenir to warn 1
prévoir to anticipate, to plan G2
prier to request, to beg 1; **Je t'en prie.** Please (go ahead). 5
primordial primary, essential G2
principe *m* principle G1; rudiment 8
printemps *m* spring 3
prise: ≈ **de conscience** *f* conscious awakening G2; ≈ **de poids** *f* weight gain G4
privation *f* deprivation 7
privé private P
priver to deprive 2
privilégié special G1
prix *m* price G1
procédé *m* procedure G3

prochain next 1
proche near 3
prodigeux tremendous, phenomenal 6
produire to produce 4
produit *m* product 1; ≈ **de lavage** dishwashing soap **G3**; ≈ **surgelé** frozen food 5
profiterole *f* cream puff 5
profond deep 7
progéniture *f* offspring **G1**
programmation *f* programming **G1**
projeter to project 1; to shoot out 4
prolonger to extend **G4**; se ≈ to persist 4
promenade *f* walk 3; **faire une** ≈ to go for a walk, to walk 4; **faire une** ≈ **en voiture** to go for a drive 4; ≈ **à pied** walk 4
promener to walk 7; se ≈ to take a walk, to stroll, to go for a ride 1
promeneur, (promeneuse) stroller, walker 2
promettre to promise 5
propos *m* subject 1; **à** ≈ **de** about **P**
propre clean 1; own **P**; proper 6; ≈ **à** characteristic of **G1**
proscrire to ban **G4**
protecteur: Société Protectrice des Animaux *f* Humane Society 4
protéger to protect 1
proue *f* bow **G3**
prouesse *f* feat **G3**
provenance: en ≈ **de** coming from 6
provençal from Provence 5; **à la** ≈ with tomato and garlic 5
provision: faire ses ≈ to go grocery shopping 5
prune *f* plum 5
publicitaire *m* advertisement **G2**
publicité *f* advertising 4
publier to publish 2
puce: marché aux ≈**s** *m* flea market **G1**
puis then, next 2
puisque since 4
puissance *f* power 4
pull *m* pullover, sweater 1
pulvérisation *f* spray **G3**
punir to punish 2
punition *f* punishment 4
P.-V. (un procès-verbal) *m* traffic ticket 6

———— *2* ————

quai *m* platform 6; wharf 7
quand when **P**; ≈ **même** all the same 1
quant à as to, as for 1
quart *m* quarter 1
quartier *m* neighborhood 1; quarter 5
quasi almost **G4**
que what **P**; that **G1**; **ne . . .** ≈ only 2
quelque some **P**; ≈ **part** somewhere 1; ≈ **peu** somewhat 3; ≈**s** a few **P**; ≈**s-un(e)s** a few **P**;
quelquefois sometimes 2
querelle *f* quarrel 6
queue *f* tail **G1**; **faire la** ≈ to stand in line 3
quincaillerie *f* hardware store 7
quincaillier, (quincaillière) hardware dealer 6
quitter to leave 1
quoique although **G1**
quotidien daily **G1**

———— *R* ————

raccourcir to shorten **G4**
race *f* breeding 7

raclement *m* scraping 4
raconter to tell, to recount 1
radeau gonflable *m* inflatable raft **G3**
radio(graphie) *f* X ray 8
rafale *f* blast 4
raffiner to refine 5
rafraîchir to refresh 8
raisin *m* grapes **G3**; ≈ **sec** raisin **G3**
raison *f* reason 2; **à** ≈ **de** at the rate of **G3**; **avoir** ≈ to be right 8
ramasser to pick up 5
ramener to bring back **G3**
randonnée *f* hike 3
randonneur, (randonneuse) hiker, cross-country skier **G2**
rang *m* row 3
ranger to tidy up, to put away 2
rapide *m* express train 6; ≈**s** rapids **G3**
rappeler to remind, to call back 1; se ≈ (**de**) to remember 1
rapport *m* relationship 8; **par** ≈ **à** in comparison to **G3**; in relation to **G4**
rapporter to bring back 7; se ≈ **à** to refer to 2
rapporteur, (rapporteuse) tattletale 2
rapprocher to bring closer **G3**
ras: au ≈ **de** level with, just above **G3**
se raser to shave 1
rasoir *m* razor 2
rassasier to satisfy 5
raté *m* failure, problem **G2**
rater to miss 1; to mess up, to botch 5
rattrapage: examen de ≈ makeup exam **P**
rattraper to catch (up with) 6
ravage: faire des ≈**s** to win many converts **G3**
ravi delighted, thrilled 4
ravissant beautiful, delightful **G3**
rayon *m* shelf **G2**; ray **G4**
rayure: à ≈ striped 1
réagir to react 7
réalisation *f* creation, achievement **G1**
réaliser to accomplish, to make **G1**; to realise **G2**; ≈ **un rêve** to make a dream come true
réapparaître to reapppear 3
reboiser to reforest **G2**
rebord *m* edge **G2**; ledge 8
rebrousser chemin to retrace one's steps 7
receler to conceal **G3**
récemment recently **G1**
recette *f* recipe **G2**
recevoir to receive **P**; to get 2
se réchauffer to warm up 3
recherche *f* research 4
rechercher to seek 7
récit *m* narration 1
réclamer to ask for insistantly 5
récolter to harvest **G2**
recommandé: en ≈ registered 7
récompenser to reward **G1**
reconnaître to recognize **G1**
reconstituer to recreate **G3**
recouvrir (de) to cover (with) **G2**; to recover 7
recueillir to collect **G4**
se reculer to move back 6
récupérer to pick up 2; to make up **G4**
redoubler to double **G2**
réduire to reduce 4; se ≈ to diminish **G1**
réfectoire *m* school cafeteria **P**
réfléchir (à) to reflect, to think (about) 1
reflet *m* reflection 5

réflexion *f* relection, thinking 3; ≈ **faite** after thinking about it 1
se réfugier to take refuge 3
refus *m* refusal 7
régal *m* treat, delight 5
se régaler to have a feast 5
regard *m* gaze 2; glare 6; window **G1**
regarder to look at, to watch 1; ≈ **fixement** to stare 5
régime *m* diet 5; **au** ≈ on a diet 5; **changer de** ≈ to change speed **G3**
règle *f* rule **G1**
régler to regulate **G1**; ≈ **la note** to pay the bill 6
règne *m* reign 4
reine *f* queen 2
rejeter to reject 1
rejoindre to join, to meet 4; to rejoin **G3**
relais *m* inn **G3**; **prendre le** ≈ to take over 8
relancer to encourage **G2**
relever de to be a product of **G1**; **relevé** seasoned 5
relier to tie, to link, to connect **G1**
remerciement *m* thanks, appreciation 5
remercier to thank 1
remettre to put back, to put off 5; se ≈ to get back, to recover 8
remonter to go back (up) **G3**; to bring back up 6; to rewind 2;
remonte-pente *m* ski lift 3
remorquer to tow away 6
remplacer to replace 1
remplir to fill (out) **G2**; to fulfill 6
renard *m* fox 3
rencontre *f* encounter, meeting (*by chance*) 1
rencontrer to meet 1; to come across 4
rendement *m* productivity **G1**
se rendormir to fall back asleep 3
rendre to give back 7; to render **G2**; ≈ (**quelqu'un**) **heureux** to make (someone) happy 5; ≈ **visite** to visit 5; se ≈ **à** to go to 7; se ≈ **compte** to realize **G1**
renfermer to hold, to contain 7
renforcer to reinforce **G4**
renommé renowned 3
renouveler to renew **G3**
renseignement *m* piece of information **P**
rentrée *f* beginning of the school year **P**
rentrer to go back (in), to return (home), to bring in 2
renverser to knock over, to spill 3; se ≈ to spill 5
renvoyer to send back, to fire 1
se répandre to spread 2
réparation *f* repair 7
repas *m* lunch **G1**; meal 2
repassage *m* ironing 2
repasser to iron 1; **fer à** ≈ *m* iron 7; **planche à** ≈ *f* ironing board 7
répéter to repeat, to practice 1
répétition *f* rehearsal 3; **à** ≈ recurrent **G4**
réplique *f* replica 4
répliquer to reply 6
répondre (à) to answer 1
reporter to take back 7
repos *m* rest 8
reposant restful 2
se reposer to rest 2
repousser to grow back 1; to push back **G4**
reprendre to take back, to have a second helping 2; to take up again 3; to repeat 6

représentation *f*　performance, portrayal **4**
reproche: faire des ≈s　to reproach **5**
rescousse: appeler à la ≈　to call for help **G4**
réseau *m*　network **G1**
résoudre　to resolve **G1**; to solve **7**
ressemeler　to resole **7**
ressentir　to feel **G2**
resserrer　to tighten **5**
ressortir: faire ≈　to make stand out **G2**
restant: poste ≈e *f*　general delivery mail **7**
restauration *f*　restoration **2**; restaurant business **G3**
rester　to stay **P**; **reste que**　the fact remains that **G1**
restituer　to return **7**
retard *m*　delay **6**; **en ≈**　late **2**
retenir　to retain, to hold back **1**
retirer　to withdraw **7**
retomber　to fall back **4**
retourner　to return, to turn around **1**; to turn over **2**; to shake **4**; **se ≈**　to turn around **3**; to cope **7**
retrait *m*　withdrawal **G2**
retraite: prendre sa ≈　to retire **G1**
rétro　old-fashioned **1**
retrouver　to meet **P**; to find (again) **4**; **se ≈**　to meet (again) **P**; to find oneself **4**
rétroviseur *m*　rearview mirror **6**
se réunir　to get together **1**; to meet **3**
réussir　to succeed **G1**; **≈ à un examen**　to pass an exam **P**
réussite *f*　success **G1**
revanche: en ≈　on the other hand **G1**
rêve *m*　dream **1**
réveil *m*　awakening **G4**
réveiller　to wake up **6**; **se ≈**　to wake up **G4**
réveillon *m*　Christmas celebration **4**
révéler　to reveal **G3**; **se ≈**　to prove to be **G4**
revendication *f*　claim **G4**
revenir　to come back **1**
rêver (de)　to dream (about) **G1**
revers *m*　backside, wrong side **G1**; **≈ d'une veste**　lapel **G1**
réviser　to review **P**
revue *f*　magazine **G1**
rez-de-chaussée *m*　ground floor, first floor **2**
se rhabiller　to get dressed again **7**
rhume *m*　cold **2**
ride *f*　wrinkle **8**
rien　nothing **G1**; **ne... ≈**　nothing **2**; **≈ que pour**　if for nothing but **2**
rigoler*　to joke around **2**
rigolo*, (rigolote)　funny one **3**
rincer　to rinse **G3**
rire　to laugh **2**; **≈ m**　laugh **P**; **fou ≈ m**　giggles **G2**
ris de veau *m*　calf sweetbread **G3**
risotto *m*　a rice dish **G3** *f*
risquer　to risk **G1**; **≈ de**　to be likely to **4**
rite *m*　ritual **3**
rivière *f*　river **4**; string of diamonds **7**
riz *m*　rice **G1**
robe *f*　dress **2**; **≈ longue**　formal (dress) **3**
roc *m*　rock **G3**
rocher *m*　jagged boulder, cliff **3**
rocheux　rocky **3**
rockeur, (rockeuse)　rock dancer **G2**
rôder　to roam, to prowl **4**
roi *m*　king **2**
roller *m*　rollerskating **G3**
roman *m*　novel **4**

rond　round **5**
rondelle *f*　round slice **5**
rose　pink **4**
roue *f*　wheel **6**
rouge　red **1**; **feu ≈ m**　red light **7**
rougeole *f*　measles **8**
rougir　to blush **5**
roulant: chaise ≈e *f*　wheelchair **8**
rouleau *m*　roll **4**
rouler　to go, to roll **5**
roulette *f*　caster, wheel **G4**
routier　road **G3**
rouvrir　to reopen **4**
roux, (rousse)　redheaded **1**
royaume *m*　kingdom **8**
rude　rough **7**
rudement　terribly **7**
rue *f*　street **1**
ruisseau *m*　stream **6**
ruminer　to toss and turn **G4**

────────── *S* ──────────

sable *m*　sand **3**
sac *m*　bag, purse **5**; pouch **7**; **≈ à dos**　backpack **G3**
sage　good, well-behaved **2**
sagesse *f*　wisdom **G4**
saignant　rare **5**
saillant　prominent, protuding **G4**
sain　healthy **8**
saisir　to grasp **G2**
saison *f*　season **2**
saladier *m*　salad bowl **5**
sale　dirty, unpleasant **1**
salé　salted, salty **5**
se salir　to get dirty **1**
salle *f*　room **G3**; **≈ de bains**　bathroom **6**; **≈ de sports**　gymnasium **G4**; **≈ d'urgences**　emergency room **8**
salon *m*　living room **2**; sitting room **7**
saluer　to greet **4**
sang *m*　blood **8**
sans　without **1**; **≈-abri** *m/f*　homeless person **4**; **≈ cesse**　constantly **7**; **≈ que**　without **8**
santé *f*　health **G1**; **A ta (votre) ≈!**　Cheers! **5**
satisfait　satisfied **5**
saucisson *m*　sausage **5**
sauf　except **G1**
saumon *m*　salmon **1**
saut *m*　jump **G4**; **≈ en hauteur**　high jump **G4**; **≈ en longueur**　long jump **G4**
sauter　to jump **G2**
sautiller　to hop, to skip **8**
sauvage　unauthorized **G2**; wild **8**
sauver　to save **G2**; **se ≈**　to run away **1**; **se ≈ en catimini**　to sneak out **G2**
savoir　to know **P**; to find out **1**
savonner　to soap **7**
savoureux　tasty **5**
scène *f*　stage **3**; scene **6**
scie *f*　saw **7**
scientifique *m/f*　scientist **G2**
scolaire　school **P**; scholastic, academic **1**
scotch *m*　tape **7**
se sculpter　to mold oneself **G4**
séance *f*　showing **3**
seau *m*　pail **7**
sec, (sèche)　dry **1**; blunt **4**; harsh **6**; **à ≈**　dry, empty **G2**; **nettoyage à sec** *m*　dry cleaning **7**

sécher　to dry **1**; **sèche-cheveux** *m*　hairdryer **4**
seconde *f*　second **P**; third to the last year at a lycée **P**
secouer　to shake **G2**
secourir　to help, to aid **8**
secours: premiers ≈ *mpl*　first aid **8**
sécurité *f*　safety **G3**
séduire　to seduce **4**; **séduisant**　enticing **4**
seigneur *m*　lord **4**
sein: au ≈ de　in the heart of **G3**
séjour *m*　stay **1**; vacation **G3**; living room **G1**
sel *m*　salt **5**
sélectionner　to select **P**
selon　according to **G1**
semaine *f*　week **1**
semblable　similar, like **3**
sembler　to seem **1**
semelle *f*　sole **G1**
semence *f*　seed **7**
semer　to strew **4**
sens *m*　sense, feeling **G1**; direction **7**
sensible　sensitive **G2**
sentier *m*　path **3**
sentir　to feel **1**; to smell **3**; **se ≈**　to feel **1**
série *f*　series **8**; **de ≈**　standard **G2**
seringue *f*　syringe **8**
serpentin *m*　streamer **G2**
serrer　to tighten **G4**; **serré**　squeezed together **6**
serrure *f*　lock **G4**
serveuse *f*　waitress **4**
servir　to serve **2**; **≈ à**　to be used for, to function **2**; **se ≈ de**　to use **3**
serviteur *m*　servant **8**
seul　alone, single **1**; sole **7**
seulement　only **1**; **pas ≈**　not even **6**
sévère　stern, strict **6**
shoot *m*　shot **2**
si　yes, if **P**; so **1**
siècle *m*　century **2**
signe *m*　gesture **7**
significatif　significant, meaningful **5**
signification *f*　meaning **G3**
silencieux　silent **4**
sillage: dans le ≈ de　following **G1**
simplissime　ultrasimple **G3**
sine qua non　indispensable **6**
singe *m*　monkey **2**
singulier　remarkable **7**
se situer　to be located **G3**
sketch *m*　skit **3**
smoking *m*　dinner jacket, tuxedo **3**
société *f*　society **G1**; **jeu de ≈ m**　board game **7**
sœur *f*　sister **2**
soi　oneself **2**
soie *f*　silk **5**
soigner　to take care of **5**; to treat **8**
soin *m*　care **4**
soir *m*　evening **P**; **ce ≈**　tonight **P**
soirée *f*　evening, party **2**
sol *m*　ground **G2**; soil **4**
soldat *m*　soldier **4**
soleil *m*　sun **2**; **coup de ≈ m**　sunburn **8**
solennel　solemn **1**
solfège *m*　rudiments of music **G1**
sollicitation *f*　beckoning **G1**
somme *f*　sum **G2**; **en ≈**　to sum up **G1**
sommeil *m*　sleepiness **8**; sleep **G4**; **avoir ≈**　to be sleepy **1**
son *m*　sound **4**

songer à to think about, to dream of 3
songeur pensive 1
sonner to ring P; to sound 1
sonore loud G4
se sophistiquer to become sophisticated G3
sort *m* fate 4; fortune G2
sorte *f* kind, sort G1; **en ≈ que** so that G1
sortie *f* evening out, date 3; exit G2; **être privé de ≈** to be grounded 2; **≈ des cours** end of classes P
sortir to go out, to leave P; to take out 2; **se ≈** to get oneself out of G3
sou: ≈ à ≈ penny for penny 7; **≈s*** *mpl* money 1
souche *f* tree stump G3; **de vieille ≈** of old stock G3
souci *m* worry 4; marigold 7; **se faire du ≈** to worry 1
se soucier to worry 6
soucieux (de) concerned (about) 8
soucoupe volante *f* flying saucer G2
soudain suddenly 4
souffle *m* puff 4; breathing capacity G4
souffler to blow 4; to catch one's breath 7
souffrir to suffer 3
souhait *m* wish 8
souhaiter to wish 3
souillé soiled G2
soulager to relieve 8; **se ≈** to find relief G4
soulever to lift (up) 1
souligner to underline, to emphasize G3
soupière *f* soup pot, tureen 7
souple limber, agile G4
source: eau de ≈ springwater G3
sourd deaf 6
sourire to smile 5; **≈** *m* smile 7
sous under 1
sous-marin underwater G2; **pêche ≈e** deep-sea fishing; **≈** *m* submarine 4
sous-sol *m* basement 2
sous-titre *m* subtitle 3
soutenir to support 1
souvenir *m* memory 1
se souvenir de to remember 1
souvent often 2
spécialement especially G1
spectacle *m* spectacle 5; show G2
sport *m* sport G1; **≈ de glisse** gliding sport G3
sportif athletic 2; sports 8
squatter to borrow G2
stade *m* stadium 8; phase, stage G4
stage *m* training course 5
standardiste *m/f* telephone operator 7
station *f* station P; resort 3; site G3
studette *f* efficiency apartment G2
studio *m* efficiency apartment 2
stupéfait stupified 1
styliste de mode *m/f* fashion designer 4
subir to suffer, to undergo G3
subvenir to provide for G1
sucre *m* sugar 5
sucré sweet, sugary 5
sud *m* south 3; **≈-ouest** *m* southwest 3
suée *f* sweat G4
sueur froide *f* cold sweat 8
suffire to suffice, to be enough 2
suggérer to suggest 1
suite: de ≈ in a row G4; **par la ≈** afterwards 4; **tout de ≈** right away G1

suivre to follow 1; to take (*a course*) P; **faire ≈** to forward 7; **≈ du regard** to watch 2
sujet *m* subject 1; **au ≈ de** about 4
summum *m* ultimate G1
super(carburant) *m* super (gasoline) G2
superficie *f* surface area G1
superposer to superimpose G1
superposition: en ≈ one on top of the other 1
supplément *m* surcharge 6
supporter to put up with, to allow 6
supposer to imply G1
sur on 1; out of 3; over 5
sûr sure, certain 1; **bien ≈** of course 1
suranné outdated G1
surchargé very busy, overworked 3
surchauffer to overheat G4
surdoué very gifted G1
surenchérir to add G4
surface: grande ≈ *f* superstore G3
surgelé frozen G2
se surmener to overexercise 2
surnommer to nickname G3
surpassement de soi *m* outdoing oneself G4
surplomb *m* overhang G3
surpopulation *f* overpopulation 4
sursauter: faire ≈ to startle 1
surtout above all 1; especially 1
surveillant(e) de plage lifeguard 4
surveiller to watch over, to keep an eye on 5
survie *f* survival G2
survoler to fly over 4
suture: points de ≈ *mpl* stitches 8
sympathique, sympa friendly, nice, pleasant P
syndical union G4

──────── 𝒯 ────────

tableau *m* picture, painting, scene 2
tablette: Ce n'est pas écrit sur mes ≈s. I have no record of it. 8
tablier *m* apron 5
tache *f* spot, stain 4
taille *f* size 1; waist 8
tailler to cut G2
tailleur *m* woman's suit 1
se taire to be quiet 7
talon *m* heel 5; **haut-≈** high-heeled shoe 1
tandis que while 4
tant (de) so much, so many 3; **≈ que** as long as 4
tante *f* aunt 2
taper to hit 2
tapette à mouches *f* flyswatter 7
tapis *m* rug G1
tapisserie *f* tapestry 7
tard late 2
tarif *m* fare 6; rate G3
tarte *f* pie G4
tartelette *f* tart 5
tartine *f* slice of bread with butter and jam G1
tartiner to spread on bread G3
tas *m* pile, stack G1; **un ≈ de** a bunch of 2
tasse *f* cup 4
taureau *m* bull G3
taux *m* rate 4; level 8
teindre to dye 8
teinte *f* shade, color 1
teinturerie *f* drycleaner's shop 7
teinturier, (teinturière) dry cleaner 7
tel, (telle) such 5; **≈ que** like, as, such as 4
télécarte *f* telephone card P

télécommandé remote controlled G1
télématique *f* electronic service system G2
télésiège *m* chair lift G3
tellement so, so much 1
temps *m* time 1; weather G2; **dans le ≈** in the past 2; **emploi du ≈** *m* time schedule G1; **en ce ≈-là** then, at that time 2
tendre to stretch out, to hold out 4
tendresse *f* affection 6
tenir to hold 1; to keep G1; to fit G3; **≈ à** to really want, to care for, to insist 1; **≈ au courant** to keep informed 6; **Tiens, tiens!** Well, well! P
tennis *m* tennis 2; tennis shoes *mpl* G1
tension *f* blood pressure 8
tentation *f* temptation G2
tenter to attempt G2
tenue *f* dress, attire 1; **en ≈ décontractée** dressed very casually 3; **en ≈ de soirée** dressed formally 3; **en ≈ de ville** dressed casually 3
terme: à long ≈ long-term G2
terminale *f* last year at a lycée P
terminer to finish 2; **se ≈** to end 4
terne dull G1
terre *f* earth 3; land, soil G2
terrible* super 2
terrifiant terrifying 4
terrine *f* earthenware vessel G3
tête *f* head G2; top, head G3; **en ≈** at the top G3; **≈-à-≈** *m inv.* private conversation 6
thé *m* tea 2
théâtre *m* drama P; theater 2
thème *m* theme 3; translation into a foreign language G1; **soirée à ≈** *f* evening with a theme G2
thon *m* tuna 4
tiède warm 4
timbre *m* stamp 7
tir *m* shooting G4; **≈ à l'arc** archery G4
tirelire *f* piggy bank G2
tirer to pull 2; to draw G1; to shoot 4; to withdraw 6; **tiré** pulled back 1; **tire-bouchon** *m* corkscrew 5
tissu *m* fabric, material G1
titre *m* title G4
toilette *f* restrooms 6; clothes 7
toit *m* roof 4
tombal: pierre ≈e *f* tombstone 3
tomber to fall 2; **laisser ≈** to drop 5; **≈ en panne** to break down 6; **≈ en panne d'essence** to run out of gas 6; **≈ en piqué** to dive towards G4; **≈ malade** to get sick 8
ton *m* tone, pitch G2
tonnerre: du ≈* fantastic 3
tordant twisting, funny G1
tort: avoir ≈ to be wrong 1
tortue de mer *f* sea turtle 4
tôt early 3
toucher to touch G1; **≈ un chèque** to cash a check 7
toujours always, still P
tour *m* tour G1; **à leur ≈** in turn 8; **faire un ≈** to go for a walk 7; **jouer un ≈ à** to play a trick on 1; **≈** *f* tower 2
tourbillon *m* whirlpool G3
tourner to turn 2; **se ≈** to turn around 4; **≈ en rond** to go in circles 7
tournevis *m* screwdriver 7
tousser to cough 2

tout all, every **P**; completely **3**; any **G4**; everything **1**; ≈ **à coup** suddenly **7**; ≈ **à fait** utterly **1**; ≈ **à l'heure** in little while **8**; ≈ **de suite** right away **1**; ≈ **en** while **G4**; ≈ **juste** barely **G3**; ≈ **le monde** everybody **2**
toutefois however **G2**
toux *f* cough **8**
trac: avoir le ≈ to be nervous (*before exams*), to have stage fright **3**
tracasser to bother, to worry **8**
trace *f* track **4**
traction *f* traction **6**; push-up, chin-up **8**
traduire to translate **4**; **se** ≈ to be translated **1**
train *m* train **1**; **en** ≈ **de** in the process of **2**
traîner to drag **1**
traitement *m* treatment **8**
traiter de to call (*a name*) **2**
traiteur *m* caterer **5**
trajet *m* journey, distance **6**
tranche *f* slice **5**
transpirer to perspire, to sweat **8**
trappe à essence *f* gas tank **G1**
travail *m* work **G1**; **gros** ≈ heavy work **7**; **travaux** *mpl* construction work **G1**
travailler to work **1**
travers: à ≈ through, across **G1**
trébucher to trip **5**
tremper to soak **3**; to dip **5**
trésor *m* treasure **G3**
trésorerie *f* treasury **2**
trial: moto ≈ *f* trail bike **G3**
trier to sort **7**
triomphalement triumphantly **6**
triste sad **3**
trombe: en ≈ in a whirlwind **6**
trombone *m* paper clip **7**
tromper to deceive, to be unfaithful to **4**; **se** ≈ **(de)** to be mistaken (about)**1**
tronc *m* trunk **G2**
trop too **1**; ≈ **de** too much, too many **5**
trou *m* hole **6**
troubler to disturb, to make cloudy **G2**
trouvaille *f* stroke of genius **G3**
trouver to find **1**; **se** ≈ to be located **1**; to find oneself **G1**
truffe *f* truffle **5**; a rare kind of mushroom **G3**
tuer to kill **4**
tuerie *f* killing **4**
tutoyer to address someone by **tu 1**
tuyau *m* pipe, tube, hose **6**

———————— *U* ————————

uni solid **1**
universel: histoire ≈ **le** world history **P**
urgence *f* emergency **8**
usage *m* use **G2**
usager, (usagère) user **G2**
usine *f* factory **6**

usure *f* interest **7**
utile useful **P**

———————— *V* ————————

vacances *fpl* vacation **1**
vacancier, (vacancière) vacationer **G2**
vague *f* wave **3**
vaisselle *f* dishes **2**
valable valid **6**
valeur *f* value **G1**; **mettre en** ≈ to highlight **G3**
valise *f* suitcase **1**
valoir to be worth **7**; ≈ **mieux** to be better **7**
valser to waltz **7**
veau *m* veal **G3**; **ris de** ≈ *m* calf sweetbread **G3**
vedette *f* star **6**
véhicule *m* vehicle **G3**; ≈ **chenillé** tracked vehicule **G2**
veille *f* the day before, eve **1**
vélo *m* bicycle **G3**
velours côtelé *m* corduroy **1**
vendeur, (vendeuse) salesclerk **1**
vendre to sell **G1**
se venger to get revenge **8**
venin *m* venom **G4**
venir to come **P**
vent *m* wind **3**; **dans le** ≈ in style **G3**
vente *f* sales **6**; **en** ≈ on sale **G1**
ventouse *f* suction cup **G4**
ventre *m* stomach, belly **5**
verdure *f* greenery **G3**
véritable real, true **G4**
vérité *f* truth **G1**
verre *m* glass **G2**
vers towards **1**; around **3**
verser to pour **5**; ≈ **des arrhes** to make a deposit **6**
version *f* translation into one's language **G1**; **en** ≈ **originale** not dubbed **3**
verso: au ≈ on the back **7**
vert green **1**; **haricot** ≈ *m* green bean **5**; **poivron** ≈ *m* bell pepper **5**
vertige *m* dizziness **8**
veste *f* jacket **1**
vestiaire *m* cloakroom **G2**
vestimentaire dress, dressing **G2**
vêtement *m* piece of clothing **1**
vêtu dressed **7**
veuf, (veuve) widower (widow) **2**
viande *f* meat **5**
vidange *f* oil change **G3**; **faire la** ≈ to change the oil **6**
vide empty **4**
vider to empty **4**; **se** ≈ to empty **6**
vie *f* life **P**; **condition de** ≈ *f* living condition **4**
vieillard *m* old man **2**
vieillir to age **7**
vieux, (vieil, vieille) old **2**; **mon** ≈ old friend **1**; **vieille fille** *f* old maid **2**

vif bright **1**
ville *f* city **1**
villégiateur *m* vacationer **G2**
vin *m* wine **2**
vinaigre *m* vinegar **5**
vinaigrette: sauce ≈ *f* oil and vinegar dressing **5**
vingtaine *f* around twenty **G4**
violent strenuous **7**
vis *f* screw **G1**; ≈**-écrou** nut and bolt **G1**
visage *m* face **5**
vis-à-vis face to face **1**; with respect to **4**
vison *m* mink **4**
vite fast, quickly **1**
vitesse *f* speed **6**; **en** ≈ quickly **6**; **excès de** ≈ *m* speeding **6**; ≈ **limite** speed limit **6**; ≈ **supérieure** fifth gear **G3**
vitrine *f* display window **7**
vivant living **4**; **bon** ≈ *m* jovial fellow **6**
vivement rapidly, in a lively manner **2**
vivre to live **1**
voici here is, here are, this is, these are **P**
voie *f* track **6**
voilà there is, there are **P**
voile *f* sailing **2**; **faire de la** ≈ to sail **3**; ≈ *m* veil **8**
voir to see **P**
voire indeed **G1**
voisin neighboring **4**; ≈**(e)** neighbor **2**
voiture *f* car **3**; railroad car **6**; **aller en** ≈ to drive **4**; **faire une promenade en** ≈ to go for a drive **4**
voix *f* voice **1**
vol *m* flight **2**; ≈ **libre** free-fall **G3**
volaille *f* poultry, fowl **5**; **suprême de** ≈ chicken supreme **G3**
voler to fly **2**
volet *m* shutter **4**
voleur, (voleuse) thief **7**
volonté *f* will **G1**
volontiers gladly **3**
vouloir to want **P**
vouvoyer to address someone by **vous 1**
voyage *m* trip **4**; traveling **5**; **chèque de** ≈ *m* traveler's check **7**
voyager to travel **1**
voyageur, (voyageuse) traveler **3**
vrai true, real **2**
vue *f* view **5**; **point de** ≈ *m* perspective **2**

———————— *W* ————————

wagon *m* car **1**; train car **6**
waters *mpl* bathroom **1**

———————— *Z* ————————

zéro rotten, very bad **5**
zut: ≈ **alors!** Well darn it! **6**

Index

Acknowledgments

For permission to reprint copyrighted material, grateful acknowledgment is made to the following sources: **UNITE PRELIMINAIRE: p. 20**; *La Poste, Le Ministère des Postes et de l'Espace:* Stamps, "Yves Brayer," "La Gravure." **p. 21**; *Excelsior Publications:* Advertisement, "Turbo Revisions" in *20 Ans,* no. 22, June 1988, p. 9. Copyright © 1988 by Excelsior Publications. **UNITE UN: pp. 72–76**; *Editions Gallimard:* From *La Cantatrice Chauve* by

Art Credits

Janet Brooks 334

Michael Faison 72, 82, 92, 171, 176, 225

Danny Garrett 260, 261

Anne Kennedy 157

Lori Kopp 413

Michael Krone 90, 96

Shelly Matheis 177

Marcy Ramsey 104, 105, 190, 239, 243, 320, 397, 448, 450

Joan Rivers 28, 33, 79, 273, 346, 347, 446

Steve Schindler 8, 10, 24, 32, 36, 41, 53, 107, 108, 112, 148, 154, 159, 165, 178, 184, 206, 231, 247, 266, 277, 287, 305, 314, 318, 325, 338, 339, 348, 357, 376, 383, 389, 400, 406, 417, 428, 442, 443, 454, 467

Joel Snyder 172

Pascale Vial 3, 12, 15, 21, 28, 40, 41, 46, 60, 62, 64, 68, 79, 114, 128, 136, 137, 149, 155, 166, 169, 193, 195, 196, 207, 213, 214, 217, 220, 229, 232, 240, 241, 254, 255, 267, 271, 273, 278, 286, 295, 301, 310, 311, 315, 338, 340, 352, 426, 427, 429, 432, 433, 439, 465, 476

Photo Credits

Table of Contents: iii(t), Philippe Gontier/The Image Works; iii(c), Alan Oddie/PhotoEdit; iii(b), Emilio Riva Palacio; iv(t), Stuart Cohen/Comstock Inc.; iv(b), Joe Viesti; v(t), Mark Antman/The Image Works; v(b), Emilio Riva Palacio; vi(t), Ray Stott/The Image Works; vi(b), Meigneux/Imapress/Journalism Services.

Unité Préliminaire: xii(tl), Stuart Cohen; xii(tr), HRW Photo by Russell Dian; xii(b), Mike Mazzaschi/Stock Boston, Inc.; 1, Philippe Gontier/The Image Works; 2, Courtesy of Gina Munoz; 4, Peter Gonzalez; 6, Robert Fried; 7, Ken Ross/Viesti Associates, Inc.; 17(l), HRW Photo by Russell Dian; 17(r), Imapress/Journalism Services; 19, David Phillips.

Unité 1: 22(tl), Stuart Cohen; 22(tr), Brice Laval/AAA Photo/Phototake; 22(b), Alan Oddie/PhotoEdit; 23, Imapress/Journalism Services; 26, Peter Gonzalez; 28, Marche/AAA Photo/Ivaldi/Phototake; 39,HRW Photo by Russell Dian; 44, Steve Vidler/After Images, Inc.; 49, HRW Photo by Helena Kolda; 57, Brice Laval/Phototake; 66, Bobbe Wolf/International Stock Photo; 67, Joe Viesti; 69, Monique Jacot/Click/Chicago; 71, Stuart Cohen/Comstock Inc.; 76, Mark Antman/The Image Works; 79, Tony Freeman.

Unité 2: 80(tl), Peter Menzel/Stock Boston, Inc.; 80(tr), Owen Franken/Stock Boston, Inc.; 80(b), Ken Ross/Viesti Associates, Inc.; 81, Emilio Riva Palacio; 86, Bruno Maso/PhotoEdit; 89, Peter Menzel/Stock Boston, Inc.; 85, Bill Stanton/International Stock Photo; 100, Eric Beggs; 102, Scott Thode/International Stock Photo; 113, Peter Gonzalez; 114, Garbor Demien/Stock Boston, Inc.; 116, Campbell & Boulanger/FPG International; 119(l), Dallas & John Heaton/Stock Boston, Inc.; 119(r), Four By Five; 123(l), Four By Five; 123(r), Three Lions/SuperStock International, Inc.; 124(tl), Dallas & John Heaton/Stock Boston, Inc.; 124(tr), Three Lions/SuperStock International, Inc.; 124(b), Shostal Associates/SuperStock International, Inc.; 125, Randy Wells/The Stock Market; 126, Mark Antman/The Image Works; 127, Cary Wolinsky/Stock Boston, Inc.; 134, Bruno Maso/PhotoEdit; 137, Tim Gibson/Envision.

Gazette 1: 139, Richard & Mary Magruder/The Image Bank.

Unité 3: 146(t), Bruno Maso/PhotoEdit; 146(bl), Stuart Cohen/Comstock, Inc.; 146(br), Michelangelo Durazzo/ANA/Viesti Associates, Inc.; 147, Bruno Maso/PhotoEdit; 150, Persuy/Sipa Press; 152, Mike Mazzaschi/Stock Boston, Inc.; 161, David Phillips; 167, IPA/The Image Works; 169, Lee Snider/Photo Images; 171, Bruno Barbey/Magnum Photos; 180, J. F. Dore; 182, Lee Snider/Photo Images; 187, Francis de Richemond/The Image Works, 191, HRW Photo by Helena Kolda, 193, Philippe Gontier/The Image Works; 194, HRW Photo by Russell Dian.

Unité 4: 204(t), Imapress/Journalism Services; 204(bl), Owen Franken/Stock Boston, Inc.; 204(br), Joe Viesti; 205, Imapress/Journalism Services; 209, Ken Ross/Viesti Associates, Inc.; 211, Jose Nicolas/Sipa Press; 223, David Frazier; 233, Giraudon/Art Resource; 237, Bruno Barbey/Magnum Photos; 242, Josse/Art Resource; 244, Bruno Maso/PhotoEdit.

Gazette 2: 257, Don Landwehrle/The Image Bank; 258(b), Lee Snider/Photo Images; 259(t), David Frazier; 262, Darlene Murawski/Click/Chicago

Unité 5: 264(tl), 264(tr), Mark Antman/The Image Works; 264(b), Owen Franken/Stock Boston, Inc.; 265, Ken Ross/Viesti Associates, Inc.; 268, HRW Photo by Helena Kolda; 270, Peter Menzel/Stock Boston, Inc.; 281, Robert Fried; 289, Joe Viesti; 291, Four By Five; 300, Thomas Craig/Lightwave; 302, Robert Lima/Envision; 304, John Henebry; 311(tl), 311(tr), Joe Viesti.

Unité 6: 312(tl), Emilio Riva Palacio; 312(tr), Mark Antman/The Image Works; 312(b), Francis de Richemond/The Image Works; 313, AAA Photo/Phototake; 316, Mark Antman/The Image Works; 318, John Henebry; 322, Peter Gonzalez; 329, Stuart Cohen/Comstock, Inc.; 331, Ray Stott/The Image Works; 338, John Henebry; 343, Emilio Riva Palacio; 344, John Henebry; 350, Robert Fried; 351, Shostal Associates/SuperStock International, Inc.; 354, IPA/The Image Works; 363, Alan Oddie/PhotoEdit; 365(c), Luis Villota/The Stock Market.

Gazette 3: 367, Keith Lanpher.

Unité 7: 374(tl), HRW Photo by Helena Kolda; 374(tr), Ray Stott/The Image Works; 374(b), Owen Franken/Stock Boston, Inc.; 375, HRW Photo by Russell Dian; 378, Mark Antman/The Image Works; 380, 381, HRW Photo by Lance Schriner; 382, Stuart Cohen/Comstock, Inc.; 384, Margot Grantsas/The Image Works; 386, Martha Bates/Stock Boston, Inc.; 393, A. Turpault/ANA/Viesti Associates, Inc.; 394, Michael Stuckey/Comstock, Inc.; 399, HRW Photo by Helena Kolda; 402, Bruno Maso/PhotoEdit; 404, Anne Neri/Click/Chicago; 405, HRW Photo by Russell Dian; 409, IPA/The Image Works; 411, Mark Antman/The Image Works; 414, Martha Dimeo/Viesti Associates, Inc.; 416, Stuart Cohen/Comstock, Inc.; 425, Ray Stott/The Image Works; 427(l), HRW Photo by Russell Dian; 427(c), HRW Photo by Helena Kolda; 427(r), HRW Photo by Russell Dian.

Unité 8: 428(t), Philippe Gontier/The Image Works; 428(c), Meigneux/Imapress/Journalism Services; 428(b), Philippe Gontier/The Image Works; 429, Meigneux/Imapress/Journalism Services; 432, Bob Daemmrich/The Image Works; 435, Alan Carey/The Image Works; 437, Peter Menzel/Stock Boston, Inc.; 438, Mark Antman/The Image Works; 440, HRW Photo by Russell Dian; 443, Imapress/Journalism Services; 447, HRW Photo by Russell Dian; 448, Richard Lucas/The Image Works; 455(t), Mark Antman/The Image Works; 455(b), HRW Photo by Helena Kolda; 458, 460, Philippe Gontier/The Image Works; 462, Francis de Richemond/The Image Works; 464, Jeff Hunter/The Image Bank; 466, Philippe Gontier/The Image Works; 467, Emilio Riva Palacio; 468, HRW Photo by Russell Dian; 477, Gerard Guy/Imapress/Journalism Services.

Gazette 4: 481, Geoffrey Gove/The Image Bank; 482, HRW Photo by Russell Dian.